DER NULLPUNKT

Volker Christian Wehdeking

Der Nullpunkt

Über die Konstituierung der deutschen
Nachkriegsliteratur (1945 - 1948) in den
amerikanischen Kriegsgefangenenlagern

———

J. B. Metzlersche
Verlagsbuchhandlung
Stuttgart

ISBN 8 476 00233 0

© J. B. Metzlersche Verlagsbuchhandlung und Carl Ernst Poeschel Verlag GmbH
in Stuttgart 1971. Satz und Druck Gulde-Druck, Tübingen
Printed in Germany

INHALT

VI

»Der Nullpunkt« — für den Literaturhistoriker kann ein solcher Begriff streng genommen nichts als Polemik hergeben: in der Geschichte wie in der ästhetischen Tradition gibt es keine absoluten Neuanfänge. Versucht man aber, ungeachtet der rückblickenden Distanz von 25 Jahren, die ersten Nachkriegsjahre mit den Augen derer zu sehen, die den literarischen Markt ausmachten — Schriftsteller, Publizisten, Verleger, Durchschnittsleser —, dann hat dieser Nullpunkt-Begriff doch eine gewisse Berechtigung und polemische Notwendigkeit. Für mich liegt der Anreiz und das Hauptproblem einer Untersuchung der Anfänge der deutschen Nachkriegs-literatur im Auffinden faktischen Materials und eines wesentlichen Ansatzes zur Erhellung der komplexen literatursoziologischen Ausgangssituation. Die zuneh-mend chaotischen Zustände der letzten Kriegsjahre hatten literarische Probleme unwichtig erscheinen lassen*; die ästhetische Diskussion war spätestens 1938 in der Folge der NS-Kulturpolitik völlig verflacht, wo nicht verstummt; neue Impulse von außen konnten die hermetische Literatur-Zensur in Deutschland nicht durch-dringen.** Der zerstörten literarischen Szene entsprach im Jahre 1945 die Abwesen-heit der meisten bedeutenderen deutschen Schriftsteller. Nur wenige Werke der Emigrantenliteratur kamen in den ersten Nachkriegsjahren im besetzten Deutsch-land zur Wirkung.*** Klare, urbane Prosa war äußerst rar, das Theater zunächst von spielerisch-experimentellen Formen des westlichen Auslands bestimmt (Anou-ilh, Wilder), und die Lyrik vermochte sich nur schwer vom Rilke- und Hölderlin-Ton zu lösen. Die Auflageziffern des deutschen Buchmarktes befanden sich 1945/46 in einem Rekord-Tief****; die meisten Zeitungen von bleibender Breitenwirkung und einigem Niveau wurden erst 1947 neu gegründet.

* Besonders aufschlußreich sind in diesem Zusammenhang folgende Bücher: Margret Boveri, *Tage des Überlebens. Berlin 1945* (München, 1968); Erich Kästner, *Notabene 45* (Berlin, 1961); Ursula v. Kardorff, *Berliner Aufzeichnungen. Aus den Jahren 1942—1945* (München, 1962); und Hans Rauschning, Hrsg., *1945. Ein Jahr in Dichtung und Bericht* (Frankfurt/M., 1965).
** Eine bemerkenswerte Ausnahme war die von Goebbels aus antiamerikanischen Propaganda-Gründen genehmigte deutsche Ausgabe von: John Steinbeck, *Früchte des Zorns (The Grapes of Wrath)*, Übers. Karin v. Schab (Darmstadt und Berlin: Vorwerk-Vlg., 1943).
*** Vor allem: Carl Zuckmayer, *Des Teufels General* (1946), Anna Seghers, *Das siebte Kreuz* (1941), Thomas Mann, *Doktor Faustus* (1947).
**** Die Gesamtzahl der deutschen Buchveröffentlichungen für die Jahre 1945 *und* 1946 zusammen betrug nur 2406. Im Jahre 1947 stieg die Zahl bereits wieder auf 8901; im Jahre 1948 kamen 13 441 Bücher auf den Markt. (Cf. Karl A. Kutzbach, *Autorenlexikon der Gegenwart*, Bonn, 1950, pp. 474, 479 und 483).

Wie stark beeinträchtigt die literarische Szene der ersten Nachkriegsjahre war, zeigt sich nicht nur an dem Mangel bedeutender Werke, sondern, bedenklicher noch, an dem weitgehenden Fehlen verbindlicher kritischer Normen für die nach 1945 neu beginnenden Schriftsteller auf deutschsprachigem Gebiet. Ich greife ein besonders aufschlußreiches Beispiel aus der bald nach Kriegsende einsetzenden Diskussion »Innere«/Faktische Emigration heraus: die sehr unterschiedliche Reaktion von Hans Mayer und Max Frisch auf Ernst Wiecherts als »Bericht« verstandenen Roman *Der Totenwald* (1945). Wiechert erzählt darin (in der dritten Person des Protagonisten Johannes) seine eigenen Erlebnisse im Konzentrationslager Buchenwald. Sowohl Mayer wie Frisch heben den persönlichen Mut Wiecherts zum Widerstand gegen den NS-Staat hervor.* Frisch wehrt sich jedoch mit Hinweis auf Brecht gegen den Stil Wiecherts als unverbindliche »Ausflucht ins Pathos« und »Selbstgenuß der Trauer« (es »ekle« ihn »vor jenen Zeichnern, die mit dem Daumen über jeden Strich ihres Bleistiftes fahren, um ihn poetisch zu machen«) und fordert vom »Anderen Deutschland« einen »Ton der tiefen Ernüchterung«, verbunden mit weit größerer Genauigkeit im Denken. [1] Hans Mayer vergleicht dagegen Wiecherts Rede in der Münchner Aula mit Thomas Manns Richard-Wagner-Rede (1932), zählt beide Schriftsteller zu den »reingebliebenen«, »besten Namen unserer Literatur« und findet nur lobende Worte für Wiecherts Stil und den Gehalt von dessen Buchenwald-Roman; für Mayer ist Wiechert »ein Dichter des einfachen Lebens und einfacher Menschen«, ein »Künder des halb wortlosen, tief innerlichen Leides (»Kein Dichter des öffentlichen Geistes, sondern der tiefsten Privatsphäre im doppelten Sinne des einfach gelebten Lebens«). [2] Schließlich hebt Mayer Wiecherts Einstellung sogar positiv von Hofmannsthals ebenfalls als christlich, aber als »pessimistischer« empfundenen Vorstellungen im *Turm* (1922) ab: »der Reine erliegt der Gewalt, ohne zu ändern und zu verändern. Es spricht für die innere Kraft und Gewißheit Wiecherts, daß er aus dem Totenwald zurückkehren konnte, ohne den Glauben an die Macht der Idee verloren zu haben.« [3] Diese (meiner Ansicht nach verfehlte) Apologie eines der Erfahrung widersprechenden, ideellen Optimismus findet wohl die geeignetste Replik in Theodor W. Adornos Essay »Kulturkritik und Gesellschaft« (1949). Für meine Untersuchung schwankender kritischer Maßstäbe ist ausschlaggebend, daß der (sonst) marxistisch inspirierte Kritiker Mayer Wiecherts *Totenwald* neben Thomas Mann und Hofmannsthal stellt**, während der nüchterner urteilende Frisch, ebenfalls unter Berufung auf ein

---

* Frisch und Mayer beziehen sich auf Ernst Wiecherts Rede: »Der Dichter und die Zeit« (1935) und einen Brief an die NS-Behörde zugunsten der Bekennenden Kirche und Martin Niemöllers.
** Hans Mayer findet in seinem Aufsatz über »Die Literatur des italienischen Antifaschismus« (in: Mayer/Hermlin, *Ansichten*, pp. 38—50) zu wesentlich klareren Einsichten zum literatursoziologischen Stellenwert des Wiechert-Romans. Er spricht von der aktiven, kämpferischen Haltung auch bürgerlich-liberaler Kreise in Italien im Widerstand gegen den Faschismus:
»Vergleicht man ein Werk wie Ernst Wiecherts Buchenwaldbuch *Der Totenwald*, das in einer beinahe kultischen Haltung des Leidens verharrt, mit der Mehrzahl der Werke

marxistisch inspiriertes Vorbild (Brecht), Wiecherts »verschwommenen« Stil und seine denkerische Unschärfe rundheraus ablehnt.* Bei ähnlichen politisch-soziologischen Vorzeichen kommen zwei Kritiker im Jahre 1946 zu grundverschiedenen Ansichten über den Stil und Gehalt desselben Werkes; an welchen kritischen Normen sollen sich die Nachkriegsschriftsteller orientieren?

Angesichts solcher ästhetisch-kritischen Schwankungen um den »Nullpunkt« ging ich der Frage nach, ob jene Divergenz in literarischen Stilfragen unter den aufs engste mit Literatur Befaßten nicht ein Symptom war für die weitverbreitete Hilflosigkeit im literarischen Geschmacksurteil des Durchschnittslesers im Jahre 1945. Dem Entwurf einer generellen »Geschmackstopographie« hoffte ich dann die Namen und Beiträge jener Schriftsteller-Kritiker gegenüberzustellen, die zu nachhaltig fruchtbaren Einsichten für die weitere literarische Praxis führten.

Für beide Ansatzpunkte versprach ich mir entscheidenden Aufschluß aus dem im Jahre »Null« hierfür einzig geeigneten (und verfügbaren) faktischen Material: den Beiträgen deutscher Kriegsgefangener in den USA zu Fragen der Zeit (und zu Beispielen literarischer Relevanz) und den ersten Aufsätzen von Nachkriegsschriftstellern in diesen Lagern (unter ihnen Alfred Andersch und Hans Werner Richter). Denn im Jahre 1945 befand sich fast eine halbe Million deutscher Kriegsgefangener in den Vereinigten Staaten, und in diesem (laut Andersch) »goldenen Käfig« hatten die Kriegsgefangenen am ehesten die Möglichkeit der Auseinandersetzung mit kulturellen Themen; für ihren Lebensunterhalt war gesorgt, sie hatten verhältnismäßig viel Freizeit, und die politisch-kulturelle Meinungsfreiheit war in den US-Lagern eher gewährleistet als im NS-Deutschland. Sie lasen und druckten Zeitungen in 130 verschiedenen Lagern und kamen nach Jahren kultureller Isolation durch die guten Lagerbibliotheken wieder mit der Weltliteratur in ihren neuesten Werken in Berührung. Im vorliegenden Buch möchte ich im einzelnen zeigen, daß sich die Nachkriegsliteratur der deutschen Bundesrepublik bereits in den Publikationen der US-Kriegsgefangenen ihrer ersten Impulse bewußt wird.

Im ersten Kapitel beschäftige ich mich mit dem politischen Klima außer- und innerhalb der deutschen Kriegsgefangenenlager in den USA in den Jahren 1943 bis 1946; ich setze voraus, daß die Einstellung der amerikanischen Öffentlichkeit und des US-Lagerpersonals Entscheidendes dazu beigetragen hat, die Konzeption, die technischen Einrichtungen und die alltägliche Lebensluft der POW-(Prisoner--of-War)-Lager zu bestimmen. Dabei scheint mir die politisch-militärische Chronologie der Landser-Transporte von den verschiedenen Kriegsschauplätzen (z. B. Afrika oder Normandie) und die politisch-gesellschaftliche Gruppierung der 375 000 deutschen Kriegsgefangenen in den POW-Lagern von ebensolcher Bedeutung zu sein, wie ihre Informationsmöglichkeiten und Kommunikationsmittel.

des italienischen Antifaschismus in der Literatur, so wird dieser Gegensatz zwischen einer aktiv-kämpferischen und einer duldenden und leidenden Haltung besonders offensichtlich.« (p. 41).
* Cf. Frisch, »Stimmen«, p. 539: »Wiechert stellt sich nicht einmal eine klare nüchterne Frage; unverwandelt, wie er ist, was schon aus der Melodie und der Metaphorik seiner Sprache hervorgeht, begnügt er sich mit Klagen einer gefährlich verschwommenen Art.«

Im zweiten Kapitel wende ich mich den deutschen Schriftstellern unter den US-Kriegsgefangenen zu und konzentriere die Darstellung auf Hans Werner Richter, Alfred Andersch, Walter Kolbenhoff, Gustav René Hocke und Walter Mannzen. Gestützt auf Gespräche mit den genannten Schriftstellern (mit Ausnahme des in Rom lebenden Gustav René Hocke) hoffe ich ihre Biographie zu skizzieren und die Umstände ihrer Gefangennahme und ihren Weg in die amerikanischen Sonderlager für Antifaschisten so genau wie möglich zu beschreiben. Zwei dieser Sonderlager verdienen besondere Aufmerksamkeit: in Fort Kearney, R.I., wurde der amerikanische *Ruf* (1. März 1945 bis 1. April 1946) redigiert; und in Fort Getty, R.I., veranstaltete eine Gruppe angesehener amerikanischer Professoren zweimonatige Universitäts-Lehrgänge für deutsche Anti-Faschisten. Ich gehe der Frage nach, ob und in welcher Weise der Aufenthalt in diesen beiden Lagern die politischen und literarischen Vorstellungen der deutschen Schriftsteller formte.

Diese politischen und biographischen Fakten führen mich zur literarsoziologischen Analyse der Kriegsgefangenenzeitschriften. In den Kapiteln III bis V fächere ich das Material in den Lagerblättern nach politischen und chronologischen Gesichtspunkten auf: in Kapitel III untersuche ich Beiträge und Gedichte in nationalistischen, konservativen oder jugendbewegten Lagerzeitschriften (Ende 1944 bis April 1945); in Kapitel IV folgen Aufsätze und Gedichte aus den Reihen antifaschistisch und liberal denkender Kriegsgefangener (Februar bis Mai 1945); Kapitel V enthält einen Querschnitt aus der POW-Literatur nach der deutschen Kapitulation (Juni 1945 bis Anfang 1946). Von der so entstandenen »Geschmackstopographie« verspreche ich mir wichtige Aufschlüsse über die literarische Situation des »Jahres Null«.

Die Kapitel VI bis IX fügen sich, so hoffe ich, zu Einzeldarstellungen der literarkritischen und produktiven Entwicklung W. Kolbenhoffs, G. R. Hockes, W. Mannzens, A. Anderschs und H. W. Richters in den Jahren 1945 bis 1947, und ich bemühe mich, meine Einsichten in die Entwicklung dieser Schriftsteller wenigstens stenographisch für eine Bestimmung späterer Entwicklungen der Literatur in der Bundesrepublik nutzbar zu machen. Hans Werner Richter und Alfred Andersch setzten sich auch nach der Rückkehr in das besetzte Nachkriegsdeutschland mit ihrem Amerika-Erlebnis literarisch auseinander; und ich untersuche in diesem Zusammenhang Richters Roman *Die Geschlagenen* (1949), streife Anderschs »Bericht« *Die Kirschen der Freiheit* (1952), und interpretiere sein Gedicht »Erinnerung an eine Utopie« (1959/60) und das Rundfunk-Feature »Festschrift an Captain Fleischer« (1968). In dieser literarischen Auswahl werden die Erlebnisse in den POW-Lagern noch in den späten 60er Jahren fruchtbar; sie fügt sich daher thematisch in den Rahmen des Buches.

Ich möchte hinzufügen, daß ich bei der Erschließung meiner Materialien den oben genannten Schriftstellern sehr zu danken habe; nur die Autoren selbst waren in der Lage, mir in der Identifizierung der anonym oder unter Pseudonym in Lagerzeitschriften und im amerikanischen *Ruf* erschienenen Beiträge wirksam zu helfen. Hans Werner Richter ermöglichte Einblicke in die Gründungsumstände der Gruppe 47 und in das nur in zwei Exemplaren ausgedruckte Probeheft des

X

Skorpion; und Alfred Andersch war so freundlich, mir sein bisher noch unveröffentlichtes Gedicht »Erinnerung an eine Utopie« und den schwer zugänglichen
Text des Rundfunk-Fatures (»Captain Fleischer«) zur Verfügung zu stellen. In
diesen Arbeiten vereinigen sich das Historisch-Dokumentarische und das Litera-
risch-Artistische zu beachtlicher Kongruenz.

Aus der Methodik meiner Untersuchung (die als Dissertation der Yale University, New Haven, Conn., vorlag) geht hervor, daß ich den literarischen Wert
»positiver Fakten« sehr hoch einschätze. Diese Einstellung verdanke ich meinen
Lehrern René Wellek, Peter Demetz (dem Berater dieser Arbeit) und Alfred Andersch, zugleich mit dem Interesse an genauer Textkritik und der gesellschaftlichen Dimension des literarischen Kunstwerks. Für die bisher wenig genau und
oft allzu polemisch beurteilten Literatur-Phasen der unmittelbaren Nachkriegszeit in Deutschland schien eine solche literarsoziologische Methode, gestützt auf
»positive Fakten« und eine Anzahl illustrativer Stilproben aus dem »Jahre Null«
besonders geeignet. Im Zusammenhang mit der Polemik um die »Gruppe 47« danke
ich Max Frisch für ein ausführliches Gespräch — er bestätigte meinen Eindruck, daß
die stilbildenden Vorbehalte gegen romantisch-pastorale Lyrik und die »Kalligraphie« der meisten »inneren Emigranten« nicht allein zur Ausgangsposition der
Gruppe 47 gehörten, sondern über die deutschen Grenzen hinaus die Gefühlslage
der deutschsprachigen Nachkriegsliteratur bestimmten.

KAPITEL I. IM »GOLDENEN KÄFIG«

Deutsche Kriegsgefangene in den USA
Politisches Klima ausserhalb der Kriegsgefangenenlager [1]

Nach Hitlers Kriegserklärung (Dezember 1941) erschienen in den Vereinigten Staaten zahlreiche Bücher in hohen Auflagen (manche gingen in die Hunderttausende) und Beiträge in bekannten Zeitschriften über die totalitäre Entwicklung Deutschlands. [2] Teils wurde der Nationalsozialismus als »Ausdruck des deutschen Wesens« gesehen; teils beschränkte man sich darauf, den NS-Staat als «vorübergehendes Übel« anzusehen, das den Deutschen aufgezwungen worden war; eine Oppositionsgruppe habe sich längst im Volk gebildet. [3] Einer der frühesten, vielbeachteten Repräsentanten der ersten Gruppe war Hermann Rauschning, der nationalsozialistische Senatspräsident von Danzig, der sich später von Hitler losgesagt hatte. Er betonte in seinen Büchern [4] die antihumanistischen, antichristlichen und »dämonischen« Züge des Nationalsozialismus. Die Autoren der anderen Gruppe (Heinrich Fränkel, Kressmann Taylor, John Jansen und Stefan Weyl[5]) bezeugten die Existenz einer deutschen Oppositionsbewegung; sie berichteten über den unterirdischen Kampf der Arbeiterbewegung und die kirchliche Opposition in Deutschland (auch Martin Niemöllers Predigten). [6] Den entscheidendsten literarischen Beitrag dieser Richtung lieferte die im mexikanischen Exil lebende Schriftstellerin Anna Seghers (geb. 1900), deren Roman *Das siebte Kreuz* (1941) in englischer Übersetzung erschien (*The Seventh Cross*, 1942). [7] Der »Book of the Month Club«, eine der größten amerikanischen Buchgemeinschaften, verschaffte dem Buch ungewöhnliche Breitenwirkung (in einer Auflage von mehreren Hunderttausend), und die Umgestaltung des Romans in einen erfolgreichen Film (1944) machte noch weitere Kreise der amerikanischen Öffentlichkeit mit der deutschen Situation bekannt. [8]

Besonderen Eindruck hinterließ das Buch Sebastian Haffners, *Deutschland, Jekyll und Hyde,* das im Jahre 1940 in England erschienen war. Haffner sah die »archaischen, agressiven und barbarischen« Tendenzen als nur in Krisenzeiten dominierend an und glaubte an ein »anderes«, besseres Deutschland, das in solchen Zeiten unterdrückt und zum Werkzeug von Verbrechern erniedrigt wurde. Dieser Auffassung des bekannten deutschen emigrierten Journalisten schlossen sich bedeutende Denker an, wie zum Beispiel der Theologe Reinhold Niebuhr und die Soziologen und Journalisten Hiram Motherwell, Paul Hagen, Sydney Mellen und Dorothy Thompson, später auch Henry Ehrmann [9] und Walter Lippmann. [10] Sydney Mellen zeigte in einer gut belegten Studie auf Grund von deutschen Wahlresultaten 1871—1933, wie die seit der Reichsgründung virulenten, antinationalen und antimilitaristischen Kräfte »während der Weimarer Republik jedesmal einen Rückschlag erlitten,« wenn die »Demokratie sich als unfähig erwies, . . . Inflation

1

und Wirtschaftskrisen wirksam zu begegnen.«[11] Dorothy Thompson veröffentlichte einen Beitrag in der Zeitschrift *Life* (»Germany, Enigma of the Peace,« 1943), worin sie versuchte, die bitteren Erfahrungen der ersten Weltkriegsgeneration für die Bereitschaft zu politischen Abenteuern mit Hitler verantwortlich zu machen. Die bekannte Publizistin (Mrs. Sinclair Lewis) betonte, daß »der unvermeidliche totale Zusammenbruch des Dritten Reiches ... neue Desillusionierung« bringen werden und sich »auf Verzweiflung kein dauerhafter Frieden« errichten ließe. [12]

Im Januar 1944 erschienen in der Zeitschrift *Look* zwei Beiträge, die konkrete Vorschläge für ein Nachkriegsprogramm amerikanischer Politik in Deutschland machten; die Überschriften dieser Beiträge sind bezeichnend für die Richtung der Programm-Vorschläge. William Shirer [13] betitelte seine Überlegungen: »Sie sind alle schuldig — bestraft sie« (»They are all guilty — punish them«); Pierre van Paassen setzte die Parole dagegen: »Vernichtet den Nationalsozialismus — Rettet das Volk« (»Destroy Nazism — Save the People«). Shirer schlug vor, man solle Deutschland vollständig entwaffnen, als einheitliche Nation endgültig zerschlagen, und durch alliierte Truppen besetzen. Pierre van Paassen dagegen sah in der deutschen Frage »den Schlüssel zur Lösung der europäischen Probleme«; Paassen forderte die Entwaffnung Deutschlands, »die Liquidierung aller NS-Organisationen, Bestrafung aller, die irgendwelche Verbrechen begangen hatten,« und eine umfangreiche Wiedergutmachung an den Opfern des NS-Staates; im Gegensatz zu Shirer wandte er sich entschieden gegen eine Besetzung Deutschlands oder Gebietsabtrennungen. [14]

Beide Grundhaltungen verschärften sich noch bis Kriegsende. [15] In diesem Zusammenhang sind die öffentlichen Meinungsumfragen des Gallup-Instituts aufschlußreich, denn aus ihnen geht deutlich hervor, daß die Anhänger einer »harten« Lösung des Deutschlandproblems gegen Kriegsende an Zahl rasch zunahmen. Die Gründe leiten sich nicht so sehr aus der inneramerikanischen Diskussion über die deutsche Frage her, als vielmehr aus den deutschen Kriegshandlungen und Nachrichten über die deutschen Verbrechen in den Konzentrationslagern. Noch im Herbst 1942 erklärten in einer Gallup-Umfrage ungefähr 75 % der Befragten, sie sähen ihren Feind nicht im deutschen Volk, sondern in der nationalsozialistischen Regierung. Im November 1943 waren 49 % der Befragten für eine »strenge Beaufsichtigung« des besiegten Deutschland, 19% befürworteten Amerikas Beihilfe bei einem Wiederaufbau, und nur 21% wollten Deutschland als selbständigen Staat vernichtet sehen. Im Januar 1944 glaubten noch 44% der Befragten, daß »strikte Kontrolle durch die Alliierten« nach Kriegsende ausreichen sollte; und 17% waren für amerikanische Wiederaufbauhilfe und pädagogische Projekte mit dem Ziel einer stärkeren Demokratisierung der Deutschen. [16] Im November 1944 waren aber nur noch 32% der Auffassung, »daß es mit bloßer Kontrolle getan sei«; knappe 12% glaubten noch an die Nützlichkeit einer Aufbauhilfe und »Umerziehung zur Demokratie.« [17] Die amerikanische Bevölkerung reagierte mit wachsender Erbitterung auf Berichte von der militärisch »völlig sinnlosen Ardennenoffensive« der deutschen Truppen (im Dezember 1944), von der totalen

Mobilisierung des deutschen Hinterlandes und von »Erschießungen amerikanischer Kriegsgefangener durch SS-Formationen.« [18] Im Dezember 1944 waren 76 % der Amerikaner bereit, »Meldungen über die Zustände in deutschen Konzentrationslagern zu glauben«; zu diesem Zeitpunkt waren aber noch 27% der Befragten der Meinung, die Zahl der Todesopfer betrage weniger als Hunderttausend (5% hielten eine halbe Million für die äußerste Zahl, nur 1% befürchtete, die Zahl der Opfer könnte eine Million betragen); »die große Mehrheit der Befragten lehnte es ab, eine Schätzung vorzunehmen.«[19] Zur Zeit der deutschen Kapitulation im Mai 1945 hatte die Abneigung gegenüber Deutschland ihren Höhepunkt erreicht. Die Berichte der US-Truppen aus Dachau, Buchenwald und Belsen zwangen nun auch den politisch weniger interessierten Amerikaner, das »fast Unglaubliche« zu glauben. Ein in seiner Art »typischer« Leitartikel im *Hartford Courant* stellte fest, Deutschland sei »in den Händen gewissenloser Mörder, ... die sich außerhalb aller Normen der Zivilisation« befänden. [20]

Der Schock, mit dem die amerikanische Öffentlichkeit auf die Nachrichten aus den Konzentrationslagern reagierte, wirkte sich auch auf die deutschen Kriegsgefangenen in den Vereinigten Staaten aus; man kürzte ihnen die Eßrationen und drohte den hartnäckigen Nationalsozialisten mit Arbeitseinsatz in Europa. [21] Die vorbildlichen (relativ komfortablen und hygienisch einwandfreien) POW-Lagereinrichtungen dagegen sind noch auf den ursprünglichen Zeitpunkt der Planung, Anfang 1943, zurückzuführen, als die Mehrheit der Amerikaner noch zwischen dem NS-System und der deutschen Bevölkerung unterschied.

DIE POW-LAGER: TECHNISCHE EINRICHTUNG UND POLITISCHES KLIMA

Im Januar 1945 befanden sich über 375 000 kriegsgefangene deutsche Soldaten in den Vereinigten Staaten. Sie waren auf 130 Lager und 295 Zweiglager verteilt, deren Personenstand zwischen 150 und 7000 variierte; der Durchschnitt lag bei 2500 Landsern in einem Lager. [22] Jedes Lager hatte neben hygienischen Einrichtungen, Wohnbaracken und Kantine ein Gemeinschaftshaus (dem Verwaltungsgebäude und Krankenstube angeschlossen waren), eine Kapelle, einen großen Sportplatz und eine ständig erweiterte Lagerbücherei. Alfred Andersch zeigte sich von der Großzügigkeit dieser Einrichtungen so beeindruckt, daß er rückblickend (Oktober 1946) schrieb: »Nach Jahren wildesten Umhergetriebenseins gab es hier ... zum erstenmal wieder peinlich saubere Schlaf- und Aufenthaltsräume, komfortable Betten, Dusch- und Waschräume mit ständig fließendem heißem Wasser, neue Wäsche und Anzüge, vorzügliche medizinische Sorge, Kinos und Bibliotheken.« [23] Andersch zögerte nicht, in seinen Erinnerungen das amerikanische Kriegsgefangenenlager mit einem »Goldenen Käfig« zu vergleichen. [24]

Einmal wöchentlich durften die Landser längere Rundgänge unter amerikanischer Bewachung außerhalb der Lager unternehmen. Die 80 000 kriegsgefangenen Offiziere lebten zum Großteil in besonderen Offizierslagern (mit Einzel- oder

Doppelschlafräumen) und mußten nur Überwachungsarbeiten übernehmen. Sie hatten auch sonst bessere Möglichkeiten, gute Unterrichtskurse, Lagerzeitungen, Theateraufführungen oder Vorträge zu organisieren. Alle anderen Gefangenen nahmen an den Säuberungsarbeiten, an Bau- und Straßenarbeiten teil, oder halfen bei dem Betrieb der Backstuben, Wäschereien und Offiziersmessen. Manche Kriegsgefangene wurden auch auf Grund von Privatkontrakten bei Landarbeiten verwendet. [25] Die US-Lagerbehörden entlohnten alle Arbeit, und die Kriegsgefangenen konnten sich mit diesem Lohn in der Kantine Dinge kaufen, »die man in Europa nur noch dem Hörensagen nach kannte.« [26]

In der Freizeit war für nützliche Abwechslung gesorgt. Den Kriegsgefangenen war es gestattet, die verschiedensten Unterrichtskurse einzurichten; ein Lagerkino brachte neben vorwiegend älteren deutschen Unterhaltungsstreifen Aufklärungsfilme über Konzentrationslager und die Entwicklung zum und im Dritten Reich; auch einige neuere amerikanische Filme wurden vorgeführt. [27] Konzerte der lagereigenen Militärkapelle wechselten mit Abendveranstaltungen, bei denen klassische Musik, Theaterstücke, Vorträge und Gedichtrezitationen zu Gehör gebracht wurden. Kriegsgefangene Geistliche beider Konfessionen sorgten für regelmäßige Gottesdienste und seelischen Zuspruch im Lager. [28] Um die Förderung der Bildungseinrichtungen kümmerten sich in jedem Lager ein »Education Officer«, der auch das Fernstudium an amerikanischen Universitäten vermittelte. [29]

Diese günstigen äußeren Lebensumstände vermittelten den deutschen Kriegsgefangenen deutlich den Eindruck, daß man sie in den USA als Menschen achtete und behandelte; Vergleiche mit den Erfahrungen im eigenen Lande förderten den kritischen Abstand zur Politik des Dritten Reiches und zur eigenen bisherigen Einstellung. [30] Ein wesentliches Problem aber waren die Terror-Methoden einer kriegsgefangenen Minderheit, die hartnäckig am Nationalsozialismus festhielt. Die aktiven Nationalsozialisten stellten sich dem Aufklärungsprozeß in vielen Lagern in den Weg, förderten Angst und Haß und belasteten das anfangs relativ harmonische Verhältnis zu den US-Lagerbehörden. [31]

Die ersten Kriegsgefangenen, die man nach den alliierten Siegen in Afrika im Spätfrühling des Jahres 1943 in großen Schüben in die Vereinigten Staaten transportiert hatte, waren noch von stark nationalsozialistischer Gesinnung. Diese Soldaten des Afrika-Korps [32] gerieten in Gegensatz zu den 1944 und 1945 aus Italien, Sizilien, Belgien und der Normandie eintreffenden Landsern, welche die Übermacht der Alliierten kannten und die kommende Niederlage Deutschlands ahnten; die Soldaten des Afrika-Korps waren im Durchschnitt auch viel jünger als andere, von US-Truppen gefangen genommene Landser. Der »Gefreite Hans Richter,« später als Hans Werner Richter in der deutschen Nachkriegsliteratur bekannt, beschreibt in seinem Kriegsgefangenen-Roman *Die Geschlagenen* (1949), wie die im Jahre 1945 aus der Normandie eintreffenden Landser im Lager mit eisiger Verachtung und Ungläubigkeit empfangen wurden, als sie von der Materialüberlegenheit der Alliierten erzählten. [33] Alfred Andersch, der 1944 im Lager Ruston, La. eintraf, schildert die ernüchternde Wirkung des Anblicks von immensen US-Waffenbeständen (in Fort Dix und Fort Devens), »die in Deutsch-

4

land ganze Armeegruppen ausgerüstet hätten«; [34] und auch Andersch weist in diesem Zusammenhang auf die unterschiedliche Reaktion der Kriegsgefangenen hin. »Die Reaktion, besonders bei den Angehörigen des Afrikakorps, das bereits 1943 in Gefangenschaft geraten und unfähig war, den Umfang der deutschen Niederlage abzuschätzen, war natürlich nur dumpf. Man mühte sich, nichts zu sehen.« [35] Solche Unterschiede in der Beurteilung der Kriegslage verstärkten den Konflikt zwischen dem zuerst eingetroffenen, kriegsgefangenen »Stammpersonal« [36] und den Neuankömmlingen.

Der Konflikt verschärfte sich noch, als die amerikanischen Lagerbehörden die Kriegsgefangenen einen deutschen Lagersprecher wählen ließen. Dieser, auch »Lagerleiter« genannte Sprecher der Gefangenen war oft nur für seine eigenen Zwecke und diejenigen des »Stammpersonals« tätig; und selbst wo dies nicht der Fall war, wurde ihm oft dank der »deutschen Einstellung« der Mitgefangenen die Schuld an allen Mißständen gegeben. [37] Ein antifaschistisch eingestellter Kriegsgefangener schildert in seinem Ende 1945 erschienenen Beitrag mit dem Titel »Vor dem 7. Mai« (1945) [38] den Einfluß solcher »Lagerleiter« und »Kompanieführer« noch eingehender. Nach diesem Bericht waren sie oft Träger aller »Terrormethoden« und lehnten es unter anderem ab, »aufklärende Zeitungen« ins Lager zu lassen; kamen solche Zeitungen dennoch durch, so »wurden diese Nachrichtenblätter von ihnen als Feindpropaganda hingestellt.«[39] Ein noch ernsteres Hindernis für die allmählich wachsende Einsicht in die wirklichen Gegebenheiten der NS-Politik und der Kriegslage sieht der Bericht in der Tätigkeit von terroristischen »Rollkommandos.« Zusammengesetzt aus »kräftigen Rowdies« und legitimiert durch die Urteile geheimer »Feme-Gerichte«, vollzogen solche »Rollkommandos« die schwersten Prügelstrafen an andersdenkenden Mitgefangenen; als im Dezember 1944 nach der deutschen Ardennen-Offensive viele Kriegsgefangene an eine Wendung des Kriegsglücks glauben wollten, soll es durch solche Strafaktionen zu insgesamt 167 Morden in den Lagern gekommen sein. [40] Diese traurige Bilanz läßt die Wirkung des Terrors in den Lagern noch über das Kriegsende hinaus glaubhaft erscheinen; der von amerikanischen Lagerbehörden zugesagte Schutz für alle Kriegsgefangenen konnte jedenfalls nicht wirksam werden. [41] Die Nationalsozialisten in den Lagern versuchten, Listen mit Namen und Adressen von »Verrätern« nach Deutschland zu schmuggeln; damit sollte die Gestapo später die Möglichkeit haben, abtrünnige Kriegsgefangene zu »bestrafen.« [42] Die Korrespondenz der Mitgefangenen wurde unauffällig überwacht, und man ging daran, gefangene Unteroffiziere zur Arbeitsverweigerung zu bewegen. Nachrichten von den Kriegsschauplätzen tat man bis zuletzt als »erlogen« ab, hoffte auf »V-Waffen« als Mittel zum »Endsieg« und verlas Aufrufe in den Unterkünften, um den »Geist des Widerstandes und der Zuversicht« wachzuhalten. [43]

Aus dem Beitrag »Vor dem 7. Mai« ist ein Unterton der Enttäuschung über das Verhalten der Amerikaner deutlich herauszuspüren; die Lagerbehörden wußten zum Teil von dem herrschenden Terror, befolgten aber allgemein den Grundsatz der Nichteinmischung und schritten erst nach unverkennbaren Gewalttaten ein. So besaßen die demokratisch eingestellten Kriegsgefangenen keinen wirksamen

Rückhalt, um ihrer Überzeugung vor dem 7. Mai 1945 offen Ausdruck geben zu können. Der Beitrag schließt mit dem Hinweis, daß es »einem großen Teil der übelsten Hetzer« gelungen sei, nach der deutschen Kapitulation irgendwo in anderen Lagern unterzutauchen, »wo sie sich wohl hüteten, ihre Gesinnung und ihre frühere Aktivität zu zeigen.« [44] Die Zahl erklärter Anti-Nationalsozialisten unter den Kriegsgefangenen war daher vor dem 7. Mai 1945 in den meisten Lagern gering. Sie wurde auf 15 000 von insgesamt 375 000 Kriegsgefangenen geschätzt; [45] viele befanden sich besonders in den Lagern Ruston, La., Fort Devens, Mass., Camp Campbell, Ky. und Camp Chesterfield, Missouri. [46] Während viele Kriegsgefangene am Tag der deutschen Kapitulation aufatmeten, weil sie schon längere Zeit von der Aussichtslosigkeit oder sogar von der absoluten Amoralität der NS-Strategie überzeugt gewesen waren, konnten manche Nationalsozialisten die neue Lage nicht so schnell hinnehmen. In diesem Zusammenhang ist ein Aufruf interessant, den der höchste US-Lagerverwalter in der Zeitung *Der Ruf* ergehen ließ, die an alle Kriegsgefangenenlager verteilt wurde. In diesem Aufruf vom 1. Juni 1945 wurde den »ca. 50 000 unverbesserlichen Nazis« angedroht, »unter verschlechterten Bedingungen« »zum Arbeitseinsatz nach Europa« zurückgesandt zu werden, falls sie sich nicht bald und entschlossen umstellen wollten [47]; daran läßt sich ermessen, daß die Wandlung sehr vieler Kriegsgefangener zu einer neuen Einstellung nur langsam vor sich ging. Walter Mannzen, der später als Publizist bekannt werden sollte, machte sich im Lager Greeley, Col., Gedanken über dieses psychologische Problem: [48] in der Isoliertheit eines amerikanischen Lagers falle die Umstellung wesentlich schwerer als im zerstörten Deutschland, wo man das Ausmaß der Katastrophe als ständigen Hinweis vor Augen habe.

Über das Leben in den Kriegsgefangenenlagern, ihre besondere Atmosphäre und die starken inneren Konflikte im politischen und kulturellen Denken kann dieser faktische Überblick keinen Aufschluß geben; das bleibt späteren Kapiteln vorbehalten. Ich untersuche im Folgenden die Frage, welche intellektuellen Elemente die wesentlichen inneren Wandlungen der Kriegsgefangenen maßgeblich beeinflußten.

INFORMATIONSQUELLEN UND KOMMUNIKATIONSMITTEL
IN DEN KRIEGSGEFANGENENLAGERN
US-PUBLIKATIONEN, KRIEGSGEFANGENEN-ZEITUNGEN, LAGERBÜCHEREIEN
»DER RUF« UND DIE BÜCHERREIHE »NEUE WELT«

Die Kriegsgefangenen hatten neben dem Zugang zu Lagerbüchereien auch die Möglichkeit, amerikanische Zeitungen zu beziehen und Bücher aus Deutschland zu empfangen; allerdings mußten diese Bücher direkt vom Verlag versandt werden. [49] Das deutsche Rote Kreuz half seinerseits bei der Einrichtung von Lagerbüchereien durch Sendungen von Lehrbüchern und literarischen Werken; hinzu kamen Stiftungen der YMCA. Mehrere Exemplare der *New York Times* lagen in jeder Lagerkantine zur Einsicht auf, in vielen Lagern waren deutschsprachige Zeitungen erhältlich, die im Ausland gedruckt wurden. Die *New Yorker Staatszeitung und Herold* und die *Deutschen Blätter* (Santiago de Chile) fanden unter den Kriegsgefangenen viele Leser. [50] Wie sich aus Übersetzungen amerikanischen Materials ersehen läßt, das in Kriegsgefangenen-Zeitungen erschien, waren *Colliers, The New Yorker* und *Reader's Digest* in vielen Lagern erhältlich.

Doch blieb es nicht bei diesen Quellen der Unterhaltung, Information und Erziehung; bald erschienen auch von deutschen Kriegsgefangenen edierte Zeitungen und Zeitschriften, die allerdings der amerikanischen Zensur unterlagen. Nach Titeln bekannt und jeweils in einigen Exemplaren überliefert sind 137 Lagerzeitungen, die in den erwähnten 130 Lagern und 295 Zweiglagern herausgegeben wurden. [51] Die meisten Lagerblätter erschienen alle zwei Wochen, zumeist wurden sie im Hektographierverfahren hergestellt. Im Sommer 1945 stieg die Zahl der Lager-Zeitungen sprunghaft an (am 1. März 1945 wurden nur 30 Zeitungen von den Kriegsgefangenen ediert). [52] Auf Grund der deutschen Kapitulation änderte sich zwischen Anfang Mai und Ende Juni 1945 die Zusammensetzung vieler Redaktionsgruppen; auch die häufig drastische Umbenennung der Zeitungs-Titel impliziert einen Umschwung von der nationalsozialistisch oder militaristisch bestimmten Richtung zu liberaleren Tendenzen. Die einzelnen Titel der Kriegsgefangenen-Blätter sind so symptomatisch für die herrschenden politischen Strömungen unter den 375 000 Lager-Insassen, daß ich sie hier kompiliere. Dabei lassen sich mit einiger Sicherheit vier Kategorien unterscheiden, denn die Titel implizieren liberale, nationale, jugendbewegte und »journalistisch«-neutrale Tendenzen: [53]

Liberal: Aufbau, Aufbruch, Bergauf, Brücke, Europäer, Fenster, Freiheit, Horizont, Lupe, Rundschau, Ruf, Rundblick, Scheinwerfer, Schwelle, Tag, Tor, Wahrheit, Was ist los?, Wegbereiter, Wegweiser, Wille und Weg, Zeitspiegel, Zukunft.
National und militaristisch: Ekkehard, Feldstecher, Drahtberichter, Funkturm, Heimat, Herold, Horchpost, Kamerad, Kriegsgefangenen-Dienst, Lagerfackel, Lagerfeuer, Neue Stacheldraht-Nachrichten (»NSN«), Parole, Soldatenzeitung, Stacheldraht, Wächter.
Jugendbewegt: Leben, Neuland, Quelle, Robinson, Saat, Sonne, Springbrunnen, Waldboote, Zaungast.
»Journalistisch«-neutral: Bildung und Wissen, Echo (9 mal), Globus, Lagerzeitung (8 mal), Lagerspiegel (3 mal), Lagerstimme, Spiegel, Stimme, Weg, Woche (4 mal), Wort (4 mal), Zeit, Zeitung (4 mal).

Einfache Genre-Bezeichnungen wie *Lagerzeitung* und *Zeitung* überwiegen offenbar, zusammen mit ebenfalls neutralen Titeln wie *Echo* oder *Spiegel*. Da jedoch die meisten Zeitungen erst nach dem 1. März 1945 entstanden, legt ein Blick über die anderen Titel den Gedanken nahe, daß bei Kriegsende immer noch beträchtliche nationale Kräfte den Tendenzen zu Nüchternheit und Demokratie entgegenwirkten. Auch das Gedankengut der Jugendbewegung blieb von einigem Einfluß.

Neben den Lagerzeitungen waren zwei Projekte, die von vorwiegend antifaschistisch denkenden Kriegsgefangenen in Sonderlagern ausgingen, in allen 130 POW-Lagern von besonderer Wichtigkeit. Es handelt sich um den (in Fort Kearney, R. I., redigierten *Ruf*, eine »Zeitschrift deutscher Kriegsgefangener in den Vereinigten Staaten« (1. März 1945 — 1. April 1946) mit einer Auflage von 75 000 Exemplaren, die in allen POW-Lagern zur Auslieferung kam, und um die *Bücherreihe Neue Welt*, deren 24 Bände in mehreren Exemplaren an alle Lagerbüchereien verteilt wurden. Über die Bedeutung des *Ruf* für den politisch-kulturellen Wandlungsprozeß der deutschen Kriegsgefangenen sei hier nur soviel gesagt, daß sich diese Zeitung an Auflagenhöhe mit vielen Zeitungen Nachkriegsdeutschlands messen konnte, und daß die aus Fort Kearney, R. I., und Fort Getty, R. I. zurückkehrenden *Ruf*-Redakteure am 15. August 1946 eine vielbeachtete und ähnlich angelegte Zeitung mit dem gleichen Titel in München herausgaben.

Die Initiative zur Bildung von sogenannten »Antifa«-Lagern, aus denen die genannten Sonderprojekte hervorgingen, ist wahrscheinlich auf die kleine Gruppe namhafter Politologen und Publizisten zurückzuführen, die Amerikas Öffentlichkeit von dem Bestehen einer echten deutschen Opposition gegen Hitler überzeugen wollten. Jedenfalls befinden sich auf der Liste der in Fort Getty Unterrichtenden auch solche Professoren, die sich mit der »deutschen Frage« in populärwissenschaftlichen Zeitschriften befaßt hatten. [54] Bereits im Herbst 1943 wurde dem obersten amerikanischen Lagerverwalter von höheren Stellen in Washington die »Erziehungsarbeit im Sinne von Menschlichkeit, Recht und Toleranz« [55] übertragen. Dieser »Provost Marshal General« schuf in seinem Büro eine besondere Abteilung, die »Special Projects Division«, und gewann den Publizisten Lt. Col. Edward Davison [56] als Direktor für ein Programm, das bei seinen Mitarbeitern bald als »Ideenfabrik« bekannt war. [57] Diese Mitarbeiter waren selbst Kriegsgefangene; um sicherzugehen, daß sie »wirklich Feinde des Nationalsozialismus, und geeignet waren, bei der Erziehung ihrer Kameraden zu helfen«, holte man »Männer aus den ... Anti-Nazi-Lagern.« [58] Dort waren alle Kriegsgefangenen zusammengefaßt worden, die »in Deutschland bereits den Kampf gegen den Faschismus aufgenommen hatten«; man war sich darüber klar geworden, daß diese Männer für eine »Re-Demokratisierung« gut geeignet waren, da für sie die »Demokratie nicht nur eine amerikanische Idee« war, »sondern auch eine europäische Tradition und vor allem eine in der deutschen Überlieferung wirkende Idee.« [59]

Im November 1944 ging man daran, die ausgewählten Kriegsgefangenen im Lager Van Etten, New York zusammenzuziehen, um die »Ideenfabrik« in die Praxis umzusetzen. [60] Auf viele Kriegsgefangene machte das Wort »Umerziehung«, verbunden mit der Aussicht, wieder die Schulbank drücken zu müssen, einen sehr entmutigenden Eindruck. Man erinnerte sich nur allzu leicht an die Propaganda des NS-Staates; und überdies waren diese Kriegsgefangenen verbittert darüber, daß sie sich »als Gegner des ... deutschen Regimes und seiner Morallehren erwiesen hatten« und nun noch einmal »umerzogen« werden sollten. [61] Die meisten waren nicht mehr allzu jung; »manch einer hatte schon zweimal für eine Sache kämpfen müssen, die nicht die seine war«; und einige hatten schon 29 Monate Gefangenschaft hinter sich, ehe sie überhaupt in ein Sonderlager kamen. [62] Ungeachtet dieser Hindernisse auf dem Weg zu einer erfolgreichen Zusammenarbeit von amerikanischen und deutschen »Ideenfabrik«-Mitgliedern vollzog sich in den deutschen Antifaschisten bald ein Umschwung. Sie wurden zu »Männern . . .«, die auf dem Scheidewege von Vergangenheit und Zukunft sich entschlossen hatten, »das Gute von früher mit neuen Ideen . . . zu verbinden«, um »eine neue Zukunft aufzubauen.« [63] Der »starke, missionsartige Enthusiasmus« der amerikanischen Lehrer mochte erneut zu der Einsicht verholfen haben, »daß Demokratie eine Lebensauffassung war, nicht eine Formel für den Erfolg.« [64] Einer der Neuankömmlinge empfand diesen Eifer der Unterrichtenden als einen »amerikanischen Zug, der auf müde fatalistische Europäer besonders faszinierend« wirkte. [65]

Äußerlich war alles in Camp Van Etten wie in anderen Kriegsgefangenenlagern: »Stacheldraht und Wachtürme, Zählappell . . ., Sonnabend-Inspektion . . . und Bettenbau«. [66] Die deutschen Mitarbeiter bildeten zusammen mit amerikanischen Offizieren bald fachlich getrennte Abteilungen; es gab eine juristische Arbeitsgemeinschaft, eine Fachgruppe Wirtschaft und Technik, Gruppen für Fragen der Erziehung, Film und Radio, und eine Arbeitsgemeinschaft *Der Ruf*. [67] Für die Entstehung dieses letzteren Projektes hat der »Entwurf über die Ziele des Lagers Van Etten« dokumentarische Bedeutung:

> Das Lager wird seine vermittelnde Tätigkeit auf zwei Aufgaben richten: 1. den deutschen Kriegsgefangenen bei der inneren Vorbereitung für die kommende Friedensarbeit zu helfen; 2. den Prozeß der gegenseitigen Befruchtung unter den gegebenen Umständen wirksam werden zu lassen und sein Weiterwirken für den Frieden vorzubereiten.
> Als Voraussetzung der inneren Vorbereitung ist es notwendig: a) die allzu einseitigen Wertmaßstäbe aufzulockern durch allmähliche Erziehung für die lebendigen Werte der Toleranz, des guten Willens, der Zusammenarbeit, des Gewährenlassens fremder Lebensgewohnheiten; b) Anregung für eine spätere Berufswahl, eigene Arbeiten und Unterhaltung in der Freizeit zu geben, um damit den Sinn für das Normale und Nutzbringende zu fördern.
> Als Voraussetzung des fruchtbaren Austausches von Werten unter den Völkern ist es notwendig: a) den Blick des Gefangenen für seine Umwelt zu entzerren und ihm ein sicheres Proportionsgefühl zu geben; b) echte und umfassende Eindrücke der fremdartigen Welt zu vermitteln und das persönliche Urteilsvermögen anzuregen. [68]

Für die Verwirklichung dieser auffallend unpolitisch und allgemein formulierten Ziele sind einige Worte des Van-Etten-Entwurfs besonders aufschlußreich. Man wollte allmählich vorgehen; zunächst (ab 1. März 1945) wurde die Auswahl der Beiträge in der Absicht vorgenommen, bis zum Kriegsende nur »Tatsachen, Nachrichten und objektive Artikel« zu bringen [69]; man wollte den kriegsgefangenen Lesern in allen Lagern Gelegenheit geben, die Meldungen aus dem »deutschen Wehrmachtsbericht, neutrale Meldungen, und die Heeresberichte der verbündeten Mächte« miteinander zu vergleichen. [70] Nachdem man auf diese Weise in den ersten sechs Nummern des *Ruf* (vom 1. März bis zum 15. März 1945) versucht hatte, »einseitige Wertmaßstäbe aufzulockern«, wurde am 1. Juni 1945 eine »Sondernummer« mit schonungslosen Bildern aus Konzentrationslagern und entsprechenden Beiträgen publiziert.

Im Titel *Der Ruf* wollte man nicht nur die Absicht zum Ausdruck bringen, persönlicher »Anruf« zu sein und die Kriegsgefangenen zum Aufhorchen zu bewegen; das Wort war auch als Ruf »nach draußen« gedacht, denn die Zeitschrift wollte »Antwort auf Fragen des zukünftigen friedlichen Aufbaus« geben. [71] Im Untertitel betonte *Der Ruf* die Gemeinsamkeit der Interessen von Herausgebern und Kriegsgefangenen; man wies sich als »Zeitschrift deutscher Kriegsgefangener in den USA« aus und schloß einen englischen Untertitel an — »edited and prepared for German Prisoners of War by German Prisoners of War.« *Der Ruf* war als »Ausgleich zwischen Zeitschrift, Wochenschrift und Tageszeitung« geplant. [72] Auch sonst war diese Zeitschrift auf eine vermittelnde Aufgabe angelegt: man wollte »aktuell« sein, aber auch »über den Tag hinaus nachwirkenden Erörterungen« Raum geben; die »äußere Abgeschlossenheit von der Umwelt« sollte durch »Modernität« und Internationalität (»weltweite Überlieferung«) der Zeitschrift ausgeglichen werden. [73]

Der Ruf wurde auch an POW-Lager in Canada und England ausgeliefert. Nicht nur die Kriegsgefangenen-Blätter setzten sich mit *Ruf*-Beiträgen auseinander; auch deutschsprachige Zeitungen in den Vereinigten Staaten *(New Yorker Staatszeitung und Herold)* druckten und kommentierten *Ruf*-Aufsätze. Die Schlußnummer des *Ruf* konnte stolz davon sprechen, »eine geistig weckende, aufrüttelnde Verbindung« geschaffen zu haben, »zwischen diesen vielen umzäunten Männerstädten von Kontinent zu Kontinent, von Staat zu Staat.« [74] Vom 1. März 1945 bis zum 1. April 1946 waren insgesamt 26 Nummern des *Ruf* erschienen. Die Auflage stieg von anfangs 10 000 auf 75 000 Exemplare; steigender Nachfrage vermochten die Herausgeber wegen Papiermangel und einer relativ primitiven Herstellungstechnik nicht mehr nachzukommen. [75]

Um den »Austausch von Werten unter den Völkern« (von dem ebenfalls in dem Van-Etten-Entwurf die Rede ist) auf dem Wege über Literatur und politische Publizistik zu steigern, bildete man im März 1945 in Fort Kearney, R.I., eine Arbeitsgemeinschaft der *Bücherreihe Neue Welt.* Die Förderer dieses Projektes, der Schriftsteller Capt. Walter Schönstedt [76] und der deutsche Kriegsgefangene (und spätere *Ruf*-Verleger in München) Curt Vinz verhandelten mit den Vertretern des Bermann-Fischer-Verlags in New York [77] und erhielten die Erlaubnis zum kostenlosen Nachdruck der in der *Bücherreihe* vereinten Autoren. Die Reihe umfaßte 24 Bände deutscher Übersetzungen aus der Weltliteratur des 20. Jahrhunderts neben Biographien und einführenden Untersuchungen (Landeskunde, politische Struktur) über Amerika und Rußland. Bei der Auswahl dieser Bände beachtete man folgende Hauptgesichtspunkte: ihr Verbot während des Dritten Reiches, Anregung zum weltoffenen Denken, und ihre Eignung, Verständnis »für die Eigenart des Fühlens und Denkens anderer Völker« zu erwecken. [78]

Zur politischen Aufklärung in dieser *Bücherreihe* trugen besonders drei Bände bei: die Aufzeichnungen Wendell Willkies (des letzten großen republikanischen Präsidentschaftskandidaten vor dem II. Weltkrieg in den USA) *Unteilbare Welt* (1943), Stephen Vincent Benéts *Amerika* (1944) und John Scotts *Jenseits des Ural* (1944). [79] Besonders wirksam für eine »Vorbereitung auf die kommende

Friedensarbeit« (Van-Etten-Entwurf) waren in dieser Reihe die Werke pazifistischer deutscher Schriftsteller, wie Arnold Zweig (*Der Streit um den Sergeanten Grischa*, 1928), Erich Maria Remarque (*Im Westen nichts Neues*, 1929) und Joseph Roth (*Radetzkymarsch*, 1932). Auch andere deutsche Emigranten fanden hier mit ihren Werken bei einer deutschen Leserschaft erneute Aufmerksamkeit, vor allem Thomas Mann, Franz Werfel und Carl Zuckmayer. [80]

Ernest Hemingways *Wem die Stunde schlägt*, 1940 (ins Deutsche übertragen von Paul Baudisch, Bermann-Fischer Verlag: Stockholm, 1941) war das literarisch einflußreichste Buch dieser Reihe, denn Hemingway fand hier mit einer, die Kriegsgefangenen unmittelbar betreffenden Thematik (der Realität des Spanischen Bürgerkriegs) nach langer Pause wieder bei einer breiteren deutschen Leserschaft Beachtung; die letzten Hemingway-Ausgaben in deutscher Übersetzung waren zwichen 1928 und 1932 im Rowohlt-Verlag erschienen. [81] Aber Hemingways pazifistischer Kriegsroman wirkte nicht nur durch den Gegenstand, sondern auch durch einen für die meisten neuen Leser noch völlig unbekannten Stil: den knappen, direkten Dialog, das »understatement,« und den nur durch Gegenstände andeutenden Realismus. [82]

Über die allgemeine Wirkung der *Bücherreihe Neue Welt* in den Lagern gibt ein rückblickender Beitrag ihres Initiators Curt Vinz (am 1. April 1946) näheren Aufschluß:

> Selten sind soviel Bücher gelesen worden, wie in der Gefangenschaft. Nicht die Anzahl der gelesenen Bücher ist dabei das Entscheidende, sondern die Menge der Leser, vor allem derjenigen, die zum ersten Male in ihrem Leben ein persönliches Verhältnis zur Literatur fanden ...
> Inwieweit die Buchserie ihre aufklärende und blickweitende Aufgabe erfüllt hat, läßt sich aus der Fülle der begeisterten Zuschriften aus den Kriegsgefangenenlagern ermessen. So schrieb ein 22-jähriger, der zum erstenmal in seinem Leben Erich Maria Remarques *Im Westen nichts Neues* zu lesen bekam: »Genau so ist es auch diesmal gewesen! Dieselben militärischen Mißstände, die gleichen leidenden Menschen. Das sind unsere eigenen bitteren Erfahrungen aus dem zweiten Weltkrieg.« Er schließt seinen Bericht mit Worten, die fast in der gleichen Form in allen anderen Briefen und zu allen anderen Bänden der *Bücherreihe Neue Welt* wiederkehren: »Ach, hätten wir das doch früher lesen können! Unsere Einstellung zum Leben, zum Krieg und zur ganzen Politik wäre eine andere gewesen.« [83]

Ich habe mich in diesem ersten Kapitel bemüht, im Hinblick auf einen solchen Nachholbedarf die politischen und kulturellen Verhältnisse im »goldenen Käfig« genauer zu schildern. Die öffentliche Meinung Amerikas hatte gewiß einigen Einfluß auf die äußeren Lebensverhältnisse in den POW-Lagern und auf die weitere Politik der Vereinigten Staaten gegenüber den 375 000 deutschen Kriegsgefangenen; so war die Lagereinrichtung (gemäß der verständnisvollen Haltung vieler Amerikaner im Jahre 1943) zwar großzügig und menschenwürdig geplant, aber die Haltung der US-Lagerbehörden gegenüber den deutschen Landsern wurde gegen Kriegsende immer intoleranter. Das Gros der Kriegsgefangenen wurde daher Anfang 1946 nicht nach Hause entlassen, sondern der französischen Regierung zur weiteren Arbeitsleistung übergeben [84]; aus demselben Grund beschränkte man die Sonderprojekte für eine stärkere Demokratisierung der Kriegsgefangenen bei der überwiegenden Mehrheit (350 000 Landser) auf den *Ruf*, die *Bücherreihe Neue Welt* und die Verfügbarkeit amerikanischer Journale und guter Lagerbüchereien.

Bis zur Jahresmitte 1945 waren die meisten deutschen Kriegsgefangenen einem starken ideologischen Druck ausgesetzt, der von den eigenen, überzeugt nationalsozialistischen Kriegsgefangenen (ca. 50 000) und ihren Terror-Methoden herrührte. Diese Tatsache wirkte sich auf die Redaktionen und den Inhalt vieler der 137 erwähnten Lagerzeitungen aus, die von deutschen Landsern herausgegeben wurden. Eine ausgesuchte Minderheit (ca. 26 000) antifaschistisch denkender Kriegsgefangener fand in US-Sonderlagern wesentlich günstigere Verhältnisse vor; das gilt vor allem für eine freie Meinungsäußerung, die Befriedigung des intellektuellen Nachholbedarfs und eine systematische Ausbildung für Verwaltungsaufgaben in Nachkriegsdeutschland. In diesen Sonderlagern befanden sich auch namhafte deutsche Nachkriegsschriftsteller und Publizisten.

KAPITEL II. DEUTSCHE NACHKRIEGSSCHRIFTSTELLER ALS KRIEGSGEFANGENE IN US-SONDERLAGERN

GEFANGENNAHME UND LAGER-TÄTIGKEIT: KOLBENHOFF, RICHTER, MANNZEN UND HOCKE

Als im März 1945 ein Telegramm General Eisenhowers aus Europa »die Ausbildung von Kriegsgefangenen für die zukünftige Verwaltung in Deutschland« forderte, [1] siedelte die Gruppe der deutschen und amerikanischen »Ideen-Fabrik«-Mitarbeiter aus dem Lager Van Etten, N.Y. in das wesentlich größere Fort Kearney, R. I., an der Narragansett-Bucht am Atlantik über. Bis zum Juli 1945 wurden »ungefähr hundert« Kriegsgefangene für die neuen Verwaltungszwecke ausgebildet. [2] Aber auch Fort Kearney wurde bald zu eng, und man gründete in der Nähe noch zwei weitere Lager, zunächst Fort Getty an der gegenüberliegenden Seite der Narragansett-Bucht für die Verwaltungslehrgänge, dann Fort Wetherill, R. I., als Polizeischule. [3] Gegen Ende des Jahres 1945 war man sich wohl auf amerikanischer Seite über den stark anwachsenden Bedarf an deutschen Verwaltungs-Hilfskräften klar geworden und setzte das in Fort Getty begonnene Experiment in größerem Maßstab fort. In Fort Eustis, R.I., dem dritten Lager, durchliefen 24 000 weitere Antifaschisten aus den Kriegsgefangenenlagern die Umschulungs- und Verwaltungs-Lehrgänge, um nach jeweils zwei Monaten und dem Erhalt eines Abgangszeugnisses nach Europa zurückgeschickt zu werden. [4]

Leitgedanke bei diesen Umschulungskursen war bei aller Vielseitigkeit der einzelnen Programme vor allem die Schaffung eines tragfähigen Staatsgebildes in Deutschland, »ohne Nazismus, ohne Militarismus und überhaupt ohne jegliche Diktatur« [5] im Sinne einer in Amerika erprobten demokratischen Verfassung. Daneben erscheint rückblickend die Absicht besonders wichtig, durch diese Kurse »zum Aufbau eines neuen Deutschlands in Zusammenarbeit mit Europa und der Welt« [6] führen zu wollen; das Thema europäischer Vereinigung gehörte zu den fundamentalen Fragen der Nachkriegszeit.

Zu den Nachkriegsschriftstellern, die im Laufe des Jahres 1945 nach Fort Kearney und Fort Getty gelangten, gehören Alfred Andersch (geb. 1914), Hans Werner Richter (geb. 1908) und Walter Kolbenhoff (geb. 1908), zu den Publizisten in diesen Lagern zählen Gustav René Hocke (geb. 1908) und Walter Mannzen (geb. 1905). [7] Diese Namen sind wesentlich mit der Entwicklung zu einer deutschen Nachkriegsliteratur in der ersten richtungweisenden Phase (zwischen 1945 und etwa 1950) verbunden; Alfred Andersch und Hans Werner Richter haben als Schriftsteller, Gustav René Hocke als Essayist und Kunsthistoriker weit über diese erste Phase hinaus gewirkt. [8]

Walter Kolbenhoff (pseud. für Walter Hoffmann), der seit 1933 in Kopenhagen als Schriftsteller tätig war, [9] zeigt in seinen Kriegserfahrungen besonders anschaulich, wie verzweifelt die Lage der deutschen Hitler- und Kriegsgegner jener

Epoche war. Als deutsches Mitglied der dänischen KP erhielt er von Parteigenossen im Jahre 1940 (als deutsche Truppen in Dänemark eindrangen) den widersinnigen Auftrag, nicht etwa nach Schweden zu emigrieren, sondern die deutsche Wehrmacht »von innen her zu zersetzen.« [10] Kolbenhoff schloß sich der deutschen Armee in Dänemark an und ging als Rekrut mit einem Gestellungsbefehl nach Deutschland. Dort mußte er die schmerzliche Erfahrung machen, daß sich die deutsche Sprache während seiner achtjährigen Abwesenheit so sehr verändert hatte, daß (ganz abgesehen von der ideologischen und gedanklichen Kluft) zwischen Kolbenhoff und seinen neuen »Kameraden« kein Gespräch mehr möglich war; sie umzustimmen schien ein aussichtsloses Unterfangen. [11] Vielmehr wurde Kolbenhoff »grausam geschliffen« [12] und an die Front abkommandiert, wo er bei erster Gelegenheit zu desertieren hoffte. Allerdings mußte er in Jugoslawien einsehen, wie gefährlich dieser Schritt werden konnte. Als er den fernmündlichen Befehl erhielt, mit seiner Einheit Unruhen in einem Bergdorf zu unterdrücken, und mit dem Raupenschlepper dort anlangte, bot sich den deutschen Soldaten ein entsetzlicher Anblick: jugoslawische Partisanen hatten deutsche Deserteure auf die Eisenspitzen eines rund um das Rathaus laufenden Zaunes aufgespießt. Nach Eilmärschen gelangte man später zu dem Brückenkopf von Anzio, wo man die Amerikaner erwartete; dann lag Kolbenhoff mit seiner Kompanie sechs Wochen lang (im selben Mantel) in einem Graben in den pontinischen Sümpfen. Schließlich wurde er »im Loch von Monte Cassino« am 1. Juni 1944 gefangen genommen, übrigens nur wenige Kilometer von der Stelle entfernt, wo auch Hans Werner Richter und Alfred Andersch in amerikanische Gefangenschaft gelangten. Die Szene war grotesk: Kolbenhoff drang in einen Bauernhof ein und wies ein Mädchen an, die Engländer zu holen, die ihn gefangen nehmen sollten. Das Mädchen kam mit vier jungen, sehr unsicheren und nervösen Engländern zurück, die den willigen Gefangenen mit aufgepflanztem Bajonett vor sich hertrieben. Als Kolbenhoff endlich einem amerikanischen Offizier zum Verhör vorgeführt wurde, gewann er dessen Sympathie durch den in gutem Englisch geäußerten Rat, die kriegsgefangenen Dolmetscher zu ignorieren: »let's talk without these!« [13] Als Dolmetscher gelangte Kolbenhoff schon Anfang Juli 1944 in einem 40 Schiffe starken Convoy (mit je 3 000 bis 6 000 Kriegsgefangenen) nach Norfolk, Virginia. [14]

Bei einem weiteren Verhör in den Vereinigten Staaten fragte man Kolbenhoff einfach, ob er Nazi oder Anti-Nazi gewesen sei, und transportierte den erklärten Anti-Faschisten nach Camp Ruston, Lousiana. [15] Ende August 1944 langte auch Alfred Andersch im Anti-Nazi-Compound von Ruston an, später auch Curt Vinz. Alle Kriegsgefangenen mußten zunächst bei der Baumwollernte Louisianas mithelfen, wo sie unter den vielen farbigen Erntearbeitern rasch Freunde gewannen. Im nahegelegenen Dorf Taloola, L., erhielten die deutschen »Landser« einen ersten Einblick in das amerikanische Rassenproblem; Kolbenhoff fiel auf, daß die farbigen Einwohner Taloolas automatisch vom Gehsteig auf die Straße auswichen, um den Weißen Platz zu machen, obwohl diese durch ihre PW-Kleidung deutlich als Kriegsgefangene gekennzeichnet waren. Trotz der sehr anstrengenden Arbeit auf den Baumwollfeldern [16] ging es den Anti-Faschisten im Lager Ruston nicht schlecht. Kolbenhoff wurde zum »Lagersprecher« und damit zum Vertrauensmann der deutschen Kriegsgefangenen ernannt; bald war der beliebte und durch sein gutes Englisch wertvolle Verbindungsmann allen als »Shorty« vertraut. Er bewohnte mit neun gleichgestimmten Freunden, darunter Alfred Andersch und Curt Vinz, eine Extra-Baracke. Sonntags hörten die Freunde Konzerte der Metropolitan Opera im Radio und hatten reichlich Gelegenheit, sich über die häufigen Unterbrechungen der Sendung durch Seifen- und Benzin-Reklamen zu wundern. Nach einem Jahr in Ruston wurde Kolbenhoff (im August 1945) nach Fort Kearney geschickt. Dort war er den ganzen Winter über damit beschäftigt, in einer Kartei aller deutschen Kriegsgefangenen diejenigen zu finden, die als vermutliche Anti-Nazis für den erhöhten Bedarf an Verwaltungspersonal in Deutschland in Frage kamen; die so ausgesuchten 24 000 »Landser« durchliefen dann die Ausbildung im Lager Eustis, R.I.

In den Lagern Ruston und Kearney arbeitete Kolbenhoff an seinem exemplarischen Roman *Von unserem Fleisch und Blut*, [17] den er 1946 abgeschlossen nach Deutschland mitbrachte. Für diese Schilderung der letzten Kriegstage in Deutschland aus der Perspektive eines fanatisierten Hitler-Jungen erhielt Walter Kolbenhoff den Preis der US-Lagerzeitschrift *Der Ruf*, gestiftet vom Bermann-Fischer-Verlag, Stockholm/New York. [18] Aus Kolbenhoffs zweitem Nachkriegsroman *Heimkehr in die Fremde* (1949) geht deutlich hervor, daß die Schriftsteller in den Sonderlagern Amerikas auf eine grundlegende Änderung der deutschen Verhältnisse zu hoffen begannen; angesichts der materiellen Verhältnisse und täglichen Brotsorgen im Nachkriegsdeutschland mußte diese Hoffnung der Heimkehrer rasch verblassen. Das Amerika-Erlebnis gewann daher im Rückblick die Dimensionen eines hoffnungsvollen Intervalls inmitten umdüsterter Zeitabschnitte. Noch 1949 schrieb Kolbenhoff beinahe schwärmerisch über die Lagerzeit:

> Ich erinnerte mich an die Nächte im Lager am Mississippi, jener Nächte, die angefüllt waren vom ohrenbetäubenden Lärm der Zikaden, vom verträumten Gesang der Posten auf den Türmen und unseren heißen, nie endenwollenden Diskussionen. [19]

Hans Werner Richter wurde im April 1940 zum Kriegsdienst eingezogen; der Gestellungsbefehl rettete ihn möglicherweise vor Schlimmerem, denn die Gestapo hatte ihn schon einige Male verhört. Der gelernte Buchhändler war in den Jahren 1930 bis 1932 Mitglied der Kommunistischen Partei gewesen, bis man ihn wegen Trotzkismus (durch ein Schreiben des Zentral-Komitees) aus der KP ausgeschlossen hatte; 1933 und 1934 hatte er in Paris gegen den NS-Staat gearbeitet und noch nach seiner Rückkehr aus Frankreich Flugschriften gegen Hitler verbreitet. [20] Am 12. November 1943 (an seinem 35. Geburtstag) geriet Richter nach tagelangem, schwerstem US-Artilleriebeschuß bei Monte Cassino in amerikanische Gefangenschaft. Das Weihnachtsfest 1943 erlebte er an Bord eines »Liberty«-Schiffes auf der Überfahrt in die Vereinigten Staaten. Richter wurde nicht in ein Sonderlager eingewiesen, da er in seinem ersten Verhör betont hatte, er wolle gern andere Deutsche von der Verwerflichkeit der NS-Politik überzeugen, aber nicht Krieg gegen sein eigenes Land führen; der NS-Staat und Deutschland wären nicht identisch. [21]

15

Im Lager Ellis, Illinois, zog man Hans Werner Richter zunächst zu einfachen Arbeiten heran, aber die Lagerbehörden wurden rasch auf seine Fähigkeiten und seine Einstellung aufmerksam; im Frühjahr 1944 ernannten sie Richter zum Leiter der Lagerbücherei, im Sommer 1944 auch zum Lehrer für deutsche Literaturgeschichte. In der Lagerbücherei nahm sich Richter besonders der deutschen Literatur des 20. Jahrhunderts an und erhielt dabei uneingeschränkte Unterstützung durch den zuständigen US-Offizier; den Kriegsgefangenen im Camp Ellis standen bald alle aus den zwanziger Jahren vertrauten Werke sozial engagierter Autoren und viele in der Emigration entstandene Bücher zur Verfügung. [22] Als Literaturlehrer sprach Richter über Heinrich Heine und Thomas Mann und wies auf die Bedeutung weltliterarischer Zwischenbeziehungen hin. [23] Vom 1. September 1944 bis zum 31. August 1945 war Hans Werner Richter Mitarbeiter (ab Frühjahr 1945 verantwortlicher Herausgeber) der wöchentlich in Camp Ellis erscheinenden *Lagerstimme*. [24] Aus diesen Beiträgen und Richters Kriegsgefangenen-Roman geht hervor, daß der NS-Lager-Terror in Camp Ellis bis Mai 1945 spürbar blieb; erst von diesem Zeitpunkt an wagte sich Richter an klare politische Stellungnahmen in der *Lagerstimme*. Nachdem ein solcher Beitrag Richters am 1. September 1945 in den *Ruf* aufgenommen worden war, [25] holte man den rührigen Redakteur nach Fort Kearney. Dort wurde Richter Mitarbeiter Walter Mannzens in der *Ruf*-Redaktion und kehrte mit diesem im April 1946 nach Deutschland zurück.

Walter Mannzen (geb. 1904) hatte in Deutschland studiert und den juristischen Doktorgrad erworben, ehe er eingezogen wurde. Im August 1944 geriet er in der Nähe von Paris in amerikanische Gefangenschaft; sein »Liberty«-Schiff verließ Cherbourg am 5. Oktober. Zunächst transportierte man Walter Mannzen in ein Sammellager für Unteroffiziere (Fort Robinson, Nebraska), dann nach Camp Greeley, Colorado, wo er von März bis Mitte Juli 1945 an der Lagerzeitung *(Unsere Zeitung)* arbeitete. [26] Als eine militärische Kommission im Juli 1945 in Camp Greeley nach Personal für die Sonderlager suchte, machte man sie auf Mannzens entschieden anti-nationalsozialistische Beiträge aufmerksam; nach einem Verhör ließ man ihn in die Verwaltungsschule nach Fort Getty kommen. Inzwischen hatte auch Gustav René Hocke Mannzen für Fort Kearney angefordert, da ihm die politische Gesinnung und Ausdrucksbegabung des Greeley-Redakteurs in einem vom *Ruf* gedruckten Aufsatz aufgefallen waren. [27] So kam es, daß Mannzen im September 1945, nach einem Monat Verwaltungs- und Geschichtsunterricht in Fort Getty, nach Fort Kearney auf der anderen Seite der Narragansett Bucht beordert wurde. Vom 15. Oktober 1945 bis zum 1. April 1946 arbeitete Walter Mannzen dort als Chef-Redakteur des *Ruf*.

Gustav René Hocke (geb. 1908) war Korrespondent der *Kölnischen Zeitung* in Rom, als er dort 1944 von US-Offizieren für den Aufbau einer deutschen Kriegsgefangenen-Zeitung in den USA gewonnen wurde. Der hochbegabte Publizist hatte bei Ernst Robert Curtius promoviert (1934), war Nachfolger Max Rychners an der von Goebbels gehaßten *Kölnischen Zeitung* gewesen, und hatte sich als Herausgeber und Schriftsteller einen Namen gemacht, als er 1940 nach

Rom kam. [28] In den Vereinigten Staaten redigierte Hocke zunächst die Zeitschrift *Der Europäer*, Camp Campbell, Ky., (Untertitel: »Aufbau und Selbsterkenntnis«) im Februar 1945 [29] und wurde dann zur Gründung des *Ruf* am 1. März 1945 nach Fort Kearney geholt.

Die Namen von Gustav R. Hocke, Walter Mannzen, Alfred Andersch und Hans Werner Richter verbinden sich mit verschiedenen Entwicklungs-Phasen der Zeitschrift *Der Ruf* in den USA, später auch in Deutschland. Ich halte es daher für zweckmäßig, die stufenweise Entwicklung dieser Zeitschrift genauer darzustellen.

DIE PHASEN DES »RUF«

Die erste *Ruf*-Phase verläuft vom 1. März bis zum 15. Mai 1945. Zu den Gründungsmitgliedern zählten auf amerikanischer Seite Captain Walter Schönstedt (der ehemalige Leiter der Kommunistischen Jugend in Berlin und Autor mehrerer Bücher [30]) und Lt. Col. Edward Davison, ein für die US-Zensur verantwortlicher Offizier; [31] zu den deutschen Kriegsgefangenen in der Redaktion gehörten Gustav R. Hocke, Curt Vinz, Irmfried Wilimzig [32] und Rainer Hörhager. [33] In den ersten fünf Nummern dieser *Ruf*-Phase sollte versucht werden, möglichst unpolemisch und unpolitisch-neutral zu berichten, wie sich die Kriegslage entwickelte; die Mehrheit der 375 000 Kriegsgefangenen sollte Vertrauen zu der Objektivität des *Ruf* gewinnen und sich besinnen können, statt in die Opposition gedrängt zu werden. Die Initiative für die Gestaltung des ersten *Ruf* Abschnitts lag noch eindeutig bei den amerikanischen Offizieren und ging auf die Umerziehungspläne (»Re-education«) des Van-Etten-Entwurfs [34] zurück. Bis zum 15. Mai 1945 war der *Ruf* fast stets in der Gefahr, farblos zu wirken. Wie Walter Mannzen berichtet, reagierte man im Lager Greeley, Col., von rechts mit Skepsis, von links mit Enttäuschung. [35]

Die zweite Phase (1. Juni bis 1. Oktober 1945) des amerikanischen *Ruf* wurde von den Redaktionsmitgliedern rückblickend als der »Hocke-*Ruf*« bezeichnet. [36] Gustav René Hocke begann diesen zweiten *Ruf*-Abschnitt mit einer lange vorbereiteten Sondernummer am 1. Juni 1945 aus Anlaß der deutschen Kapitulation und beendete seine Tätigkeit als Chefredakteur des *Ruf* nach dem Erscheinen der 1. Oktober-Ausgabe. Die Sonder-Nummer war zum ersten Male erheblich polemischer gehalten und behandelte die wichtigsten Faktoren, die zur Auflösung des Weimarer Rechtsstaates und zum Zusammenbruch des Dritten Reiches geführt hatten. Die Titel der Leitartikel verdeutlichen die Einstellung der *Ruf*-Redakteure und lassen auf das Wesentliche des Gehalts schließen: »Ursache des Zusammenbruchs«, »Die falsche Entscheidung«, »Recht und Staat«, »Gleichgeschaltete Phantasie«, »Irrweg der Masse«, »Gefesselter Geist«. [37] Eine Sonderbeilage mit vier Seiten Dokumentar-Photos illustrierte eindrucksvoll das deutsche Elend bei Kriegsende, die Trümmerlandschaft ausgebombter Städte und den schrecklichen Zustand der Leichen im KZ Buchenwald. Auch äußerlich veränderte sich *Der Ruf* mit dem Erscheinen der Sondernummer; neben dem Titel erschienen Fackel und Waage, zwei Embleme, die an berühmte Zeitschriften von Karl Kraus und Ludwig Börne denken lassen (*Die Fackel, Die Waage*) [38], begleitet von dem Motto »Vernunft und Recht«. Statt neben die Fackel das naheliegende Schlagwort »Freiheit« zu setzen, wählte man »Vernunft«; auch dieses Motto ist symptomatisch für den Übergangscharakter des *Ruf*. Das Hocke-Team hoffte, durch Appelle an das kritische Urteilsvermögen und Rechtsgefühl der Kriegsgefangenen ein neues Verlangen nach demokratischer Freiheit zu erwecken. Gustav R. Hocke schreibt (unter dem Decknamen Julian Ritter) [39] im ersten Leitartikel der Sonernummer:

> Diese zwölf Jahre, dieses schreckensvolle Interregnum, werden uns Deutschen als eine Warnung vor maßlosen Zielen und hemmungsloser Gewaltpolitik in Erinnerung bleiben. Sie werden uns endgültig bestimmen, zu unseren echten Überlieferungen zurückzukehren. Sie legen uns die Verpflichtung auf, ein wahrhaft freies Deutschland neu aufzubauen, das vom Willen nach Zusammenarbeit mit allen Völkern beseelt ist. [40]

Diese Äußerung ist symptomatisch für die folgenden Leitartikel des zweiten *Ruf*-Abschnitts. Die zwölf Jahre des NS-Staats werden ausführlich beleuchtet und verurteilt; gleichzeitig tragen Artikel über das »Andere Deutschland« dem deutschen Widerstand gebührend Rechnung; der emblematische Hinweis auf eine deutsche Tradition freiheitlicher Publizistik deutete bereits in diese Richtung (Fackel und Waage, Kraus und Börne), die einer Absage an den »Kollektivschuld«-Gedanken gleichkommt. In verschiedenen Beiträgen ist schon von einer Eingliederung Deutschlands in ein »Vereintes Europa« die Rede, [41] die Schweiz wird Deutschland als Vorbild hingestellt, [42] und ausführliche Besprechungen der amerikanischen Verfassung (und ihrer Entstehungsgeschichte) geben weitere Anhaltspunkte für eine demokratische Neu-Orientierung. [43] Ein (nicht signierter) Leitartikel vom 15. Juli 1945 regt unter dem Motto »Ausgleich zwischen Ost und West« eine deutsche Vermittlerrolle zwischen den politischen Systemen der beiden mächtigsten Alliierten an. Man spricht zwar von der russischen Neigung, »durch einseitige Handlungen vollendete Tatsachen zu schaffen«, beruhigt sich aber damit, daß die UDSSR das demokratische Prinzip »trotz mancher einseitiger Schritte im Grunde anerkannt« habe. [44]

An diesem zweiten (Hocke-) *Ruf* arbeitete auch Alfred Andersch vom 15. April bis zum 15. August mit; seine Beiträge im *Ruf*-Feuilleton (zweimal mit seinem eigenen Namen gezeichnet, oft unter den Initialen F. A., und unter den Decknamen Anton Windisch und Thomas Gradinger [45] werden in einem späteren Kapitel ausführlich besprochen.

Die dritte Phase des amerikanischen *Ruf* begann mit der Ausgabe vom 15. Oktober 1945 und endete mit der Schluß-Nummer am 1. April 1946. Gustav René Hocke kehrte zusammen mit anderen, für die Verwaltung und Presse in Deutschland bestimmten Kriegsgefangenen nach Europa zurück; Alfred Andersch war am 15. September 1945 nach Fort Getty gegangen und besuchte dort die Verwaltungsschule. [46] So kam es, daß Walter Mannzen diesen dritten *Ruf*-Abschnitt als Chefredakteur bestimmte; ihm zur Seite standen Hans Werner Richter und Wolf Dieter Zander, der den Platz von Andersch beim Feuilleton einnahm; [47] auch Mannzens und Richters Beiträge werden später eingehend besprochen.

Die dritte und letzte Phase des *Ruf* in den USA war gekennzeichnet von Konflikten Richters und Mannzens mit der Auffassung amerikanischer Redaktionsmitglieder, besonders mit Capt. Walter Schönstedt. Während Richter und Mannzen grundsätzlich auf der sehr liberalen Linie des (am 12. April 1945) verstorbenen Präsidenten Roosevelt blieben, wandte sich Schönstedt (ungeachtet seiner Berliner Jahre als kommunistischer Jugendfunktionär und Autor auf der Linie der »Volksfront«) als US-Offizier immer mehr dem konservativeren Kurs der US-Militärregierung in Deutschland zu. [48] Ein gegen die »Kollektivschuld«-These gerichteter Beitrag Richters wurde nicht zum Druck zugelassen. Auch in anderen Punkten wichen Mannzen und Richter in zunehmendem Maße im Frühjahr 1946 von der Einstellung ihrer amerikanischen Redaktionskollegen ab. Zu diesen Punkten gehörte die von den Deutschen angestrebte Verbindung sozialistischer und demokratischer Ideale, wie sie die amerikanische Verfassung nicht kannte. In ihrer Sorge um ein freies, sozialistisches Europa waren Mannzen und Richter gegen eine Politik der deutschen Teilung, [49] denn ein solches Prinzip schien ihnen im Gegensatz zu europäischen Vereinigungstendenzen zu stehen. Sie setzten sich außerdem für eine absolute Pressefreiheit unter der Militärregierung in Deutschland ein. [50]

Als Walter Mannzen und Hans Werner Richter im April 1946 nach Deutschland zurückkehrten, waren sie bereits entschlossen, eher einen »Gegen-*Ruf*« herauszugeben, als die weitgehend durch amerikanisches Denken bestimmte »Re-education«-Linie der dritten *Ruf*-Phase fortzuführen. Die Möglichkeit, einen veränderten, vierten *Ruf* herauszugeben, bot sich schon bald darauf, am 15. August 1946 in München. So erschien der vierte *Ruf* (15. August 1946 bis 1. April 1947) mit einem symptomatisch veränderten Untertitel: »Unabhängige Blätter der jungen Generation«. [51] Der Druck erfolgte durch die Nymphenburger Verlagsanstalt unter dem Lizenzinhaber Curt Vinz. Herausgeber waren Alfred Andersch und Hans Werner Richter, weitere Mitarbeiter Walter Kolbenhoff, Gustav René Hocke, Walter Mannzen, Friedrich Minssen (geb. 1909), Horst Lange (geb. 1904) und viele andere. [52]

Die schon in Fort Kearney spürbaren Differenzen zwischen der amerikanischen und deutschen Auffassung von einer demokratischen Stimme im »Jahre Null« hatten im April 1947 ein bedeutungsvolles Nachspiel. Auf der Suche nach einem wirklich unabhängigen Kurs für Deutschland, das nicht von Besatzungsmächten bevormundet und politisch zwischen den zwei großen Machtblöcken steuern sollte, geriet der vierte *Ruf* unter Andersch und Richter rasch in Konflikt mit der Militärregierung. Man warf Hans Werner Richter und dem *Ruf* eine »nihilistische Haltung« vor, entzog den bisherigen Redakteuren die Lizenz und übergab die Verantwortung für einen fünften, nun weniger brisanten *Ruf* (1947/48) an Erich Kuby (geb. 1910). [53] Dieses Verbot führte zur Gründung der »Gruppe 47.« [54]

So signalisieren die Entwicklungsabschnitte dieser ungewöhnlichen Zeitschrift entscheidende Veränderungen der politischen und kulturellen Entwicklung Deutschlands nach dem Kriege. Die ersten Impulse für eine Neu-Orientierung der deutschen Nachkriegs-Literatur entstammen der Begegnung kriegsgefangener Publizisten und Schriftsteller mit dem liberalen Idealismus Roosevelt-Amerikas. [55] Besonders Alfred Anderschs schriftstellerische Entwicklung wurde durch diese Begegnung entscheidend geprägt, und ich widme deshalb seinen Erfahrungen im Sonderlager Getty, R. I., eine ausführliche Darstellung.

AUS DER »TOTALEN INTROVERSION« IN DIE »RETORTE FÜR UMERZIEHUNG«: ALFRED ANDERSCH IN FORT GETTY, R. I., USA

Alfred Andersch war 30 Jahre alt, als er am 6. Juni 1944 in Italien (bei Vejano) nach reiflicher Überlegung zu den amerikanischen Truppen desertierte. Diese Handlung entsprang nicht nur dem Willen zum Überleben oder der Angst; für Andersch bedeutet der Akt des Desertierens aus Hitlers Armee einen der wenigen existentiellen Augenblicke, in denen menschliche Freiheit verwirklicht wird, »zwischen Gefangenschaft und Gefangenschaft.« [56] Umso bedeutsamer erscheint die Tatsache, daß Andersch in den darauffolgenden eineinhalb Jahren in amerikanischer Kriegsgefangenschaft einem Gefühl von Freiheit sehr nahe kam; [57] die ungewöhnlichen Dimensionen seines Amerika-Erlebnisses werden noch sichtbarer, wenn man sich die politische Vergangenheit des Kriegsgefangenen Alfred Andersch vor Augen hält (wie sie von ihm selbst in dem »Bericht« *Die Kirschen der Freiheit*, 1952, dargestellt wurde).

Anderschs Vater, der sich innerlich als »Hauptmann der Reserve« fühlte, während er das »Gewerbe eines kleinbürgerlichen Kaufmanns und Zivilisten« [58] glücklos betrieb, starb langsam an den Folgen einer nicht verheilten Kriegsverletzung dahin. »Von meinem vierzehnten bis zu meinem sechzehnten Lebensjahr wohnte ich dem Sterben meines Vaters bei.« [59] Ein halbes Jahr später (1930) floh Andersch aus der bedrückenden häuslichen Atmosphäre und aus Opposition gegen die deutschnationale Einstellung seines Vaters in die politische Aktivität des Kommunistischen Jugendverbandes. Schon mit 18 Jahren wurde er Organisationsleiter in Südbayern: »die typusbildende Macht Lenins hatte uns ergriffen.« [60] Doch Andersch spürte bald, daß die kommunistische Ideologie nicht die erhofften belebenden Impulse auslösen konnte; »oft ergriff mich in den Sitzungen der Bezirksleitung tiefe Melancholie ... Wir waren die Opfer einer deterministischen Philosophie geworden, welche die Freiheit des Willens leugnete ...; daß die Dialektik der Geschichte durch den Menschen geschaffen wird, war niemand so unfähig zu erkennen, wie die Führer der KP.« [61] Im Jahre 1933 wurde Andersch nach dem Reichstagsbrand verhaftet und mußte ein Vierteljahr im Konzentrationslager Dachau verbringen; dort erlebte er die ersten Judenerschießungen. Nach seiner zweiten Verhaftung im Herbst 1933 löste er sich auch äußerlich von der Kommunistischen Partei; ihre endgültige Niederlage hatte er schon am 7. März 1933 vorausgeahnt, als das Münchner Gewerkschaftsgebäude kampflos an die SA überging: » ... umbrandet von den Kampfliedern der SA erlebten wir dumpf das Sterben einer Partei, der wir uns angeschlossen hatten, weil wir sie für spontan, frei, lebendig und revolutionär hielten.« [62]

In den Jahren 1933—40 war Andersch Büroangestellter in München und Hamburg und lebte unter Gestapo-Aufsicht; in dieser Zeit versuchte er sich an »kalligraphischen Gebilden am Schreibtisch,« [63] studierte Barock-Fassaden, las anstatt sozial engagierter Autoren (als 16-jähriger hatte er Upton Sinclair sehr geschätzt [64]) in seltsamer Eklektik Rilke, Ranke und Shakespeare [65] und nahm an einem literarischen Kreis (um den Autor Dr. Herzfeld) teil. Rückblickend umriß er diese Jahre in überzeugender, selbstkritischer Analyse:

> Ich antwortete auf den totalen Staat mit der totalen Introversion.
> Das war, im Sinne Kierkegaards die ästhetische Existenz, marxistisch verstanden, der Rückfall ins Kleinbürgertum, psycho-analysiert, eine Krankheit als Folge des traumatischen Schocks, den der faschistische Staat bei mir erzeugt hatte. Ich verzeichne den Prozeß der Introversion auch nur für Wissenschaftler, die am soziologischen Objekt der modernen Diktatur arbeiten. Einige von ihnen verwechseln sie mit Despotien alten Stils, etwa dem Zarismus. Sie lassen dabei die Rolle der Technik außer acht. ... Der illegale Flugblattdrucker oder Bombenwerfer ist, gemessen an der Gestapo oder dem Reichsministerium für Volksaufklärung und Propaganda, eine rührende Figur aus dem 19. Jahrhundert. [66]

Im Jahre 1940 wurde Andersch eingezogen und als Besatzungssoldat nach Frankreich geschickt. Schon 1941 dachte er an Fahnenflucht, [67] aber die Desertion schien ihm unter den damaligen Umständen unmöglich. Im März 1944 (in Dänemark) faßte er dann den festen Entschluß, bei erster Gelegenheit zu desertieren; sie bot sich wenige Wochen später in Italien. Nach der geglückten Fahnenflucht, diesem »einzigen Augenblick der Freiheit« [68], drängte sich Andersch die Tatsache erneuter Gefangenschaft umso deutlicher ins Bewußtsein: er mußte unter der Aufsicht amerikanischer Posten Leichen begraben helfen; an diesen ekelerregenden »letzten Dienst« an Leichnamen, die schon in Gärung übergegangen waren — »manchen fehlten die Arme oder die Beine oder auch die Köpfe« [69] — erinnert sich Andersch mit traumatischer Eindringlichkeit. [70] Später wurde auch er, ebenso wie Kolbenhoff und Richter, in ein amerikanisches Sammellager bei Neapel transportiert. Die Zustände dort, vor allem die Unterbringung, waren sehr schlecht; die Amerikaner erklärten, daß es sich um ein vormals deutsches Konzentrationslager handle. [71] Am 13. August 1944 vermerkte Andersch in seinem Tagebuch den Anblick der Felsen von Gibraltar; er befand sich an Bord eines »Liberty«-Schiffs mit Kurs auf die Vereinigten Staaten.

Die nächsten sieben Monate verbrachte Andersch (zusammen mit Walter Kolbenhoff und Curt Vinz) im Anti-Faschisten-Compound des Lagers Ruston, La., wo er im Lagerhospital mithalf. Andersch bewahrt von diesem Herbst und Winter in Lousiana einen so nachhaltigen und positiven Eindruck, daß er noch 1968 in einer (unveröffentlichten, für den Hörfunk geschriebenen) Erzählung darauf zurückkommt. [72] Der Protagonist dieser autobiographischen Erzählung denkt »an die Revolution als etwas Gleichgültiges,« aber es ist ihm nicht gleichgültig, »daß es die Nacht gab, den Wind, Wolken, einen Golf, Schlafende in Baracken.« [73] Offenbar hatte Andersch zu seinen politischen Enttäuschungen als KP-Mitglied (und Illegaler im beginnenden Dritten Reich) Ende 1944 in den USA schon einigen

Abstand gewonnen; es gelang ihm auch, sich über die beengenden Umstände des Kriegsgefangenen-Daseins hinwegzusetzen, denn an anderer Stelle der Erzählung heißt es von dem Protagonisten, der Stacheldrahtzaun in der Ferne sei für ihn »nichts als ein filigranes Gitter ohne Bedeutung«: [74] ·

> Er selber sah nicht ... den Stacheldrahtzaun, sondern das Tälchen dahinter, mehr eine Geländefalte, ganz in Braun und Gelb getaucht, mit den Bäumen am Horizont, zwischen ihnen das Negergehöft mit der bunten Wäsche, die immer da hing, und den schwarzen Kühen, die in dem hohen gelben Steppengras weideten. [75]

Andersch fühlte sich demnach im Lager Ruston frei und behielt den Blick, ungeachtet des »filigranen Gitters,« für die Realitäten im ganzen Umkreis offen; rückblickend stellt er befriedigt fest, er habe »einen ruhigen Herbst und Winter in Louisiana verbracht.« [76]

Im April 1945 reiste Andersch mit zwanzig anderen Kriegsgefangenen in einem Waggon, der an reguläre Züge angehängt wurde, nach Fort Kearney an der Küste Rhode Islands. [77] Dort arbeitete er in der *Ruf*-Redaktion mit (15. April bis 15. August 1945). Am 15. September 1945 wechselte Andersch nach Fort Getty über und besuchte zwei Monate lang die Verwaltungsschule. Am 15. November wurde er aus amerikanischer Kriegsgefangenschaft entlassen und kehrte nach Europa zurück. In den wenigen Wochen in Fort Getty, R.I. empfing Alfred Andersch die entscheidenden Eindrücke seines Amerika-Erlebnisses.

In dem Titel eines längeren Beitrages vergleicht Alfred Andersch im Jahre 1947 Fort Getty mit einer »Umerziehung in der Retorte.« [78] Diese soziologisch-chemische Metapher für eine Verwaltungsschule, in der deutsche Kriegsgefangene und Anti-Faschisten für die Nachkriegs-Aufgaben trainiert wurden, scheint mir nicht von ungefähr gewählt worden zu sein. Nach zweijähriger Erfahrung mit dem »eisernen Vorhang,« mit Militärregierungen und »Fragebogen,« nahm der Herbst 1945 in Getty für Andersch die Qualität eines nur in der Retorte möglichen, unwiederbringlichen und utopischen Experiments an. Das außergewöhnliche Umerziehungs-Projekt gewann nicht nur in Anderschs Augen unwirklich verklärte Züge: auch die idealistisch gestimmten und wissenschaftlich geschulten Lehrkräfte der Spitzenuniversitäten Amerikas, [79] damals noch vom Geist der ausklingenden Roosevelt-Ära geprägt, gaben Andersch mittelbar recht.

Der aus der Harvard Universität nach Fort Getty gelangte Professor Howard M. Jones verglich das Fort an der Narragansett Bucht, ungeachtet des obligatorischen Stacheldrahts, mit der »Republik« Platos [80] und warnte vor Enttäuschungen, welche die deutschen Kursteilnehmer in »jener wilden finsteren Welt« [81] jenseits des Stacheldrahts erwarteten. Professor Trevor V. Smith, der jahrelang Mitglied der Legislative des Staates Illinois war, stellte das Experiment Fort Gettys den Überlegungen Benjamin Franklins zur Seite; Franklin überwand seine Zweifel an den neuen Gesetzen, indem er auf die Abbildung einer kosmischen Landschaft im Saale der verfassunggebenden Versammlung hinwies und sagte, er habe das Bild zunächst für die Darstellung eines Sonnenuntergangs gehalten, erkenne aber nun, »bei besserem Licht« einen Sonnenaufgang. [82] Die begeisterten

Schilderungen anderer deutscher Getty-Insassen in Beiträgen und Leserbriefen über die Lageratmosphäre und die Persönlichkeiten des Lehrprogramms [83] bestärken noch den Eindruck, daß Fort Getty ein »in der Retorte richtig begonnenes Bemühen« [84] um den geistig-politischen Wiederaufbau Deutschlands darstellte. Alle Deutschen waren sich über den überwältigenden Eindruck einig, den der »fraglose Glaube an die Möglichkeit der Wandlung durch Erziehung« machte, in welchem man den Glauben »an die guten Kräfte im Menschen« als vorausgesetzt erkannte. [85]

Die Einzigartigkeit dieser Institution war in der Qualität eines Lehrkörpers begründet, der sich aus den geistes- und sozialwissenschaftlichen Gelehrten amerikanischer Spitzenuniversitäten zusammensetzte. Professor Howard M. Jones (Harvard Universität, Präsident der »American Academy of Arts and Sciences«) lehrte Amerikanistik, vor allem amerikanische Kultur- und Literaturgeschichte. Prof. Thomas V. Smith (University of Chicago) lehrte amerikanische Geschichte, politische Wissenschaften, und war Leiter des Gesamtprogramms. Das Fach »Deutsche Geschichte« war durch die Professoren Arnold Wolfers, Fritz Mommsen (beide Yale Universität) und Henry Ehrmann (Institute of World Affairs, New York) vertreten. [86] Spezialisten für moderne Sprachlehrmethoden und Linguistik waren für den Englisch-Unterricht der Kriegsgefangenen aus Washington, D.C., nach Fort Getty gekommen. Für das Fach Verwaltung und Militärregierung waren höhere Offiziere verpflichtet worden. Amerika hatte für die in jeweils zwei Monaten zu bewältigende Masse an Information und Lehrstoff seine besten Kräfte aufgeboten.

Für die Dauer eines halben Semesters gerieten ausgewählte deutsche Kriegsgefangene in den Genuß von Vorlesungen und intensiven Diskussionen, wie sie sonst nur den Studenten an den Spitzenuniversitäten Amerikas (z. B. der »Ivy-League«) zuteil wurden; hinzu kam eine reichhaltige Bibliothek, die besonders in Geschichte und Soziologie der jüngsten deutschen Vergangenheit (besonders der Weimarer Republik) eine Reihe von Untersuchungen aufwies, die von deutschen Emigranten und angelsächsischen Politologen stammten. Viele dieser Bücher waren selbst Jahre nach Kriegsende in Deutschland weder bekannt noch erhältlich. [87]

Diesen außergewöhnlichen akademischen Möglichkeiten entsprachen Ort und Arbeitsatmosphäre dieser »Gehirn-Fabrik« auf einzigartige Weise. Alfred Andersch wird noch heute im Gespräch nicht müde [88] darauf hinzuweisen, wieviel ihm die Schönheit der herbstlichen Landschaft an der Küste Neuenglands bedeutete. Das Gebiet um die Narragansett Bucht, in deren Nähe sich viele amerikanische Millionäre niedergelassen hatten (besonders auf der nahegelegenen Insel Newport, R.I.), war für die Lagerinsassen der gegenüberliegenden Forts Kearney und Getty mehr als ein Naturschauspiel. Zu der Farbintensität und gläsernen Durchsichtigkeit des »Indianersommers« (der warmen Herbstage dieser Breiten) kam die Weite der Perspektive; der Blick auf den Ozean ließ die deutschen Kriegsgefangenen, gemäß dem neuen Denken in größeren Räumen (das sich schon aus tagelangen Eisenbahnfahrten durch den amerikanischen Kontinent gebildet hatte), nicht nur Deutschland auf der anderen Atlantikseite »mit der Seele suchen,« sondern ganz

Europa. An die Stelle von Wünschen nach deutschen »Lebensraum«-Weiterungen trat der eher soziologisch gestimmte Traum einer europäischen Vereinigung mit liberalen und sozialistischen Zügen. [89]

Den liberalen Zug im Denken der kriegsgefangenen Gegner des NS-Staats wollte man in Fort Getty ungeachtet des Stacheldrahts so weit wie möglich ermutigen. Die anfangs kaum mehr als 200 Kursteilnehmer [90] wurden daher durch Jazz in den Lausprechern geweckt; die befreiend improvisierende Musik der schwarzen Amerikaner enthielt für die deutschen Anti-Nazis auch eine Botschaft gegen rassische Vorurteile. Auf Andersch hatte der Jazz schon lange, bevor er zur Wehrmacht eingezogen wurde, eine besondere Anziehungskraft ausgeübt. Das geht aus mehreren Hinweisen in seinem autobiographischen »Bericht« hervor, in dem die Jazztrompete Louis Armstrongs und Stierkampfschilderungen Ernest Hemingways zu Zeichen der im eigenen Lande fehlenden freiheitlichen Moderne werden. [91] Ein großer Teil des Unterrichts fand im Freien statt; daß man dort aber den Stacheldraht nicht übersehen konnte, ließ den unterrichtenden Amerikanern keine Ruhe. Professor Jones versuchte seinen Einfluß beim amerikanischen Kriegsministerium geltend zu machen, um den Stacheldraht wenigstens von den Wohnbaracken entfernen zu lassen; als er damit keinen Erfolg hatte, gab er seine Arbeit in Fort Getty unter Protest auf. Alfred Andersch bemerkt dazu, das Verhalten dieses Professors mache »den Unterschied zwischen demokratischem Enthusiasmus für Erziehung und nationalsozialistischem Fanatismus für Schulung deutlich.« [92] Dem »großartigen Gelehrten, dessen Kenntnisse sich mit dem feinen, trockenen Witz der angelsächsischen Rasse paarten,« sei »ein bewegter Abschied« zuteil geworden. [93]

Solche Erinnerungen zeugen von dem guten menschlichen Kontakt zwischen amerikanischen Lehrern und deutschen Kriegsgefangenen; auf dem Wege über Klugheit, Bescheidenheit und Humor auf Seiten der Amerikaner konnten die Deutschen soweit für das Projekt einer »Umerziehung« gewonnen werden, daß sie sich als gleichberechtigte Partner an der Diskussion beteiligten und nicht als Kollaborateure oder »Quislinge« fühlten. In ähnlichem Sinne schrieb ein ehemaliger Teilnehmer an den Kursen in Fort Eustis (die auf das Getty-Modell zurückgingen und 24 000 deutschen Kriegsgefangenen zugute kamen) über den Leiter des Gesamtprogramms, Professor Trevor V. Smith:

»Es ist ein seltsames Vorrecht«, pflegte T. V. Smith zu sagen, »Freiheit hinter dem Stacheldraht zu lehren.« Kein anderer als T. V. (so nannten ihn nämlich die deutschen Kriegsgefangenen der Kürze halber) hätte es besser verstehen können, den Sinn von Menschen, die bisher nur Terror und Unterdrückung kennengelernt hatten, für den Wert des köstlichen Besitzes der Freiheit zu erschließen. Wenn er vor seinen Gefangenenstudenten stand, die er jedesmal mit »Meine Freunde und Mitschüler« anredete und sie in seiner humorvollen, aber um die letzten Gründe und Hintergründe wissenden Art in die Gefilde der amerikanischen Geschichte einführte, so war auch der letzte unter ihnen von der überzeugenden Darstellungskraft dieses Mannes in seinen Bann geschlagen. Für keinen unter uns war er mehr der amerikanische Offizier, der Offizier einer siegreichen Macht, sondern ein helfender Freund, der den nach Wahrheit und Wahrhaftigkeit suchenden Menschen mit sicherer Hand den Weg wies. [94]

24

Das so entstandene Gefühl der Gleichberechtigung auf Seiten der deutschen Kriegsgefangenen war eine der entscheidenden Voraussetzungen für das Gelingen einer »Umerziehung in der Retorte.« Sehr gefördert wurde dieses Gefühl dadurch, daß die Amerikaner bei der Auswahl der Kriegsgefangenen für Fort Getty keine Bildungsvoraussetzungen (außer einem gewissen »natürlichen Intelligenzgrad« [95]) verlangt und keinen Wert auf militärische Rangstufen gelegt hatten. So kam es, daß man Repräsentanten aller deutschen Volks- und Berufsschichten in Getty versammelte und aktive Offiziere neben Angehörigen »jener Division 999« die Schulbank drückten, »die aus politischen Häftlingen der Konzentrationslager gebildet worden war... Neben Menschen, welche der härtesten Verfolgung der Nazis ausgesetzt gewesen waren, standen Mitglieder der NSDAP.« [96] Das Auswahlkomitee hatte anfangs die Frage nach den Gründen für einen Parteibeitritt gestellt und nur jene wenigen Kriegsgefangenen nach Getty beordert, die, statt Zeitumstände und ihre Familie vorzuschieben, einfach bekannten: »Weil ich daran geglaubt habe.« [97] Dieser Auswahlvorgang spricht für den schon erwähnten »fraglosen Glauben an die Möglichkeit der Wandlung durch Erziehung.« Außerdem wollte man offenbar einen weitgehend repräsentativen Querschnit für die Intensität der Diskussionen erhalten, denn Alfred Andersch erinnert sich gesprächsweise an einige »ältere, sehr konservative und deutschnationale Oberstudienräte«, die seiner Meinung nach mit Absicht nach Getty geholt worden waren, um die dialektischen Spannungen zwischen den Generationen und politischen Grundhaltungen zu intensivieren. [98]

Eine weitere wichtige Voraussetzung für das fruchtbare Gespräch zwischen Amerikanern und Deutschen war (wie eine Formulierung innerhalb der einleitenden Vorlesung in Fort Getty lautete) die Bereitschaft der Studenten, »als Menschen guten Willens an der patriotischen Aufgabe teilzunehmen, Deutschland für eine neue Rolle in der Familie der Nationen vorzubereiten.« [99] Alfred Andersch sah hierin die »überhaupt nicht in Frage gestellte Annahme einer deutschen Einheit und nationalen Selbständigkeit.« [100] Er begrüßte diese Haltung als Beweis, »daß die demokratischen Ideale folgerichtig den Begriff des nationalen Selbstbestimmungsrechts der Völker einschließen.« [101] Es scheint mir besonders bemerkenswert, daß die deutschen Anti-Nazis auf diese Weise den Eindruck gewannen, nicht für eine Helfer-Rolle der Militärregierung in Deutschland ausgebildet zu werden; vielmehr fühlten sie sich im Vertrauen auf das Versprechen nationaler Selbständigkeit als Austauschstudenten:

An den deutschen Kriegsgefangenen erwies sich das Gesetz als wirksam, das seit vielen Jahrzehnten an den chinesischen, indischen und arabischen Studenten sichtbar geworden war, die ihre Ausbildung in Amerika erfahren hatten. Diese waren in ihre Heimat zurückgekehrt, erfüllt von dem Ideal — nicht eines amerikanisierten China, Indien oder Arabien, sondern einer demokratischen Befreiung ihrer Länder zur Gleichberechtigung. Ihr Dank und ihre Verbundenheit mit den USA betraf ein Land, das sie mit den Idealen seiner Geschichte zugleich die tiefe Immoralität *jeglicher* Unterdrückung gelehrt hatte. Es waren durchaus ähnliche Gefühle, welche die deutschen Kriegsgefangenen bewegten, als sie im Herbst 1945 in Boston und New York die Schiffe bestiegen, die sie in ihre Heimat brachten. [102]

Sicherlich steht der Inhalt der einzelnen Kurse in Getty dem oben beschriebenen »Unterton des Vertrauens,« der den Geist des Ganzen ausmachte, [103] an Bedeutung nach. Doch möchte ich im Hinblick auf die kulturellen Einflüsse, auch auf das neue Interesse an amerikanischer Literatur unter den Getty-Studenten und besonders bei Alfred Andersch, einige Aspekte herausgreifen. Mehrere Arbeiten von T. V. Smith und Howard M. Jones [104] geben mir überreiches Material, vor allem hinsichtlich des politischen Gehalts der Kurse und zwingen zu einiger Einschränkung auf literarisch-kulturelle Implikationen, soweit sie in den Kurs-Schilderungen zu rekonstruieren sind.

Durch die pragmatische Struktur der Lehrmethoden und des Lehrstoffes wurde den Kriegsgefangenen gleichzeitig mit dem Fachlichen noch einmal die amerikanische Vorliebe für sachlich faßbare Tatsachen eindrücklich nahegebracht. Grundsätzlich war das Unterrichtsprogramm in Getty in vier Hauptfächer eingeteilt: Englisch nach der direkten Methode (1), Amerikanische Geschichte, insbesondere Verfassungsgeschichte (2), Deutsche Geschichte mit besonderem Augenmerk auf die Weimarer Republik (3) und ein »Aufriß der Grundlagen und des Funktionierens der Militärregierung« (4). [105] Außer einigen Geschichtsvorlesungen wurden alle Kurse in amerikanischem Englisch abgehalten. Dieser Lehrbegriff, auch den im Englischen völlig Ungeschulten bald durch eine direkte und pragmatische Methode Zugang zu amerikanischer Denkungsart und dem trockenen Humor des »understatements« (auch in amerikanischer Literatur) zu öffnen, faszinierte Alfred Andersch ganz besonders. Amerika hatte hochqualifizierte Kräfte aufgeboten, unter ihnen anthropologische Sprachforscher, die aus ihren Erfahrungen in amerikanischen Indianer-Reservationen Resultate für Sprachpädagogik im Allgemeinen herleiteten. Diese Forscher aus dem »Indian Institute« in Washinton, D.C., brachten eine neue Methode nach Fort Getty mit; es ging ihnen darum, »ein Höchstmaß an Verständigung in einem Höchstmaß von Gesprächsmöglichkeiten zu erreichen.« [106] Amüsiert berichtet Andersch, wie diese verblüffend einfache und sachlich zielbewußte Formel die Gemüter vor allem der älteren deutschen Studienräte erhitzte, die nicht müde wurden, auf die Notwendigkeit der Grammatik im Sprachunterricht hinzuweisen. [107] Kultursoziologisch bedeutsam war auch die Tatsache, daß mit diesen erstaunlich wirksamen sprachpädagogischen Methoden eine Fülle anthropologischer Erkenntnisse an die deutschen Kriegsgefangenen herangetragen wurde. Viele dieser Erkenntnisse, etwa der starke Einfluß von Klima, Produktionsverhältnissen und Geographie auf die Entstehung einer Indianer-Kultur wirkten besonders ernüchternd auf die letzten Überreste rassentheoretischer Vorurteile.

Von diesem Gewinn an anthropologischer Einsicht ist kein weiter Schritt zu neuen Forderungen an die Literatur. Mit den Milieuschilderungen des Naturalismus war es nicht mehr getan, aber die Bedeutung der Umwelt für eine genaue Schilderung und literarische Bewältigung der Zeitströmungen mußte Alfred Andersch in dem pragmatischen, aufs faktische Detail zielenden Geist der Getty-Kurse als fundamentale Implikation erscheinen. Er spricht bewundernd von der Darstellung des Stoffes durch »facts«, die den Studenten seine eigenen Schlüsse ziehen lassen. Ähnliches fiel Andersch an der amerikanischen Literatur auf; in Aufsätzen über Willa Cather und Robert Frost betont er die enge Wechselbeziehung zwischen dem amerikanischen Leben (und bestimmter geographischer Regionen des Landes [108]) und der Literatur Amerikas: »Realismus ist der Grundzug dieses Lebens und wir finden ihn wieder in der Dichtung.« [109]

Der Geschichtsunterricht richtete das Hauptaugenmerk der Kriegsgefangenen auf die soziologischen Grundlagen der deutschen Geschichte und wirkte aufklärend im gesellschaftlichen Sinne. Andersch kann nicht umhin, noch im Jahre 1947 darauf hinzuweisen, daß in Deutschland diese gesellschaftlichen Bezüge »für den Geschichtsunterricht . . . nahezu nicht vorhanden zu sein scheinen.« [110] Außerdem begrüßte man in Getty die dort vermittelte »erschöpfende Analyse der Weimarer Republik und der Ursachen ihres Versagens, wie sie in den Jahren der Emigration von einer Reihe junger deutscher Staatswissenschaftler geleistet« worden war. [111] Im Jahre 1947 (als die Hoffnungen von Getty für den demokratischen deutschen Wiederaufbau schon vielfach begraben schienen) schreibt Andersch hierzu:

> Es gehört zu den wichtigsten Ergebnissen der Arbeit von Fort Getty, daß einige hundert geistig bewegliche Männer gerade mit den Erkenntnissen über diesen zweitjüngsten Entwicklungsabschnitt deutscher Geschichte vertraut gemacht wurden; sie gehören nun zum Vortrupp *des* Volksteils, welcher der gespenstischen Restauration dieses Zerrbildes einer Demokratie mit immer stärkerer Ablehnung zusieht. [112]

Professor T. V. Smith beeindruckte Andersch vor allem durch seine Lehre von der Demokratie als »Technik des schöpferischen Kompromisses.« [113] In einem eigenen Beitrag über seine »Diskussionen mit deutschen Kriegsgefangenen« [114] warnt Smith vor dem Streit um moralische Prinzipien, weil sie keinen Raum für eine Verständigung auf »mittlerer Basis« zulassen und daher leicht eine tödliche Wendung nehmen könnten. In späteren Romanen und Hörspielen Alfred Anderschs kehrt dieser Gedanke in sehr ähnlicher Form wieder. [115]

Professor Howard M. Jones legte besonderen Wert auf die Darstellung einer amerikanischen Kultur- und Literaturgeschichte unter dem Blickwinkel bestimmter, immer wiederkehrender Fragen und Leitmotive. Viele dieser Grundzüge mögen das kritische literarische Bewußtsein der hieran interessierten Kriegsgefangenen in Getty erweitert haben. In einer Rezension des (1944 erschienenen) Buches von Howard M. Jones, *Ideas in America,* [116] stellte Gustav René Hocke die Ergebnisse dieser Gedanken kurz zusammen. [117] Ich schließe mich seiner Darstellung an, weil Hocke jene Merkmale an dem Buch hervorhebt, die sich damals dem gebildeteren deutschen Kriegsgefangenen in den Vorlesungen in Getty am ehesten einprägten. Wichtig schien Jones die in der amerikanischen Literatur immer enthaltene »Forderung nach persönlichem Urteil, d. h. nach individueller Vernunft«; er betonte die »fordernden, kritischen, protestierenden« und »anklagenden Formen« in einer Literatur, für die das zentrale metaphysische Problem bis ins 20. Jahrhundert eher eines der »Teleologie als der Ontologie« war, »ein Problem nicht des Seins, sondern des Tuns — des rechten Tuns.« [118] Allgemein fielen Professor Jones an der Literatur seines Landes folgende Merkmale auf: »Rechtsdenken, Vorliebe für klare Formeln, ethischer Optimismus und ein dynamisches Pathos demokratischen Freiheitsdenkens.« [119] Die fordernden und »anklagenden« Formen dieser Literatur richteten sich daher bis zur Gegenwart gegen eine Bedrohung der genannten Ideale durch »Mächte . . . , die die Materie zum Maßstab aller Dinge machen wollen.« [120]

Es ist denkbar, daß die deutschen Kriegsgefangenen in Fort Getty etwas von der so vermittelten freiheitlichen Einstellung amerikanischer Schriftsteller mit nach Hause nahmen, wenn nicht gar deren »drohende und anklagende« Haltung gegen den Verrat am Menschen; aus den im POW-Lager entstandenen Aufsätzen und aus Gesprächen mit Alfred Andersch, Walter Mannzen und Walter Kolbenhoff wird deutlich, daß die Erfahrungen in den Sonderlagern Getty und Kearney entscheidende Impulse für ein neues publizistisches und literarisches Engagement auslösten. Die politischen Konzeptionen von Erziehern, deren Haltung noch vom liberalen und progressiven Geist der ausklingenden Ära Präsident Roosevelts (1882 bis 1945) geprägt war, [121] gaben zusammen mit der einzigartigen Lage am Atlantik vielen Hoffnungen Raum, die nur zu bald als »Utopie« erscheinen mußten. [122] Es machte, wie Alfred Andersch ebenso treffend wie bitter vermerkt, »eben einen Unterschied, ob man nach Deutschland heimkehrte oder nach Bizonia.« [123] Der kalte Krieg hatte begonnen.

Aus dem Schlußwort eines längeren Andersch-Essays über »Thomas Mann als Politiker« (1952) [124] geht noch einmal deutlich hervor, wie nachhaltig, ungeachtet dieser Widerstände, die ethisch-politischen Konzeptionen Roosevelt-Amerikas auf Andersch wirkten. In einem Nachwort auf den amerikanischen Präsidenten bezeugt Andersch seine tiefe Bewunderung für Roosevelts politischen »New Deal« und spricht von den fruchtbaren Auswirkungen dieses Plans auf den »deutschen Schriftsteller« Thomas Mann; Andersch würdigt anteilnehmend die »Position zwischen den beiden großen Lagern« im »Spiel um den Frieden der Welt« [125]:

> Für immer wird der gewagteste und intelligenteste Plan solcher Aufgabe den Namen Franklin Delano Roosevelts tragen. Der Dynamik des Gelähmten gelang nicht nur der Sieg über die Barbarei, sondern auch die Überwältigung des Mißtrauens durch die weltumspannende Größe seiner politischen Perspektiven. Mag sein, daß sie zu groß waren für diese kleine Welt, mag es immerhin möglich sein, daß auch er in den Brandungswellen des Nachkrieges gescheitert wäre — größer als das Scheitern wäre doch noch der Geist geblieben, den er hinterlassen hat. Aus den Dimensionen dieses Erbes hat sich ein deutscher Schriftsteller die Bestätigung seiner politisch-humanen Vision geholt. Ein die Welt erfüllender *New Deal* — die Synthese von Freiheit und Sozialismus in menschlicher Relation war seine Hoffnung. Mit kritisch-nüchternen, mit unruhevoll-besorgten, mit streitbar-begeisterten Augen, mit den Augen des Westens, verfolgte er den Pendelschlag der Weltenuhr. [126]

KAPITEL III. »BLUT UND BODEN« UND DIE FOLGEN

IRRATIONALER MILITARISMUS

Zu Jahresbeginn 1945 fanden sich in den POW-Zeitungen noch viele Gedichte und Sentenzen, die von Kunstgeschmack und Denkungsart des Dritten Reiches durchdrungen waren; die meisten sprachen immer noch von Soldatentum und Krieg. So empfahl ein Beitrag mit dem Titel: »Besitzt das Gedicht in unserer Zeit noch Daseinsrecht?« [1] zwei Lyrik-Anthologien, die während des Krieges in Deutschland erschienen waren. Es handelt sich um Will Vespers *Die Ernte der Gegenwart: Deutsche Lyrik vom Heute* (München, 1940) und *Das deutsche Gedicht: Ein Jahrtausend deutscher Lyrik* (Berlin, 1941), herausgegeben von Wilhelm von Scholz. Der kriegsgefangene (nicht genannte) Verfasser fand es »eigentlich ... nicht überraschend ..., daß auch im gegenwärtigen Kriege das Gedicht eine wunderbare Belebung« erfahren habe, da das Kriegserlebnis »mehr denn je ... an die innersten Saiten der Seele« rühre und sie »zum Schwingen« bringe. Dem Gedicht komme gerade in Kriegszeiten ein besonderer Vorrang zu: »Sein Wesen ist es ja von Ursprung an, den unaufhörlichen Austausch zwischen Mensch und Welt mittels gebundener Rede, beschwörendem Anruf, bannender Benennung festzuhalten.« [2]

In diesem Zusammenhang sind auch die Geleitworte der beiden empfohlenen Anthologien sehr aufschlußreich. Will Vesper widmete dem Kriegsthema fast ein Drittel seiner Sammlung zeitgenössischer Lyrik. [3] In einem Nachwort äußert er die Absicht, »unserem Volke und zu seiner Ehre der Welt« zu zeigen, »daß die deutsche Dichtung von heute neben der besten der Vergangenheit bestehen« könne, »und daß wir auch als ein Volk der Tat nicht weniger ein Volk der Dichter geblieben sind.« [4] Will Vesper wollte seine Auswahl als »persönliches Bekenntnis« verstanden wissen; er habe das gesucht, was ihm »echt und volkhaft« erschienen sei, weil er ein »deutsches Volksbuch« habe schaffen wollen, »kein Buch für die Überhochverständigen und kein Buch für die Unverständigen.« [5]

Ich gehe wohl kaum fehl in der Annahme, daß es sich bei den »Überhochverständigen« um eine ungewöhnliche Eindeutschung für »Intellektuelle« handelte, und bei den »Unverständigen« um jene, die das Dritte Reich nicht bejahten. [6] Ähnlich »populistisch« und nivellierend lautete das Nachwort von Wilhelm von Scholz. Seine Gedichtsammlung sollte »Eigentum des gesamten deutschen Volkes sein, dem sich im Dritten Reich mehr als je vorher, wie der Zugang zur Musik und zur bildenden Kunst, der zur Dichtung verheißungsvoll erschließt.« [7]

Der Beitrag in der Kriegsgefangenenzeitung hebt auch eine Reihe von Namen hervor, die »von Geist und Form der heutigen deutschen Lyrik ... zeugen.« [8] Neben Hans Brandenburg (geb. 1885), Hans Leifhelm (1891-1947), Friedrich Schnack (geb. 1888), Martin Raschke (1905-1944), Friedrich Bischoff (geb. 1896),

Georg von der Vring (geb. 1889), Hermann Burte (1879-1960), Hans Franck (1879-1964), und Heinrich Zillich (geb. 1889) [9] erschienen Max Dauthendey (1867-1918), Max Mell (geb. 1882), Georg Britting (1891-1964), Rudolf Alexander Schröder (1878-1962), Hans Carossa (1878-1956) und Ina Seidel (geb. 1885). Das Nebeneinander von gelegentlich exotischen Naturlyrikern der Jahrhundertwende (Dauthendey), christlich-Konservativen (Max Mell, R. A. Schröder), »Inneren Emigranten« (Ina Seidel, Hans Carossa) und den vom Regime zu Zeiten manipulierten Schriftstellern (Georg Britting) wird erklärlicher, sobald man im einzelnen verfolgt, mit welchem Spürsinn die NS-Kulturpropaganda das ihr Genehme ausfindig zu machen wußte. Die genannten Schriftsteller waren auch in anderen Kriegsgefangenenzeitungen mit Gedichten oder kurzen Prosaausschnitten zu finden. [10]

Eine ähnlich eklektische Auswahl boten die *Neuen Stacheldrahtnachrichten* (NSN) [11]; in verdeckter Form ließ diese Zeitung ihre enge Beziehung zum NS-Staat schon im Titel erkennen. Nach Würdigung des »Bayreuther Gedankens« (und des Wagner-Essays über »Deutsche Kunst und Politik« [12]) hieß es dort zum Thema »Kunst und Literatur«:

> Das fast völlige Fehlen unserer neuen deutschen Dichtung macht ein stärkeres Zurückgehen auf Altes auch äußerlich notwendig. So werden Goethe, Schiller, Hölderlin, Kleist immer im Vordergrund bleiben. Neben ihnen standen bisher Walther, das Nibelungenlied, Wieland, Körner, Stifter, De Coster, Andersen, Friedrich Nietzsche. Aus neuerer Dichtung lesen wir Rilkes Verse, aus Kolbenheyers Paracelsus und aus den Büchern von Claudius, Hausmann und Carossa. [13]

»Das fast völlige Fehlen unserer neuen deutschen Dichtung ...« — damit war zwar ein Endresultat umrissen worden, aber der unbequemen Aufgabe, hierfür Gründe zu nennen, hatte sich der anonyme Verfasser entzogen. Der auffallende Eklektizismus, durch den Walther von der Vogelweide, Nietzsche und der Flame De Coster [14] in enge Nachbarschaft gerieten, war durch die Kulturpolitik des Dritten Reiches bedingt; und R. M. Rilke in einem Atemzug mit Hermann Claudius (geb. 1878) und Guido Kolbenheyer (1878-1962) ließ die Unsicherheit des Geschmacks, die politische Verzerrung und die lückenhafte Überlieferung der Literatur deutlich erkennen. Im Vergleich der beiden zitierten Namenregister fällt Hans Carossa auf; er teilte das Schicksal Manfred Hausmanns und Ina Seidels, die von den Nationalsozialisten publiziert wurden, obwohl sie eher konservativ dachten. Hausmann stand übrigens der Jugendbewegung und dem »Wandervogel« nahe.

Die Publikation von Werken der »inneren Emigration« in Kriegsgefangenenzeitungen wirft besondere Fragen auf, die ich an Hand von Beispielen zum Kriegsthema untersuchen will. Es geht um die Mütter, deren Söhne im Krieg fallen. In der *PW-Rundschau,* einem nationalsozialistisch eingestellten Blatt, erschien das Gedicht Ina Seidels: »Aber wissen sollt ihr.« [15] Ich zitiere die erste Strophe:

> Nicht zur Seite können wir euch schreiten,
> Euch nicht laben in der heißen Schlacht,

Dürfen euch das Lager nicht bereiten,
Wenn der Tag verblutet in der Nacht.
Nicht die wunden Füße betten, pflegen,
Dürfen euch die Mütter und die Frau'n —
Ach, auf euren ungeheuren Wegen
Seid Ihr uns entrückt in Glut und Grau'n.

Hier verbinden sich christliche Elemente der Nächstenliebe »laben, Lager bereiten, die wunden Füße betten, pflegen« mit einer nationalen Gemeinschaftsidee,
dem Krieg fürs Vaterland. [16] Die Personifizierung des Tages, der in der Nacht
»verblutet« und das »Zur-Seite-Schreiten« im Geiste erhöhen die Bedeutung der
»heißen Schlacht« zu einer fraglos akzeptierten Naturnotwendigkeit. Ina Seidel
schildert das Kriegsgeschehen als »ungeheuer« und »entrückt«; es gewinnt damit
eine sprachliche Überhöhung, die negative und reale Aspekte des Krieges (angedeutet durch das »Verbluten«, »die wunden Füße« und das »Grau'n«) der Reflexion
entzieht. Die Aufhebung des Todesschreckens, wie er den einzelnen in der Wirklichkeit trifft, durch den kollektiven Rausch (»Wir«, »Euch«), durch Blut- und Feuermetaphern (»verblutet«, »heiß«, »Glut«) und durch den suggestiven Klang von Alliterationen (»Glut und Grau'n«), formelhaften Wiederholungen (»Wir« — »Euch«,
»dürfen« — »nicht«), Diphthong- und Konsonanten-Gleichklang (»Ach, auf euren
ungeheuren«) gehören zu den bevorzugten Stilmitteln dieses Gedichts. [17] Das
christliche Interesse dieses Gedichts gerät in Gefahr, überspielt zu werden; der
Eindruck entsteht, als handele es sich nicht um Klage und schmerzlichsten Verlust
der Mütter, sondern eher um eine Verklärung des Kriegsgeschehens ins Mystische.
Ursprünglich christliche Impulse werden der völkisch-militanten NS-Propaganda
nutzbar. Die Kunst hilft mit, die Zusammenhänge durch ihren »seraphischen Ton«
[18] zu verdunkeln.

»Den Müttern der Toten« (wie in einer PW-Zeitschrift der Titel eines Beitrags
lautete) widmete man in vielen Kriegsgefangenenzeitungen eine Sonderausgabe.
In einigen Fällen verband man dabei bezeichnenderweise den Kriegsmuttertag
mit dem Heldengedenktag. [19] In diesem Zusammenhang tauchte auch ein Zitat
Ernst Wiecherts (1887-1950) in einer Lagerzeitung auf, die, von Kriegsgefangenen
des Afrikakorps redigiert, auf der Titelseite des Januarhefts 1945 noch das Haken-
kreuz führte und wiederholt Gedichte des NS-Lyrikers Heinrich Anacker (geb.
1901) brachte. [20] Der anonyme Verfasser ging auf Wiecherts »Weltkriegsroman«
Jedermann (1932) ein und bemerkte, Wiechert habe dort »eine der Gestalten des
Buches in der Auseinandersetzung über den Krieg und seine Bedeutung« [21] die
Ansicht äußern lassen: »Wer in dem Bersten der Granaten und in dem Bellen der
Maschinengewehre nicht die blutenden Herzen der Mütter sieht, der weiß nicht,
was der Krieg ist.« [22]

Der kriegsgefangene Autor mißversteht das Bild (und entstellt den christlichen
Gehalt) in diesem ungenau erinnerten Wiechert-Zitat [23] als eine religiöse Weihe
der modernen Materialschlacht durch den Marienkult (die Darstellung der »mater
dolorosa« mit blutendem Herzen). Daher lautet sein Kommentar:

Das ist, in den Worten eines Mannes, der in der Tiefe seiner Seele den Krieg erfahren hat, das Hohe Lied der Mütter der Toten. Wenn in der Mittsommerglut die Ko-

lonnen auf staubbedeckten Straßen ziehen, gehen die Mütter mit. Wenn in den verschneiten Ebenen des Schlachtfeldes der Unterstand nur Wärme bietet, sind die Mütter bei den Darbenden in der Kälte. Ein Stoßtrupp steigt in der wolkenverhangenen Nacht aus dem Graben, tastet sich über das Niemandsland zu den feindlichen Linien vor. Neben dem Stoßtrupp gehen die Mütter ... Der Tod, der auf dem Schlachtfeld Ernte hielt, hat vor der Mutter des Toten die Gewalt verloren. Denn du bist ausersehen, Frau, im Leben zu überwinden den Tod, den dein Sohn sterbend noch grüßte ... [24]

Konsequent vollzieht dieser Kommentar die Ausdeutung der im Wiechert-Zitat potentiell implizierten Möglichkeiten: religiös formulierte Kriegsverherrlichung (»das Hohe Lied«) verleitet dazu, anhand der Verkündigungsformel die Mutter des toten Soldaten mit der Mutter des kommenden Friedensboten Christus zu vergleichen (»Denn du bist ausersehen, Frau ...«). Der Tod kommt nach der Mittsommerglut auf staubbedeckten Straßen oder nach der Kälte verschneiter Ebenen als Fürst des Schlachtfelds, den man sterbend ehrerbietig »grüßt«. Dieser romantisierenden Darstellung des Soldatentodes entspricht die weitgehende Verharmlosung brutal-gefahrvoller Kriegsszenen; statt »berstender« Granaten und »bellender« Maschinengewehre (in dem Wiechert-Zitat) schildert man lieber das »Vorantasten« eines Stoßtrupps in »wolkenverhangener Nacht«. Der Krieg erscheint als ein lohnendes heroisches Abenteuer. Die Mutter erhält Züge eines Schutzengels, der dem Soldaten überall zur Seite steht, wo immer Gefahr droht; und in seinem Tode wird sie zur schmerzgebeugten Todesüberwinderin. Religiöse Überlieferung, längst ihres wesentlichen Gehalts entblößt, [25] wird vom Nationalsozialismus pervertiert.

Das Thema »Dulce et decorum est ...« fand nicht nur auf dem Umweg über das Mutterthema seinen lyrischen Ausdruck in den Kriegsgefangenenlagern. Felix Lützkendorfs Gedicht »Ein Leutnant fiel,« die Apotheose eines sterbenden Panzerführers, erschien im November 1944 in einer PW-Zeitschrift in den USA. [26] Es verrät einige (wenn auch eklektische) Begabung. Ich interpretiere es genauer, um an einem fast gelungenen Beispiel künstlerischer Kriegsverherrlichung Albrecht Schönes hilfreiche Mahnung [27] ernst zu nehmen, die als »Übung im geistigen Widerstand« gegen den Mißbrauch der Kunst zu ideologischen Zwecken gemeint ist. Sobald man genauer hinhört, merkt man, wie die Sprache zur Lüge genötigt wird. [28]

Felix Lützkendorf (geb. 1906): »Ein Leutnant fiel«

Dann sahen wir den Panzer brennen
wie eine Fackel stand er vor dem Wald
das schwarze Kreuz barst auf wie eine Wunde
und Schrei des Schreckens brach uns aus dem Munde.

Der Feueratem gloste um den Stahl
das Gras verdorrte unter seinem Hauche
und kochend hell wie Wasser schmolz
der Saft der Bäume aus dem Holz.

Doch plötzlich hob sich glühend schon im Brand
als wäre sie vom Feuerhauch getragen
von einer Riesenfaust emporgereckt
die schwere Platte, die den Turm bedeckt.

Und aus den Flammen stieg der Leutnant auf,
ein Bruder des Achill, geliebt von allen, die
sein Lächeln nur den Glanz der zwanzig Götterjahre kannten.
Er stand im Feuer still — und seine Kleider brannten.

Und sah uns hellen Auges an mit einem Blick,
der noch die Flamme kühl durchdrang
und lächelte und hob die Hand — und sang —
bis er nach vorn wie eine Blüte knickte.

O, Vaterland, dem so die Söhne fallen,
für welche Zukunft macht dich Gott bereit? [29]

Dynamik und unheilvoller Ausgang des Geschehens werden schon in der ersten Strophe lyrisch angedeutet. Der Schreck der Zuschauenden drückt sich in dem unmittelbaren Stropheneinsatz mit »Dann« (1.1) aus, [30] aber noch wirkungsvoller in Detailgenauigkeit (»das schwarze Kreuz« 1.3, »das Gras« 2.2, »der Saft der Bäume« 2.4) und personifizierender Vertiefung des Geschauten (der Stahl bricht »wie eine Wunde« auf, 1.3); der Blick der erschreckten Gruppe von Soldaten wird immer näher an den brennenden Panzer herangeführt, und mit ihm der des Lesers: zunächst ist der Panzer nur so groß »wie eine Fackel« (1.2), dann ist das »schwarze Kreuz« (1.3) erkennbar. Die Zeilen drei und vier machen sich die archetypische Suggestionskraft von »schwarz«, »Kreuz«, »Schrei«, und »Wunde« zunutze; das »schwarze Kreuz« deutet (bei naturalistischer Legitimation) auf den tödlichen Ausgang hin; »brennen«, »barst« und »brach« (1.3,4) wirken als intensive Verben der Zerstörung. Die zweite Strophe macht sich die Technik lautmalerischer Kontraste in Verbindung mit einem Vokabular zu eigen, das Extreme impliziert (»Atem gloste Gras verdorrte, Wasser schmolz, Saft ... Holz«; konträre Elemente: »Feueratem«/»Wasser«, und konträre Stoffe: »Stahl«/»Holz«, 2.1-4). Die ersten Strophen weisen sich durch lyrische Stilmittel und Vokabular noch bedingt als strukturell einheitlich aus. Wo sie epigonal wirken, lassen sich die Vorbilder in der jüngeren Vergangenheit (1890-1910) lokalisieren.

Anders verhält es sich mit der zweiten Gedichthälfte. Ab Zeile 11, die mit einem neuen Vergleich den gleichen Vorgang beschreibt, läßt die klangliche wie gehaltliche Dynamik nach. Das ist nicht zuletzt die Folge der überlangen Zeilen (4.3-4), des Enjambements (4.2-3), der Gedankenstriche (4.4, 5,3) und der angehängten rhetorischen Frage des letzten Zeilenpaars; die Absicht des Verfassers, das Geschehen zum Stillstand zu bringen, um aus dem brennenden Menschen ein Standbild zu schaffen, rächt sich im Auseinanderfallen der Form. Der überdeutliche moralische Abschluß stellt einen empfindlichen Stilbruch dar. [31] Lützkendorf hat diese zweite Gedichthälfte auf heroische Pose und Schlußapotheose angelegt; sein Vokabular gerät in die Nähe der erborgten Klassik. [32] Das zeigt sich an Wendungen wie »emporgereckt« (3.3), an antiquierten Klischees aus dem griechischen Mythos (»Achill« 4.2, »Götterjahre« 4.3) und an pathetischen Komposita (»Feuerhauch«, »Riesenfaust«, 3.2,3). Der schreckliche Vorgang des Verbrennens bei lebendigem Leibe soll durch das Idyll aufgehoben werden; daher die »hellen Augen« (4.3). Durch Ausdrücke enger Zuneigung (»Bruder«, »geliebt von allen«, 4.2, »Söhne« 6.1) sollen die Zuschauenden mit dem Sterbenden identifiziert werden; und in der letzten Strophe vollendet sich das Unglaubliche: das Idyll verklärt sich zu Gesang (5.3) und geknickter Blüte (5.4). Die Form fällt der deutlicher werdenden Botschaft zum Opfer. Immerhin hat es Lützkendorf verstanden, die nationalsozialistische Vorliebe für Feueremble me (1.1,2; 2.1,2; 3.1,2; 4.1,4; 5.2), religiösen Ton (»Kreuz«, »Wunde«, 1.3, »brach uns aus dem Munde«, 1.4, »stieg auf«, 4.1, »Gott«, 6.2), Alliterationen (»Schrei des Schreckens«, 1.4) und die Identifizierung des Kollektivs mit einem Vorbild zunächst auf naturalistische Weise (durch den brennenden Panzer) zu legitimieren. Soweit ist das Gedicht von eklektischer Anziehungskraft, aber die Stilisierung zum Mythos konnte nicht gelingen. [33]

DER »DICHTER« UND DER NS-STAAT

Im Folgenden kommt es mir weniger darauf an, den Stil einer an Goebbels geschulten Publizistik und Pseudo-Kritik in den PW-Blättern wiederzuentdecken, als vielmehr zwei miteinander verwandte Themen zu beleuchten: das kulturelle Selbstverständnis der Nationalsozialisten und ihr Bild von der Gestalt des »Dichters« (und mit ihm von der Aufgabe der Literatur) innerhalb des NS-Staats.

Die »Deutsche Weihnacht« [34] wurde einem Kriegsgefangenen zum Anlaß, Betrachtungen über die »Wintersonnenwende der Germanen« anzustellen: »Christliches und Germanisches hält sich heute mit dunklen Fäden verwirkt und versponnen.« Aus der Nacht als der »großen Mutter des Lichts« sieht der (anonym gebliebene) Verfasser wie aus »Urgründen« die »alten Gedankengänge ... steigen«: »Kampf wider die Unholde und Segnung des Lichts«:

> Die anderen Völker nehmen den Tag wie er ist, wie er kommt und geht. Tagmenschen sind sie, kommen und gehen wie ihre Tage, die sie nüchtern auswägen und ausleben. Mit Kopfschütteln stehen sie dem deutschen Wesen gegenüber, weil sie seine Wurzeln nicht erfassen können, die tief hinunterreichen ins Reich der rätselhaften Tiefen, aus denen sie geheime Kräfte saugen und sammeln, unbewußt und triebhaft, Kräfte denen sie selber staunend in scheuer Ehrfurcht gegenüberstehen, Kräfte des Werdens und Kräfte der Sehnsucht. Immer müssen sie tasten und suchen nach den Hintergründen der Dinge und ihres eigenen Wesens und können es doch nie erfassen. [35]

Man kann diesen wenigen Sätzen unschwer entnehmen, daß literarische Motive der jüngeren deutschen Romantik, dort noch als allgemein menschlich und universal betrachtet, nun zu nationalen Wesenszügen des eigenen Volkes geworden sind. [36] Waren E. T. A. Hoffman, Tieck (*Der blonde Eckbert*), Lenau (*Faust*) und der junge Heine (»Der Doppelganger«) noch von der »Nachtseite« des Menschen fasziniert und bemüht, sie psychologisch zu deuten, so erfährt dieser Aspekt nun eine Legitimierung durch den germanischen Mythos. Man wertet die Nachtseite als »Tiefe« (das Wort erscheint zweimal im Text), begrüßt sie in »scheuer Ehrfurcht« und überläßt anderen Völkern herablassend den »Tag«; Gleichmaß und »Nüchternheit« erscheinen als minderwertige Eigenschaften. Die Bejahung des »Triebhaften« als gesund und zukunftsträchtig (»Kräfte des Werdens«) gesellt sich der Neigung zum Irrationalen (»rätselhaft«, »unbewußt«, »staunend«, »nie« erfaßbar, »Kräfte der Sehnsucht«).

Als Beispiele für die Errungenschaften dieser Einstellung werden »Gotik, schwäbischer Barock, Bach und Beethoven« als »Urkräfte« erkannt [37] und als Leitbilder einer politischen Sendung verstanden:

> Nennt sie faustisch, nennt sie, wie ihr wollt, sie führen unser Volk am Bande der heiligen Sehnsucht nachtwandlerisch zu den höchsten Zielen, die Gott den Menschen gesetzt ... Aus seinem Blut heraus hat der Führer erkannt, aus seinem völkischen Instinkt heraus, daß diese Kräfte die Magnetnadel sind, die dem deutschen Volke Richtung geben. [38]

Der »faustische« Trieb zur Erkenntnis wird nun nicht, wie in Goethes *Faust II* in altruistische Bahnen zum Dienst an der ganzen Menschheit gelenkt, sondern umgedeutet zu einem mystisch-irrationalen (»nachtwandlerischen«) »Instinkt«, der zur Stärkung der nationalen Identität (»dem deutschen Volke«) beitragen soll. Die einzige, einigermaßen genaue Metapher inmitten dieser vielen Unwägbarkeiten (»rätselhaften Tiefen«) verbindet sich mit dem »Führer«, dessen »Blut« die Unbeirrbarkeit einer »Magnetnadel« besitzt; diese weist allerdings, genau wie der NS-Mythos, nach Norden. Es braucht kaum betont zu werden, daß der Vergleich von »faustischen« Kräften (und zur Erkenntnis führendem »Blut«) mit einer »Magnetnadel« schon als sprachliches Bild keine Konsequenz besitzt; wieder, wie schon in den Gedichten, fällt auf, daß »Gott« und »heilige Sehnsucht« als religiöse Embleme genützt werden, um den von »Volk« und »Führer« beschrittenen Weg als einen Weg zu »höchsten Zielen« erscheinen zu lassen.

Die »Deutsche Soldatenzeitung« mit dem aufschlußreichen Namen *Ekkehard* als Titel brachte als ermutigenden Auftakt in ihrer ersten Nummer folgenden Ausspruch Julius Lohmeyers (1835-1903):

> Wir Deutsche haben keine andere und höhere Aufgabe, als die Fahne des Idealismus mit geschliffenen Schwertern zu umringen und sie so durch die Völker zu tragen. Die Geschichte lehrt, daß Gott deutschen Geist nicht untergehen läßt. Ein Ersatz für ihn ist nicht da. Man müßte an der göttlichen Weltordnung verzweifeln, wenn die eingepflanzten Kräfte fruchtlos absterben sollten. Die harte Schule, die sie zu ihrer höchsten Entwicklung brauchen, wird Deutschland nicht erspart bleiben. [39]

Erstaunlich, daß solche Phrasen bis in die Kriegsgefangenenlager der Vereinigten Staaten im Jahre 1945 fortlebten. »Idealismus« gilt als Sammelbegriff für einen

militanten Nationalismus, der auf Expansion drängt (»mit geschliffenen Schwertern
. . . durch die Völker«); der »deutsche Geist« manifestiert sich in der »Geschichte«
durch Anmaßung (»ein Ersatz für ihn ist nicht da«), »harte Schule« (als Bedingung
für seinen Reifeprozeß) und kriegerisches Pathos (»Fahne«, »Schwert«, »göttliche
Weltordnung«).

Der kriegsgefangene Verfasser (mit den Initialen G. D.) des anschließenden
Kommentars bleibt mit seinen Gemeinplätzen dem Vorgänger (Julius Lohmeyer)
eines vergangenen Jahrhunderts im Geiste treu:

> Nun sind wir allerdings keine Schriftsteller oder Dichter, keine Gelehrten, keine Wis-
> senschaftler, sondern Menschen, die glauben, mit beiden Beinen auf dem Boden der
> Wirklichkeit zu stehen. Wir haben eine gesunde Auffassung vom Leben, wir bejahen
> es. . . . [40]

Nachdem der Verfasser dann auf die »Endphase des Krieges« hingewiesen hat,
von der er den deutschen Sieg zu erhoffen wagt (wenn auch nur in symbolischer
Umschreibung [41]), stellt er fest:

> Wir leben in der Zeit der heißen Herzen und der kühlen Köpfe. Nüchtern, mit bei-
> den Beinen fest auf der Erde stehend, zugleich aber als faustische Menschen nach den
> Sternen greifend, erleben wir mit unerschrockenem Herzen den Ernst der einmalig
> großen Stunde . . . Mit fanatischem Glauben verstehen wir das große Dichterwort:
> »Am deutschen Wesen wird dereinst die Welt genesen.« [42] Gott will es! Niemand
> kann seinem Willen widerstehen. Das deutsche Volk aber ist bereit. [43]

In diesen Sätzen, deren Kennzeichen das Adjektiv »fanatisch« und das wiederholt
gebrauchte Bild von »beiden Beinen auf dem Boden der Wirklichkeit« sind, wird
in vergröberter Form noch einmal das neue kulturelle Selbstverständnis umrissen:
der Antiintellektualismus (mit der entsprechenden Geste der Beine auf dem Boden)
und der Hang zum Irrationalen mit der entsprechenden Geste des »faustischen«
Griffs »nach den Sternen« [44] und dem Stolz, »kein Gelehrter oder Wissenschaftler« zu sein. Antithese und Hyperbolik bestimmen die Wortwahl und Metaphorik
dieser Sprache mit gutem Grund (»nüchtern«/» mit fanatischem Glauben« — »fest
auf der Erde . . . zugleich . . . nach den Sternen greifend«). In seinen stilisierenden
Alliterationen (»heiße Herzen,« »kühle Köpfe,« »beide Beine«) unterhöhlt dieser
Stil die eindeutige Mitteilungsfunktion der Sprache und verhindert kritischen Abstand durch suggestiven Klang. Das so eingestimmte Kollektiv (immer als »Wir«
oder »das deutsche Volk« angesprochen) wird lenkbar (»Niemand kann . . . widerstehen«) und zu allem »bereit.«

Innerhalb einer so antiintellektuell und irrational gefärbten Kulturvorstellung
werden Gestalt und Aufgabe des »Dichters« ebenfalls problematisch. Der Beitrag
des Kriegsgefangenen Ludwig Schirk über Leben und Werk des Schriftstellers
Walter Flex (1878-1917) [45] ist in diesem Zusammenhang von einigem Aufschluß. Die Werke des im ersten Weltkrieg gefallenen Walter Flex wurden
von der deutschen Jugendbewegung begeistert aufgegriffen. [46]

> Unserem Walter hatte es vor allem »sein« Wald angetan. Stundenlang konnte er unter
> den rauschenden Bäumen im weichen Moos liegen, den Gesang der Vögel und

die Sprache der Tiere erlauschen. Das Erleben des Wechsels von Werden und Vergehen ließen den Sturm und Drang des Lebens erahnen . . . [47]

Dieser Naturverherrlichung gemäß den Idealen der Jugendbewegung gesellt sich in der Darstellung Schirks sogleich die ideologische Komponente. Die Schulzeit wird als entscheidender Abschnitt dargestellt. Das Studium von »Geschichte und Philosophie« führt am ehesten zu den »heiligen Werten der Nation«; zu diesen zählt Schirk eine »hohe, reine Auffassung von der Familie, vom Adel der Frau und Mutter,« und einen starken, völkischen »Wachstumssinn«; die »Erziehung eines sauberen, sittenstarken Geschlechts« ist »Lebensgebot des Volkes.« [48]

In dem einführenden Satz über Walter Flex fallen bereits die beiden Possessivpronomina auf: »*Unser* Walter« und »sein« Wald. Ungeachtet der Anführungszeichen, mit denen der Verfasser Abstand von der Vorstellung nimmt, der Wald gehöre Walter Flex, sind diese Zugehörigkeiten dennoch symptomatisch für die Auffassung vom Wesen des »Dichters«: der Dichter gehört dem »Volk,« und er lebt im Wald. Er ist im Grunde eine romantische Figur. An dem hier als Klischee gebrauchten Hinweis auf »Sturm und Drang« wird der Abstand besonders deutlich, der die Epoche rebellierender Dramatiker vom Schlage J. M. R. Lenz' von dieser Figur trennt. Wiederholt wird auf die Aufgabe des »Dichters« hingewiesen, zur Erziehung eines »sittenstarken Geschlechts« beizutragen; innerhalb der offiziellen Doktrin darf er eine, allerdings bescheidene und affirmative politische Funktion erfüllen. Am Beispiel der Frau wird deutlich gemacht, wie dieser »sittenstarke« Menschentyp gezeichnet werden soll: »Sauberkeit«, »Reinheit« und »Adel« sind Appelle an eine konservative Sexualmoral. Die Frau erscheint vorwiegend als »Mutter«; jeder erotische Aspekt der Frau wird durch den Nachdruck auf die Funktion innerhalb der »Familie« und auf die Fortpflanzungsfunktion im Dienste des völkischen »Wachstums« negiert. [49] Von Jugendbewegung und »Wandervogel«-Idealen sind also nur der »Wald« und die »Reinheit« übriggeblieben, und sie sind überdeckt von den Zielen der NS-Politik. [50]

Ein Gedicht Hans Carossas (das in der erwähnten Anthologie Will Vespers 1940 erschien [51]) bestätigt die Auffassung vom Dichter als »völkischem« Propheten und »Wald«-Bewohner auf so ausdrückliche Weise, daß ich es hier anführen möchte. Das unbetitelte Gedicht entstand während des Ersten Weltkriegs, wurde aber auch im Dritten Reich von der akademischen, nicht-nationalsozialistischen Jugend »zum Troste« gelesen. [52]

Hans Carossa: »Der Himmel dröhnt von Tod . . .«

Der Himmel dröhnt von Tod. Die Erde blutet
aus Wunden treuer Söhne Tag und Nacht.
Weltende künden trauernde Propheten.
Doch während Feinde dumpf ihr Schicksal suchen,
5 hörst du, mein Volk, durch Wahn und Wut noch Rufe
des Heils und glühst in Opfern auf und wirfst
dein süßes altes Träumen weg und formst
aus deinem großen Herzen harte Taten,
ganz Erz, ganz Macht, und schämst dich fast des Dichters,

10 des einsam Wagenden der stillsten Tat.
Der aber schützt im gläubigen Gemüt
das tief Gemeinsame der Menschen.
Und wenn ihr auszieht, hingeweihte Brüder,
ist er euch nah und jeden ruft er: komm,
15 komm noch einmal in meinen freien Wald!
Hier strömt aus Urgestein ein kühler Quell,
geschenkt vom Himmel und gewürzt von Erde,
da netzen Vögel ihre heißen Flügel...
Hier schöpfe! Wer hier trinkt, wird viel erkennen.
20 Er schaut die großen Väter unsrer Gegner
mit uns und unsern Ahnenreih'n im Bund,
und wie sich Wandrer Zeichen hinterlassen
im öden Land, sind ihm im Tal des Mordes
die Spuren gütigerer Geister sichtbar.
25 Und ob er tötet, ob er stirbt, er weiß:
Dies alles sind nur Saaten künftiger Liebe.
Viel Blut, viel Blut muß in die Erde sinken;
nie wird sie sonst den Menschen heimatlich.

Ich gehe nur kurz auf die formalen Aspekte ein. Die 28 reimlosen, fünfhebigen Jamben erinnern an den klassischen Dramenvers; der Metrik entsprechen das Wortmaterial und andere Stilmittel der »großen Geste«. Alliterationen sind häufig, ebenso Wort- und Klangwiederholungen (»Wahn und Wut«, 5; »Herzen harte«, 8; »ganz Erz, ganz Macht«, 9; »komm, komm«, 4,5; »geschenkt vom ... gewürzt von«, 17; »Hier ... hier trinkt, wird viel«, 19; »ob er ... ob er«, 25; »Viel Blut, viel Blut«, 27).

Ebenso wie diese lyrischen Klangmittel ist das Vokabular des Carossa-Gedichts in Gefahr, die spätere Blut- und Boden-Lyrik zu antizipieren. [53] Kollektivbezeichnungen (»Wunden treuer Söhne«, 2; »mein Volk«, 5; »ihr ... Brüder«, 13; »unsrer Gegner/mit uns und unsern Ahnenreih'n«, 20,21), Blut-, Boden-, Erz und Feuermetaphern (»Die Erde blutet«, 1; »gewürzt von Erde«, 17; »Saaten«, 26; »Viel Blut, viel Blut muß in die Erde sinken«, 27. — »dröhnt«, 1; »harte Taten/ganz Erz«, 8,9. — »glühst ... auf«, 6, und die religiöse Weihe für unchristliche, »harte Taten« (»Der Himmel dröhnt«, 1; »Weltende künden ... Propheten«, 3; »Rufe: des Heils«, 5,5; »in Opfern«, 6 — »Spuren gütigerer Geister«, 24; »Saaten künftiger Liebe«, 26) sprechen fast aus jeder Zeile; was bei den »Feinden« als »dumpfes Suchen« abgetan wird, stellt sich auf der eigenen Seite als sinnvolle, gute und aufopfernde Tat dar, die dem »großen Herzen« (8) des Volkes entsprang (4-9). [54] Die im Krieg entfesselten, irrationalen und zerstörerischen Impulse werden zwar angedeutet (»Tod«, 1; »Wunden«, 2; »Weltende«, 3; »Wahn und Wut«, 5; »ödes Land«, »Tal des Mordes«, 23), jedoch im Rahmen eines fast mystisch gedeuteten Geschehens (25—28) als notwendiges Übel akzeptiert.

So will es jedenfalls auf den ersten Blick erscheinen; bei genauerem Abtasten der Metaphern wird deutlich, daß sich durch das Carossa-Gedicht zwei schwer miteinander vereinbare Vorstellungsstränge ziehen. Dem lyrischen »Ich« liegen Volk und Vaterland (»du, mein Volk«, 5; die »heimatliche« Erde, 27,28) ebenso am Herzen wie das christlich-pazifistische Ethos (»im gläubigen Gemüt/das tief Gemeinsame der Menschen«, 11,12; »Väter unsrer Gegner/mit uns ... im Bund«, 20,21; künftige Liebe,« 26). Daraus entsteht im I. Weltkrieg ein fast unlösbarer Konflikt, dem das Gedicht seine zweideutige Ausstrahlungskraft verdankt.

Das zwiespältige Zueinander von »Dichter« und »Volk« ist eine genauere Untersuchung wert. Die drei einleitenden Verse implizieren bereits neben dem unmittelbaren Bezug auf die Gegenwart (des Ersten Weltkriegs) ein enges Verhältnis des lyrischen »Ich« zum Kriegsgeschehen. Die Metapher einer aus Menschenwunden blutenden Erde (1,2) impliziert die extrem enge Verbindung von Heimaterde (als Muttergestalt) und den für ihre Verteidigung fallenden Soldaten (als »treuen Söhnen«, 2); die Sympathie des lyrischen »Ich« für die Kämpfenden ist mit dem wertenden Adjektiv »treu« (2) angedeutet. Wenn man soweit gehen darf, in den »trauernden Propheten« (3) die »Dichter« zu sehen, — im weiteren Verlauf des Gedichts ist vom »Dichter« als einem Seher vergangener (20,21) und »künftiger« (26) Gegebenheiten die Rede — so rückt das lyrische »Ich« von solchem umfassenden Pessimismus (»Weltende«, 3) durch das einleitende »Doch« des nächsten Verses (4) und den Sinn des Gedichtendes (»künftige Liebe«, 26) deutlich ab. [55] In den folgenden Versen (4 bis 9 Mitte) bestärkt das lyrische »Ich« durch das wertende Bild vom »großen« Volks-»Herzen« (8) und die vertraute Anrede: »du, mein Volk« (5) seine Bindung an das Volk; die nationale Sendung erhält ihre Weihe durch die Art, wie die »Feinde« dargestellt sind — »dumpf« und fatalistisch (4) — während das eigene Volk für eine zukunftsträchtige Aufgabe (»Rufe des Heils«), »Opfer« (6) bringt.

Die Metaphern der Verse 7 bis 10 implizieren auch immer deutlicher die einstige Identität des lyrischen »Ich« als »Dichter«-Gestalt mit dem »Volk«: das Volk ist selbst prophetisch begabt (es kann aus dem Kriegslärm »Rufe des Heils«, 5,6, heraushören) und war bisher dem »süßen alten Träumen« (7) hingegeben; aber diese Identität von lyrischem »Ich« und »Volk« auf kulturellem Gebiet wird als vergangen dargestellt (das »alte Träumen«, 7, wurde verworfen); das Volk verleugnet den Dichter im gegenwärtigen Krieg (9). Die Sprache verrät deutlich den einschneidenden Unterschied zwischen »harten« (8) Kriegstaten des Kollektivs (ganz Erz, ganz Macht,« 9) und einem »einsamen« (10) Festhalten des »Dichters« an einem christlich inspirierten Humanismus [56] (im gläubigen Gemüt/das tief Gemeinsame der Menschen,« 11,12). Der Krieg bedroht diesen Humanismus, zu dessen Schutz (»Der aber schützt,« 11) der »Dichter« berufen ist; solche, mit dem Krieg unvereinbare Aufgabe ist mit Isolation und »Wagnis« verbunden (10) und wird durch ein »aber« (11) deutlich vom Tun des Volkes unterschieden.

Diesem wesentlichen Unterschied zwischen Volk und »Dichter« entspricht die strukturelle Differenz zwischen der symbolischen Darstellung realen Geschehens zu Beginn und Ende des Gedichts (1-12; 25-28) und der zentralen Allegorie der Waldszene (13-24), die nicht an Ort und Zeit gebunden ist; denn nur »im Geiste« kann der »Dichter« den an die Front gehenden Soldaten »nahe« sein (14), und die Vision im Quell der Erkenntnis (19) ist überzeitlich (»Ahnenreih'n«, 21). Hinter dem »Quell« (19) läßt sich unschwer der Topos des kastalischen Quells vermuten, jene »heilige Quelle«, die in der Antike Sinnbild dichterischer Begeisterung war. [57]

Das für diesen unwirklichen Wald gewählte Adjektiv »frei« (15) impliziert die Unfreiheit der Zeit durch den Zwang zum Krieg und zur Zerstörung. Noch einmal ist in der Allegorie, wie im ersten Vers, von »Himmel« und »Erde« die Rede (17), aber nicht im Zusammenhang mit »Tod« und »Blut«: die Partizipien »geschenkt« und »gewürzt« deuten eine heile Welt an. Die Vögel kühlen ihre »heißen Flügel« (18) im Quell der Erkenntnis, während jenseits dieser franziskanischen Legendenwelt das Volk in Opfern »aufglüht« (6). Der vom Quell zur Vision eines universellen Menschenbundes in Vergangenheit und Zukunft Befähigte (»Ahnenrei'n im Bund,« 21, »künftige Liebe,« 26) verurteilt die Gegenwart und den Krieg in einer anderen allegorischen Szene noch schärfer: als »ödes Land« und »Tal des Mordes« (23). Mit Sicherheit ist anzunehmen, daß sich dieses Bild des »Wanderers« (22) im »Tal des Mordes« (23) vom 23. Psalm herleitet (Vers 4: Und ob ich schon wanderte im finstern Tal...). [58]

Die vier Schlußverse kehren zur Gegenwart des Krieges zurück (»und ob er tötet, ob er stirbt«, 25). Sie sind wieder problematisch, denn gerade die christlich inspirierte Hoffnung auf »künftige Liebe« (26) muß, konsequent durchdacht, statt Trost zu bringen, den inneren Konflikt des zum Töten genötigten Soldaten vertiefen. Daher sind die beiden Schlußverse (27, 28) noch einmal vom Pathos eines vaterländischen Vokabulars bestimmt, das den Blut und Boden-Mythos antizipiert. Alliterationen und andere Klangwiederholungen (»und ob er..., ob er..., er«, 25; »sind... Saaten«, 26; »Viel Blut, viel Blut«, 27; »nie wird sie sonst«, 28) sollen den fast unlösbaren gehaltlichen Konflikt in diesen letzten vier Versen wenigstens durch lyrische Klangmittel überbrücken helfen.

In diesem Carossa-Gedicht mit seiner allegorischen »Dichter«-Gestalt als einsamen Bewahrer ethischer Werte in Kriegszeiten sind Möglichkeiten und Problematik der »inneren Emigration« bereits vorgezeichnet. Man muß sich fragen, ob gegenüber dem rhetorischen Gewicht der Anfangs- und Schlußverse der interpolierte Humanismus aus »gläubigem Gemüt« (11) nicht zur Unwirksamkeit verurteilt bleibt. In nationalsozialistisch bestimmten Anthologien (wie jenen von Will Vesper [59] und Wilhelm von Scholz) und noch Anfang 1945 in Zeitungen analoger Orientierung in amerikanischen Kriegsgefangenenlagern druckte man Carossa als gesinnungsfördernd ab. Die »innere Emigration« (als eine der Antworten auf die NS-Kulturpolitik) bestätigt, wenn auch unfreiwillig, die nachromantische Stilisierung des Schriftstellers zum unpolitischen, isoliert schaffenden Poeten [60]; die Langlebigkeit dieses Klischees bezeugt eine im Herbst 1945 im POW-Lager erschienene Stellungnahme zu »Dichtkunst und Politik«, in der Thomas Manns politisches Engagement während der Emigration beklagt wird:

Ach wären Sie [Thomas Mann] doch auch, wenn schon eine Wandlung vor sich gehen mußte, wenn schon die äußeren Geschehnisse sich so sehr in Ihrem Inneren spiegelten, zum »Innermenschlichen, Allgemeingültigen«, zum Versöhnlichen vorgedrungen und hätten sich nicht auf die politische Bühne begeben! [61]

Als sich Thomas Mann mit den *Betrachtungen eines Unpolitischen* (1917) und mit dem Essay »Friedrich und die große Koalition« (1916) auf die politische Bühne begab, stand er darin dem Carossa des Ersten Weltkrieges (und dem oben zitierten Gedicht) an vaterländischer Gesinnung sehr nahe. Dieses Buch des späteren Verteidigers der Sozialdemokratie und F. D. Roosevelt-Verehrers [62] enthielt, in den Worten Alfred Anderschs (1952), »alles Rüstzeug für eine deutschaufrührerische Fronde gegen Aufklärung, Pazifismus, Demokratie, Internationalität« und deckte »die Wurzeln des europäischen Faschismus« auf »noch ehe sie den Stamm gebildet« hatten. [63] Trotzdem nennt Alfred Andersch (der selbst »auf den totalen Staat... mit der totalen Introversion« reagiert hatte, aber 1944 zur »Freiheit« desertierte [64]) Thomas Manns Betrachtungen »ein wahrhaft glänzendes Buch« [65]:

> Ein notwendiger Beginn! Was Thomas Mann mit den *Betrachtungen* in den Realismus und in den Kampf um die Demokratie einbringt, ist die *konservative Dimension*, was soviel heißt wie: den entscheidenden Wert, entsprechend dem Gesetz, daß etwas nur *lebt*, wenn es die Negation seiner selbst in sich trägt. [66]

Dieses Zitat mag auch als mittelbare Apologie des Carossa-Gedichts und seines christlich-militanten Zwiespalts gelten. [67]

KAPITEL IV. DAS »ANDERE DEUTSCHLAND« UND DIE »ENGAGIERTE« KUNST

Aus dem Blickwinkel des »PW «

Unter den Kriegsgefangenen-Zeitschriften, die sich vor der deutschen Kapitulation gegen die NS-Ideologie wandten, und auf der anderen Seite des Atlantik nach neuen Wegen suchten, sind vor allem die folgenden drei [1] zu nennen:

1. *Der Europäer,* gegründet im Oktober 1944 im Anti-Nazi-Lager Campbell, Kentucky.
2. Der *PW,* ein »Halbmonatsblatt deutscher Kriegsgefangener,« gegründet am 15. Februar 1945 in Fort Devens, Massachusetts.
3. Der *Chesterfield-Herold,* gegründet am 1. April 1945 im Lager Chesterfield, Missouri. [2]

Von diesen drei Zeitschriften war der *PW* (dessen Titel eine Wiedergabe des »Prisoner-of-War«-Zeichens auf dem Rücken der Kriegsgefangenen-Kleidung darstellt) die beachtenswerteste Publikation. Dieser Eindruck muß schon rein äußerlich durch die schlagkräftigen Zeichnungen Bodo Gerstenbergs entstehen [3], aber auch durch eine angesichts der vorhandenen Mittel erstaunlich fachmännische Redaktion und durch den zielbewußten, demokratischen Grundtenor der meisten Beiträge. Der Herausgeber war Paul Lohmann. Zu seinen ständigen Mitarbeitern zählten Albert Badekow, Bodo Gerstenberg, Rudi Greulich, Horst Heitzenröther, Oskar Holewa, Werner Jahn, Franz Kain, Peter Klingen, Erich Rätzke, Lothar Schlicht, Walter Schmidt, Herbert A. Tulatz und Joachim Wißmann. Der *PW* erreichte eine Auflagenhöhe von 3000 Exemplaren. [4] Schon bald nach seinem Erscheinen erhielt der *PW* in einem Hinweis des *Ruf* das Prädikat der »bestgedruckten Campzeitung in den USA.« [5]

Ich versuche in der folgenden Analyse, die politische und soziale Richtung der Zeitschrift anhand der wichtigsten Kennzeichen zu charakterisieren. Im Gegensatz zu den illiberalen Zeitungen nationalsozialistischer Färbung gehören faktische Genauigkeit und gründliche, sachliche Informiertheit zu den wesentlichsten Merkmalen der *PW*-Beiträge. Bedeutsam erscheint auch das Bemühen um neue Vorschläge und Gedankenansätze, die sich mit der unmittelbaren Zukunft Deutschlands befassen und dabei die Rolle der Kriegsgefangenen konkreter umreißen. Ich begnüge mich angesichts der Stoffülle mit einer mehr oder minder schematischen Übersicht.

Vom persönlichen »engagement« der *PW*-Mitarbeiter zeugte bereits die Angabe des vollen Verfassernamens zu jedem Beitrag (im Gegensatz zur Praxis der meisten NS-Lagerzeitungen). Jeder Mitarbeiter belegte seine Ansichten mit persönlichen Erfahrungsbeispielen als Antifaschist im NS-Staat; der Erlebnisbericht spielt in den Beiträgen eine wichtige Rolle. [6] Die meisten Darstellungen kommen ohne kollektive »Wir«-Rhetorik aus; der einzelne stellt seine Meinung zur Diskussion und lädt durch Fragen zum Widerspruch ein. [7] Der *PW* richtete zwei seiner sechzehn Seiten für »Leserstimmen«, »Stimmen aus der Heimat« (Briefe) und die Sparte »Frage und Antwort« ein, um dem einzelnen Landser mehr Gelegenheit zur Stellungnahme zu geben.

Der Aktivismus und die gute Organisation kamen konkreten Unternehmungen im Lager zugute und erzielten darüber hinaus beachtliche Auswirkungen in der amerikanischen Öffentlichkeit und in Deutschland. Zu solchen Aktionen gehörten: Der »Friedensappell an die deutsche Heimat« [8], die Aktion »Rettet das Kind!« (eine Sammlung für deutsche Kinder über das Internationale Rote Kreuz mit dem erstaunlichen Sammelergebnis von 23 000 Dollar in Fort Devens) [9] und eine »Erklärung« nach dem Friedensschluß der Alliierten mit Japan. [10] Die besondere Aufmerksamkeit der *PW*-Organisatoren galt der Lagerschule (die auch namhafte Professoren amerikanischer Hochschulen für Vorträge im Lager gewann) [11] und dem Zusammenschluß junger Antifaschisten zur »Jungkameradschaft.« [12]

Die erklärte Gegnerschaft zum NS-Staat verband sich im *PW* deutlich mit Interesse an der demokratischen Tradition der Vereinigten Staaten und mit Verständnis für die Maßnahmen der Lagerbehörden. [13] Man wies in diesem Zusammenhang auf die revolutionären Bestrebungen von 1830 und 1848 in Deutschland hin, die eine Auswanderung vieler Deutscher in die Vereinigten Staaten zur Folge gehabt hatten (auch über Karl Schurz, 1828-1906, erschienen Beiträge). [14] Die für alle US-Kriegsgefangenenlager bestimmte Zeitung *Der Ruf* wurde in ihrer dem Zusammenschluß junger Antifaschisten zur »Jungkameradschaft«. [12]

Viele Autoren dachten über die eigene Rolle in einem zukünftigen Deutschland nach. Dabei betonte der *PW*, daß man aus der Vergangenheit lernen müsse; es sei falsch, einen gewaltsamen Schlußstrich ziehen zu wollen. [16] Die deutsche Jugend wurde aus Altersgründen von jeder Schuld am NS-Staat ausgenommen; daher konnte man ihr ohne Vorbehalte eine führende Rolle im ersehnten Vereinigten Europa zuweisen. [17] Zu den persönlichen Aufgaben der Lagerinsassen sollte eine deutlich antifaschistische Stellungnahme und die Aufklärung jüngerer Lagergenossen gehören. Als klar sehende und sozialdemokratisch denkende Gruppe wollte man beim Wiederaufbau Deutschlands nach Kräften mitwirken. [18] Die eigene Lage wurde am Beispiel deutscher Kriegsgefangener in Rußland gemessen, die 1943 das »National-Komitee Freies Deutschland« und den »Bund deutscher Offiziere« gegründet hatten. [19] Im Bestreben, die falsche Isolation Deutschlands zugunsten einer europäischen Völkerfamilie zu überwinden, unterstrich der *PW* die Notwendigkeit, Fremdsprachen zu lernen und selbst den Anfang zu machen. [20] Das Eintreten für einen internationalen Pazifismus wurde am Beispiel Carl v. Ossietzkys (1889-1936) und Walther Rathenaus (1867-1922) gewürdigt. [21]

Zur Vergangenheit des eigenen Landes nahm man nicht einseitig oder haßerfüllt Stellung und redete nicht von »Kollektivschuld«; vielmehr bemühte sich der *PW*, aus dem 19. und 20. Jahrhundert diejenigen Strömungen und historischen Ereignisse herauszulösen, die von einer demokratischen und liberalen Tendenz zeugten. [22] Man versuchte, ein »Anderes Deutschland« vom NS-System zu trennen,

obwohl man sich Fehleinschätzungen und vielfaches Versagen der eigenen, sozial-
demokratischen Kräfte beim Machtwechsel durchaus eingestand. [23] Die Männer,
und der mißlungene Umsturz-Versuch des 20. Juli 1944 wurden kaum erwähnt;
dagegen beleuchtete der *PW* das unsoziale Verhalten vieler ostpreußischer »Junk-
ker« sehr kritisch. [24] Die hauptschuldigen NS-Machthaber wurden entlarvt und
ihre Taten und Methoden genauer dargestellt. [25] Die deutsche Arbeiterbewegung
und die Gewerkschaften verstand man als stützende Kräfte der demokratischen
Tendenzen während der Weimarer Republik. [26]

Nach diesem Versuch, einen kurzen Abriß der politisch-gesellschaftlichen Richtung des *PW* zu geben, geht es mir im Folgenden um die Klärung von Fragen im
Zusammenhang mit den literarischen Charakteristiken des »Anderen Deutschland«;
der kulturelle Teil des *PW* soll Aufschluß über das Verhältnis zur eigenen literarischen Tradition geben (nachdem das NS-System die Zusammenhänge jahrelang
eklektisch entstellt hatte). Mit der Frage nach der im Jahre 1945 als aktuell empfundenen Literatur des 20. Jahrhunderts verbinde ich die Suche nach neuen kritischen
Postulaten. Zunächst untersuche ich, welchen Schriftstellern und bildenden Künstlern die Mitarbeiter des *PW* ihr Interesse zuwandten.

Unter den Klassikern fühlte man sich Friedrich Schiller am meisten verbunden.
Ein Beitrag »Zum 140. Todestag Friedrich Schillers« am 10. Mai 1945 beweist,
daß es den Kriegsgefangenen in erster Linie auf das politische »engagement«
Schillers ankam:

> Was aber mochte ihn den Herzen seiner Landsleute wohl so nahe gebracht haben?
> Seine gewaltige, dichterische Sprache? Der künstlerische Wert seiner Werke? Dies alles
> dürfte wohl allein nicht so auf die Gemüter gewirkt haben, wie seine leidenschaft-
> liche, aus reiner Menschlichkeit entsprungene Anklage gegen eine verkommene Um-
> welt, gegen Zwangsherrschaft und Entrechtung. Nicht Schillers Ästhetik, nicht seine
> Gedankengänge über die Kantianische Philosophie, sondern die Verkündigung der all-
> gewaltigen Idee der Freiheit, gipfelnd in dem kämpferischen Protest: ›Nein, eine
> Grenze hat Tyrannenmacht!‹ [27] sicherte ihm seinen Ehrenplatz im deutschen Vol-
> ke. [28]

Der Nachdruck dieses Schiller-Beitrages liegt auf »Protest« und »Anklage«; die
Adjektive »kämpferisch« und »leidenschaftlich« implizieren stilistische Kennzeichen
des Sturm und Drang. Daher konzentriert sich der Aufsatz auf die »Jugendtragö-
dien« Schillers, denn dort habe »die Idee der Freiheit ... im Gewande der dramatischen Kunst ihren Ausdruck« gefunden. Die nach dem ersten Weltkrieg auftre-
tenden Möglichkeiten der Schiller-Interpretation (hier der lutherische Ethiker, dort
der politische Dichter ohne Staat, oder aber der repräsentative Dichter der Nation
[29] werden durch die allgemein gehaltene Wortwahl und eine Vereinfachung der
Schiller-Dramen zu »ethisch reinen« Werken im Dienste der »Unterdrückten und
Geknechteten« nicht berührt. Neben der anachronistischen Feststellung, Schiller habe
»eine Ordnung, die wir heute Demokratie nennen« am Herzen gelegen, geht es
dem *PW*-Mitarbeiter um die Zugehörigkeit der besprochenen Dramen zur »Weltliteratur.« [30] Die Betonung liegt dabei auf der Tatsache, daß Schiller »nicht nur
zu den Geistesfürsten der deutschen Literatur« zähle, also auf die Internationalität
seiner Wirkung im völkerverbindenden Sinne.

Es muß auffallen, daß die Wortwahl des *PW*-Kritikers dem bewunderten Klassiker an Pathos nahekommt, nicht aber an Konsequenz. Dies wird an Wendungen wie »Geistesfürst« und »Ehrenplatz im deutschen Volke« deutlich; sie entstammen dem konservativen Sprachbereich und stehen im Widerspruch zur liberalen Polemik (gegen »Zwangsherrschaft« und für Internationalität). Ein Pathos, das auch der Publizistik des Dritten Reichs nicht fremd war, zeigt in Ausdrücken wie »Herzen«, »gewaltige... Sprache«, »Gemüter«, »verkommene Umwelt«, »Geknechtete«, »allgewaltig«, »kämpferisch« und »gipfelnd«, das Unvermögen des Kritikers, der sachlichen Zurückhaltung der politischen *PW*-Beiträge nahezukommen.

Für die deutschen Antifaschisten in Fort Devens lag es nahe, sich besonders jener Revolutionsversuche des 19. Jahrhunderts zu erinnern, die eine Auswanderung vieler Freiheitssuchender in die Vereinigten Staaten zur Folge hatten. Im Zusammenhang mit den Jahren 1830 und 1848 gedachte man des deutschen Geschichtsphilosophen Franz Lieber (1800-1872), in dem man einen »Begründer des wissenschaftlichen Studiums der Politik« bewunderte, [31] und des Freischärlers, Studenten und späteren US-Senators Karl Schurz (1829-1906). [32] Folgerichtig galt das Intersse an geistigen Wahlverwandten im 19. Jahrhundert den Schriftstellern des »Jungen Deutschland«. Werner Jahn grenzt durch den Titel seines Beitrags »Das junge Deutschland 1830—1848« [33], die literarische Bewegung durch politisch bedeutsame Daten ein. Nach einer kurzen Schilderung der vorausgehenden historischen Situation — dem Wiedererstarken der fürstlichen Autorität nach dem Wiener Kongreß — zieht Jahn eine interessante Parallele zwischen der Situation des »Vormärz« und der des Hitler-Regimes für die Literatur:

> So mußte natürlich auch die Dichtung dieser Jahre, wenn sie anerkannt und existenzfähig sein wollte, mit den herrschenden Mächten Frieden schließen. Was das unter solchen Umständen bedeutet, wissen wir vom Nazireich. Die Not und das Unrecht der Gegenwart verschweigen und dafür in einer Welt der Schönheit und der Phantasie Vergessen suchen. Oder in schamloser Frechheit sich über die Wehrlosigkeit der Opfer lustig machen ... [34]

Obwohl hier in erster Linie die offiziellen literarischen Repräsentanten des NS-Staates gemeint sind, rührt dieser historische Vergleich Jahns auch an das Problem jener »Mitläufer« unter den Schriftstellern, die sich später als »Innere Emigranten« bezeichnen sehen wollten. Aber Werner Jahn will nicht alle »Inneren Emigranten« mit dem Vorwurf des Verschweigens und der Flucht »in eine Welt der Schönheit und Phantasie« treffen und schreibt in einem anderen Beitrag:

> Wohl waren noch ein Hans Carossa, ein Ernst Wiechert und manche andere zu hören, die ihren stillen und geraden Weg gingen, doch sie blieben Außenseiter, ihre Sprache wurde nur von wenigen verstanden. Dafür wurden die Bannerkrieger der von Blut und Boden Berauschten immer lauter: ... Sie verkündeten in schlechten Versen und schamlosen Essays, hinter denen sich nur mühselig die Freude an der brutalen Gewalt verbarg, den Marsch in ein deutsches Europa. [35]

Jahns historische Sympathien richteten sich eindeutig auf die »Mutigen,« die trotz der »Verfolgung« [36] durch Metternich und andere Fürsten ihre Kritik am Status Quo veröffentlichten, nicht etwa auf die Abseitsstehenden, nur »von wenigen« Verstandenen. Die Schriftsteller des »Jungen Deutschland« nennt er die »geistige Avantgarde« des Protests aller »freiheitlich Gesinnten« [37]:

> Die Stärke dieses jungen Deutschland lag nicht so sehr in eigenen künstlerischen oder ästhetischen Ideen und Formen, als vielmehr in einer geistvollen Kritik an der herrschenden Gesellschaft. Die Leidenschaft, mit der sie ihren sprühenden Witz, ihren scharfen Spott, ihre schonungslosen Anklagen über die Korruptheit und Verlogenheit der fürstlichen und geheimrätlichen Tyrannis ausgossen, war echt, und ebenso aufrichtig und tapfer ihr Eintreten für die Demokratisierung der deutschen Staaten. Namen wie Heine, Gutzkow, Laube, Marx und Engels waren den jungen, freiheitsliebenden Deutschen die Garanten einer besseren Zukunft, . . . So blieb es das Verdienst dieses jungen Deutschland, . . . es [das »deutsche Volk«] mit den neuen Ideen der Gleichheit, Freiheit und Brüderlichkeit vertraut gemacht zu haben. [38]

Im Vordergrund steht für die Kritiker im *PW* (sowohl im Schiller-Beitrag als auch im Aufsatz über das »Junge Deutschland«) die Haltung des Schriftstellers zur Gesellschaft. Auch bei Jahn lassen sich Rückschlüsse auf die literarische Form ziehen, die er bewundert. Aus den Adjektiven »sprühend,« »scharf« und »schonungslos« im Zusammenhang mit »Leidenschaft,« »Anklage,« »Witz« und »Spott« ergeben sich ästhetische Merkmale der »jungen, freiheitsliebenden Deutschen« [39] (sie weisen auf die »zornigen jungen Männer« der Fünfziger Jahre ebenso voraus, wie auf die Lyrik der »Beat«-Generation). Die Satire ist formbildend, aber Jahn gibt letzten Endes dem Pathos den Vorzug, wenn er über Georg Herwegh (1817—1875) und Ferdinand Freiligrath (1810—1876) schreibt:

> Wir Heutigen vermögen kaum die ungeheuren Erwartungen, die Sehnsüchte des ganzen deutschen Volkes nachzuerleben, mit der es der Revolution entgegenfieberte. Dort, wo diese Sehnsucht ihren reinsten Ausdruck fand, in der Revolutionslyrik eines Herwegh oder Ferdinand Freiligrath, packt sie uns heute noch. In ihr ist das echte Pathos, die Glut freiheitsliebender Herzen, der edle Geist unserer Vorväter jung und lebendig wie einst: Alles für die Freiheit und Würde des Menschen . . . [40]

In zwei Kommentaren zur Bücherverbrennung im Dritten Reich (am 10. Mai 1933 auf dem Berliner Opernplatz) erklären die Mitarbeiter des *PW*, welche Autoren des 20. Jahrhunderts ihnen am meisten bedeuten: Erich Kästner (geb. 1899), Erich Maria Remarque (geb. 1898) und Ernst Gläser (1902-1963). Unter dem Motto »Dichtung verbrannt und verbannt« bespricht Rudi Greulich eine Reihe von Dichterlesungen in Fort Devens:

> An Dichtern kamen zu Wort: Reinow, Becher, Remarque, Kästner, Doris Schäfer, Rosenthal, Gläser und Frank. [41]
> Am stärksten wirkte auf mich das Gedicht Kästners: Sergeant Waurich. [42] Hart anklagend, Haß gegen Haß. Es zeigt, wie der kleine Mann Krieg und Kommiß empfindet. Die Prosastellen aus »Im Westen nichts Neues« und »Jahrgang 1902« [43] aufrüttelnd und aktuell wie je, obwohl beide Romane den vorigen Weltkrieg behandeln. Dichterisch stark, aber doch irgendwie nebenseitig und nicht so aktuell das Kapitel »Der Vater« aus »Der Mensch ist gut.« [44] Nicht, weil in unseren Herzen die Menschenliebe zu schwach wurde, ist der 2. Weltkrieg entbrannt, sondern weil eine Horde wahnsinniger Abenteurer die Welt unterjochen und die Liebe aus den Herzen der Menschen reißen und dafür die Anbetung von Macht und Gewalt setzen wollte. [45]

Aus den stichwortartigen Bemerkungen zu den vorgetragenen Texten geht klar hervor, daß man in Fort Devens von deutschen Schriftstellern Zeit- und Gesellschaftskritik erwartete (»Haß gegen Haß«), keine ins edle stilisierte Menschentypen und keine ins allgemein Menschliche oder Metaphysische ausweichende Betrachtungen. Konkret und (zweimal betont) »aktuell« gehalten, sollte die Literatur »anklagen« und »aufrütteln«. Greulich erwartete von ihr den negativen Gestus einer Antithese zu Machtmißbrauch und Militarismus. Erich Kästners Gedicht »Sergeant Waurich« erfüllt diese Ansprüche in der Tat, wenn ich auch mit Greulichs Auffassung, es handele sich um eine Perspektive »des kleinen Mannes,« nicht ganz übereinstimmen kann. Selbst wenn das Gedicht die Hilflosigkeit aller Opfer eines unmenschlichen Militarismus zum Ausdruck bringt, [46] trägt es doch deutlich biographische Züge (Kästner spricht von seinem Herzfehler als Resultat gnadenlosen Drills). [47]

Auf der ausdruckskräftigen Illustration zum Thema der Bücherverbrennung, einer Vignette Bodo Gerstenbergs im *PW*, die einen zähnefletschenden SS-Helfer mit einem Stoß zu verbrennender Bücher zeigt [48] (auch Erich Kästners Bücher wurden damals verbrannt [49]), ist der oberste Band deutlich mit dem Namen »Heine« versehen. Auch in dieser Zeichnung verbindet sich also das Jahr 1933 über das Vorbild Heine mit den Schriftstellern des »Jungen Deutschland.« Werner Jahn widmet sich in einer eingehenden historischen Darstellung der Bücherverbrennung und Emigration; [50] die »freie deutsche Literatur« sei im Ausland »zu einem übernationalen Faktor« geworden und habe »der Welt den leidenschaftlichen Beweis für das andere Deutschland« geliefert. [51]

Jahn ist offenbar gründlich informiert. Er erwähnt die Emigrantenzeitschriften *Maß und Wert* (von Thomas Mann in der Schweiz herausgegeben) und *Deutsche Blätter* (als deren Herausgeber Udo Rukser und Albert Theile in Santiago de Chile genannt werden). Zu den bedeutsamsten Verlegern der deutschen Emigrantenliteratur zählt Werner Jahn den Martin Oprecht Verlag in Zürich, den Querido- und Bermann-Fischer-Verlag in Amsterdam und Stockholm (die *Forum*-Buchreihe wird besonders hervorgehoben), »Das freie Buch« (El Libro Libre) in Mexiko, die Verlage Krause und Ungar und Mary Rosenberg in den Vereinigten Staaten. Jahn berichtet sogar von dem in Vorbereitung befindlichen *Lesebuch für deutsche Kriegsgefangene* im Aurora-Verlag, New York, das ein Vorwort Heinrich Manns enthalten soll; [52] auch die »lange Reihe deutscher Antinazi-Bücher« [53] der russischen Staatsverlage in Moskau (»Das Internationale Buch« und der »Verlag für fremdsprachige Literatur«) werden erwähnt.

Zu den maßgeblichsten Schriftstellern in der Emigration zählt Jahn Thomas und Heinrich Mann, Franz Werfel, Joseph Roth, Fritz von Unruh, Stefan Zweig, Jakob Wassermann, Hermann Kesten, Lion Feuchtwanger, Bodo Uhse, Ludwig Renn, Anna Seghers und Paul Zech; als noch in den Vereinigten Staaten in Vorbereitung befindlich bezeichnet Werner Jahn Werke von Bertolt Brecht, Hermann Broch, Alfred Döblin, Anna Seghers und Oskar Maria Graf. Von den in Rußland arbeitenden Schriftstellern werden Willi Bredel, Erich Weinert, Gustav v. Wangenheim und Johannes R. Becher genannt. Jahns zusammenfassendes Urteil lautet:

Diese Buchveröffentlichungen zeugen von dem Willen des deutschen Geistes, die wahre Bestimmung Deutschlands, Mittler zwischen den Nationen zu sein, rein zu halten und zu wahren. Als noch niemand in der Welt die Nazigefahr in ihrer ganzen Größe erkennen wollte, da waren diese Deutschen die ersten, die das Weltgewissen anriefen. [54]

Der »Zukunft des deutschen Buches« sieht Werner Jahn optimistisch entgegen (»der deutsche Geist, dessen sind wir sicher, hat auch für das kommende Europa seine Bedeutung«), aber unter Voraussetzungen, die Jahn mit einem Zitat Lion Feuchtwangers umschreibt:

»Es bedarf nur einer entschiedenen Maßnahme: man vernichte den Nationalsozialismus ... und die deutsche Kultur wird wieder am Tage sein. ... Es ist im Interesse aller verbündeten Nationen, die deutsche Kultur zu schützen vor übereifrigen Erziehern, die sie in Vormundschaft nehmen wollen. Die deutsche Kultur, ihrem tiefsten Wesen nach demokratisch, anti-imperialistisch, humanistisch, bedarf keiner fremden Leitung. Was an Fremdem wertvoll war, hat sie von jeher und mit Eifer organisch aufgenommen. Diese große, alte, deutsche Kultur zu schützen vor Knebelungsversuchen, mögen diese nun gut gemeint sein oder böse, ist eine der wesentlichsten Aufgaben der Vereinten Nationen.« [55]

Die fruchtbare Möglichkeit einer kulturellen Beinflussung Deutschlands durch das Ausland, wie sie dank eines legitimen Nachholbedarfs nach langer Isolierung bestand, tritt in Jahns Aufsatz hinter der Sorge vor Überfremdung durch ausländische Maßnahmen zurück. Künftigen Problemen der deutschen Nachkriegsliteratur, wie etwa der unausweichlichen Konfrontation zwischen »innerer« und faktischer Emigration, begegnet Jahn mit einem erstaunlichen Optimismus und widerspricht der Auffassung eines ungenannten »deutschen Dichters«, die deutsche Literatur werde »einmal nur noch provinzielle Bedeutung haben«, mit einigem Pathos: »Der deutsche Geist ... wird ... wieder seinen alten ruhmvollen Platz einnehmen, den ihm unsere Großen der Vergangenheit geschaffen haben.« [56]

Jahns Mangel an nüchterner Einsicht in die komplizierte literarische Situation ist zum Teil auf seine Neigung zu Abstraktion und existenzphilosophischen Motiven zurückzuführen; so erinnert der Titel eines zeitkritischen Beitrags von Werner Jahn formal an ein Renaissance-Traktat: »Von der neuen deutschen Dichtung« [57]:

Unsere Gegenwart hat, wie keine andere Zeit vor ihr, besonderen Grund, sich an einer großen und gestaltenden Vision aufzurichten. Sind doch alle ihre Ordnungen in ein chaotisches Trümmerfeld verwandelt worden und überall erblicken wir die blutigen Zeichen des Untergangs. Aber wir sehen nicht nur Zerstörung und Vernichtung, sondern glauben in allem Wahnsinn und Grauen die schwachen Keime eines neuen Weltgefühls erkennen zu können. Wird doch alles Neue unter Schmerzen geboren ... Daß dieses Neue nicht nur ein Wort im Munde berufsmäßiger Optimisten bleibe, — wir erinnern uns an die ohnmächtige Enttäuschung der Heimkehrer von 1918 —, das möge nicht zuletzt auch der Dichter verhindern. Denn kein anderer als er ist mehr berufen, uns eine Deutung der menschlichen Existenz zu geben. Er verdichtet Sein und Werden zum allgemeingültigen Erlebnis durch das Medium des Wortes. Er allein vermag es, im Rausch und Taumel der Geschehnisse das Bleibende zu halten und erhebt es in seinem Werk zum ruhenden Sein, das über den Zeiten steht. Aber er leidet auch am tiefsten an seiner Zeit, weil er eines nicht sein kann: Ein Mensch ohne

Liebe. Die Liebe ist das Element, das ihn mit uns und allen seinen Geschöpfen verbindet; und wo immer er das Leben in seinen Händen hält, ist es der Genius der Liebe, der es adelt. So muß er auch mit Notwendigkeit gegen eine Zeit aufstehen, die das Gesetz der Liebe verraten hat. Mit Notwendigkeit muß er zeugen für die Wiederherstellung des natürlichen Zustandes, der alle Menschen in seiner Ordnung aufnimmt. [58]

In Jahns Ausführungen nähert sich die Aufgabe des »Dichters« einem zeitkritischen »engagement«. Einerseits ist er »als einziger« dazu befähigt, das »neue Weltgefühl« genauer zu gestalten, weil er im Wechsel der Ereignisse »das Bleibende« überzeitlich artikulieren kann, andererseits zwingt ihn der moralische Impuls der »Liebe«, die als das eigentlich Überzeitliche und für den »Dichter« Existenznotwendige erscheint, die Gegenwart zu verurteilen. Eine gewisse Nähe zur deutschen Existenzphilosophie ist in Jahns »Dichter«-Bild unverkennbar. Es wird auf die Enttäuschung der Heimkehrer von 1918 verwiesen; [59] sie begriffen ihre Umwelt in der neuen, existenzphilosophischen Deutung als *a priori* feindlich. [60] Jahn drückt die Zeitlichkeit des Menschen in philosophischer Terminologie aus, indem er von »menschlicher Existenz« als einem »Sein« und »Werden« spricht [61]; ihr negativer Aspekt läßt ihn die Formulierung vom »schweren Mut« des »Dichters« finden. Jahns Auffassung, gerade dem Dichter gelinge es, »die Zeit zu bannen«, erinnert an Heideggers Bewunderung für Hölderlin [62] und dessen Vers: »Was bleibet aber, stiften die Dichter.« [63] Das »Bleibende« wird in den Gedichten (und Romanen) Hermann Hesses, Friedrich Georg Jüngers und Werner Bergengruens immer wieder als ruhender Mittelpunkt des bewegten Daseins entdeckt. [64]

Im weiteren Verlauf seines Beitrags konkretisiert Jahn die moralische Aufgabe des »Dichters« und geht, wenn auch ungenau und gehindert durch pathetisches Vokabular, auf das Problem der äußeren und »inneren« Emigration ein:

Die wenigen großen Dichter, die das alles in der Heimat miterlebten, konnten nichts tun, als das Erbe einer großen Vergangenheit hüten und wahren. Andere verstummten ganz..., von ihren Verzweiflungen weiß noch kein Buch zu berichten. Doch die Männer und Frauen, die lieber in die Verbannung gingen, als daß sie schweigen sollten, nahmen ein schweres Leid auf sich. Bis zur Neige mußten sie Furcht und Hoffnung, Leid und Unverständnis des Heimatlosen kosten, bis in ihnen ein neues Lied deutscher Tragik, ein dunkles und doch hoffendes gebären konnte. Sie die unbeirrt und ohne Pathos ihren Weg gingen, sind die berufensten Künder einer neuen deutschen Zukunft. Einer der Wenigen, die daheim geblieben waren und nicht ihre Berufung vergaßen, Ernst Wiechert, ... rief ... umsonst, und erst jetzt, nachdem dieselbe Jugend durch andere »Ideale«, denen der Macht, verführt wurde und auf den Schlachtfeldern der Welt ihren Irrtum fürchterlich büßen mußte, können wir uns wieder auf das andere Deutschland besinnen, das Deutschland, in dem der höchste Wert das Leben und nicht der Tod sein wird. Die große Stunde der deutschen Dichtung ist gekommen: In Deutschlands größter Not und seinen höchsten Hoffnungen wird sie wieder ihr Haupt erheben, verantwortungsbewußt und den liebenden Mächten verbunden wie einst: Das lebendige Gewissen des deutschen Volkes. [65]

Drei Aspekte fallen auf: der ethische (von dem ich bereits sprach), der biographische und der stilistische. Ihre ethische Aufgabe (als »lebendiges Gewissen des deutschen Volkes« [66]) erfüllten nur die Emigranten; der »inneren Emigration«

blieb nach Jahn keine andere Möglichkeit, als zu schweigen oder die literarische Tradition zu bewahren (Ernst Wiecherts Rede »Der Dichter und die Zeit« [67] blieb ein Einzelfall). Die biographischen Erlebnisse der Emigranten werden durch äußere Widerstände (»Unverständnis«) und starke psychische Belastung (»Furcht, Hoffnung, Leid«) gekennzeichnet. Jahns stilistische Postulate richten sich auf Nüchternheit (»ohne Pathos«) und Zielstrebigkeit (»unbeirrt«). Allerdings kann es Jahn in seinem Aufsatz kaum gelingen, seine eigene Wortwahl mit der bewunderten Sachlichkeit in Einklang zu bringen; die Literatur wird bei ihm zum »dunklen Lied,« und der »Dichter« tritt noch als »Künder« und »Rufer« (»zurufen,« »rief er umsonst«) auf.

Während sich Jahn den literarischen Gegenwartsproblemen auf ethisch-biographischem Wege nähert (»Zeit«, »Trümmerfeld«, »1918«, »Dichter«, »Liebe«, »neues Weltgefühl«), versucht E. R. Greulich in seinen »Gedanken über Kunst« [68] den Schluß von der historischen Entwicklung der Form auf gegenwärtige Wechselbeziehungen von Kunst und Gesellschaft; [69] Greulich belegt seine Argumente vor allem mit Beispielen aus der bildenden Kunst. Seinem Beitrag geht ein redaktioneller Hinweis voraus, wonach es sich um »Ansichten eines kunstinteressierten Laien« handele. Der etwas aufdringlich-pädagogische Zusatz: »zu einem Thema, das uns alle angeht«, hat, wie sich zeigen wird, programmatische Bedeutung, denn Greulich spricht einem deutschen Traditionalismus das Wort:

> Kunst ist die ton-, bild-, gestalt- oder schriftgewordene Auseinandersetzung eines Individuums mit sich oder seiner Umwelt. Selbstverständlich für mich ist dabei das Ziel, die Mitmenschen zu erbauen, erfreuen, erheben oder anzufeuern. Sie erstrebt die Anteilnahme der menschlichen Gemeinschaft im positiven Sinne. [70]

Aus diesem Blickwinkel sieht Greulich den Weg zur »Vollkommenheit« in der Kunst bis zum Jahre 1910 als lineare Entwicklung. Nolde und Barlach sind für ihn noch »gemäßigte« Expressionisten und daher künstlerisch ernst zu nehmen, »aber im Gefolge des Expressionismus gab es dann eine Flut von Ismen, die von Laien nicht mehr als Kunst begriffen werden.« [71] Um dem Leser begreiflich zu machen, daß die Kunst in ihrer jahrtausendelangen Entwicklung wirklich Fortschritte gemacht hat, bedient sich Greulich eines zeichentechnischen Arguments, wonach »ein begabter achtjähriger Zeichenschüler ... weitaus schöner, perspektivenechter« zeichne, »als es die Schöpfer der Höhlenbilder der Steinzeit taten.« Der naiven Gleichsetzung von »schön« und »perspektivenecht« folgt als weiteres Qualitäts-Kriterium »die Erlangung möglichst großer Ähnlichkeit mit dem Dargestellten.« Aufschlußreicher als solche Argumente [72] erscheint die implizierte sozialistische Tendenz, die dem Künstler soziale »Verantwortung« unterstellt und sich gegen einen »l'art-pour-l'art«-Standpunkt richtet:

> Wo liegt die Grenze? Betrachte ich Kunst als reine Angelegenheit von Experten, dann gibt es wohl kaum Grenzen. Beziehe ich aber in die Angelegenheit Kunst eine wirkliche »Gemeinde« mit ein, also alle interessierten Laien, so ergeben sich meiner Meinung nach sehr klare Grenzen. »Den Künstler hat es ausgefüllt und befriedigt«, ist kein Kriterium. Ist seelische Selbstbefriedigung schon Kunst? Dann wäre jeder Schulbub, der höchst befriedigt Strichmännchen an die Zäune malt, ein Künstler. Was ein

exzentrischer Künstler zwischen seinen vier Wänden ausprobiert, mag er schrankenlos tun. Übergibt er es der Betrachtung seiner Mitmenschen, so beginnt eine Verantwortung. Diese Verantwortung wird nicht gemildert durch den Hinweis auf bekannte Maler (Rembrandt, Goya, van Gogh u. a., die erst von ihrer Mitwelt abgelehnt wurden und heute weltberühmt sind. Dagegen steht folgendes: »Mitwelt« gibt es praktisch erst im 20. Jahrhundert mit seinen ungeahnten Vervielfältigungsmethoden, seinen öffentlichen Ausstellungen, Galerien und Museen. Abgelehnt wurden diese Genies von einer engbegrenzten Kaste reicher Auftraggeber (Fürsten und Adel, Kirche, Patriziertum) und nicht von einer »Mitwelt«, die es noch gar nicht gab.
Die Kunst dem Volke, weil sie eins der stärksten Massenerziehungsmittel darstellt. Abstrakte Phantastereien sind noch nie geeignet gewesen, diese große Aufgabe zu bewältigen. [73]

In der Forderung nach Freude und Erbauung durch eine den Menschen verherrlichende Kunst wird die gefährliche Nähe zum Kunstideal des Dritten Reiches spürbar; die Hinweise auf experimentelle Kunst als »seelische Selbstbefriedigung« und das kleinbürgerliche Ressentiment in dem Ausdruck »engbegrenzte Kaste« (für die Mäzene der »Genies«) verstärken diesen Eindruck. [74] Die Auffassung von der Kunst als einem der »stärksten Massenerziehungsmittel« und das mißverständliche Schlagwort »Die Kunst dem Volke« rücken Greulichs Betrachtungen vollends in die Nähe der NS-Kunsttheorie; nur sein Enthusiasmus für Käthe Kollwitz, George Grosz und Otto Dix bewahren ihn davor, die Ideen seiner Widersacher ganz als die seinen zu akzeptieren:

Gerade die Extremisten haben es auf dem Gebiet der Kunst Hitler so leicht gemacht, wirklich fortschrittliche und moderne Künstler (Liebermann, Kollwitz, Grosz, Dix u. a.) zu verketzern oder zumindest totzuschweigen, weil er ihre Werke geschickt mischte mit den Erzeugnissen der »Lehmkloß-Madonnen-Plastiker«, »Dadaisten-Aktzeichner« und »Stielaugen-Portraitisten.« [75]

Greulich übersieht, daß er mit Namen wie Kollwitz, Grosz und Dix eine sozial und pazifistisch engagierte Kunst anerkennt, die zwar noch rudimentäre realistische Züge trägt, aber keineswegs seiner Ausgangsforderung entspricht, »... die Mitmenschen zu erbauen, erfreuen, erheben oder anzufeuern.« Vielmehr erscheint bei diesen Künstlern der Mensch oft eher als Tier, [76] der Häßlichkeit seiner Gesinnung entsprechend, oder in seiner gequälten Hilflosigkeit, als geplagte Kreatur. Ungeachtet dieser Widersprüche ist die Nähe von Greulichs Polemik zum Kunstprogramm des sozialistischen Realismus unverkennbar. [77] Das Bestreben, die »Angelegenheit Kunst« mit den problematischen Verben »erbauen« und »anfeuern« zu verbinden, [78] entspricht im Ansatz der totalitären Kunsttheorie beider Lager. Ob »Blut-und-Boden« oder »Agit-Prop«, die experimentelle Kunst wird zugunsten eines volkstümlichen, politisch qualifizierten »Realismus« (als »entartet« oder »formalistisch«) abgelehnt.
Die Bewunderung für Käthe Kollwitz (1867-1945) und George Grosz (1893 bis 1959) teilten auch andere Mitarbeiter des PW. Ein Kriegsgefangener (der im PW mit »Erge« zeichnet) sieht in Käthe Kollwitz die »größte Künstlerin der Gegenwart«:

Ihre Bilder zwingen das Herz. Aus ihnen spricht das große Mitleiden mit den »Mühseligen und Beladenen.« Ihr Werk ist für jeden verständlich und daher wahrhaft international und zeitlos ... Die Werke der Käthe Kollwitz wirken nicht nur ästhetisch sondern moralisch. Die Spießbürger, denen beim Anblick solcher Blätter ungemütlich wird, nennen das »Tendenzkunst.« [79] Die »Tendenz« dieser zutiefst mütterlichen Frau aber ist nur einfache Menschenliebe.

... Den Kultur-Barbaren des Dritten Reiches blieb es vorbehalten, das Werk dieser großen Deutschen als »entartet« zu beschimpfen. Aber ihre Kunst wird noch leben, wenn die letzten selbstverliehenen Orden dieser Menschenschinder vom Rost zerfressen sein werden. [80]

Die »zornige« Gewißheit dieser Schlußsätze läßt erkennen, wie sehr Erges Abneigung gegen den Faschismus in Sympathien für künstlerisches »engagement« wurzelt; wie die ausführlichen biographischen Hinweise implizieren, besteht nach Erges Auffassung die Echtheit eines solchen »engagements« auch in einem Lebenslauf und -stil, der dem moralischen Impuls des Werkes entspricht:

Ein Kamerad unseres Lagers hat im vorletzten Jahr die Meisterin aufgesucht. Sie wohnte noch immer im gleichen Arbeiterviertel, in der Weissenburger Straße, wo ihr Mann seit Jahrzehnten eine segensreiche Tätigkeit als Arzt unter den Ärmsten ausübt. Das blieb ihre Welt, mit der sie sich verbunden fühlte. Trotz der schon damals fürchterlichen Luftbombardements erklärte die Greisin, sie werde Berlin nicht verlassen. Ihr, deren ganzes Leben ein Einsatz für die Leiden der Menschheit war, blieb selbst nichts erspart. [81]

Es liegt nahe, in dem »Kameraden« aus dem Lager Devens, der Käthe Kollwitz besuchte, Bodo Gerstenberg zu vermuten, dessen kräftige Illustrationen im *PW* die Schule Kollwitz-Grosz weiterführen. [82]

Der George-Grosz-Beitrag Ernst Walskens in Form eines offenen Briefes verrät bereits in der Struktur die besondere geistige Verbundenheit, die der Kriegsgefangene mit dem ebenfalls nach Amerika gelangten Maler [83] empfand. Walsken spricht den verehrten Künstler mit Du an; er versucht, die Implikationen verschiedener Grosz-Bilder als zeitkritischen Ausdruck und als ihm selbst vertraute innere Erlebnisse zu deuten, die durch Grosz expressionistische Gestalt gewannen:

Da sind Soldaten mit Stahlhelm und Gewehr. Aber was ist es, was ihnen folgt, ihnen, den Soldaten? Es sind Ratten, welch Entsetzen! Ratten sind die Begleiter der Soldaten. Für wen kämpft der Soldat? Weiß er es? Vielleicht für die Ratten? Fällt er tot um, so fallen die Ratten über ihn her, um Stück für Stück von ihm abzunagen, bis nur noch die Knochen bleiben, sauber und rein. [84]
Du stehst und schaust und siehst Sterben, Elend, Trauer und Wahnsinn; Flugzeuge fliegen dicht wie Vogelscharen. Sie werfen ihre Bomben. Ein Stadtteil fliegt in die Luft, im Wirbel Häuser, Bäume und Menschen zerfetzend. Punishment? Ja, George Grosz, auch mein Heim war dabei, knapp entfloh meine Frau dem Tode. Auch die Heime meiner Geschwister waren dabei. [85]

Den Abschluß dieses längeren Aufsatzes bildet ein Hinweis auf Walskens eigene Empfindungen bei dem Gedanken an die Rückkehr nach Deutschland. Hier ist ein so echter Ausdruck für die Zweifel an traditionellen Werten, am Menschen überhaupt und an dem Sinn jeder Zukunft gefunden, daß ich nicht zögere, den längeren Schlußabsatz wiederzugeben:

Ich werde eines Tages wieder aus diesem Lande fortgehen. Ja, ich gehe mit sehr gemischten Gefühlen. Froh, den Draht hinter mir zu haben. Aber ängstlich schauend nach dem, was den Liebsten blieb. Es ist nicht viel, was ich in diesem Lande zurücklasse, einige Fingerabdrücke, einige Fotos von mir. Wo sollen wir den Mut hernehmen, daheim die Häuser wieder zu errichten? Was sind wir noch? Wird es der letzte Stacheldraht für uns sein? Werde ich wieder irgendwo in der Welt hinter einem Stück Papier von einer alten Tabaktüte herlaufen, um darauf zu zeichnen? Gefangene zeichnen, wartend? Ja, George Grosz, würdest du heute noch Menschen als Tiere zeichnen? ist das nicht ein großer Irrtum? Vielleicht sind die Menschen Bestien, aber Plato, Goethe, Hölderlin? Die Griechen taten gut daran, ihre Dichter als Halbgötter zu verherrlichen. Würdest Du nochmals Christus mit der Gasmaske zeichnen? Ich glaube nicht! Morgen werden wir vielleicht noch tiefer in die Erde kriechen. Von neuem wird dein Todesreiter über die Erde reiten. Menschen werden sterben, zu Bergen sich häufen. Dann bleibt nichts mehr. Die Krähen und Ratten verrichten das letzte Werk. Hier und da werden noch einige Menschen hausen, in Höhlen oder Kellergewölben. Sie werden neu beginnen. Dünger auf dieser Erde. [86]

Kennzeichnend für den inneren »Nullpunkt« ist das Bild der »Gefangenen, wartend«, aber auch der Zweifel an dem Sinn, solche Bilder weiter festzuhalten. Nach den langen Kriegsjahren wird das Leben auch ohne Sinngebung und Hoffnung als kostbar empfunden. Die Verbitterung Walskens findet ihren Ausdruck in der gleichzeitigen Absage an die Kostbarkeit dieses mühsam geretteten Lebens; der Mensch ist nichts als »Dünger auf dieser Erde.«

Ernst Walskens Zukunftsbild, eine symbolische Darstellung des Rückzugs in weitere Vereinsamung und Verinnerlichung des bedrohten Daseins (Menschen verkriechen sich »tiefer in die Erde«), nimmt das Lebensgefühl der Nachkriegsjahre voraus. [87] Die apokalyptischen und grotesken Bilder (das Leben unter der Erde, Menschen als »Dünger«, der »Todesreiter«, »Ratten« als Gefolge der Soldaten, sauber genagte Menschenknochen und Flugzeuge als »Vogelscharen«), angeregt durch expressionistische Grosz-Motive, sind von symptomatischer Bedeutung für die künstlerischen Strömungen der unmittelbaren Nachkriegszeit (1945-50), in der sich Nach-Expressionismus mit surrealistischen Impulsen belebte. Selbst der Stakkato-Stil Walskens mit gequälten Fragen, unruhigen Antworten und wiederholten, parataktisch gebauten Sätzen antizipiert Wolfgang Borcherts (1921-1947) und Wolfdietrich Schnurres (geb. 1920) Prosa.

EIGENE SCHÖPFERISCHE ANSÄTZE UNTER DEN KRIEGSGEFANGENEN DES LAGERS DEVENS, MASSACHUSETTS

Wo sich die Kriegsgefangenen an eigenen schöpferischen Beiträgen versuchten, sei es in Illustrationen oder Gedichten für die Zeitschrift *PW*, oder durch Theaterinszenierungen für die Lagerbühne, zeigte sich ein starkes Interesse an gesellschaftsbezogener, zeitkritischer Aussage. [88] An der Kriegsgefangenen-Lyrik im *PW* fällt vor allem die pathetische Überlastung der Texte mit überdeutlicher Didaktik auf. Angesichts der Entstehungsumstände erscheint dies verständlich; die meisten Kriegsgefangenen sind ungeübte Schriftsteller und Leser. Dennoch sind manche Gedichte sehr aufschlußreich für die Ansprüche, welche die Kriegsgefangenen im Jahre 1945 an die Literatur stellten.

Horst Heitzenröther: »Helm auf dem Grabe« (März 1945)

Hier liegst du, Bruder, herzdurchschossen,
drei Klafter tief — und nicht mehr auf der Welt.
Ein schiefes Kreuz steht — lieblos hingestellt
von abgekämpften Kampfgenossen —
bei deinem Helm, auf den das Herbstlaub fällt.

Sie haben dir den Helm gegeben
und meinten, damit sei dein Tod geehrt.
Du, der sich gegen Helm und Druck gewehrt,
der kämpfte für das freie Leben,
liegt ruhlos hier, von einem Helm beschwert.

Sie fassen nicht in engen Hirnen,
daß wir verachten, was man ihnen preist,
daß ihre »Freiheit« Unterdrückung heißt;
denn Helme drücken ihre Stirnen,
und Helme unterdrücken ihren Geist.

Doch, Bruder, du sollst ruhig schlafen.
Ich nehme dir den Helm der Tyrannei
und schleudre ihn ins Feld hinaus. Dies sei
Symbol. Denn die behelmten Sklaven
erwachen einst und werden stark und frei! [89]

Das wiederholte Wortspiel um »Helm« und »Druck« (bzw. »Unterdrückung«) verdeutlicht, daß Heitzenröther die im Gedicht dargestellte Situation nur als Vorwand für eine politische Sinngebung verwendet. Die Aussage der ersten Zeile stellt durch das vertraute »Du« und die familiäre Anrede »Bruder« eine besondere Nähe des lyrischen Ichs zu dem Toten und dessen Schicksal her. Das Herbstlaub auf dem Helm betont die traurige Stimmung, aber das »schiefe Kreuz« (1.3) evoziert das Pietätlos-Unangemessene; es wirkt über die naturalistische Erklärung eines hastigen Begräbnisses in die weiteren Strophen hinaus. Der Helm (Strophe 2) ist das Zeichen eines unbefragten, jedes kritische Denken ausschaltenden Militarismus im Dienste einer totalitären Ideologie. Die dritte Strophe setzt daher den Vertretern der verachteten Ideologie ein den Toten und Lebenden einschließendes, solidarisches »Wir« entgegen (3.2). In der vierten Strophe benötigt der Autor einen kräftigen Schlußakzent und verfällt in das Vormärz-Pathos des Epigonen-Dramas. Er spricht von »Tyrannei« und »Sklaven« (4.2, 4.4), und die eigene Zeit verblaßt hinter dem Wortschatz einer 150 Jahre zurückliegenden politischen Dichtung. Auch der störende, allzu deutliche Zusatz »Dies sei Symbol« (4.3, 4) bringt keine Steigerung. Die Kritik muß hier von der Form her ansetzen; eine triviale Didaktik zehrt die Gedichtform aus und läßt Prosa angemessener erscheinen. Das gilt auch für die von Emil Staiger [90] zu Recht als unlyrisch empfundenen Artikel, Reflexivpronomen, Kausalwendungen, Konjunktionen und hinweisenden Fürworte (»Du, der sich« 2.3, »der« 2.4, »bei deinem Helm, auf den

das« 1.5, »was man ihnen« 3.2, »daß« 3.2, 3.3, »doch« 4.1, »denn« 3.4, 4.4, »damit«
2.2, »hier« 1.1, 2.5, »Dies« 4.3), aber besonders für den erklärenden Moralschluß.
Der Vergleich mit dem Lützkendorf-Gedicht (»Ein Leutnant fiel«, 1943) liegt nahe,
und die Folgerung, daß man weder in dem einen noch in dem anderen politischen
Lager das Didaktische formal bewältigte.

Heitzenröthers Gedicht »Aufruf« (März 1945) befaßt sich mit der militärisch-
politischen Lage der unmittelbaren Gegenwart und entspricht seinem Titel durch
den deutlichen Appellcharakter; es versucht, die noch auf Hitlers Seite gegen die
Alliierten auf deutschem Gebiet kämpfenden Soldaten zum Widerstand gegen
den eigenen Staat aufzurufen. Ich gebe nur die letzten drei von sieben Strophen
wieder, denn sie demonstrieren, mit welchem zeitfernen und abstrakten Vokabular dieses sehr konkrete Thema von Heitzenröther behandelt wird:

> . . .
> Wo bleibt Ihr jetzt, Ihr freien deutschen Herzen?
> Schwand Euch der alte Trotz, weil man Euch drohte?
> In Kellern flackern schüchtern Eure Kerzen,
> statt daß auf Bergen Eure Fackel loht.
>
> Kommt an den Tag, und laßt es endlich tagen!
> Dem freien Geist laßt seinen freien Lauf —
> dem Geist, den hinter Phrasen Ihr getragen!
> Erkennt den Wahn! Brecht Euren Kerker auf!
>
> Reißt ein! Erschlagt: — Doch fasset nur die Rechten!
> Den fremden Brüdern reicht die Friedenshand!
> Denn den nur wird man achten und nicht knechten,
> der selbst sich Freiheit schafft und seinem Land! [91]

Der hier angeschlagene Ton greift zurück auf das Freiheitspathos Friedrich
Schillers (besonders im *Wilhelm Tell*), auf die Lyrik des Jungen Deutschland, und
auf Gedichte des frühen Georg Herwegh und des späteren Ferdinand Freiligrath. [92] »Der alte Trotz«, von dem hier die Rede ist, meint wohl auch die Jahre
1830 und 1848; die Häufung der Imperative und Rufzeichen zugleich mit Worten
wie »Wahn«, »Kerker« und »Friedenshand«, »drohen«, »knechten« und »tagen«,
und die Konzentration zerstörerischer Kommandos (»Brecht . . . auf!« 6.4, »Reißt
ein! Erschlagt«, »fasset . . . die Rechten«, 7.1) lassen an die patriotisch eifernde Intensität von Kleists *Hermannsschlacht* (1808/09) denken. [93]

Die Verachtung Heitzenröthers für »Phrasen« (6.3) wirkt, in diesem Gedicht,
durchaus vergeblich, denn bei aller gehaltlichen Unterschiedlichkeit sind die stilistischen Übereinstimmungen mit den Mitteln der NS-Lyrik nicht zu übersehen.
[94] Dazu gehören die Feuermetaphern (»Kerze«, »flackern«, »Fackel«, »loht«)
Alliterationen (»Keller/Kerze«, »Tag/tagen«, »freier Geist/freier Lauf«) und Kol-
lektivbezeichnungen(»Ihr«, »Euch«). Die zur Vernichtung des Faschismus ansta-
chelnde Beredsamkeit richtet sich gegen Menschenleben (»Erschlagt . . . die Rechten!«, 7.1) und will nicht recht zur »Friedenshand« (7.2) passen; mit dem Aufruf
zur Brutalität begibt sich Heitzenröther auf die Ebene des Gegners. Hier weiß die
Linke nicht, was die Rechte tut.

Stilistisch und strukturell anziehender wirkt das Gedicht von Oskar Wintergerst: »Den Toten des Krieges« (März 1945).

> Menschen, in Wehen und Schmerzen geboren,
> von stöhnenden Müttern zur Welt gebracht.
> Der Tod hat sie sich auserkoren —
> Der Krieg sie vernichtet in einer Nacht.
>
> Zerfetzte Leiber klagen an,
> die brechenden Augen fragen:
> Sagt, Mütter, was haben wir der Welt getan?
> Seht Ihr die Holzkreuze ragen?
>
> Millionen von Toten liegen zu Hauf —
> Mit Ihnen geht Hoffen und Sehnsucht zu Ende.
> Gewiß: Die Liebe höret nimmer auf;
> doch nie mehr finden sich unsere Hände.
>
> Wir gingen den Weg, den Hitler gewiesen.
> Wir gingen in Nacht und Tod.
> Hitler — er hat die Freiheit gepriesen
> und führte Deutschland in Elend und Not.
>
> Doch nun, Deutscher Adler, erhebe die Schwingen
> vernichte die Feinde im eigenen Land.
> Mach Schluß mit diesem blutigen Ringen,
> dann reichen wir aus dem Grabe die Hand. [95]

Das wesentliche Strukturprinzip in Wintergersts Gedicht ist die Antithese. Eine Gegenüberstellung von Titel und letzter Gedichtzeile macht dies deutlich. Im Titel wird von »den Toten« in der dritten Person gesprochen, am Gedichtende sprechen die Toten selbst. Im Grunde wechselt die Perspektive der Darstellung von Strophe zu Strophe und belebt die Gedichtstruktur. Der a-realistischen Darstellungsperspektive der Strophen 4 und 5 entsprechen Stilmittel der Übersteigerung. In der zweiten Strophe wird das bereits Tote metaphorisch neubelebt: »Zerfetzte Leiber klagen an« (2.1). Die drohende Wirkung der »ragenden« Holzkreuze (2.4) weitet sich in der dritten Strophe zum Anblick einer riesigen, unwirklichen Schädelstätte aus (»Millionen von Toten liegen zu Hauf,« 3.1). Besondere Stilfiguren sollen das antithetische Prinzip verstärken. Syntaktischer Parallelismus (»Der Tod ... sie«/ »Der Krieg sie«, 1,3,4; »Wir gingen«/»Wir gingen«, 4.1,2) und Doppelformeln (»Wehen und Schmerzen«, 1.1; »Hoffen und Sehnsucht«, 3.2; »Nacht und Tod«, 4.2; »Elend und Not«, 4.4) unterstreichen Zusammengehörigkeit und Kontrast. Symptomatisch, daß diese rhetorische Figuren die Tendenz der deutschen Nachkriegslyrik antizipieren, Antithesen zu häufen.

In der ersten Strophe verstärkt die Doppelformel den langen und schmerzhaften Vorgang der Geburt im Gegensatz zu einem raschen Kriegstod (»vernichtet in einer Nacht,« 1.4). In der dritten Strophe wirkt die klangliche Ähnlichkeit von »nimmer« und »nie mehr« (3.3,4) bei konträrem Sinnzusammenhang belebend. Der Kontrast der religiös-abstrakten Trostformel (»Die Liebe höret nimmer auf«, 3.3)

[96] zur physisch-konkreten Geste (»nie mehr finden sich unsere Hände«, 3.4) wird, funktionell geschickt, in der Schlußzeile wieder aufgenommen: der symbolische Zusammenhang impliziert, daß der Trost nicht aus religiöser Tradition, sondern allein aus konkreten politischen Handlungen kommen soll (dem rasch herbeigeführten Ende des zweiten Weltkriegs). In der vierten Strophe dagegen wirken die Doppelformen überdeutlich und stören als bloße Füllwörter. Leider sinkt die fünfte Strophe tief unter das stilistische Niveau des Ganzen. Das Bild vom »Deutschen Adler« entspricht nicht mehr der unpathetischen Resignation, die in dem »Nie mehr« eines endgültigen Verlustes gipfelt. Das Adlersymbol ist überdies in seiner martialischen Evokationskraft ungeeignet, den in derselben Strophe geäußerten Wunsch nach Frieden überzeugend zu verkörpern. Man darf vom Frieden nicht auch »Vernichtung« (5.2) erhoffen. [97]

Die eigentliche Intention vieler Gedichte über die Gefallenen des zweiten Weltkriegs, die Klage um das sinnlos und gegen besseres Wissen geopferte Leben von Millionen, kommt im Gedicht des Kriegsgefangenen Walter Krumbach zu überzeugender Wirkung. Es trägt den Titel: »Stimme der Toten« (Februar 1945).

> Wir singen nicht mehr, unser Mund ist stumm,
> es modern unsre Gebeine.
> Und immer das dumpfe: Warum, warum?
> am Wolchow, in der Ukraine.
>
> Das liebe Leben, wir haben's geliebt,
> jetzt decken uns Schlamm und Steine
> und die Wildnis, die uns den Frieden gibt
> am Wolchow, in der Ukraine.
>
> Der Eiswind begräbt uns, doch wir sind frei,
> frei wie die Toten alleine, —
> dann wiegt uns die Steppe, ihr grüner Schrei
> am Wolchow, in der Ukraine. [98]

Bei einem Vergleich mit dem Gedicht Wintergersts fällt sogleich die bedeutendere Dichte und Ökonomie in Krumbachs Gedicht auf. Der unmittelbare Einsatz der sprechenden Stimme (»Wir«) erlaubt Krumbachs Rollengedicht eine gestrafftere Darstellung, die lyrische und musikalische Mittel, vor allem im dreimal wiederholten Refrain, anstelle einer allzu deutlichen Didaktik zu setzen vermag.

Die Bedeutung dieses, in dem kurzen Gedicht dominierenden Refrains erschöpft sich nicht in der dunkleren Klangsuggestion der Vokale (o-o-u), aus denen, gleich einem Aufschrei der helle »ai«-Diphthong hervorbricht (mit seiner Silbe fällt auch ein starker Betonungsakzent zusammen). Die Funktion des Refrains wechselt in den drei Volksliedstrophen; der klanglichen Gegensätzlichkeit der Refrainzeile entspricht eine gehaltliche Dialektik, die sich von Strophe zu Strophe anders offenbart. In der ersten Strophe resignieren die Toten, der Gesang als Ausdruck der Lebensfreude ist verstummt, und die Sprechenden sagen (im poetischen Paradox) von sich selber, sie seien stumm. Dem Lautwerden der wiederholten und »dumpfen« Frage nach dem Sinn des Schreckensbildes (moderne »Gebeine« 1.2) kommt eine Bedeutung zu, die über den Chorus der Toten hinausweist: das »Warum« (1.3) scheint aus der Natur selbst zu tönen. Die Vokale dieses wiederholten Fragewortes münden sinngemäß — durch die Alliteration (»Warum, warum?/am Wolchow«, 1.3,4) stark an die Refrainzeile gebunden — in den Vokalklang des Flußnamens. Der Refrain unterstützt hier den Eindruck, die Sinnfrage hänge wie ein klagend wiederholter Naturlaut über dem Ukrainefluß.

Diese Hypostase der Natur wird durch die Personifizierungen in der zweiten und dritten Strophe noch deutlicher betont. Die »Wildnis« gibt den Toten »den Frieden« und »deckt« sie zu (mit »Schlamm« und »Steinen«), die »Steppe« »wiegt« sie mit mitleidsvoller Zärtlichkeit, und der »Eiswind« ist zum Totengräber bestellt. Dieser variierende Gestus der Natur als Mutter, die ihren Sohn begräbt, beklagt, erschüttert aufschreit oder wie betäubt nach dem Sinn des Todes fragt (»ihr grüner Schrei« — »Warum, warum?«), ist ein dem Thema »Soldatentod« immanentes Motiv; hier ist jedoch nur mittelbar von der Mutter (in Naturpersonifizierungen) die Rede; die Natur selbst erscheint lebensfremd und unwirtlich zugleich.

Die zweite Strophe besteht aus einem einzigen Satz, der die Refrainzeile noch enger mit dem Gehalt der übrigen drei Zeilen integriert. Zwei Gegensätze bestimmen diesen Gehalt: die Vergangenheit eines »geliebten Lebens« ist mit dem »Jetzt« eines »Schlamm- und Stein«-Grabes ebenso unvereinbar wie die Assoziationswerte von »Wildnis« und »Frieden.« Der Refrain unterstreicht den Widersinn durch Nennung eines geographisch entlegenen, fremdartig und dunkel klingenden Flußnamens und durch den Vokalkontrast im Wort »Ukraine.« Die fremde Landschaft und der fremde Fluß sind Zeichen einer »Verfremdung« des Lebens durch das sinnlose Massensterben. Nicht ebenso überzeugend wirkt leider in dieser Strophe die erste Zeile, in welcher durch eine zu direkte, banale und pleonastisch formulierte Aussage klar werden soll, wie groß der Verlust des »geliebten Lebens« ist. Die Personifizierung der Natur erreicht in der dritten Strophe folgerichtig ihren Höhepunkt. Die lebensfeindlichen Elemente dieser Landschaft, der klimatisch extreme »Eiswind« und die wachstumsarme »Steppe« sind bei der Grablegung dabei, das allem Menschlichen Unangemessene dieses Todes steigert sich in dem synästhetisch-expressionistischen Zusatz »ihr grüner Schrei« (3.3) zu einer höchst originellen Prägung; die sonst mit »grün« assoziierten Vorstellungen (Hoffnung, Ruhe) stehen in stärkstem Gegensatz zu dem damit bezeichneten Nomen »Schrei.« Von ähnlich antithetischer Spannung erfüllt ist die bittere Gleichsetzung von Grab und Freiheit (3.1,2). Die Natur übernimmt »dann« fast erlösend und tröstend (»wiegt« 3.3) die Totenklage. Der dritte Refrain hat wieder vorwiegend klangliche Funktion; die klanggleichen Diphthonge in »Schrei« (3.3) und »Ukraine« (3.4) verdeutlichen, daß der Klagelaut »ei(ai)« die Klangfarbe des gesamten Gedichts durch sein achtmaliges Vorkommen in den zwölf Reimworten bestimmt.

Rhythmus, Metrik und Reim entsprechen dem Gehalt dieses lyrischen Nachrufs der Toten auf sich selbst. Die doppelte Bedeutung der Natur — als Mutter und als lebensfeindliche Landschaft [99] —, wird von den zwei Verstypen reflektiert: die Zeilen 1 und 3 jeder Strophe sind vierhebig; in ihnen kommen die mütterlichen Bindungen der Natur zu den Toten zum Ausdruck; die Zeilen 2 und 4 jeder Strophe sind dreihebig und bezeichnen das Abschließende und Endgültige des verlorenen Lebens zugleich mit der genauen geographischen Bezeichnung der Landschaft. Die Reime entsprechen dieser Aufteilung: »stumm«/»warum«, »geliebt«/ »gibt«, »frei«/»Schrei« bezeichnen menschliche Interessen und gefühlhafte Bedrängnis, Frage und Qual, während »Gebeine«, »Steine«, »alleine« als expressive Kennzeichen des Todes dreimal auf das gleiche letzte Refrainwort reimen.

Die Kriegsgefangenen vieler Lager empfanden das Krumbach-Gedicht als gelungen, denn es erschien unter wenigen anderen im *Ruf* und erreichte auf diese Weise alle Lager; auch wurde es zwei Jahre später von Hans Werner Richter in seine Anthologie von Kriegsgefangenen-Gedichten *(Deine Söhne, Europa,* 1947) aufgenommen und in einem Essay erwähnt. [100] In den auf Tod und Krieg zielenden Gedanken, in seinem irrealen Modus (Rollengedicht für »tote Stimmen«) und seinen nachexpressionistischen Stilmitteln (»grüner Schrei«, »Der Eiswind begräbt uns«) deutet sich schon von ferne die Richtung des unmittelbaren Nachkriegsschaffens in der deutschen Literatur an. [101]

KAPITEL V. SCHWANKUNGEN UM DEN NULLPUNKT (1945/46):
STIMMEN ZU WIECHERT, CAROSSA, HESSE,
THOMAS MANN UND ERICH KÄSTNER

Nach dem 9. Mai 1945 war eine klare politische Stellungnahme und eine ihr entsprechende Haltung zur Kunst von seiten der bisher überzeugten Anhänger des NS-Systems nicht mehr zu erwarten. Ein deutliches Anzeichen für diese Tatsache bildeten die vielen Umbenennungen von Kriegsgefangenen-Zeitungen; nationalsozialistische Titel wichen liberaleren oder neutraleren Benennungen. In diesem Sinne änderte sich auch die Zusammensetzung der Redaktionen in den Lagern. [1] Es ist schwer zu beurteilen, ob und wieweit Beiträge, die sich nun gegen Kunstpolitik und -geschmack der NS-Ideologen richteten, Pflichtübungen darstellen. Wer rasch nach Hause wollte, merkte bald, daß demokratische Lippenbekenntnisse dem Gebot der Stunde entsprachen.

Im Herbst 1945 begannen die PW-Zeitungen damit, in zunehmendem Maße Auszüge aus neugegründeten Zeitungen und Zeitschriften in Deutschland abzudrucken. [2] Neben dem Feuilleton dieser deutschen Zeitungen [3] sorgte das Wiedererscheinen von literarisch orientierten Zeitschriften für eine anspruchsvollere und kenntnisreichere Analyse künstlerischer Fragen. Im September 1945 eröffnete die berühmte *Neue Rundschau* des Fischer Verlags (Frankfurt/M., US-Zone) mit einer Thomas Mann gewidmeten Sondernummer die Reihe der Zeitschriften-Neugründungen; im Jahre 1945 folgten ferner: *Die Wandlung* (Heidelberg, US-Zone, ab November 1945), [4] *Der Aufbau* (Berlin, Ostsektor), die *Gegenwart* (Freiburg, Franz. Zone), die *Amerikanische Rundschau* (München, US-Zone), *Der Horizont* (Jugendzeitung, Berlin, Westsektor) und *Die Sammlung* (kulturpädagogische Zeitschrift, Göttingen, Brit. Zone).

Von alliierter Seite erhielt man immer genaueren Einblick in Umstände und Schrecken der deutschen Konzentrationslager. Im Anschluß an diese Entdeckungen wurde das Für und Wider zur Kollektivschuldthese im Weltgespräch und unter den Kriegsgefangenen intensiv erörtert. Am 5. Juni wurde Deutschland (durch die »Berliner Erklärungen«) in vier Besatzungszonen aufgeteilt. Am 19. Juni ließ man in der Sowjetzone politische Parteien und gewerkschaftliche Organisationen zu (KPD, SPD, CDU, LPD); diese wurden am 22. April 1946 durch die Zwangsvereinigung der SPD und KPD zur SED praktisch ihrer Wirksamkeit beraubt. Am 6. und 9. August erschütterte der Abwurf zweier amerikanischer Atombomben auf Hiroschima und Nagasaki die Weltöffentlichkeit. Am 30. August begann der »Alliierte Kontrollrat« seine Tätigkeit in Deutschland. Am 20. November nahm der Nürnberger Kriegsverbrecherprozeß seinen Anfang (der Urteilsspruch erfolgte am 1. Okt. 1946). Der Zwangsarbeits-Beginn für 30 000 ehemalige deutsche Soldaten (im Oktober in belgischen Kohlengruben) war von besonderer Bedeutung für die Kriegsgefangenen; weitere 1,75 Millionen Kriegsgefangene wurden aus amerikanischen Lagern — zunächst aus Deutschland, später aus den USA — nach Frankreich überführt, wo sie noch jahrelang arbeiteten. [5]

Die deutschen Kriegsgefangenen in den USA diskutierten diese Ereignisse ihrer Gegenwart im politischen Teil ihrer Zeitungen (der den kulturellen Teil an Volumen bei weitem überwog); in den kulturkritischen Beiträgen besann man sich immer ausführlicher auf die Probleme der letzten zwölf Jahre in Deutschland, vor allem auf die geistige Lage der »inneren« und äußeren Emigration. In seltenen Fällen erfolgte eine gedankliche Verknüpfung der neuen politischen Möglichkeiten und Probleme (z. B. Demokratie und Militärregierung, deutsche Zonenaufteilung, Atombombe) mit literarkritischen Fragen. Solche Beiträge sind besonders aufschlußreich für die Ausgangsposition der deutschen Nachkriegsliteratur.

Eine längere Untersuchung über das »andere«, geistige Deutschland erschien unter dem symptomatischen Titel »Der Weg nach Innen« am 15. Dezember 1945 in *Der Ruf.* [6] Der nicht signierte Beitrag wendet sich zunächst gegen die »mittelalterliche Methode« der Bücherverbrennung und kennzeichnet die verbrannten Werke als Versuche einer Nachkriegsgeneration (des I. Weltkriegs), »in unerschrockener Kühnheit und mit dem nüchternen Blick für die Wirklichkeit ... die Dinge so realistisch zu sehen, wie sie waren.« [7] Dann konzentriert sich der Beitrag auf die weitere Entwicklung jenes Teils der »Jugend«, der nicht »dem mystischen Wahn« verfiel, sondern sich »unter dem Druck der irrational bedingten Massenideologien« dem »inneren Leben« und der kulturellen Tradition zuwandte:

> Aus dem verschlossenen Weg in die Gegenwart und dem verschleierten Pfad in die Zukunft wurde der Schritt zurück. Zu der Lektüre von Wassermann, Remarque, Renn, Zweig [8] traten die Klassiker der deutschen Literatur, traten Hölderlin und Herder, Schlegel und Novalis. Goethe, vielen nur noch aus der geistigen Enge des Klassenzimmers bekannt, erlebte eine fast unvorstellbare Renaissance. Die »Wahlverwandtschaften« wurden in diesen Kreisen fast ebenso oft und begeistert gelesen wie vorher etwa der »Fall Mauritius.« Gleichsam entdeckte die Jugend neue Ufer, wo sie bisher nur achtlos einen Strom gesehen hatte. So begann der Weg nach innen, der Weg zur großen Besinnung. Ernst Wiechert und Frank Thiess wurden in ihrer Haltung zu politischen und geistigen Vorbildern, Hermann Hesse und Hans Carossa zu den kulturell-menschlichen. [9]

Die intellektuelle Abkehr von der Gesellschaft wird also noch Ende 1945 verteidigt. Der unbekannte Verfasser versteht diese Abkehr als bewunderungswürdigen Versuch, »fast schon am Rande der Katastrophe ... ewig menschliche Werte neu aufzurichten,« um sie »aus dem Strudel dieser Zeit in eine bessere Welt« hinüberzuretten. [10] Ähnliche Intentionen liegen der utopisch konzipierten Einrichtung eines kulturbewahrenden »Kastalien« in Hermann Hesses *Glasperlenspiel* (1943) zugrunde. Hesse, den der oben zitierte Beitrag zu den »kulturell-menschlichen ... Vorbildern« zählt, impliziert jedoch gegen Ende seines Romans (durch die Abkehr des Glasperlenspielers Knecht von Kastalien) bereits die Problematik einer solchen »totalen Introversion.« [11] In dem *Ruf*-Aufsatz gilt die Bildung geistiger »Inseln und Oasen« [12] gegen den Zugriff der Macht drei Jahre nach Erscheinen des Hesse-Romans noch immer als echte Lösung; der Schlußsatz des

Beitrags lautet: »Wo die Trümmer einer äußeren Welt sichtbar werden, wird der Weg nach Innen zur unsichtbaren Notwendigkeit.« An diese Maxime knüpft sich die Hoffnung, das »humanistische Vermächtnis« werde »vielleicht... einmal aus den sich öffnenden Schubladen steigen.« [13] Gegen Ende des »Jahres Null« wußte man noch nicht, daß die damals viel genannten »Schubladen« so gut wie leer waren.

Der Stil des Beitrags entspricht seiner problematischen These. Eine unerfreuliche Verquickung von alltäglichen Zeitrequisiten mit gesucht figurativen Wendungen (das »Vermächtnis... steigt aus den... Schubladen«) verbindet sich mit gequälten Vergleichen und Metaphern: »Gleichsam entdeckte die Jugend neue Ufer, wo sie bisher nur achtlos einen Strom gesehen hatte.« Eine an Epigonen wie Wiechert, Thiess und Carossa geschulte Neigung, auch im Essay die Tatbestände durch Lyrismen und Alliterationen zu verdunkeln, macht die Gefahr dieses »Weges nach Innen« deutlich. [14]

Hermann Hesses Werk beschäftigte auch andere Kriegsgefangene. Im *Ruf* erschien am 15. Dezember 1945 Franz Frieses »Bekenntnis zu Hermann Hesse« [15]:

Wohl mußte die reine, klare Stimme dieses Dichters — wie so manches Feinsinnige und Schöngeistige — untergehen im lauten Kommandoruf und im hallenden Tritt marschierender Kolonnen; aber weder Mißklang noch Nagelstiefel haben sie umzubringen vermocht. Im Gegenteil: Wir dürfen überzeugt sein, daß Hesses Werk eine Wiedergeburt beschieden sein wird, wie nur wenigen. [16]

Dieser zweifellos richtigen Prognose (1946 erhielt Hesse den Nobelpreis, in den Sechziger Jahren »entdeckte« die Jugend- und »Hippie«-Bewegung in den USA den *Steppenwolf*, 1927, und *Siddharta*, 1922) läßt Friese eine ausführliche Darstellung von Hesses Elternhaus, Jugend und Heirat folgen. Das »naturnahe«, »trapperhafte« Leben des jungen Hermann Hesse am Bodensee wird besonders liebevoll und in allen Einzelheiten beschrieben. Den zweiten Hauptakzent legt Friese auf Hesses pazifistische Haltung während des Ersten Weltkriegs. Die Besprechung der Werke erstreckt sich allerdings nur auf *Peter Camenzind* (1904), *Demian* (1919) und *Narziss und Goldmund* (1930), und auf die Erzählungen *Knulp* (1914) und *Siddharta* (1922). Es ist möglich, daß Friese von dem im Jahre 1943 in Zürich erschienen Roman *Das Glasperlenspiel* noch keine Kenntnis hatte, aber *Der Steppenwolf* (1927) hätte nicht fehlen dürfen. Frieses biographisch-fragmentarisches Hesse-Bild erinnert wieder an den Topos vom »Dichter« auf dem »Weg nach Innen«:

Als einsamer Mensch läßt er sich in der stillen Landschaft des Tessin nieder, aber keinesfalls resignierend, sondern innerlich gereift und geläutert durch das Leid dieser Jahre; er hatte, nicht zum ersten Mal zwar, aber doch härter als je, erfahren, daß Erneuerung nicht von außen, sondern nur aus dem eigenen Inneren erfolgen konnte. [17]

Die Frage nach der Aktualität der von Hermann Hesse vertretenen Ideen wird erst im Juni 1946 von einem deutschen Kriegsgefangenen in England gestellt. Hermann Schramm sieht in Hesses *Glasperlenspiel* »den Versuch einer geistigen

Bewältigung unserer Zeit.« [18] Die Entwicklung des Bildungsroman-Protagonisten Josef Knecht wird bis zu dem Augenblick der Einsicht verfolgt, daß die Kultstätte des Glasperlenspiels »dem angstvollen und ruhelosen Menschen« der Gegenwart nicht mehr »das Gefühl des festen Grundes« vermitteln könne; Josef Knecht habe den »Kern des kastalischen Lebens« nur noch als »geistvolles Spiel« und »dekadentes Sich-täuschen-lassen-wollen«, nicht mehr als »wahre Lösung« empfunden. [19] Der »Magister Ludi« begibt sich seiner ehrenvollen Ämter und verläßt die pädagogische Provinz:

> Bis zu diesem Punkt ist die Handlung überzeugend durchgeführt. Was nun folgt — so will mir scheinen — ist ein Bruch. Josef Knecht übernimmt die Erziehung des Jungen eines Schulfreundes. Aber schon in den ersten Tagen ihres Zusammenseins ertrinkt Knecht in einem Gebirgssee, den er dem Jungen gleich zu durchschwimmen versucht. Man müßte diesen Schluß schon sehr gewaltsam und sehr symbolhaft deuten, um ihn als folgerichtig hinzunehmen.
> Hermann Hesse widmet sein Werk in einem Motto »Den Morgenlandfahrern«, denen also, die nach einem neuen Anfang unterwegs sind. Aber es gelingt ihm nicht, vielleicht aus tiefen persönlichen Gründen, diesen Aufbruch im Endschicksal des Josef Knecht überzeugend zu gestalten. Der bleibt, wie schon sein Name andeutet, in seinem Seelengrunde dem Alten verhaftet und setzt keinen echten Anfang. Sein Weggang aus der pädagogischen Provinz in die Welt, seine Abkehr von der einschichtigen Männergemeinschaft zur natürlichen Fülle des Lebens, das Eintauschen der gebietenden Würde des Ordensoberen gegen das dienende, fast mütterliche Amt eines Erziehers: das bleiben, einer Vergangenheit gegenüber, die sich nicht als tragfähig erwiesen hat, nur räumliche Veränderungen. In Knechts Gedichten heißt es an einer Stelle: »... Wohlan denn, Herz, nimm Abschied und gesunde!« Da tritt wieder der gleiche Mangel zutage. Als ob Abschied und Gesundung so selbstverständlich im Zusammenhang standen!
> Gesundung im Geistigen fordert radikales Umdenken, eine Umwertung der Werte, eine neue Zielsetzung. Der aus der Ehrfurcht der Pädagogischen Provinz Goethes gelöste, [20] auf sich selbst gestellte Geist Kastaliens wird unfruchtbar. Er zehrt zunächst sein Erbteil auf, bietet dann eine Zeitlang einen Religionsersatz und stellt schließlich den Menschen vor das Nichts. Davor hatte sich Josef Knecht durch die Flucht retten wollen, aber es blieb eine Flucht ohne Ziel. So war der Tod auch künstlerisch der einzige Ausweg, der Hermann Hesse noch blieb, um die ziellose Leere zu verdecken. [21]

Dem Mangel an »radikalem Umdenken« stellt Schramm in seiner scharfsinnigen Auseinandersetzung mit dem Hesse-Roman einen Änderungsvorschlag entgegen: die Episode im Leben Knechts als kastalischer Gesandter an einer Benediktiner-Abtei hätte »zu einer ernsthaften Auseinandersetzung mit dem Christentum« führen können; »offenbar hat der Dichter diesen Weg einer Lösung ... nicht gewollt.« [22] Hesses Werk habe »eine entscheidende Schwäche« mit Ernst Jüngers Roman *Auf den Marmorklippen* (1939) gemeinsam: — als »einziger Weg aus der Gegenwart« werde »die Flucht« dargestellt.

Dieser Beitrag Schramms ist ein symptomatisches Dokument für eine sich langsam entwickelnde, fruchtbare Kritik an der literarischen Tradition. Hervorzuheben sind der spezifisch christliche Standort der Kritik und das späte Datum (Juni 1946) der ersten deutlichen Befragung eines literarischen Werkes auf seine zeitgeschichtliche Relevanz. Der Wunsch nach zeitkritischem »engagement« der Literatur und die erfrischende Abwesenheit des sonst üblichen, feierlichen Tons in der Rezension dichterischer Bildungsromane bestimmen den Seltenheitswert dieses Kriegsgefangenen-Essays. Herbert Schramm begnügt sich nicht mit einer wertfreien Inhaltsangabe, sondern spricht, wo er es für nötig hält, von den »Schwächen« des Romans, umreißt seinen eigenen Standpunkt und wartet mit Änderungsvorschlägen auf. Die Besonderheit dieses nüchternen Kritik-Stils wird noch deutlicher wenn man die folgenden Kriegsgefangenen-Reszensionen zum Vergleich heranzieht, die sich kritiklos und inhaltsbezogen mit den Romanen Ernst Wiecherts und Hans Carossas befassen.

Am 19. Januar 1946 erschien in der *Brücke*, Camp Custer, eine Besprechung des Wiechert-Romans *Das einfache Leben* (1939). [23] Der größte Teil dieses Beitrags ist einer ausführlichen Inhaltsangabe gewidmet. Der Roman betrifft einen Korvettenkapitän (Thomas von Orla), der aus dem Ersten Weltkrieg nach Ostpreußen zurückkehrt; Orla nimmt die Mahnung eines Geistlichen ernst, sein seelisches Gleichgewicht durch ein »einfaches«, zurückgezogenes Leben voll harter Arbeit wiederzugewinnen. Er verläßt Frau und Sohn, wird Jäger und Fischer bei einem »Graf von Platen« und pflegt auch seine geistigen Interessen durch intensive Lektüre nach Feierabend; die von außen an Orla herandrängenden Familien- und Gefühls-Konflikte löst der naturverbundene Intellektuelle durch edlen Verzicht auf eine späte Liebe.

Diese seltsam aristokratische »Einfachheit« wird noch Anfang 1946 von einem kriegsgefangenen Rezensenten als beispielhaft und aktuell akzeptiert. Es sei Orla wichtig gewesen, »sein Leben in Ordnung zu bringen, da er wußte, daß nur aus der Ordnung etwas ausstrahlen kann auf andere.« [24] Der Beitrag übergeht den Widerspruch, der darin liegt, Orla im Hinblick »auf andere« verstehen zu wollen, obwohl sich der Protagonist bewußt einem sozialen Leben entzieht.

> Wie der am Krieg Gescheiterte ein wohl armes und sehr stilles, jedoch ein in der »großen Ordnung« ruhendes Leben gewinnt, ist vom Dichter, reich im Einfach-Menschlichen, mit bezwingender Schönheit der Sprache gestaltet worden. Der von Wiechert einmal geäußerte Wunsch, »ein Buch zu schreiben, das so einfach wie die Bibel wäre«, hat sich erfüllt. [25]

Von der »bezwingenden Schönheit der Sprache« ließ sich auch ein Mitarbeiter der *Lagerstimme*, Camp Ellis, bei der Rezension des Carossa-Romans *Der Arzt Gion* (1931) gern bestechen. [26] Nach einer ausführlichen Würdigung der Tatsache, daß Carossa in seinem Roman die »Pflege kranken und gefährdeten Lebens« dem einseitigen Zeitideal des »durchtrainierten, zu Höchstleistungen in Sport und Krieg befähigten Menschen« entgegensetze, [27] folgt eine genaue Inhaltsangabe. Die Ereignisse erreichen ihren Höhepunkt, als eine Magd nach einigem Zureden des Arztes Gion den schweren Entschluß faßt, ihr Kind zur Welt zu bringen, obwohl sie weiß, daß sie die Geburt nicht überleben wird. Die Geliebte des Arztes, eine Bildhauerin, findet echte künstlerische Ausdruckskraft, als sie eine Plastik der toten Magd anfertigt: »Um Augen und Mund nistet noch der Schmerz; doch ist alles unendlich fern von jeder Klage ... Ihr Lächeln ist ein schlichter freundlicher Gruß an die zahllosen Brüder und Schwestern, die mühevoll nach einem unbekannten Ziel auf Erden wandern.« [28] In unmittelbarem Anschluß an dieses Carossa-Zitat schreibt der Kriegsgefangene Hans Hess:

> Aus solcher Nähe zu den Problemen des Lebens und zum Leben selbst erwächst die lebensvolle Gestaltung der Menschen, die eine im äußeren Dasein so anspruchslose Rolle spielen, weil sie ganz für das Wesentliche leben. Diesen Menschen entspricht die einfache und dabei so vollendet schöne Sprache. Es gibt verhältnismäßig wenig leuchtende Bilder und Vergleiche, keine Visionen und Verklärungen. Klang und Rhythmus treten stark zurück. Und doch hat diese Sprache ihre geheime, leise Musikalität; das liegt am Ebenmaß der wohlproportionierten, das heißt wohlklingenden Sätze. Die Wortzahl beschränkt sich auf den Wortschatz der gepflegten Umgangssprache. Aber diese schlichten Worte atmen alle warmes, ruhiges, echtes Leben, weil sie von einem Dichter geformt sind, der mitten im Leben steht und von tiefer Liebe zu allem Lebendigen erfüllt ist. [29]

Carossas Sprache, der Hess besondere Einfachheit und »geheime . . . Musikalität« bescheinigt, leitet sich ganz bewußt von Goethe ab und beeindruckt dort, wo sie sich von dem Vorbild entfernt, durchaus nicht durch unabhängige Wendungen und originelle Metaphern; vielmehr verraten archaisierende Umschreibungen und imitativer Satzbau den Epigonen. [30] Es geht hier weniger darum, den Stil eines Vertreters der »Inneren Emigration« in Frage zu stellen; wesentlich für meine Untersuchung ist die Tatsache, daß noch Ende 1945 Carossas Sprache als »lebensnah«, »schlicht«, »vollendet schön«, und zugleich als »umgangssprachlich« empfunden wurde.

Am 1. Oktober 1945 unternahmen es die kriegsgefangenen Redakteure des *Ruf*, ihren bis dahin umfangreichsten Literaturteil einem »Dank an Thomas Mann« zu widmen. [31] Dem Werk des Emigranten entsprechend, zeichnete sich in den Würdigungen das Bemühen ab, die eigene Situation und ihre Hintergründe mit den Gedanken in Thomas Manns Romanen in Verbindung zu bringen. Während die meisten Lagerzeitungen sich damit begnügten, auf Thomas Manns Essay-Sammlung *Achtung Europa* (1938) [32] hinzuweisen, befaßte sich *Der Ruf* auch mit dem *Zauberberg* (1924), mit *Lotte in Weimar* (1939) und mit der *Joseph*-Tetralogie. [33] Unter dem Motto »Ernte der Standhaftigkeit« [34] betonte die Schriftleitung des *Ruf* ihre völlige Übereinstimmung mit der Haltung Thomas Manns, in dem die Kriegsgefangenen vor allem den »deutschen Europäer« sehen wollten:

> . . . heute ist es so, daß sein Werk der Hafen ist, von dem aus Hoffnungen, Gewißheiten, Bilder, stimulierende Talente und aufatmende, zielsichere Wünsche in eine neue, bessere Zukunft des humanistisch-universellen Geistes aufbrechen können. Dafür gebührt Thomas Mann Dank. Der Dank der Eingeweihten an den Weisen ist es, und der Dank der Erschütterten an den Dichter.
> Dies im *Ruf* aber ist ein Dank, von dem diejenigen, die ihn aussprechen, fast fürchten müssen, daß er ihm als etwas Unerwartetes kommt, obwohl sie zugleich hoffen, daß er ihn wohltuend überraschen mag. Um den Dank derjenigen nämlich handelt es sich, die in Deutschland als das, was er in seinem Werke ist, nämlich als deutsche Europäer, menschlich und geistig unversehrt, die fiebrige Finsternis der Fälscher überstanden haben. Innerhalb der Mauern, Hecken und elektrischen Drähte der Dikta-

tur lebten noch viele Vertreter der Welt, die er verkörperte, weiter. Oft an der ursurpierten Macht zerrend, oft nur verstohlen und scheu bewahrend, aber damit innerlich sich selbst und dem Wesentlichen treu bleibend — so atmeten sie allerdings, aber dies nur aus einem Grund: es gab die Leuchttürme, die hellen, mahnenden, warnenden, lenkenden, es gab die Verpflichtenden von Platon bis — Thomas Mann. ... sein Werk ... wurde gelesen, immer wieder gelesen, auch das Neue: Lotte in Weimar, die Josephslegende. Irgendwie kamen die kostbaren Bände durch, aus Schweden, aus der Schweiz, aus Italien. Man las sie hinter wohlverschlossenen Türen in vielen deutschen Familien, und zwar die Alten wie die Jungen. Auch deutsche Soldaten, von der Diktatur in den Waffenrock gezwungen, haben »Lotte« und »Joseph« in Neapel, Sizilien, auf dem Balkan, in Paris gelesen. Unter einer Pergola am Tyrrhenischen Meer, in sicheren französischen Cafés, in polnischen Bauernhütten wurde diskutiert. Und immer wieder war es *der* Name und *das* Werk. Übertrieben wäre es, von »Vielen« zu sprechen, aber es waren nach menschlicher Zuverlässigkeit, Herz und Begabung immer die Besten. Diese aber bestätigen sich: »Das europäische Deutschland wird von ihm draußen unverfälscht vertreten. Seine Stimme ist unsere Stimme. Gerade auch die Stimme der Entrüstung ist es, dieser tobenden Entrüstung, die wenigstens aus dem Äther frei herüberklingen kann und von der wir und unsere Familien, die frohlockend am sorgfältig gedämpften Apparat sitzen, wissen, daß sie das Empören wuchtig in die Welt sät und daß sie damit den Untergang der Knechtenden beschleunigt.«
...So wird Thomas Mann, auch wenn er selbst nicht mehr kommen sollte, nach dem Interregnum dessen, den er unnachahmlich den »verzückten Schurken« nannte, als Idee im Anderen Deutschland triumphierend sich frei entfalten und schöpferisch wirken können — zum Wohle der Welt. [35]

Bemerkenswert ist diese uneingeschränkte Solidaritäts-Erklärung (»seine Stimme ist unsere Stimme«) vor allem deshalb, weil zur selben Zeit der Briefwechsel zwischen Frank Thiess (geb. 1890), Walter von Molo (1880-1958) und Thomas Mann die heftige Kontroverse zwischen »innerer« und äußerer Emigration einleitete. Thomas Manns baldige Rückkehr nach Deutschland spielte bei diesem Für und Wider eine wichtige Rolle [36]; die *Ruf*-Redakteure, zu denen im Oktober 1945 Hans Werner Richter und Walter Mannzen gehörten, machten den Grad ihrer Dankbarkeit und Zustimmung offensichtlich nicht von der Rückkehr Thomas Manns abhängig (»auch wenn er nicht mehr zurückkommen sollte«). An dieser Tatsache zeigt sich, daß die Schriftleitung des *Ruf* zwar den Ausweg einer »inneren« Emigration neben dem Versuch des aktiven Widerstandes anerkannte (»oft nur verstohlen und scheu bewahrend, aber damit innerlich sich selbst und dem Wesentlichen treu bleibend«), aber eben durch ihre Bewunderung Thomas Manns und seines »engagements« einen deutlichen Abstand zur national-konservativen Einstellung mancher »innerer« Emigranten erkennen ließ. Der *Ruf*-Beitrag würdigt vor allem Thomas Manns universellen Humanismus, eine »frei« herüberklingende Stimme »tobender Entrüstung« über das im totalen Staat begangene Unrecht [37] und die pan-europäische, demokratische Grundhaltung. An Thomas Manns literarischem Stil bewundert *Der Ruf* vor allem eine (auf den von Nietzsche neubelebten Begriff [38] zielende) »apollinische Klarheit« [39]; wichtig für die Vorstellungen des *Ruf* von künftigen literarischen Entwicklungen in Deutschland ist auch die metaphorisch ausgedrückte Zuversicht, »von dem Hafen« der Werke Thomas Manns werden »stimulierende Talente« in eine »neue, bessere Zukunft ... aufbrechen.« [40]

Ein weiterer *Ruf*-Beitrag zum »Dank an Thomas Mann« (am 1. Oktober 1945) stellt die gedankliche Verbindung von »Zauberberg und Kriegsgefangenen« her. [41] Der Verfasser, Dr. Hildebrandt stellt sich als Repräsentant des »deutschen Bürgertums« vor. Neben dieser Zugehörigkeit sieht Dr. Hildebrandt noch andere Zusammenhänge zwischen seiner eigenen Generation (der Geburtsjahrgänge »1900 bis 1910«) und Hans Castorp, der zentralen Figur in Thomas Manns *Zauberberg:*

> Die Castorps der Wirklichkeit, die sich zu Tausenden in amerikanischen Kriegsgefangenenlagern befinden, stammen aus den Jahren 1900—1910. Sie haben alle in ihren Schul- und Universitätsjahren eine demokratische Erziehung gehabt. Verführt durch das »placet experiri« ihrer demokratischen Erzieher und getrieben durch die Wirtschaftsnot der Dreißiger Jahre haben sie, wie der Hans Castorp der Dichtung, in manchen Fällen einer Neigung zum Experiment nachgegeben, haben politische Entwicklungen hingenommen, die sie nicht hindern konnten, sind vielleicht in den Jahren 1937 oder 1938 in die Partei eingetreten. Aber sie sind auch durch den Krieg und durch die Gefangenschaft gegangen, sie haben die »hermetische Pädagogik« dieser Jahre verspürt. ... [42]
>
> Es ist, so merkwürdig es klingen mag, mit der Gefangennahme ein Gefühl der Freiheit verbunden, und dieses Gefühl überwiegt trotz allem Bedenklichen, das ihm anhaften mag. ... Dank der Genfer Konvention von 1929 und ihrer Einhaltung durch die amerikanischen Behörden ist unsere Gefangenschaft ebensowenig wie Hans Castorps Aufenthalt »einem Bagno oder sibirischen Bergwerk« zu vergleichen; hier wie dort handelt es sich vielmehr um einen Ort »hermetischer Pädagogik«, [42] der in beiden Fällen die Möglichkeit zu bemerkenswerten geistigen Erlebnissen in sich schließt. Nachdem so lange nur die terroristische Propaganda Herrn Naphtas hörbar gewesen war, bedeutet für uns die Gefangenschaft, daß wir nun auch endlich wieder die Stimme Settembrinis, die Stimme der Demokratie hören konnten. Die amerikanische Gefangenschaft öffnete durch die Bücher und Zeitungen, die sie uns gestattete, wieder den Zugang zur Welt des Westens, der so lange verschüttet war. Wir sahen allein an den Buchpublikationen der amerikanischen Verleger, daß auch das geistige Zentrum dieser Welt in den Vereinigten Staaten liegt. Die räumliche Entfernung von der Heimat gab uns schließlich den Abstand, der notwendig war, um wieder Deutschland eingeordnet in diese westliche Welt zu sehen. [43]

Der überzeugend formulierte Beitrag Dr. Hildebrandts öffnet wesentliche Einblicke in den inneren Umschwung, der nach ernüchternden Kriegserlebnissen, einer als fruchtbar empfundenen Kriegsgefangenschaft in den USA und demokratisch inspirierender Thomas-Mann-Lektüre in dieser bürgerlichen Generation von 35- bis 45jährigen vor sich ging.

Die demokratisch erzogene Generation der zwischen 1900 und 1915 Geborenen stellte auch die meisten Vertreter einer beginnenden deutschen Nachkriegsliteratur und Publizistik; zu nennen wären hier: Elisabeth Langgässer (1899), Marie L. Kaschnitz (1901), Günther Weisenborn (1902), Peter Huchel (1903), Horst Lange (1904), Wolfgang Koeppen (1906), Günter Eich (1907), Wolfgang Weyrauch (1907), Rudolf Hagelstange (1912) und Stephan Hermlin (1915). Zu dieser Altersgruppe gehören auch die (wie Hildebrandt) in den USA kriegsgefangenen Schriftsteller Walter Mannzen (1905), Hans Werner Richter (1908), Walter Kolbenhoff (1908), Gustav René Hocke (1908) und Alfred Andersch (1914). Keiner der Genannten war allerdings Partei-Mitglied geworden; einige hatten zeitweise im Ausland gelebt und einige hatten »die Flucht nach vorn« als Soldaten (und später als Kriegsgefangene) gewählt. Alle teilten die von Hildebrandt erwähnten »Bildungserlebnisse.«

Zu den »bemerkenswerten geistigen Erlebnissen« einer »hermetischen Pädagogik« in den Vereinigten Staaten zählte die neuerliche Begegnung mit einer (vom Idealismus Präsident Roosevelts belebten) Demokratie, von deren Wesen Hildebrandt mit »einem Gefühl der Freiheit« sprach. Mit Alfred Andersch teilte Hildebrandt die Erfahrung, daß dieses »Gefühl« schon bei der »Gefangennahme« einsetzte. [44] Darüber hinaus machten »Zeitungen« und »Buchpublikationen ... amerikanischer Verleger« die Begegnung mit der Weltliteratur und den Werken deutscher Emigranten (vor allem Thomas Manns Schriften) schon einige Zeit vor Kriegsende möglich. Hildebrandts Aufsatz läßt erkennen, daß eine solche Verschiebung der Perspektive zu fruchtbaren Gedanken führte, deren eigentlicher Katalysator Thomas Manns *Zauberberg* war.

Erich Kästners »Gebrauchslyrik« erfuhr schon im Herbst 1945 eine eindeutige Aufwertung. [45] Während man aber in den meisten Lagerzeitschriften nur Kästners Gedicht »Und wo bleibt das Positive, Herr Kästner« [46] abdruckte, erschien in einer Zeitung mit deutlich sozialdemokratischer Richtung [47] ein längerer, die Aktualität Kästners betonender Beitrag von Henrik Paulsen, »Erich Kästner, der Dichter und Schriftsteller.« [48]

An dem Titel zeigt sich bereits die Unsicherheit im Gebrauch der Begriffe »Schriftsteller« und »Dichter«; es hat den Anschein, als wollte Paulsen Kästners Gedichte nicht mit jener romantischen Wortkunst verwechselt wissen, die sich in der Vorstellung der Allgemeinheit mit dem (im Jahre 1945 noch begehrten) Etikett »Dichter« verband. [49] In der Tat bemüht sich Paulsen um eine Unterscheidung zwischen gegenwartsbezogenen, realistischen (»wirklichen«) und bukolisch-romantischen »Dichtern«:

> Der gute Bürger nennt sie unmoralisch, wohingegen ich behaupte, daß sie im höchsten Grade moralisch sind, weil sie den Menschen nicht so zeigen, wie er gerne gesehen werden will, sondern so wie er ist, nackt und ohne Maske. ... Er ... stellt sie unbeschönigt vor uns hin, die Zeit und die Menschen und ihre Fehler, und gibt sie dem öffentlichen Gelächter preis.
>
> Als der erste Band seiner Gedichte, ich glaube es war im Jahre 1929, erschien, [50] machte er unter uns, die wir uns zu den modernen Künstlern zählten, die Runde, wurde überall zitiert und wir waren restlos mit ihm einverstanden. Doch bereits damals begann der Kampf um die Dinge, der nicht entschieden wurde. Es gab junge Menschen (ich meine nicht nur jung an Jahren), Menschen, die in der heutigen Zeit wurzeln, und die lasen und kauften Kästner; und es gab veraltete Menschen, die dem vorigen Jahrhundert noch nicht entwachsen waren, die lehnten ihn ab und ignorierten ihn. Und dann die Herren Dichter, ich meine nicht die wirklichen Dichter, denn auch die gibt es, [51] sondern die Herren mit dem lockigen Gehirn, ... die Herren, die alles nur durch rosa Brillen sehen, die lustwandelnd Blümchen pflücken, die vom »Herzallerliebsten mein« sprechen, die die Linde hinterm Elternhause besingen, die überhaupt vor Sentimentalität triefen und so gefühlvoll sind, daß sie nur mit einem Bibber in der Stimme sprechen können, diese Herren waren im höchsten Grade indigniert, daß plötzlich jemand da war, der es auf weniger langweilige Art versuchte, und dem es gelang.

Erich Kästner ist in seinen Gedichten ein scharfer Zeitkritiker, man könnte sie mit den Zeichnungen von George Grosz vergleichen. Die Sachen sind 1945 noch genau so aktuell wie sie es 1930 waren, vielleicht sogar noch notwendiger, da die Menschen rückfällig geworden sind. Eine eigenartige Wirkung der Verse beruht auf dem Gebrauch von Dissonanzen, wie sie in der modernen Musik zu finden sind. Er spricht von Gefühlsdingen und schaltet ganz plötzlich in die banalste Gegenwart um, wird sachlich. [52]

Paulsen spricht wiederholt von den zeitgemäßen und »modernen« Aspekten der Kästner-Gedichte (»die Zeit, die Menschen und ihre Fehler«, »wir ... modernen Künstler«, »Menschen, die in der heutigen Zeit wurzeln«, »ein scharfer Zeitkritiker«, »1945 noch genau so aktuell wie ... 1930«); und in der Nachfolge des Jungen Deutschland (1830—48) nimmt Paulsen für sich eine »junge« Einstellung in Anspruch (»ich meine nicht nur jung an Jahren«), die bald darauf im Untertitel der deutschen Nachkriegszeitschrift *Der Ruf* (1946/47) ebenfalls betont wird (obwohl ihre Redaktion aus 35- bis 40jährigen besteht). Die Polemik gegen »die Herren Dichter ... mit einem Bibber in der Stimme« deutet schon von ferne die zunehmende Abneigung an, welche in der Nachkriegsliteratur gegen jede Art von preziöser Gefühligkeit besteht. Wenn Paulsen sich gegen das Linden-Motiv und archaisierende Volkslied-Wendungen ausspricht, wird deutlich, daß ihm eine Lyrik vorschwebt, die sich dem Zeitrequisit nicht länger verschließt; nüchterne »Dissonanzen« und Hinweise auf die »banalste Gegenwart« sollen nicht fehlen. Henrik Paulsen befindet sich mit diesem Kästner-Aufsatz eindeutig auf dem Wege zu den Manifesten der Trümmerliteratur und -lyrik; Wolfgang Borchert, Günter Eich, Peter Huchel und Max Frisch sind sich bei allen sonstigen Verschiedenheiten über die Notwendigkeit der hier gemeinten »Dissonanz« ganz einig [53]; auch die lyrische Praxis Ingeborg Bachmanns bezeugt (in der Gegenüberstellung von Zeitrequisit und interpolierten Volkslied-Parodien) [54] die Bedeutung dieses Stilmittels nach 1945.

Obwohl Paulsen über kein literarkritisches Vokabular verfügt, berührt er doch mit instinktiver Sicherheit einige Probleme der literarischen Situation im »Jahr Null«; so wendet er sich gegen die Vorliebe vieler, vor 1930 noch jugendbewegter Idealisten für das Leben in der unberührten Natur. Diese Vorliebe manifestierte sich literarisch in den Romanen und Gedichten von Ernst Wiechert (*Das einfache Leben*), Ernst Jünger (*Auf den Marmorklippen*) und Hans Carossa. Paulsen bewundert in Erich Kästners Werk das gegensätzliche, das urbane Element. Über die beiden Gedicht-Bände *Lärm im Spiegel* (1929) und *Ein Mann gibt Auskunft* (1930) schreibt er:

Man kann ihnen alles entnehmen, jedenfalls, was die Menschen der Großstadt betrifft. Es gibt hier keinen Winkel und kein noch so verborgenes Gefühl, dem Kästner nicht nachgespürt hätte. Und er hat es empfunden, weil er einer unserer Generation war; er lebte mit den Menschen in der Großstadt, sah ihre Sorgen und sah ihre Lächerlichkeiten. ... Erotik wird mit einer wohltuenden Sachlichkeit behandelt. Jeder weiß, daß es sowas gibt und daß man es braucht, warum also Verstecken damit spielen? Das Los des kleinen Angestellten ist ihm nicht einerlei, dafür möchte er aber den Aufsichtsräten kalten Braten und Coupons auf die Glatzen nageln. In der

»möblierten Moral« taucht das sexuelle Problem des Aftermieters auf und im »Ragout fin de siècle« wird offen über die Homosexualität gesprochen, die in den Jahren zu einer Modekrankheit geworden war. [55]

Die Problematik seiner Generation und das Leben in der »Großstadt« sind für Paulsen ebenso zusammengehörig, wie im berühmten Gedicht Bertolt Brechts »Vom armen B. B.«, das nur zwei Jahre vor den hier besprochenen Kästner-Gedichten in der Sammlung *Die Hauspostille* (1927) erschien und noch in der Lyrik nach 1945 stilbildend fortwirkt. [56]

Ein anderes Problem berührt Paulsen im Zusammenhang mit Kästners antimilitaristischem Gedicht »Die andere Möglichkeit«. [57] Er weiß, welche heftige Reaktion dies Gedicht bei national und konservativ denkenden Deutschen im Jahre 1930 auslöste, weil man darin »heilige Werte der Nation« [58] angegriffen sah. Paulsen verteidigt Kästners Gedicht als eine heilsame Entlarvung mißbrauchter Appell-Worte:

> Es liegt ihm fern, den deutschen Soldaten zu schmähen oder seinen Verdienst und seine Heldentaten in einem von den beiden Kriegen zu schmälern. Was hierdurch angegriffen wird, ist die Clique, die die Kriege anstiftet und vom Zaune bricht, die dann das wehrlose Volk in den Krieg hineinhetzt, und zwar nur um persönlicher Vorteile willen. Nach jedem Kriege gibt es Menschen, die infolge des Zusammenbruchs sich an Begriffe wie »Vaterland« klammern, ohne die Dinge klar sehen zu können, ohne sehen zu können, daß sie durch diesen Begriff in eine Katastrophe geführt worden sind von gewissenlosen Elementen, die ihren Idealismus ausgenutzt haben. [59]

Am Beispiel des mißbrauchten »Vaterland«-Begriffs versucht Paulsen, die unheilvolle Verbindung zwischen sprachlichem Appell und politischen Folgen zu zeigen. [60] Seine Schlußbemerkung bezieht sich auf Kästners Gedicht »Das letzte Kapitel« [61] und erhebt im Schatten der ersten explodierenden Atombomben die Forderung an eine deutsche Nachkriegsliteratur, alle in diesem Schreckbild implizierten Möglichkeiten bewußt zu machen:

> Im »Letzten Kapitel« sieht Kästner das Problem voraus, das unsere Tage beschäftigt, nämlich die Gefahr der vollkommenen Vernichtung der gesamten Menschheit. In unserem Falle nicht durch Gas, wie bei Kästner, sondern durch die Atombombe. Es ist nur ein kleiner Schritt, dann kann es geschehen. Es kann geschehen, wenn die Menschen nicht endlich gescheit werden, und zwar schnell, viel Zeit ist nicht mehr zu verlieren. [62]

DIE ERGEBNISSE »HERMETISCHER PÄDAGOGIK«

In dem bisherigen Teil meiner Untersuchung ging es um eine historisch-kritische Betrachtung der literarischen Situation im Jahre 1945; insofern war chronologisch vorzugehen.

Anhand des Materials aus vorwiegend nationalsozialistisch oder konservativ bestimmten Lagerzeitungen wird deutlich, daß Kriegs- und Naturerlebnis die bevorzugten Literaturthemen darstellten. Die Gedichte Ina Seidels und Felix Lützkendorfs (und ein Textausschnitt aus Wiecherts *Jedermann*-Roman) illustrieren die bevorzugten Stilmerkmale: gereimte und rhythmisch straffe Verse mit Alliterationen und Assonanzen, eine ähnlich lyrische oder epigonale Diktion im Roman. Man feiert den Krieg als naturbedingt und für das »Vaterland« notwendig (Lützkendorf), als gerechte und vom »Heil« (Carossa) begleitete Angelegenheit. Sofern der »Dichter« überhaupt eine Aufgabe hat, erfüllt er sie durch Verherrlichung eines »sittenstarken« Geschlechts (Flex-Aufsatz) im Krieg und durch Darstellung idealer, in Liebe einander verbundener Menschen inmitten einer romantisch verklärten Waldlandschaft, fern vom Getriebe der großen Städte. Der Irrationalismus einer deutsch-martialischen, gottgewollten Sendung (»G. D.« in *Der Ekkehard)* äußert sich in blindem Optimismus; der Krieg führt zum Guten, auch wenn »viel Blut« den Boden tränken muß, denn »dies alles sind nur Saaten künftiger Liebe« (Carossa). Eine vitalistische Philosophie appelliert an das »Faustisch-Tiefe« *(Drahtpost)* im deutschen Menschen, und Widersprüche wie »stahlharter Wirklichkeitsidealismus« (Flex-Aufsatz), »heiße Herzen und kühle Köpfe«, und »heilige Nüchternheit« *(Der Ekkehard)* zeigen die gefährlichen Wirkungen einer irrationalen Propaganda, die das »deutsche Volk« zu Allem »bereit« machen soll *(Der Ekkehard).* Die Dichtung, so hofft man, wird durch das Kriegserlebnis eine »wunderbare Belebung« erfahren *(Die Brücke).* Einstweilen usurpiert sie Metaphern aus dem Vorstellungsbereich der christlichen Religion für einen unreligiösen, dafür aber »gesunden« »Wachstumssinn« (Flex-Aufsatz) des NS-Staats, bedient sich der pathetischen Diktion eines ausgehöhlten Expressionismus und füllt diese mit einem längst anachronistischen Schlagwort-Katalog. Die Welt-Literatur des 20. Jahrhunderts kennt man kaum; Nachklänge jugendbewegter Naturromantik, »völkisch« nivellierender Nationalismus (literarisch durch den kollektiven Plural festgehalten) und der Irrationalismus im Zeichen der Blut- und Boden-Doktrin sind eine, auch literarisch, unheilvolle Verbindung eingegangen.

Die deutschen Antifaschisten in amerikanischen Lagern heben in allen literarischen Betrachtungen die politischen Implikationen des Ästhetischen hervor; des öfteren wird auch die Frage gestellt, ob die »privaten« Handlungen des jeweiligen Künstlers oder Schriftstellers seinen schriftlich (oder im Bild) fixierten Überzeugungen entsprachen. An positiven Beispielen fehlt es nicht: Käthe Kollwitz und Georg Grosz (auch Carl v. Ossietzky) werden ausführlich vorgestellt. Man ist sich einer deutschen demokratischen Tradition bewußt und bevorzugt daher in der Literatur Friedrich Schiller, Heinrich Heine, das Junge Deutschland und die Pazifisten der Weimarer Republik (Renn, Remarque, A. Zweig, Erich Kästner). Die Antifaschisten in den USA identifizieren sich mit der Literatur deutscher Emigranten. Obwohl man noch keine genauere Unterscheidung zwischen faktischer und »innerer« Emigration vornimmt, [63] wird deutlich, daß die Sympathien der Liberalen auf seiten der faktisch Emigrierten sind. Man weiß von den zahlreichen deutschen Verlagen und Autoren im Ausland, würdigt ihre schwierige Tätigkeit als Stimme des »Anderen Deutschland« und verspricht sich von ihnen eine literarische Auseinandersetzung mit der Zeit.

Anhand der Literaturbetrachtungen lassen sich drei Richtungen innerhalb dieser antifaschistischen Orientierung unterscheiden. Die erste, vertreten von Werner

Jahn, folgt der Einsicht, daß die Zeit chaotisch und durch Gewalt entstellt ist; nur der »Dichter« ist in der Lage, ein »neues Weltgefühl« zu erschließen, das zu einer »natürlichen Ordnung« der Dinge mit deutlich christlicher Orientierung führen soll. Diese, von Rilke und dem deutschen Existentialismus beeinflußte Haltung zeigt zwar nicht mehr den blinden Optimismus einer vitalistischen Kriegs- und Naturbejahung, sieht aber das Ausmaß der physischen und geistigen Zerstörung der deutschen Literatur noch nicht deutlich genug.

Eine zweite Richtung, vertreten von E. R. Greulich, hält sich an den Grundsatz »Haß gegen Haß« als bestimmend für eine antifaschistische Literatur und hebt Erich Kästners Gedichte als positives Beispiel hervor. Der Schriftsteller soll nicht nur vorbildliche Menschentypen und Szenen christlicher Nächstenliebe darstellen, sondern versuchen, die Gesellschaft durch seine kritische Darstellung aufzurütteln. Die Satire wird am Beispiel der Grosz-Zeichnungen und Kästner-Gedichte als die geeignetste literarische Form bevorzugt. Allerdings verstrickt sich Greulich in die Schwierigkeiten einer Polemik gegen abstrakte oder experimentelle Kunst; in seinem anti-formalistischen und »populistischen« Denken (als Anwalt des »kleinen Mannes«) will Greulich die Kunst als »eines der wichtigsten Massenerziehungsmittel« verstehen und rückt in die Nähe des sozialistischen Realismus.

Die dritte Richtung kommt einer intellektuellen »Nullpunkt«-Haltung am nächsten; sie erscheint in dem Aufsatz des Malers Ernst Walsken über George Grosz und in Gedichten von Oskar Wintergerst und Walter Krumbach. Der Mensch scheint angesichts seiner selbstzerstörerischen Taten den Glauben an sich selbst verloren zu haben. Auch die wenigen großen Denker, Künstler und Idealisten (Plato) können diese Entwicklung zur globalen Selbstvernichtung kaum aufhalten (Walsken). Das Leben ist daher doppelt gefährdet und kostbar; christliche Inhalte bleiben als einzig wertvoll bestehen, obwohl auch sie durch eine Krise ins Wanken geraten, die im Bild des Menschen als »Dung auf dieser Erde« grotesken Ausdruck findet. Dieses Lebensgefühl verbindet Lethargie mit Ohnmacht: »Gefangene wartend« (Walsken). Der Einsicht in die Sinnlosigkeit des Soldatentodes in einem nicht gewollten Krieg für ein verhaßtes Regime entspricht die irreale Totenperspektive in den Gedichten Walter Krumbachs und Oskar Wintergersts.

Die meisten Beiträge und Gedichte aus der Feder von antifaschistischen Kriegsgefangenen sind, formal gesehen, ebenfalls epigonal. Ein jungdeutsches, oder Schiller verpflichtetes, Pathos und eine mit militanten Emblemen bestückte Polemik für den Frieden sind stilistisch nicht überzeugend. Die liberalen Gedichte verwenden ebenso traditionelle Reime und Alliterationen wie jene der Nationalsozialisten; sie bleiben auf Grund der vielen Wiederholungen in Verbindung mit Moralschlüssen und antiquiertem Vokabular auf der Ebene politischer Polemik in Versform. Beide politischen Lager versagen literarisch vor der Schwierigkeit, Didaktik formal, und damit künstlerisch überzeugend, zu bewältigen. Eine Ausnahme ist vielleicht Walter Krumbachs Gedicht »Stimme der Toten«; die Selbstentfremdung der für die falsche Sache geopferten Soldaten wird mit den Mitteln einer überraschend tragfähigen, naturlyrischen Tradition dialektisch wirksam dargestellt.

Nach Kriegsende befassen sich die meisten Kriegsgefangenen-Beiträge mit dem Problem der »inneren« und faktischen Emigration. Die Anhänger des Irrationalismus unterstreichen die Verdienste der in Deutschland gebliebenen Schriftsteller, vor allem Wiecherts und Carossas, auf dem »Weg nach Innen« (*Der Ruf*, December 15, 1945). Ein ungerechtfertigter Optimismus richtet sich auf die vollen »Schubladen« (*Ibid.*) der bisher von der NS-Zensur bedrohten »inneren« Emigranten. Hermann Hesses *Glasperlenspiel* wird erst Mitte 1946 als problematischer Versuch kritisiert, die »feuilletonistische« Gegenwart durch weltabgeschiedene Kunst- und Geistespflege zu umgehen (Herbert Schramm). In Thomas Manns Romanen finden die deutschen Antifaschisten die Bestätigung ihrer Überzeugungen: Pazifismus, politisches »engagement« bei großem schriftstellerischem Können, Zeitkritik aus pan-europäischem, demokratischem und humanistischem Bewußtsein; die eher unpolitisch Eingestellten unter ihnen halten sich an die »kulinarischen« und ästhetisch-ironischen Aspekte dieser Prosa.

Ein charakteristischer Beitrag zur Neu-Orientierung der deutschen Nachkriegsliteratur ist in Henrik Paulsens »Kästner«-Aufsatz zu finden. Er stellt dem »Weg nach Innen« die Gefahr falsch verstandener, idealistischer Phrasen entgegen; die Literatur soll die unmittelbaren Probleme der Gegenwart aufgreifen, sich mit der Mehrheit der Menschen in den großen Städten und, angesichts der Atombombe, mit den unheilvoll aggressiven Tendenzen der menschlichen Natur auseinandersetzen. Ein erneuerter Enthusiasmus für die sozialen Realisten und Satiriker der Weimarer Republik (Kästner, Tucholsky, Ossietzky) setzt den Anfang für eine entmythisierte und sachlich-kritische Literaturauffassung in der deutschen Nachkriegszeit.

KAPITEL VI. AN DER SCHWELLE DER DEUTSCHEN NACHKRIEGS-LITERATUR UND -PUBLIZISTIK: KOLBENHOFF, HOCKE UND MANNZEN

WALTER KOLBENHOFF, VON UNSEREM FLEISCH UND BLUT (1946)

Während Alfred Andersch und Hans Werner Richter ihr erstes Forum für Literatur und Zeitkrik in den Kriegsgefangenen-Zeitungen fanden, versuchte Walter Kolbenhoff, Didaktik zu erzählender Literatur zu formen. Er brachte im Frühjahr 1946 den beendeten Roman *Von unserem Fleisch und Blut* aus amerikanischer Kriegsgefangenschaft nach Deutschland mit und erhielt dafür im gleichen Jahr den ersten Preis eines im US-*Ruf* ausgeschriebenen literarischen Wettbewerbs. [1] Viele Mitarbeiter des deutschen *Ruf* (1946/47) sahen in diesem Roman eine Diskussionsgrundlage für ihre literarische Neuorientierung. [2]

Der Roman schildert eine Nacht (kurz vor Kriegsende) im Leben des 17jährigen Hans, eines fanatisierten »Werwolf«-Mitglieds, in einer ausgebomten deutschen Stadt. Der Junge versteckt sich in den Ruinen vor patrouillierenden amerikanischen Truppen. Er wohnt dem Streit zweier erwachsener »Werwolf«-Gruppenleiter bei und erschießt kurz darauf den, seiner Meinung nach, defätistischen Gruppenleiter aus dem Hinterhalt. Später schießt er auch auf amerikanische Soldaten, kann aber im Dunkeln entkommen. Am Flußufer stößt er auf einen einbeinigen, verbitterten Heimkehrer, der ihn vergeblich von seinem sinnlosen Widerstand abzubringen versucht. Ausgehungert, gehetzt und müde irrt Hans durch die Ruinen, verliert seine Pistole, findet keinen Einlaß bei seiner Mutter (der er davongelaufen ist) und flüchtet sich schließlich in den Verschlag eines Bettlers auf den städtischen Schutthalden. Doch auch der Bettler will den uneinsichtigen »Werwolf« nicht aufnehmen; in einem Wutanfall erwürgt der Junge den alten Mann. Noch im Halbschlaf murmelt Hans NS-Parolen und glaubt, ganz im Sinne des bewunderten Gruppenleiters gehandelt zu haben.

Nach Hans Mayers kurzer Würdigung weist das »ziemlich kunstlos« geschriebene Buch Stilmerkmale der deutschen neu-sachlichen Erzähl-Tradition von 1930 und Einflüsse amerikanischer Realisten (»vor allem Hemingways«) auf; Kolbenhoff weiche (meint Mayer) dem Expressionismus »ängstlich« aus. [3] Ich glaube aber, daß sich eine gewisse Affinität zum Nach-Expressionismus, besonders des Schauspiels, nicht von der Hand weisen läßt. Das zeigt sich bereits in der Wahl der Hauptfiguren, die in ihrer Typus-Gebundenheit an die dramatis personae Ernst Tollers (*Die Wandlung*, 1919) und Wolfgang Borcherts (*Draußen vor der Tür*, 1947) erinnert: der 17jährige, fanatisierte »Werwolf« Hans; seine Mutter; die NS-Funktionäre Kruse und Moller; die Ladenbesitzerin Frau Huber; Werner, ein einbeiniger Heimkehrer, Zempa, ein ehemaliger Clown und Artist (jetzt Bettler); drei US-Soldaten (Pete, Joe, der Sergeant), ein Deserteur und seine Geliebte, ein Heimkehrer mit Frau und Kind, ein alter Mann und seine Frau. Die wenigen Familiennamen sind, wie bei Borchert, betont alltäglich (Kruse, Huber, Moller, Schröder), Vornamen emblematisch (Hans, der deutsche Junge mit HJ-Idealen, Paul, sein friedliebender Bruder, Pete und Joe, die Amerikaner), und viele Figuren bleiben namenlos, weil sie Typen verkörpern: der Heimkehrer mit Familie denkt vor allem an Wiederaufbau; der Deserteur lebt in ständiger Angst; der Sergeant sorgt für Disziplin; der einbeinige Heimkehrer lebt einsam und verbittert in einem Verschlag; Zempa, der Bettler-Clown lebt als Außenseiter in den Abfall-Halden vor der Stadt; und der Lehrer verkörpert das NS-System durch sadistisch-autoritäres Verhalten. Das dominierende Stilprinzip des Typischen rückt Kolbenhoffs Roman in die Nähe des Nach-Expressionismus.

Kolbenhoff will nicht fabulieren, sondern soziologisch-didaktisch charakterisieren. Der durch NS-Parolen verhetzte Protagonist begeht in einer Nacht zwei Morde; und die meisten Neben-Personen sind Kontrast-Figuren, die Kolbenhoff zu seinem Sprachrohr macht. Der allwissende Autor [4] wechselt häufig die Perspektive und tritt oft selbst, didaktisch kommentierend, in Erscheinung. [5] Kolbenhoffs Romanstruktur folgt im Grunde einer szenisch-didaktischen Tradition. Jene Kapitel, in denen der innere Monolog des Protagonisten die Perspektive bestimmt, wechseln regelmäßig mit Kontrast-Szenen, in denen Neben-Figuren in ihren Dialogen die Ansichten des Autors formulieren.

Dieser strukturellen Proportion, dem Perspektivenwechsel (innerer Monolog/ Dialog) von Kapitel zu Kapitel entsprechen die wechselnden Einflüsse zweier Stiltraditionen — Alfred Döblins Expressionismus und Ernest Hemingways Realismus. In den fünfzehn Kapiteln, die Kolbenhoff dem fanatisierten Jungen und dessen innerem Monolog widmet, tritt die Montage-Technik Alfred Döblins (wenn auch in begrenztem Maße) in Erscheinung; wie in *Berlin-Alexanderplatz* (1929) wird die Gegenwart durch das verbale Zeitrequisit gekennzeichnet. Döblin streute Reklame-Phrasen und Schlagertexte in den epischen Bericht ein; Kolbenhoff macht die Verhaltensweise seines »Werwolf«-Protagonisten durch NS-Parolen und NS-Chorlieder verständlicher, die immer wieder in den inneren Monolog fließen:

> Während der Lauf der Pistole auf die Gasse zeigte, flüsterte er lautlos: »Ein Jüngling auch, ein Knabe noch, der heut das erste Pulver roch, er mußte dahin. Wie hoch er auch die Fahne schwang, der Tod in seinen Arm ihn zwang — er mußte dahin!« — und er starrte mit weitaufgerissenen Augen in die Gasse. »Ich bin ein Wolf!«, sagte er. »Ich bin ein reißender Wolf und ich töte, weil der Befehl lautet: Töte!« —. [6]
> Ich gehe in eine Ruine dachte er, dort sollen sie mich suchen. Nein! Ich muß kämpfen. Ich werde es ihnen zeigen. Ich werde kämpfend fallen. Werd' tot ich fortgetragen, sollst Liebste du nicht klagen, zieh an dein schönstes Kleid, zieh an dein schönstes Kleid. Sie sollen nur kommen, ich werde es ihnen zeigen ... Ich habe es ihnen gezeigt, ich habe in sie hineingeschossen. . . . [7]

Der zu Kolbenhoffs Generation gehörige Nachkriegs-Autor Wolfgang Koeppen (geb. 1906) bringt dieses Stilmittel in seinen zeitkritischen Romanen (*Tauben im Gras*, 1951; *Das Treibhaus*, 1953; *Der Tod in Rom*, 1954) noch überzeugender zur Wirkung. [8]

Das Hemingway-Modell bestimmt die Erzählstruktur der interpolierten Kapitel in Kolbenhoffs Roman. Kolbenhoff bemüht sich in diesen Kapiteln, in denen szenische Dialoge im Landser-Jargon das Monologische ablösen, um stärkere Gegenständlichkeit. So taucht zwischen den Ruinen immer wieder der Hund des toten Schröder als Korrelat kreatürlicher Anhänglichkeit und zerstörerischer Wirkung des Krieges auf, und ein Schild mit der Aufschrift »Galanteriewaren« erinnert an die unpolitisch-kleinbürgerlichen Illusionen von Frau Huber (der Besitzerin eines »besseren Geschäfts« [9]) und den Selbstmord ihres Mannes.

Leider bleiben solche Beispiele indirekter Didaktik in der Minderzahl. Die Roman-Handlung entwickelt sich zunehmend nach-expressionistisch und dramatisch, in seinen inneren Monologen wird der übernächtige, ausgehungerte und gehetzte Junge immer mehr zum blinden Befehlsempfänger und zur bloßen Marionette des toten Hauptmanns Kruse und schwört nach seinem sinnlosen Mord an dem alten Zempa dem Vorbild bedingungslose Treue: »Herr Hauptmann, ich werde Ihre Befehle ausführen ohne Rücksicht auf Verluste.« [10] Auch andere Abschnitte wirken überzeichnet; und sobald der einbeinige Soldat Werner begreift, daß sein früherer Freund noch als »Werwolf« weiterkämpft, fühlt sich der Leser in das nachexpressionistische Drama Borcherts versetzt:

> Der Soldat richtete sich langsam hoch. Sein Kopf stand schwarz gegen den gelben Streifen im Flusse. Er sagte mit seltsamer ängstlicher Stimme:
> »Wer bist du?«
> »Was fragst du?«, fragte der Junge erschreckt. »Wer soll ich sein? Du kennst mich doch — Ich bin es.«
> »Sag es noch einmal«, sagte der Soldat. »Wer kämpft?«
> »Du fragst so komisch«, sagte der Junge unruhig. . . .
> Der Junge wollte aufstehen, aber der Soldat hielt ihn am Arm fest. »Siehst du die Stadt?«, fragte er. »Hast du die Leichen gerochen?« . . .
> »Ich hasse euch!«, flüsterte der Soldat. »Verstehst du? Ich hasse Euch wie die Pest. Ihr müßt verrecken wie kranke Ratten. Ihr habt mir mein Bein genommen und die Häuser auf die Menschen regnen lassen —.« [11]

Dem Scherenschnitthaften solcher Szenen entspricht die Beschreibung der Ruinenstadt in Beleuchtung und Dekor; das immer wieder erwähnte Vollmond-Licht reduziert die Gegenstände zu Silhouetten (»Die Strahlen des Mondes lagen weiß auf den gezackten Mauern . . .«; »eine Treppe, die jäh abbrechend in den schwarzen Himmel ragte . . .« [12]). Die Metaphern personifizieren die Trümmerlandschaft in expressionistisch-grotesker Art, und die Adjektive bezeugen eine melodramatisch-»literarische« Manier:

> Der Mond warf die Schatten der Bäume auf die *gemarterte* Erde. . . . Über ihnen türmte sich das *phantastische* Gebirge der Ruinen mit seinen *wilden* Schluchten, verrußten Gipfeln und *trostlosen* Tälern. Unter den Ruinen lagen die Träume der Menschen, die hier gelebt hatten. . . . Er . . . preßte sich in den scharfen Schatten einer Ecke und sah zwei *ungeheure* Panzer vorbeiklettern. Ihre grauen Leiber glänzten dumpf in der milchigen Helle, die Geschützrohre zeigten unbeweglich nach vorn. . . . Die Häuserfront war nicht mehr. Wie aus *zerschlagenen* Kiefern faulende *zerfressene* Zahnstumpen, zeigten die Reste der Häuser in den Himmel. . . . [13]

Wie in Bertolt Brechts Schauspiel *Im Dickicht der Städte* (1923) kehrt die Metapher eines Dschungels, in dem nur der Kampf aller gegen alle und das Recht des Stärkeren gilt, mit leitmotivischer Beharrlichkeit wieder:

> Die Stadt war ein Dschungel, im Dickicht ihrer Ruinen lauerte der Tod. Die Menschen wußten ihm zu entgehen. Sie lebten wie Tiere und der tausendfache Tod um sie hatte in ihnen die in Jahrtausenden versunkenen Instinkte wieder erweckt. Sie lebten und die Stärksten von ihnen wußten, daß sie leben würden, solange sie die Kräfte nicht verloren. ... Plötzlich richtete er sich wieder auf. »Wir werden wie die Wölfe leben müssen«, sagte er. »Wie die Tiere im Dschungel. Jeder muß aufpassen, daß er nicht erschlagen wird und daß er den größten Bissen kriegt. ...« Wie im Urwald die Lianengewächse an fremden Bäumen, hingen über ihm verrenkte Eisenstangen, zerbrochene Stahlbänder, das Riesenblatt einer durchlöcherten Blechscheibe. ... [14]

Diesem ersten Nachkriegsroman fehlt es nicht an politischem Engagement und Ansätzen zur Neuen Sachlichkeit; Gegenständlichkeit und szenischer Dialog zeugen für einen neuerlichen Anschluß an weltliterarische Entwicklungen, besonders im amerikanischen Roman. [15] Die nach-expressionistischen Stilmerkmale und Bilder aber, ein Übermaß an didaktischer Deutlichkeit und der Mangel an stilistischer Konsequenz verringern die künstlerische Bedeutung des Kolbenhoff-Romans zu einem literatur-soziologischen Zeitdokument. Es ist ein Buch der Trümmerliteratur, im Kriegsgefangenen-Lager konzipiert, und gibt fruchtbare Anregung für die 1946/47 entstehende Realismus-Diskussion der deutschen Schriftsteller.

DER INITIATOR GUSTAV RENÉ HOCKE: PSYCHOLOGISCHE IMPULSE UND ANTI-»KALLIGRAPHISCHE« POLEMIK

Bevor Gustav René Hocke die entscheidende Phase des amerikanischen *Ruf* (von Mai bis September 1945) formte, war er Herausgeber der ersten antifaschistischen Zeitschrift deutscher Kriegsgefangener in den Vereinigten Staaten; die Zeitschrift mit dem programmatischen Titel *Der Europäer* erschien bereits im September 1944 in Camp Campbell, Ky. Nur zwei Hocke-Beiträge sind erhalten [16]; sie bezeugen ein fundamentales historisches und psychologisches Interesse und implizieren bereits Hockes ausgeprägten Ideologie-Verdacht.

Der im Februar 1945 erschienene Beitrag »Wir und die Zeit« [17] will (dem Untertitel nach) »Aufbau und Selbsterkenntnis« fördern; Hocke hält es für konstruktiv, »nach einer Krise solchen Ausmaßes einmal ruhig und vernünftig über sich selbst nachzudenken« [18]; das pragmatisch inspirierte Schlüsselwort »Vernunft« kehrt im Mai 1945 im Untertitel des *Ruf* (»Für Vernunft und Recht«) wieder. Für eine Deutung des Dritten Reiches erscheinen Hocke die oft genannten wirtschaftlichen und politischen Gesichtspunkte unzureichend; man müsse sich »die Menschen *unmittelbar* ansehen« [19] und von der Psychologie ausgehen. Nach einer eingehenden Untersuchung massenpsychologischer Phänomene stellt Hocke den »Nazismus als seelische Seuche« dar; Hitler habe als paranoider »Heilertyp« in der unsicher und anfällig gewordenen Volksmehrheit eine Massenneurose entfesselt und für seine politischen Ziele mißbraucht. Als Gründe für die »Anfälligkeit Deutschlands« nennt Hocke neben »äußeren« Aspekten (»Arbeitslosigkeit, Wirtschaftskrisen, politische Unzufriedenheit, Minderheitenfragen, Existenzunsicherheit, Religionsspaltung«) »eine gewisse deutsche Neigung zu einem verweltlichten Mystizismus, zu untertänigem Persönlichkeitskult, zu allgemeinen Ideen und blindem Gehorsam ..., zu seelischen Rauschzuständen in gewissen Kreisen (Wagner), Leichtgläubigkeit und Mißtrauen gegen die Vernunft« und eine »Vorliebe für einfache weltanschauliche Formen.« [20] Ungeachtet dieser völkerpsychologischen Einsichten, zu denen an anderen Orten auch Thomas Mann und Hermann Broch gelangen, [21] wendet sich Gustav René Hocke entschieden gegen ein Kollektivschulddenken; auf Grund der massenpsychologischen »Infektion« seien die »vielen Mitläufer von Schuld im inneren Sinne frei.« Hocke richtet seine größten Hoffnungen auf eine »echte, demokratische, europäische Gemeinschaft« und jene »Kreise in Deutschland,« die sich ihren kritischen Abstand gegenüber dem NS-System zusammen mit einer »gesunderhaltenden Weltoffenheit« bewahren konnten, weil sie dem »international geehrten deutschen Geist (Leibniz, Kant, Goethe)« treu blieben. [22]

Im Sinne einer solchen »gesunderhaltenden Weltoffenheit« empfiehlt Gustav René Hocke den kriegsgefangenen Landsern die Lektüre von Balzac, Dostojewski und Tolstoi (*Krieg und Frieden,* 1869). [23] Der Ernst-Robert-Curtius-Schüler glaubt an die Möglichkeit, »die menschlichen Probleme unserer Zeit« durch die Vermittlung der großen europäischen Realisten und ein erweitertes Geschichtsbewußtsein »besser verstehen« und bewältigen zu lernen; Hockes fiktiver Gesprächspartner im Kriegsgefangenenlager meint: »Man kümmert sich viel zu viel um die politischen und zu wenig um die menschlichen Fragen unserer Generation.« [24] Der polemische Gebrauch des Begriffs »Politik« könnte zu dem Mißverständnis verleiten, Hocke vertrete den Standpunkt eines politisch desinteressierten Ästheten: seine ausschließlich politische Publizistik im Kriegsgefangenen-*Ruf* zeugt aber vom Gegenteil. Mit der dialektischen Gegenüberstellung von »menschlichen« und »politischen« Fragen ist eine Absage an ideologisch-doktrinäres Denken zugunsten einer »unbefangenen Adaption von Wirklichkeit und Freiheit« gemeint. [25] In einem seiner »Briefe zwischen Kontinenten« (Europa und Amerika), im Herbst 1947, formuliert Gustav René Hocke dieses weltanschauliche Konzept umfassender und klarer; und sein Beitrag läßt auch erkennen, wie weitgehend Hocke dem politischen Denken Franklin D. Roosevelts folgt:

Ein Zerfall in »West« und »Ost« würde eine Preisgabe der »one world«-Idee bedeuten. Jeder einzelne sollte sich dabei unermüdlich bemühen, Brücken zwischen den Hemisphären zu schlagen. Gerade wir Deutschen sollten es tun. Das ist vielleicht unser positiver Sühnebeitrag zur Erhaltung des Weltfriedens. ... Auch wenn es zwischen »West« und »Ost« keinen Weg des Ausgleichs zu geben *scheint*. Zugunsten des Friedens *muß* ein Ausgleich gefunden werden. ...
Einmal verdeckt die geistige Diktatur der Doktrinarismen und die »totale« Politisierung des Lebens alles das, was Dante vom Dolce Stil Nuovo sagte, nämlich was »da dentro« vorgeht, was sich in der Tiefe an Neuem vollzieht: eine unbefangene Adaption von Wirklichkeit und Freiheit. Bemerkenswert ist ferner, daß dieser Prozeß sich

nicht an der Oberfläche vollzieht, weil tatsächlich die Skepsis in ihm zu einer fundamentalen Erkenntnismethode gehört.

Europa leidet an einer Verbrauchtheit von Synthesen, Ideen, ja bloßen Worten. ... Im Namen von »Ideen« und von »Wirklichkeiten« hat sich Europa oft in einer Weise selbst betrogen, die unheilbare seelische Narben entstehen ließ. ... Was die Besten Europas heute suchen, ist somit ein neuer Schnittpunkt von Idee und Wirklichkeit. Sie suchen ihn nicht im Staat, in der Natur, in Ideologien oder Systemen — sie legen ihn in den *Menschen* hinein. Eine philosophische Menschenkunde ist im Entstehen begriffen. In ihr gilt der Mensch in ebenso realistischer wie idealistischer Weise als Schnittpunkt von Metaphysis und Physis, von Religion und Staat, von Geist und Macht. Entsprechend legt er sich die Grundsätze für die Gestaltung seiner Umwelt fest: die moralischen Werte müssen auf Gott bezogen werden, diejenigen der Polis auf das unbefangene, d. h. nicht doktrinäre Erkennen der sozialen, wirtschaftlichen, bevölkerungsmäßigen, geographischen etc. Zustände und Gegebenheiten mit ihren ständigen Strukturveränderungen. [26]

Das »One-World«-Konzept Roosevelts und Hockes Versuch, die ideologischen Mauern zwischen den Machtblöcken durch einen existentiellen Humanismus abzubauen, ergänzen einander; ebenso wie Hans Werner Richter glaubt Hocke an Deutschlands Mittlerrolle zwischen »Ost« und »West«; jeder einzelne soll die konstruktive Synthese von Freiheit und Sozialismus »da dentro« mitvollziehen. Voraussetzung ist ein ideologiefreies (»unbefangenes«) Erkennen der Gegebenheiten. Diese politische Einsicht steht in engem Zusammenhang mit Hockes anti-»kalligraphischer« Ästhetik; das Bindeglied bildet die rhetorische Frage in Hockes »Kalligraphie«-Essay (Nov. 1946): »Was kann schließlich geistige Freiheit anderes sein, als reine Übereinstimmung von Aussage und Wirklichkeit?« [27] Der hier literarkritisch gemeinte Satz berührt ein zentrales Interesse der aus amerikanischer Kriegsgefangenschaft zurückkehrenden Schriftsteller. Alfred Andersch formuliert ganz ähnlich über die Prosa Hemingways und Steinbecks: »In ihren besten Stücken ist sie bloße Darstellung, reines ,So sind wir.' Doch gerade darin liegt ihre reinigende Kraft ... Unnötig zu sagen, daß die Stärke zu solcher kritischen Verantwortung aus einem Leben in Freiheit herrührt.« [28] Hier liegt der Ansatzpunkt zum Verständnis des Nachkriegs-Engagements: der Literatur bleibt angesichts der großen Skepsis gegenüber politischen Begriffen der einzige Weg, Freiheit und Wirklichkeit »zurückzugewinnen.« [29]

Gustav René Hockes einsichtsvoller, ästhetisch fundierter Aufsatz »Deutsche Kalligraphie oder: Glanz und Elend der modernen Literatur« (1946) weist einen fruchtbaren Ausweg aus der erstarrten Diskussion über »Innere« und faktische Emigration. Den Schlüsselbegriff »Kalligraphie« entnimmt Hocke einem italienischen Literatur-Streit um 1900, in dem Anhänger einer »rein ästhetischen Wortformkunst« (Calligrafisti) gegen die Parteigänger einer stofflichen »Lebensnähe« und »Wahrhaftigkeit« (Contenutisti) polemisierten. [30] Auf die Situation der deutschen Literatur im Dritten Reich projiziert, meint »Kalligraphie« die »moralisch« und »praktisch« bedingte »Introversion«: »moralisch« als sprachliche Abkehr von »dem Sumpfbereich des Amts-, Zeitungs -und Rednerdeutschs der Diktatur«; »praktisch« als Bemühen, den politischen Repressalien und der »wölfischen« Zensur« zu entgehen. [31] Hocke würdigt die »im Kern unantastbare Sauberkeit der Absicht« auf dem Weg zur »symbolistischen, pastoral-idyllischen, elegisch-ego-zentrischen oder maniriert-essayistischen Form« [32], warnt aber vor einer Fort-dauer literarischer »Introversion« über das Ende der Diktatur hinaus. [33] Es geht für den Nachkriegsschriftsteller vielmehr darum, »ein unmittelbares Verhältnis« zur »Umwelt« zu gewinnen und die »Sprache seiner Zeit und seiner Über-Zeit« zu schreiben:

> Man erinnere sich in dieser Hinsicht mit Bedacht der großartig-energischen Absicht Balzacs, der größte Psychologe, Soziologe, der realistischste Darsteller seiner Zeit zu werden. Er wollte schildern, deuten, entwirren, anklagen, anregen, ermutigen. Der gefürchtete Kritiker seiner Zeit, St. Beuve, fand zwar manches an seiner Sprache zu tadeln, da sie ihm oft, verglichen mit den Bukolika von Virgil, unschön, ja trivial erschien. Balzac indes gelang es, seine Zeit nicht nur zu schildern, sondern geistig zu gestalten, indem er sie auf einer höheren Ebene mit allen dumpfträgen Gesprächen in Provinzsalons, mit allen Verbrechen und Lastern neu erschuf. Daß damit eine neue schöpferische Leistung nach der heute fast vergessenen Poésie en Prose Chateaubriands entstanden war, bezweifelt heute selbst der größte sprachliche Purist nicht mehr. [34]

Hocke ist bemüht, den »Bukolika« und der »Poésie en Prose« die Neugestaltung der eigenen Zeit als eigentliche Aufgabe der Literatur gegenüberzustellen. Er ver-kennt dabei nicht die Bedeutung des Zeitrequisits und seiner szenisch-realistischen Darstellung (»dumpfträge Gespräche in Provinzsalons«) und empfiehlt die psycho-logische und soziologische Durchdringung der Gegenwart als wesentliches Kom-positionsprinzip. Wie sein Lehrer Ernst Robert Curtius glaubt Hocke an die erhellende Kraft eines anthropologisch-morphologischen Geschichtsbewußtseins für den Versuch, die Gegenwart richtig zu erfassen und zu deuten, [35] und wählt daher Dante, Balzac, Chateaubriand und Sainte-Beuve, oder den italienischen Literaturstreit der Jahrhundertwende, um die notwendige Distanz zu den Pro-blemen der Nachkriegsliteratur zu gewinnen. Obwohl Hocke nichts gegen »sprach-liche Verfeinerung« (dem Gewinn der »besten Kalligraphen«) einzuwenden hat, richtet er das Augenmerk der »jüngeren Schriftsteller« auf die Möglichkeit, im skizzenhaften Reisebericht »den Blick« zu »schärfen«: »Angesichts des Leids korri-giert die Schönheit ihre Proportionen«. [36]

PRAGMATISCHE STANDORTBESTIMMUNGEN IM KRIEGSGEFANGENEN-LAGER:
WALTER MANNZEN

Bevor (Dr. jur.) Walter Mannzen am 18. November 1945 Gustav René Hockes Position als Chefredakteur des *Ruf* in Fort Kearney, R.I., übernahm, war er Mitarbeiter des Lager-Blattes *Unsere Zeitung* in Camp Greeley, Col., gewesen. Dort hatte er, ähnlich wie Hans Werner Richter in Camp Ellis, Ill., die Erfahrung machen müssen, daß die wirklichkeitsfremde Einstellung einer Mehrheit nationalsozialistischer Landser über den 8. Mai 1945 hinaus den Lager-Terror der Fanatiker unterstützte und eine nüchterne Einschätzung der wirklichen Lage sehr erschwerte. [37] Sein erster publizistischer Impuls richtete sich daher auf eine kritische Analyse des NS-Systems, seiner Ideologie und Kulturpropa-ganda. In dem Beitrag »Freiheit der Kunst« (vom 19. August 1945) [38] untersucht Walter Mannzen die Grundlagen der NS-Kunstpolitik. Er stellt fest, daß sich die Nationalsozialisten nur »im Negativen« einig gewesen waren und drei generelle Kunst-Tabus errichtet hatten: »verbrannt« und verbannt wurden freiheitliche, humanitäre, europäische und pazifistische Manifestationen (Heinrich und Thomas Mann, Remarque); gesellschaftskritische Darstellungen (der »Simplizissimus«-Zeichner Th. Th. Heine, Käthe Kollwitz, George Grosz, Otto Dix); und »alles, was dem beschränkten Kleinbürgerverstand ungewohnt war« (die Bauhaus-Richtung, Zwölfton-Musik, abstrakte Kunst). [39] Nach einer kurzen Analyse der widersprüchlichen NS-Stilvorstellungen (»Hitlersche Afterklassik« neben Rosenbergs Blut-und-Boden-Postulat und Goebbels' eklektischer Propagandamaschinerie [40] versucht Mannzen, das Verhältnis von Kunst und Politik näher zu bestimmen. Er verurteilt den Mißbrauch von Kunst für politische Zwecke:

> Doch dürfen wir nicht in den entgegengesetzten Fehler verfallen und sagen, Kunst habe nichts mit Politik zu tun. Jede echte Kunst ist, wie die Religion, Ausfluß der Gesamtpersönlichkeit, also auch ihrer politischen Haltung. Es geht nicht um die unpolitische Kunst, sondern um die ehrliche, gekonnte Kunst. Der dem Kreise um Ernst Jünger entstammende Nationalist A. Paul Weber, der nichtsdestoweniger lange Zeit im Konzentrationslager verbrachte, schuf während dieses Krieges anti-russische und anti-britische Propagandazeichnungen, die in jedem Zug gekonnt waren und nur den Zeichnungen Kubins nachstehen. Es war politische Kunst, die auch der politische Gegner sammeln und lieben kann. Doch von echten Nazis sahen wir nie Derartiges.
> ...
> Und Ernst Jünger, der alte Nationalist, Krieger, Pour-Le-Mérite-Träger des ersten Weltkriegs, dessen Kriegsbücher jeder Nationalist als Bibel verehrte? Er äußerte, als ihm nahegelegt wurde, wieder in die nationalsozialistische Wehrmacht einzutreten: »In ein Heer, in dem ein Göring General ist, passe ich nicht hinein.« Dann schrieb er in dem Roman *Auf den Marmorklippen*, den eine spätere Zeit wahrscheinlich als das beste deutsche Prosawerk seit Goethes *Wahlverwandtschaften* ansehen wird, eine große, fast mythische Abrechnung mit dem Faschismus. [41]

Wenn Mannzen auch in seiner Einschätzung der *Marmorklippen* manche kritischen Maßstäbe außer acht läßt, bleibt sein Unterscheidungsvermögen bemerkenswert; die gleiche Tugend läßt ihn Nietzsche als »guten ›Europäer‹« erkennen, da Nietzsche »ja nicht nur von der ›blonden Bestie‹ und vom ›gefährlichen Leben‹ sprach, sondern auch ein bitterer Hasser des Antisemitismus war und Bismarck nicht liebte.« [42] Der Historiker Mannzen will gerecht bleiben; er impliziert allerdings in seiner Bemerkung über »echte Nazis«, daß er deren »Gesamtpersönlichkeit« nur geringen Kunstverstand zutraut. [43] Die Folgen der NS-Politik beurteilt Mannzen nüchtern und didaktisch:

> Die Verarmung unseres Geisteslebens durch Unterdrückung freien Schöpfertums, durch Abwanderung so vieler unserer Besten, durch die nationalsozialistische Verengung der Gehirne, durch Entwöhnung vom Denken und verständigem Lesen wird noch lange andauern. Rettung gibt es für den Einzelnen nur, wenn er allen Kunstwerken und sonstigen geistigen Schöpfungen gegenüber offen ist und sich ernsthaft bemüht, sie zu verstehen, bevor er urteilt. [44]

Hier klingt die Mahnung zum unvoreingenommenen Eingehen auf das einzelne Kunstwerk und die spezifische Bedeutung eines literarischen Textes an, eine dem amerikanischen New Criticism im Ansatz verwandte kritische Einstellung. Walter Mannzen gewinnt diese empirische Sachlichkeit aus seinen anthropologischen und staatswissenschaftlichen Studien (ein 1936 begonnenes Buch über *Die Einwohner Australiens, Wirtschaft, Gesellschaft, Recht* erschien im Jahre 1949 in Berlin). [45] In zahlreichen Beiträgen im amerikanischen *Ruf* versucht Mannzen, häufig unter Hinweis auf die anglo-amerikanischen Demokratien und die Weimarer Republik (deren Schwächen er nicht verkennt [46]), das verwirrte sozio-politische und kulturelle Selbstverständnis deutscher Landser im »Jahre Null« klären zu helfen.

In einer historisch-kritischen Untersuchung der vergangenen zwei Jahrhunderte, »Die geistige Kluft«, [47] verdeutlicht Mannzen den Unterschied zwischen den organisch verwirklichten Demokratien Englands, Frankreichs und der USA und der in Deutschland nur gedanklich (von Kant bis Hegel) vollzogenen Integration des Volkes in den Bereich der Macht. Eine solche »Scheidung des Geistes von der politischen Entscheidung« hatte selbst bei den »fortschrittlichen Parteien« zu »Kompromißlosigkeit« und »schroffen Ideologien« geführt; die Trennung in »Obrigkeit und Untertan« war (»abgesehen von den Jahren 1919 bis 1932«) erhalten geblieben und selbst in der Weimarer Republik hatte sich das Kompromiß einer SPD-Zentrum-Koalition »des Verrats an den Grundsätzen verdächtig« gemacht. Im Dritten Reich war Intoleranz »geradezu zum Staatsprinzip« geworden; die Kluft zwischen Theorie und Praxis des Staatslebens hatte eine »isolierte Betrachtung der jeweiligen Frage ohne Rücksicht auf die großen Zusammenhänge« ermutigt und zu jener kurzsichtigen »Eklektizität« geführt, auf die »Goebbels eingestandenermaßen seine Propaganda aufbaute.« In einer echten Demokratie ist dagegen jede Entscheidung vorläufig und bleibt als »Ergebnis eines Kompromisses augenblicklicher Kräfteverteilung« der Kritik und »späteren Umbildung« offen:

> In welchem Maße etwa innerhalb der amerikanischen Demokratie eine Regierungsmaßnahme der öffentlichen Kritik unterliegt, konnte jeder Kriegsgefangene selbst mit Verwunderung feststellen.
> Die geistige Aufgabe des deutschen Volkes von heute ist es, diese Kluft zwischen abstraktem Denken und konkretem Handeln zu überwinden und den Anschluß wieder zu finden an das geistige Leben der Welt um uns. [48]

Ein ähnlich genau informiertes, pragmatisch-weltoffenes Denken zeigt Mannzen auch in der Anregung praktischer Maßnahmen zur Lösung dringlicher Fragen der nachkriegsdeutschen Wirklichkeit. Dem Problem der »Trümmerkinder« widmet er einen ausführlichen Bericht (»Die Gefährdeten,« 15. November 1945) und empfiehlt die Einrichtung psychiatrisch beratener Fürsorgeheime. Der einleitende Absatz dieses Beitrags liest sich wie ein Kommentar zu Kolbenhoffs Roman *Von unserem Fleisch und Blut:*

> Eben erst war die nächtliche Sperrzeit für Zivilisten vorbei. Da rührt sich etwas in einem scheinbar wüsten Trümmerhaufen. Ein vielleicht 13jähriger Junge kriecht, sorgfältig um sich spähend heraus, um schnell den Ausgang aus seinem Keller wieder zu vertuschen. Beruhigt von der Einsamkeit ringsum, atmet er tief. Dann geht er entschlossen auf Jagdbeute aus, sein tägliches Brot irgendwie zu finden. Schon nach ei-

nigen hundert Metern bückt er sich zufrieden zu einem Zigarettenstummel hinab, um ihn in der Tasche von der Nachtfeuchtigkeit zu trocknen. Was wird aus solch einem Jungen, der eltern- und heimatlos in den Trümmern einer Großstadt haust, ständig auf der Hut? Sein Gewissen ist schon lange nicht mehr rein. Sich selbst überlassen, wird er genau das, was die gottverlassene Kriminologie des Nationalsozialismus einen »geborenen Berufsverbrecher« nannte. [49]

Wie aktuell das von Mannzen hervorgehobene Problem nach Kriegsende ist, bezeugt die interpolierte Kindergeschichte in Elisabeth Langgässers *Märkische Argonautenfahrt* (1950) [50] und der im Herbst 1947 in Berlin gedrehte Film Roberto Rosselinis »Deutschland im Jahre Null,« die ähnliche Themen behandeln. Angesichts der »verelendeten Massen Europas nach dem 2. Weltkrieg« erkennt Mannzen auch die Notwendigkeit, »staatliche Eingriffe in die Freiheit der Wirtschaft ... (z. B. ›New Deal‹)« als Folge »des sozialen Gedankens« vorzunehmen; er warnt aber gleichzeitig davor, »die Mindestvoraussetzungen der persönlichen Freiheit auf dem Altar der ökonomischen Sicherheit zu opfern«; [51] auch er glaubt (wie die anderen Mitarbeiter des *Ruf*) an eine sozialistisch-demokratische Nachkriegspolitik in Deutschland.

Dem nationalsozialistischen »Rassenwahn« [52] setzt Mannzen anthropologische Forschungsergebnisse entgegen: gestützt auf Franz Boas' *The Mind of Primitive Man* (1911), widerlegt er den »biologisch-zoologischen Materialismus« durch die Einsicht, es gebe nirgends »Gruppen reinrassiger Menschen« und keine eindeutigen Entsprechungen zwischen »Umweltfaktoren« und »Erscheinungstyp«. [53] Mannzen entlarvt auch die Theorie bestimmter kultureller Manifestationen der »Rassenseele« als wissenschaftlich unhaltbar:

> Bisher ist noch nirgends eine Kulturerscheinung mit Erfolg aus dem »Wesen« einer Rasse abgeleitet worden, während die Erklärung und Ableitung von Erscheinungen der materiellen und geistigen Kultur aus den Bedingungen der natürlichen Umwelt, des wirtschaftlichen sozialen Lebens, und aus dem Zusammenwirken der schon existierenden Gebilde des Geistes in hohem Grade gelungen ist ... [54]

Walter Mannzens pragmatische Vorliebe für positive Fakten verleitet ihn jedoch nicht dazu, das »aus den Naturwissenschaften stammende Kausalitätsprinzip« [55] oberflächlich anzuwenden; gerade der Mißbrauch jenes Prinzips habe dazu geführt, die Ursachen der Not beim »zeitlich und örtlich nächsten« Träger der Verantwortung zu suchen und »den Haß auf ganze Gruppen und Völker auszudehnen«. Die daraus entstandene Kriegsbegeisterung habe sich durch die Mahnungen einzelner (Jean Jaurès, Karl Liebknecht, Karl Kraus) nicht dämpfen lassen; die fortschreitende Entmenschlichung habe in der »administrativen, geradezu didaktischen Durchführung von Greueln« und in der Anwendung »technischer Mechanik auf den Staat« gegipfelt. [56] Mannzen verweist auf D. H. Lawrences *St. Mawr* (1927) als gültige Darstellung dieser Entwicklung zum »Bösen«; das Gegenmittel zur unheilvollen Massenpsychose sei die Selbstbesinnung des einzelnen.

In der Schlußausgabe des US-*Ruf* (vom 1. April 1946) betont Walter Mannzen die verbindenden Aspekte deutscher und amerikanischer Kultur und bringt die fruchtbaren Möglichkeiten des wissenschaftlichen Pragmatismus der Vereinigten Staaten auf eine Formel, die in vielen seiner Beiträge die Perspektive bestimmt:

> ... der Wille zur objektiven Erforschung auch des Menschen, wobei die Ausschaltung der Fehlerquellen subjektiver Einflüsse durch die exakten Mittel einer sorgfältig bereinigten Statistik und des Experiments auch auf dem Gebiet der Psychologie im Vordergrund steht. [57]

In dem gleichen Beitrag (»Amerikanisches in Deutschland«) geht Mannzen auch auf jene Impulse freundschaftlichen Interesses für die Vereinigten Staaten ein, die aus der neuerlichen»Entdeckung« amerikanischer Literatur während der Weimarer Republik herrühren:

> Auch das deutsche Theater verdankte Amerika wesentliche Anregungen, insbesondere den Frühwerken des Nobelpreisträgers O'Neill. Einen ungeheuren Erfolg hatte in diesen Jahren in Deutschland der amerikanische Roman. Im Vordergrund standen die Autoren der naturalistischen Schule. Die Werke von Sinclair Lewis, Upton Sinclair, Theodore Dreiser, Josef Hergesheimer und anderen erlebten Auflage nach Auflage. Breiter noch war der Leserkreis der Abenteuergeschichten Jack Londons, aus denen uns etwas wesentlich Amerikanisches entgegenzustrahlen schien: Kraft, Optimismus und kameradschaftliche Verbundenheit der Menschen. Deshalb liebten wir auch den amerikanischen Dichter Walt Whitman. Die unmittelbare Verbundenheit mit den »Kleinen«, am Rande Lebenden, liebten wir an Sherwood Anderson. Ein echtes Stück des Lebens auf diesem Kontinent glaubten wir in Martha Ostensos *Wildgänsen* zu finden, das uns auch noch nach 1933 zugänglich blieb. Hemingway mußten wir uns damals heimlich zureichen, doch die dickleibigen Bände von Thomas Wolfe, Margaret Mitchell und anderen, mit denen freigeistige Verleger die Abschließungswelle des Dritten Reiches durchbrachen, konnten wir auch damals noch eine Zeitlang frei kaufen und in ihnen einen Zug des geistigen Lebens der Welt erhaschen. [58]

Der kollektiv formulierte, kulturelle Rückblick auf die Weimarer Republik verrät bereits manches von Mannzens eigener Beschäftigung mit amerikanischer Literatur; während des Krieges (der fast sieben Jahre seines Lebens, von der Einberufung im September 1939 bis zur Entlassung aus amerikanischer Kriegsgefangenschaft Ende 1946, bestimmte) las Mannzen als Soldat in Paris Hemingway und Faulkner in französischen Ausgaben und, im Jahre 1943, Steinbecks *Früchte des Zorns* in einer (von Goebbels als antiamerikanische Propaganda zugelassenen) deutschen Ausgabe. [59]

Ungeachtet dieses ausgeprägten Interesses an amerikanischer Kultur und rationeller Geisteshaltung zeigt Mannzen viel Verständnis für eine Kunstrichtung, die solcher Geisteshaltung diametral entgegengesetzt zu sein scheint: den Surrealismus. In einem *Ruf*-Aufsatz (»Der Surrealismus«, 15. Februar 1946) setzt sich Mannzen mit jenem »jüngsten« der »Ismen« auseinander, »der seinen Zug um die Welt in den Jahren machte, in denen Deutschland von ihren geistigen Strömungen abgeschlossen war.« [60] Mannzen verlegt die Wurzeln des Surrealismus in die letzten Jahre vor dem ersten Weltkrieg, als »feinnervige Künstler« trotz der äußerlich noch heilen europäischen Welt die drohenden sozialen, wirtschaftlichen und politischen Katastrophen vorausempfanden. Aus der künstlerisch unfruchtbaren dadaistischen Verachtung bürgerlicher Kunstauffassungen und -Prätentionen nach Kriegsende sind zwei Auswege gefunden worden: marxistisch inspirierte Versuche, durch die Kunst gesellschaftliche Änderungen anzuregen, oder von Freud ausgehende Manifestationen des Unterbewußten im Menschen. Dieser zweite Weg hat zum Surrealismus geführt:

> Oft sind die Werke unmittelbar darauf berechnet, dem Betrachter den gewohnten Boden unter den Füßen fortzuziehen. Diese Aggressivität richtete sich nicht nur gegen den »bon sens« des ordnungsliebenden Bürgers allein, sondern zugleich gegen das Gesetz der wissenschaftlichen Ordnung und das Behütetsein im vertrauten Kreise überhaupt. In diesem Zusammenhang nun greifen die Surrealisten die nächtlichen Erlebnisse der Traumwelt und ihre Einbrüche ins wache Leben auf. ... Diese Atmosphäre der Ängste, Vereinsamungen, des Schwebens und Fallens, der Wünsche und Ahnungen, der völligen Auflösung der Welt des »gesunden Menschenverstandes«, ist das unmittelbare Thema der surrealistischen Malerei. ... Doch besteht die Möglichkeit, daß sich in diesen unbewußten Tiefen der Seele Schlüssel finden zu anderen Seiten der Dingwelt, in denen dämonisch-magische Elemente und verborgene geistige Bezüge dem Menschen fühlbar werden. ... Einer solchen Deutung wird sich der Rationalist nicht verschließen. Aber auch er kann, wenn er seine Zeit verstehen will, nicht daran vorbeigehen, daß der Surrealismus auf der Linie der stärksten Zeitströmung liegt. Er ist nur eine der Erscheinungen des Durchbruchs der irrationalen Kräfte durch die dünn gewordene rationalistische Decke, mit der sich der Mensch des wissenschaftlich-technischen Zeitalters vor dem Elementaren verschloß ... [61]

Für die literarische Realismus-Diskussion der unmittelbaren Nachkriegsjahre ist das wache Interesse eines überzeugten Pragmatikers (und Kenners der amerikanischen Realisten) am Surrealismus sehr aufschlußreich. Walter Mannzens Feststellung, der Surrealismus liege »auf der Linie der stärksten Zeitströmung« und entschlüssele »dämonisch-magische« und »verborgene geistige Bezüge«, gesellt ihn zu den Fürsprechern eines »magischen Realismus« in der Nachkriegsliteratur. Eine kurze Buch-Rezension Mannzens im unveröffentlichen *Skorpion* (Aug./Sept. 1947) bestätigt diesen Schluß. Mannzen unterscheidet darin zwei qualitativ sehr unterschiedliche Möglichkeiten, Träume in die Literatur einzubeziehen: traumhaft-irrationale und damit »weltflüchtige« Verfremdungen der Wirklichkeit stünden dem »selteneren, anspruchsvolleren, überzeugenderen« Versuch gegenüber, »wirkliche Träume« und »Trauminhalte« als »Realitäten« darzustellen. Jene zweite Form des Surrealismus weiche nicht in die »Un-(Ir-)Realität« aus, sondern vermittle »ein tieferes Erfassen der Wirklichkeit in ihrer Über-(Sur-)Realität.« [62] Auch in seiner Würdigung des Surrealismus beläßt Mannzen den Akzent auf »Wirklichkeit« und antizipiert auf diese Weise jenen Übergang der nachkriegsliterarischen Entwicklung, den Ilse Aichingers *Spiegelgeschichte* (1952) markiert: die Ablösung des Hemingway-Modells durch eine Wiederentdeckung Franz Kafkas.

KAPITEL VII. ALFRED ANDERSCHS ERSTE LITERARKRITISCHE AUFSÄTZE (1945-48): AMERIKANISCHE ERZÄHL-MODELLE UND EXISTENZIELLES DENKEN

In der Literaturkritik spricht man nicht mehr gern von »Einflüssen« [1]; ein solcher Terminus erscheint zu wenig präzis, um strukturelle Textanalysen zu stützen, und der Hinweis auf die literarische Tradition lenkt oft vom Eigentlichen und Einzigartigen im Werk eines Schriftstellers ab. Wenn ich im Falle von Alfred Andersch von »Modellen« spreche, trage ich seiner ungewöhnlichen schriftstellerischen Entwicklung Rechnung. Andersch veröffentlichte seine ersten, literarkritischen Arbeiten (im Jahre 1945 im *Ruf*, USA) im Alter von 31 Jahren, widmete sich weitere fünf Jahre vorwiegend der Literaturkritik und politischen Essayistik, und schrieb erst mit 43 Jahren (nach einer bemerkenswerten Autobiographie *Die Kirschen der Freiheit*, 1952) seinen ersten Roman *Sansibar oder Der letzte Grund* (1957). Andersch bildet seinen Stil bewußt und schult sich an Modellen, aber die Generation, der Andersch angehört, hatte ihre besonderen Schwierigkeiten. Sie wurde sich zunehmend der Tatsache bewußt, daß die deutsche »Innere Emigration« zu einem »kalligraphischen« Formalismus gezwungen worden war, um der NS-Zensur zu entgehen, [2] während die Emigranten in den vielen Jahren im fremden Sprachbereich keine neuen sprachlichen Impulse empfangen hatten. [3] Angesichts der zerstörten literarischen Tradition und im Gefolge eines natürlichen Nachholbedarfs an weltliterarischer Lektüre gewann die Literatur des westlichen Auslands entscheidenden stilbildenden Einfluß auf die ersten Versuche der kriegsgefangenen Schriftsteller.

Ich schicke meiner Analyse der ersten Andersch-Veröffentlichungen den Versuch einer Rekonstruktion seiner literarischen Bildungseindrücke bis 1945 voraus. Diese Rekonstruktion stützt sich auf Anderschs autobiographischen »Bericht« *Die Kirschen der Freiheit* (1952) und mein längeres Interview mit Alfred Andersch im Herbst 1968. [4]

Die Lektüre Upton Sinclairs (geb. 1878) weckte das Interesse des vierzehnjährigen Buchhandelslehrlings an der amerikanischen Literatur. [5] Zwar wandte sich Andersch bald danach vom »utopischen,« »oberflächlichen« und »pathetischen« Humanismus dieser sozialkritischen Romane ab, um die Standardwerke des dialektischen Materialismus zu studieren (Marx, Lenin, Bucharin), [6] doch ging diese erste Bekanntschaft mit Sinclairs realistischem Reportagestil nicht spurlos an dem künftigen Schriftsteller vorüber. Im Jahre 1932 las Andersch Hemingways *Fiesta* (*The Sun Also Rises*, 1926) und behielt den Eindruck zurück, »etwas ganz, ganz Tolles« gelesen zu haben, ohne daß ihm Hemingways schriftstellerische Bedeutung deutlich geworden wäre. [7] Während der ersten Haussuchung beschlagnahmte die Gestapo Anderschs fast vollständige Sammlung von *Bauhaus*-Büchern, unter denen sich vor allem Werke und Bildbände von Paul Klee und Wassilij Kandinsky befanden. [8] Die Vorliebe für jene funktionelle Strenge der Formgebung, die den *Bauhaus*-Gründen eigen war, [9] erklärt Anderschs (gesprächsweise bekundete) Abneigung gegenüber dem Expressionismus mit seiner überzeichneten Gestik und der pathetischen Hoffnung auf einen »Neuen Menschen«; in dieser Abneigung wie in der politischen Überzeugung traf sich Andersch mit Bertolt Brecht und dessen »Neuer Sachlichkeit« im literarischen Schaffen der ausgehenden Zwanziger Jahre.

Die Jahre 1933-44 standen für Andersch im Zeichen der »totalen Introversion« einer »ästhetischen Existenz«. Er versuchte sich an Gedichten, die seine Orientierung an Rilke verrieten, [10] und an symbolistischer Prosa, die er selbst rückblickend (1952) als »Kalligraphie« abwertet. [11] Eine stark mit Metaphern durchsetzte Stilprobe aus jener Zeit, in der Andersch für sich und die Schublade schrieb, ist noch in den *Kirschen der Freiheit* zu finden:

> Dennoch: ich war der Kunst auf der Spur, begriff sie, wenn Falckenberg in den Kammerspielen *Cymbeline* inszenierte, ein Magier, der die verdichtete Welt aus den Brunnen der Phantasie hob, und alle Elemente meines Daseins flossen mir, als ich die beiden Liebenden auf der Bühne liegen sah und ihren Traumgesprächen zuhörte, zu einem tiefen, angstvollen Lebensgefühl zusammen. Und noch heute denke ich, wenn ich im Theater sitze, in den Sekunden, ehe sich der Vorhang hebt, daran, daß ich eines Tages werde sterben müssen.
> Habe eben ein bißchen meinen Stil von damals kopiert. [12]

Im Jahre 1936 erhielt Andersch Zugang zu einem Literaturkreis um den Schriftsteller »Dr. Herzfeld«; [13] ihm zeigte er seine ersten Gedichte und erhielt den Rat, »Kunstverstand« zu entwickeln, um von epigonalen »lyrischen Ergüssen« (im Schatten Rilkes) Abstand zu gewinnen. Herzfeld sah in Rilke den »Erfinder des Konjunktivs« und machte Andersch klar, daß Anderschs ersten Gedichtversuchen »Zucht und Arbeit, daher auch Können« fehle; unter Herzfelds Einfluß widmete sich Andersch der »großen Form«, las Shakespeare, Goethes *Wahlverwandtschaften* und Rankes *Reformationsgeschichte*, allerdings ohne dabei »Rilke zuzuklappen.« [14] Auch von Thomas Wolfe (1900-1938) las Andersch im Dritten Reich noch einiges: er erinnert sich gesprächsweise daran, im Jahre 1934 *Schau Heimwärts, Engel (Look Homeward, Angel,* 1929) gelesen zu haben, aber es wurde immer schwieriger, in Deutschland Bücher von Autoren des Auslands zu erhalten. [15]

Als Reklame-Texter in einer phototechnischen Fabrik in Hamburg fand Andersch durch eine betont sachliche Anwendung seiner literarischen Begabung zu pragmatischerem Denken zurück. In Gesprächen mit einem befreundeten Chemiker im Betrieb überwand er im Laufe des Jahres 1938 seine esoterisch-symbolistische Einstellung. Rückblickend (1952) nimmt Andersch die belustigte Feststellung des Chemikers, Andersch kümmere sich zwar um »hohe Probleme«, wisse aber nicht, »warum die Hände sauber werden, wenn man sie mit Seife wäscht«, zum Anlaß der eigenen Absage an den Symbolismus:

> Was ist denn der Symbolismus anderes als die feierliche Verkündigung des ästhetischen Bourgeois: irgendwelche Dinge symbolisieren irgend etwas? Dies bedeutet das. Es kann aber auch jenes bedeuten. So destilliert man aus dem Leben Begriffe. Die

Eule ist das Symbol der Weisheit, also redet man bedeutungsvoll von Eulen, wenn man der Mühe überhoben sein will, weise zu sein. [16]

Eine Ausnahme von dieser kategorischen Verneinung des Symbolismus bildete für Alfred Andersch Ernst Jüngers Roman *Auf den Marmorklippen* (1939). Als Andersch im Jahre 1940 in den Krieg zog, führte er diese, in symbolistischer »Sklavensprache« gehaltene Allegorie gegen den NS-Staat in seinem Tornister mit. [17] Andersch, der sich zu diesem Zeitpunkt bereits mit dem Gedanken an Fahnenflucht beschäftigte, [18] muß sich vom Gehalt des Jünger-Romans stark angesprochen gefühlt haben.

Eine der ersten Veröffentlichungen Anderschs erschien am 15. Juni 1945 in dem von Gustav René Hocke edierten US-*Ruf* und betraf »Die neuen Dichter Amerikas.« [19] Alfred Andersch verleiht dieser individuell profilierten Zusammenfassung seiner Lese-Früchte (nach fast einjährigem Amerika-Aufenthalt) den Charakter eines einführenden Überblicks über das zeitgenössische amerikanische Prosaschaffen, das anderen deutschen Kriegsgefangenen als Vorbild dienen soll. Der lapidare Auftakt formuliert die didaktische Funktion und enthält zugleich den Kern seiner These: »Die amerikanische Literatur kreist um das amerikanische Leben. Das ist einer der Gründe, warum sie für den, der diesen Erdteil begreifen will, so wichtig ist. Realismus ist der Grundzug dieses Lebens und wir finden ihn wieder in der Dichtung.« [20] Bereits in der Prosa Walt Whitmans (1819-92) und Edgar Allan Poes (1809-49) entdeckt Andersch bei aller Gegensätzlichkeit als wichtigstes Kennzeichen ihre Aktualität. Er stellt fest, ihre Literatur lebe »vom Sinn der modernen Welt« und benutze »ihre Requisiten.« [21] Die Würdigung solcher »Requisiten« aus der Umwelt der eigenen Zeit im Vokabular der Schriftsteller verdient hervorgehoben zu werden. Anderschs feineres Apperzeptionsvermögen für das künstlerisch Virulente ist der literarischen Diskussion Nachkriegsdeutschlands in einigen Punkten um Jahre voraus. Das gilt besonders für die hier implizierte Forderung nach dem Zeit-Requisit in der Literatur. [22] Kennzeichnend für Anderschs Vertrautheit mit Theorien des Realismus *und* Symbolismus ist die Tatsache, daß er Ernst Jünger zum Zeugen für E. A. Poes Modernität aufruft: Jünger habe Poe »einmal den ersten Autor des 20. Jahrhunderts genannt.« [23]

Ein wichtiges Element der amerikanischen Epik im 20. Jahrhundert ist in Anderschs Augen der Versuch, der Umwelt kritisch zu begegnen; als Beispiele solcher literarischer Hinweise auf die Mißstände in der amerikanischen Umwelt nennt Andersch Theodore Dreisers *Amerikanische Tragödie* (1925), Sinclair Lewis' berühmte Satire über den amerikanischen Durchschnittsbürger *Babbit* (1922) und Sherwood Andersons Erzählungen (*Winesburg, Ohio*, 1919). An Dreisers *Amerikanische Tragödie* knüpft Andersch eine Beobachtung, die deutlich macht, was er mit den »Requisiten« einer »modernen Welt« meint. In Dreisers Roman läuft eine »scheinbar banale Liebesgeschichte« ab, »aber die beinahe monotone Unerbittlichkeit des Vortrags entspricht dem Stoff, den der Autor gewählt hat, um auf die Mechanisierung und Seelenlosigkeit modernen Großstadtlebens zu deuten.« [24] Andersch betreibt hier eine im Ansatz strukturelle Literaturkritik, indem er auf die Entsprechungen zwischen »monotonem« Erzählstil, »banaler« Thematik und sozialkritischer Absicht Dreisers hinweist; die Wirkungen solcher Literatur erscheinen als kalkulierte Resultate sorgfältiger Komposition. Andersch bewundert Dreisers reflektiert und mit rationellem Kunstverstand eingesetzte Stilmittel; und er entdeckt auf diese Weise in einem amerikanischen Erzähler wieder, was sein erster literarischer Mentor, Dr. Herzfeld, als wichtigste Voraussetzung zu echtem Kunstschaffen bezeichnete. [25]

Ebenso nüchtern und pragmatisch begründet Andersch (im gleichen Aufsatz) das Entstehen der amerikanischen »short story«; Sherwood Anderson habe, wie viele andere junge Schriftsteller in den USA, um leben zu können, für die Presse, vor allem für Journale gearbeitet: »Sie machten aus der Not eine Tugend und aus ihren kurzen Geschichten, welche die Magazine brauchten, Kunstwerke voller Leben. So wurde die ‚short story‘ geboren.« [26] An dieser pragmatischen Erklärung ist bedeutsam, was Andersch zu sagen unterläßt; er begnügt sich mit literarsoziologischen Fakten, wo sie einleuchten, und versucht nicht (wie viele deutsche Kritiker [27]), die »short-story« als literarisches Genre, ähnlich der Novelle, auf metaphysische, geistesgeschichtliche oder künstlerisch beabsichtigte (symbolistische und verdichtende) Normen zurückzuführen.

Unter dem vagen Klammer-Begriff »Realismus« vereinigt Andersch so unterschiedliche Autoren wie Ernest Hemingway (1898-1961), Thomas Wolfe (1900 bis 1938), William Faulkner (1897-1962), Thornton Wilder (geb. 1897) und John Steinbeck (1902-1969) [28]; er geht aber nur im Falle von Hemingway und Steinbeck über allgemein lobende Prädikate und biographische Einzelheiten hinaus. [29] Nach dem leicht existentiell gefärbten Untertitel »Hemingway und die gefährdete Welt« heißt es:

> Den Weg, den als erster Anderson beschritten hatte, ging auch Ernest Hemingway. 1925 erschien sein Buch *A Farewell to Arms*, die Geschichte eines amerikanischen Offiziers bei den italienischen Truppen während des ersten Weltkrieges. Dieses Buch, wie alle anderen Arbeiten Hemingways, ist realistisch, mit asketischer Härte gibt es nur Tatsachen, verzichtet auf Deutung, auf das Reden über die Dinge. Aber merkwürdig ist es, wie gerade in dieser Sparsamkeit die Magie der Welt sichtbar wird. Der Realismus bleibt, aber er verschafft sich den Zugang in die Zone, in der deutlich wird, daß die Dinge nur Hieroglyphen der Schrift sind, mit denen sich der große uralte Zauber in die Wirklichkeit schreibt. Eine Ahnung von der Kostbarkeit und Gefährdung dieser Welt ist im Werk Hemingways, jenes typische Nach-Weltkriegsgefühl, das ihn so deutlich von den älteren Realisten unterscheidet. Auch ihn läßt die Angst vor der Verflachung nicht ruhen; so geht er in Welten, deren Wert sich immer in der Nähe der Gefahr erweist, zu den wilden, einsamen Tieren Afrikas (*Green Hills of Africa*) oder zu spanischen Bürgerkriegskämpfern (*For Whom the Bell Tolls*). [30]

Andersch entdeckt in Hemingways Prosa ähnliche Tugenden wie in Sherwood Andersons Geschichten (*Winesburg, Ohio*, 1919); *The Triumph of the Egg*, (1921); beiden Autoren sei der Versuch gemeinsam, »in die Tiefe menschlicher Existenz einzudringen.« [31] Andererseits betont Andersch vor allem Hemingways »Sparsamkeit« und seinen Verzicht »auf Deutung«; Hemingway rede nicht *über* die Dinge,« sondern stelle nur Objekte oder Geschehnisse (»Tatsachen«) dar. Im Zusammenhang mit der »Jagd nach der Seele« [32] in Andersons und Hemingways Arbeiten impliziert Andersch die Idee eines mehr als oberflächlichen Realismus;

89

wenn er in Hemingways Prosa den Verzicht auf Deutung mit einem Eindringen »in die Tiefe menschlicher Existenz« verbunden sieht, so muß diese »Tiefe« in den »Tatsachen« selbst, im objektiven Korrelat, [33] ihren Ausdruck finden.

Andersch wählt für jene, nicht explizit formulierte Einsicht die Formel realistischer »Sparsamkeit«, in der die »Magie der Welt« dennoch sichtbar wird; die Objekte der Wirklichkeit (»Dinge«) sind daher zugleich »Hieroglyphen,« die einen »uralten Zauber« ahnen lassen; sie sind von symbolischer, aber realistisch legitimierter Bedeutung. Andersch nimmt hier wieder einen Begriff der literarischen Nachkriegsdiskussion annäherungsweise voraus — den des »magischen Realismus.« [34] Ohne noch von Hemingways »Eisberg«-Theorie zu wissen (Hemingway erwähnte sie erst 1959 im Gespräch [35]), wird Andersch durch die »Hieroglyphen«-Metapher dem Hemingway-Stil gerecht. Hemingway fordert vom Schriftsteller eine sehr genaue Kenntnis seines Stoffes; nur ein Siebtel davon solle aber in Sprache umgesetzt werden, denn durch Aussparen und in sorgfältig komponierten Andeutungen komme der Stoff zu der ihm eigenen Wirkung. [36] Die von Andersch negativ formulierten Merkmale des Hemingway-Realismus bestätigen diesen »magischen« Aspekt: Hemingway unterscheide sich, meint er, »deutlich« vom »älteren« Realismus des 19. Jahrhunderts (Flaubert, Zola) und der »rein rationalen« Beschreibung kausal gedeuteter Verhältnisse (Sinclair) [37]. Die existenzialistisch gefärbten Hinweise auf Hemingways »Angst vor Verflachung«, sein »Nachweltkriegsgefühl« und eine »gefährdete Welt« in seinen Romanen bezeugen die Aktualität und Relevanz der Hemingway-Motive und -Stilmittel für Anderschs Generation; die traumatischen Kriegserlebnisse der Hemingway-Protagonisten, ihr krisenhaftes Lebensgefühl und die Erfahrung individueller Isoliertheit berührten sich aufs engste mit den Erfahrungen der kriegsgefangenen deutschen Autoren. [38]

Andersch überschreibt den Absatz über John Steinbeck mit einem eindeutig gegen Ernst Wiechert (und dessen Roman *Das einfache Leben*, 1939) gerichteten Untertitel: Das wirklich einfache Leben«. [39]

> Dieser Kalifornier schreibt Geschichten von einfachen Menschen voll homerischer Einfachheit und Größe. Auch er spricht, wie Hemingway, nicht über die Dinge. Doch wird in seinen Erzählungen (*Of Mice and Men — The Grapes of Wrath*) [40] der Wert und die Würde eines Lebens sichtbar, das wieder in die Ruhe einer höheren Beziehung einkehrt. So gehört auch Steinbeck zu jenen großen kritischen Autoren, welche die heutige Literatur Amerikas zu einer zugleich sehr amerikanischen und sehr überzeitlichen Kunstäußerung gestalten, einer Literatur, die keine billigen Lösungen für brennende Zeitfragen präsentiert, sondern die Schwere und Vielfältigkeit modernen Lebens bestehen läßt. In ihren besten Stücken ist sie bloße Darstellung, reines »So sind wir«. Doch gerade darin liegt ihre reinigende Kraft, jene Qualität, die Rilke in einem griechischen Torso findet. [41] »Denn da ist keine Stelle, die dich nicht sieht: Du mußt dein Leben ändern«.
> Unnötig zu sagen, daß die Stärke zu solcher kritischen Verantwortung aus einem Leben in Freiheit herrührt. [42]

Über das Spezifische des Steinbeck-Stils und die Thematik der genannten Romane sagt Andersch wenig Genaues; er nimmt vielmehr Steinbecks Werk noch einmal zum Anlaß, über allgemeine Aspekte der zeitgenössischen amerikanischen Literatur zu sprechen. In einem späteren Aufsatz (1947) erklärt Andersch wesentlich überzeugender, warum er Steinbeck für einen »kritischen« und »großen« Autor hält, und wie er seine »homerische Einfachheit« und »Ruhe einer höheren Beziehung« stilistisch versteht [43]; die im September 1947 erschienene Einführung zu der Steinbeck-Erzählung »Tularecitos Herkunft« (1938) [44] erweitert das kritische Vokabular des oben zitierten *Ruf*-Essays (1945). Dem 1947 entstandenen Essay nach ist Seinbecks Erzähl-Stil von »homerischer Einfachheit,« weil er auf »Reflexion« verzichtet, »auf alle Kunstmittel der psychologischen Novelle, auf alle Spannung und auf alle starken Effekte des Tendenzromans«, und dadurch ein »Grundgesetz des Realismus bloßlegt: sein episches Wesen, das einfache Erzählen.« [45] »Homerische Einfachheit« ist für Andersch mit epischem Purismus identisch.

Mit Bezug auf »Wert, Würde« und »höhere Beziehung« der Steinbeckschen Protagonisten äußert Andersch im Jahre 1947 die Überzeugung, »daß der echte Realismus in sich ›humanistisch‹ ist, das heißt: *die Würde des Menschen voraussetzt und wahrnimmt.*« [46] Andersch veranschaulicht solchen Humanismus am Stil der Steinbeck-Erzählung »Tularecitos Herkunft«; das »einfache Erzählen«, meint er, stehe im Mittelpunkt, »alle anderen Elemente, das Psychologische etwa, oder das Landschaftliche« seien darauf bezogen:

> Vielleicht wird daran deutlich, daß der Realismus die schwierigste aller Stilformen ist, — er fordert den wirklichen Dichter, soll er nicht in einen flachen Naturalismus ausarten. Nur weil es so ist, weil dieser Realismus wirklich dichterisch ist, vermag uns die tragische Geschichte eines halbverrückten Kindes, das in der Einsamkeit des südkalifornischen Berglandes aufwächst, anzurühren und zu ergreifen: mit realistischen Mitteln verkündet der Dichter Wert und Würde der noch so »wertlos« erscheinenden und vereinzelten menschlichen Seele. [47]

Aus diesem Zitat geht hervor, daß Andersch zwar immer wieder den Begriff »Realismus« benützt, aber nicht genau sagt, was diesen Realismus vom Naturalismus unterscheidet, oder welche stilistischen Kunstgriffe Hemingway und Steinbeck zu »magischen« und »dichterischen« Realisten machen. [48] Dennoch ist Anderschs Kritik fruchtbar, denn sie versucht in den Jahren 1945-48 [49] durch beharrliches Bestehen auf epischen Erzählstrukturen ohne »deutendes« Beiwerk gegen einen »romantischen Provinzialismus« zu polemisieren, »der in Deutschland vielfach gepflegt wird.« [50] Aufschlußreich ist auch Anderschs vom Thematischen ausgehende Begründung, warum Steinbeck seiner zeitkritischen Aufgabe als Schriftsteller gerecht werde; Steinbeck stellt dem zweckhaften Rationalismus und »flachen Fortschrittsoptimismus« weiter Kreise Amerikas »eine Welt von Käuzen, Sonderlingen, Halb-Irren, Landstreichern, Arbeitern, armen Farmern und in sich versponnenen Mädchen« (eine Welt vorwiegend »romantischer Zwecklosigkeit«) entgegen. [51] Im Zusammenhang mit dieser spezifischen Würdigung Steinbeckscher Thematik erhellt, welche stilistischen Vorstellungen Andersch mit dem Fehlen »billiger Lösungen für brennende Zeitfragen« und der »Vielfalt modernen Lebens« in der amerikanischen Literatur verbindet. Andersch erkennt, daß der Sonderling, Anti-Held und sozial Unterdrückte als literarischer Protagonist auch im Realismus möglich ist; der realistische Erzähler sei »keineswegs an den Vordergrund der Welt, an den normalen Fall, an die durchschnittliche Wirklichkeit« gebunden. [52] Diese Einsicht impliziert bereits im Ansatz die spätere Neigung des Erzählers Andersch zu psychologisch-individueller Charakterzeichnung (*Ein Liebhaber des Halbschattens*, 1963; *Efraim*, 1967).

Alfred Anderschs Forderungen an die »neuen Dichter Amerikas« sind bedeutsam für die Entwicklung einer deutschen Nachkriegsliteratur. Der Schriftsteller soll als »Humanist«, »der die Würde des Menschen voraussetzt und wahrnimmt«, seiner Zeit kritisch gegenüberstehen; Andersch fordert sogar, die Literatur solle ihr »Richter-Amt« »gegenüber der Zeit« wahrnehmen (1947). [53] Andererseits warnt Andersch vor jeglicher literarischen Tendenz und in diesem Zusammenhang vor »symbolistischer Erhöhung« [54], »Deutung« und »billigen Lösungen«. Vielmehr soll der Schriftsteller die Bedingungen der menschlichen Existenz im Erzählen konkreter Begebenheiten festhalten. Wie sehr Anderschs Betrachtungen über Hemingway und Steinbeck als literarkritische Anleitung für die deutsche Literatur nach 1945 gemeint sind, wird an dem Rilke-Zitat (aus dem »Archäischen Torso Apollos« [55]) und dem Wort von der »reinigenden Kraft« amerikanischer Prosa deutlich; diese Hinweise antizipieren »Kahlschlag«-Tendenzen und ein ideologiefreies Überwinden symbolischer »Kalligraphie«. [56] Zwar zitiert Andersch die vorwiegend symbolistischen Schriftsteller Ernst Jünger und R. M. Rilke, jedoch mit unerwarteter, a-typischer Intention: sie sind ihm Zeugen weltliterarischer Bezüge [57] und einer kritisch-erzieherischen Wirkung durchsichtiger Form. In diesem Sinne ist auch Anderschs Hinweis (1947, in dem Steinbeck-Beitrag) auf die literarsoziologische Situation im Dritten Reich zu verstehen:

> Man überlege doch einmal einen Augenblick, warum der Nationalsozialismus die »symbolisch erhöhte«, daß heißt also: die nicht offen sprechende Literatur, etwa Ernst Jüngers, ertragen konnte, während er die kompromißlosen Realisten vom Schlage Döblins verbieten mußte! [58]

In den zwei Monaten seiner Arbeit in der *Ruf*-Redaktion in Fort Kearney schrieb Alfred Andersch drei weitere Kritiken über amerikanische Literatur. Er befaßte sich mit Willa Cathers (1875-1947) Roman *Der Tod kommt zum Erzbischof* [59] (*Death Comes for the Archbishop*, 1927), mit den Gedichten Robert Frosts (1875-1963) [60] und mit Richard Wrights (geb. 1908) autobiographischem Roman *Black Boy* (1945). [61]

Andersch stellt seine Aufsätze über Robert Frost und Willa Cather unter den Aspekt regionaler Geprägtheit und Vielfalt amerikanischer Dichtung. Sein kurzer, zumeist biographisch gestimmter Beitrag über Robert Frost (vom 15. August 1945) erklärt die außergewöhnlich einfach und durchsichtig gehaltene Lyrik aus der Landschaft und dem Geist des puritanischen Neu-England: Frosts »ganzes Werk« habe an der »Würde und ruhigen Heiterkeit der Hügel« östlich des Hudson teil und lebe »aus dem gemäßigten, kargen und immer auf das Wesentliche ausgehenden Geist« puritanischer Kultur. »Seine Gedichte sind einfach im Rhythmus und Ton, durchsichtig klar im Ablauf der Gedanken, verhalten im Gefühl. Vergleichbar etwa den einfachen und in Klarheit leuchtenden Versen Hans Carossas«. [62] Der rühmende Hinweis auf Carossas Gedichte fällt besonders deshalb ins Auge, weil Andersch in seinem Aufsatz über »Die neuen Dichter Amerikas« (1945) indirekt gegen den anderen »inneren Emigranten,« Ernst Wiechert, und seinen Roman *Das einfache Leben* polemisierte. [63]

Willa Cathers Roman *Death Comes for the Archbishop* (1927), den Andersch bereits in seinem Aufsatz über »Die neuen Dichter Amerikas« (1945) als »eines der schönsten katholischen Bücher hervorhob«, handelt von der frühen spanischen Indianer-Mission in New Mexico und von dem Leben zweier heiliggesprochener Priester in San Antonio. Andersch interessiert sich vor allem für den Gegensatz zwischen Willa Cathers Herkunft aus einer alten »Frontier«-Familie, (»ein Kind also jenes puritanischen Geistes, der sich in den Metropolen des Nordens seine Monumente schuf« [64], und der so anders gearteten Umgebung und Architektur der katholischen neumexikanischen Pueblos; deshalb der Titel: »Pueblos und Puritaner« (1. August 1945). Andersch entstellt Willa Cathers biographische Züge ein wenig, um daraus ein literarisches Porträt mit konfessionell und motivisch extremen Kontrasten zu schaffen (Willa Cather wuchs nicht im puritanischen Nordosten, sondern in Virginia und Nebraska auf; Nebraskas unwirtliche Landschaft regte sie zu dem Roman *Pioniere* 1913, an). Andersch sieht in den »Metropolen des Nordens« »Denkmale hellen, realistischen Bewußtseins, wachen Tatwillens, die wie das Rockefeller Center ... in Glas, Stahl und Gußbeton in die Höhe schießen,« und zeichnet die darin manifestierte »kühne Werkfreudigkeit« in scharfem Gegensatz zum »naturhaften Sein ›in der Gnade‹, das aus dem Bau der einfachen Pueblo-Kirche spricht.« [65] Aus diesem Kontrast leitet Andersch eine soziologisch akzentuierte Lehre ab:

> Immer wieder staunt man vor der Fülle der Erscheinungen, die die Weite amerikanischen Bodens einschließt. Die Spannweite der kulturellen, religiösen, nationalen Verschiedenheiten ist groß. Aber alles duldet sich, gewinnt aus der Berührung mit dem anderen neue Gesichtspunkte, strafft sich an ihm zu eigener, verjüngter Leistung oder geht manchmal, wie im Werk Willa Cathers, die Synthese mit ihm ein. Kann es anders sein in einem Lande, in dem sich unbedingtes Freiheitsstreben und christliche Tradition begegnen? [66]

Im Januar 1948 erweitert Andersch die hier erkennbare Bewunderung für das fruchtbare Miteinander von Gegensätzen zu einem Prinzip, das auch die *Deutsche Literatur in der Entscheidung* (1948) mitbestimmen soll: »Zum Stil des freiheitlichen Menschen gehört die Toleranz, die Fähigkeit zum konstruktiven Kompromiß, der Sinn für wildes Blühen und die Freude am Gewährenlassen ...« [67]

In seinem literarsoziologischen Kommentar zu Richard Wrights *Black Boy* (1945) [68] versucht Andersch, die Auswirkungen des Rassenproblems in einer Demokratie didaktisch vom biologischen Materialismus des NS-Staats abzusetzen. Dem »Häuflein der Unentwegten« unter den deutschen Kriegsgefangenen, die auf dieses Dokument amerikanischer Rassen-Diskriminierung hin den »Rassenhaß« und die »Unterdrückung« im Lande der Demokratie anprangern, hält Andersch entgegen, daß Wrights Roman monatelang auf der Bestseller-Liste stand und von bekannten Zeitschriften (*Life*) und in großen Tageszeitungen kommentiert wurde:

> Und nun stelle man sich einen Augenblick vor, im Deutschland Hitlers hätte irgendein Joseph Levi ein Buch geschrieben: »Jüdischer Junge«, in dem er die namenlosen Leiden seiner Rasse dargestellt hätte. Das Buch wäre in allen Buchhandlungen verkauft worden, die Berliner Illustriyrte hätte einen langen Bildbericht und die Ufa eine Verfilmung gebracht. Aber man kann es sich eben nicht vorstellen.
> Ja, auch in der Demokratie gibt es Mißstände. Aber es gibt außerdem eine freie Meinungsäußerung, die verhindert, daß die Bäume des Unrechts in den Himmel wachsen. [69]

Die Pressefreiheit, deren Wert Andersch in dem ganz konkret auf die deutsche Situation projizierten Vorstellungsbild wirksam vor Augen führt, ist auch Gegenstand eines weiteren kurzen Beitrags über »Zeitungen lesen« (15. August 1945). [70] Hier entwickelt Andersch die Ansicht, es gebe »zwei Arten journalistischen Schreibens«, eine stark polemisch-propagandistische Presse und eine auf klärenden Bericht und Informiertheit des Lesers bedachte Publizistik. Anderschs Versuch, den Leser in die Verantwortung für einen wesentlich verbesserten Journalismus einzubeziehen, ist bedeutsam: die propagandistische Presse vereinfache alles, »die Probleme sowohl wie den Stil«, um »ohne des Lesers geistige Gegenwehr ins Unterbewußte« einzudringen; die zweite Art des Journalismus berichte »um der Sache und um des Menschen willen« [71]:

> Problematik läßt sich nicht so leicht darstellen wie Problemlosigkeit. Idealer Journalist ist, wer auch durch das Gestrüpp heutiger Lebensverhältnisse mit klarem und fesselndem Stil dringt. Aber Ideale werden immer nur annähernd erreicht.
> Echter Journalismus fordert darum echte Leser. Leute, die nach wirklicher Unterrichtung brennen..., sachlich und konzentriert lesen könnten..., wenn nötig eine Sache zweimal ansehen oder zu einem Lexikon greifen, wenn sie (etwas) nicht genau wissen... Aus dem Zusammenwirken von verantwortungsbewußter Presse und kritischen Lesern erwächst politische Bildung. Und was wäre nötiger heute? [72]

Andersch mißt dem Journalismus eine klärende und politisch informative Bedeutung bei; die gleichzeitige Warnung, unter klarer Darstellung keine Vereinfachung komplexer Tatbestände zu verstehen, entspricht den Vorzügen, die Andersch an zeitgenössischer amerikanischer Prosa entdeckt; in aller »Schwere und Vielfältigkeit modernen Lebens« präsentiere diese Literatur »keine billigen Lösungen für brennende Zeitfragen.« [73] Für den Werdegang des Schriftstellers Andersch ist der deutlich fixierte Primat der politischen Bildung in der nachkriegsdeutschen Gesellschaft (»was wäre nötiger heute?«) bemerkenswert; ich sehe darin den Auftakt zu der engagierten, politischen Essayistik und redaktionellen Tätigkeit von Alfred Andersch in den folgenden Jahren (1945—1953). [74]

Für Andersch wird die variierte, fast anarchische Komponente freiheitlichen »Stils« und modernen Lebens: »Problematik«, »Gestrüpp heutiger Lebensverhältnisse«, »Spannweite... der Verschiedenheiten«, »Vielfältigkeit«, »Sinn für wildes Blühen« — bereits im Jahre 1945 zu einem Postulat, das mit der Beharrlichkeit eines Topos in seinen Schriften wiederkehrt. Noch bevor ihm die Professoren Thomas V. Smith und Howard M. Jones in Fort Getty den hohen Wert einer geistigen Beweglichkeit näherbringen, die im »konstruktiven Kompromiß« ihren tätigen Ausdruck findet, bewundert Andersch an der amerikanischen Literatur die dynamische Vielfalt und belebende Dialektik der Gegensätze. Im Jahre 1952 formuliert Andersch am Beispiel der sehr unterschiedlichen Entwicklungsphasen des Politikers Thomas Mann jene Einsicht im aphoristisch knappen Paradox; er stellt fest, »daß etwas nur *lebt, wenn* es die Negation seiner selbst in sich trägt.« [75] Der politische Journalist Andersch präsentiert demgemäß als Herausgeber des deutschen *Ruf* (1946/47), Rundfunkredakteur (Abendstudio Frankfurt 1948 bis 1950, Feature-Redaktion Hamburg/Frankfurt 1951-53), Mitarbeiter Erich Kästners im Feuilleton der *Neuen Zeitung* (1945/46; herausgegeben von Hans Habe [76]) und Eugen Kogons in den *Frankfurter Heften* (1947-50) keine »billigen Lösungen«, sondern Versuche, Problematisches zu erhellen. In der Nachfolge Franklin D. Roosevelts fordert er das unerreichbarste und menschlichste der politischen Systeme: — die Synthese von Freiheit und Sozialismus, [77] jenes lebendige Miteinander konträrster Verwaltungsprinzipien, das man noch 1968 im Prager Frühling vergebens anstrebte.

Anderschs einziger Beitrag im amerikanischen *Ruf* über einen deutschen Schriftsteller erschien am 15. Juli 1945 [78]; es scheint mir von symptomatischer Bedeutung, daß dieser Beitrag kein literarisches Werk, sondern Thomas Manns historisch politischen Vortrag »Deutschland und die Deutschen« (1945) [79] zum Gegenstand hat. Den Schriftsteller Thomas Mann erkennt Andersch im Jahre 1948 zwar als den »größten lebenden Autor deutscher Sprache« an, [80] hält ihn aber nicht für ein verpflichtendes Stil-Modell in der literarischen Nachkriegsentwicklung. [81] Dagegen widmet Andersch dem Politiker Thomas Mann im Jahre 1952 eine längere Studie, [82] und er beabsichtigte auch die Herausgabe einer nicht erschienenen Sammlung *Thomas Mann, Politische Dokumente 1930-1950* (1950). [83]

Andersch gibt den Inhalt von Thomas Manns »Deutschland«-Vortrag zunächst ohne Stellungnahme wieder. Wichtige Motive des *Faustus*-Romans (1947) sind hier im Ansatz vorweggenommen: Martin Luther erscheint als eine Faust verwandte Figur und wird in seiner verhängnisvollen Rolle während der Bauernkriege einem Erasmus von Rotterdam entgegengestellt, der als Symbol humaner Intelligenz und Vorbote einer liberalen, europäischen Völkerfamilie auftritt. Dem Deutschen schwindele angesichts der Revolution und echter Freiheit; er flüchte in die Musik als den »innersten Kern« seines Wesens: »mystisch, wirklichkeitsfern, individualistisch, unsozial«. [84] An diesem Punkt gewinnt aber Andersch kritischen Abstand:

Wir wissen nicht, ob an dieser Stelle die Hörer nicht einen Augenblick den Atem anhielten, wenn sie die weltweite Wirkung deutscher Musik überdachten, die ordnende Macht Bachs, die vereinigende Innerlichkeit Beethovens, die Kraft der Katharsis, zu der sie den Menschen in aller Welt bewegt. Vollzog sich die politische Entwicklung des deutschen Regimes zur Barbarei nicht gerade gegen die klassische deutsche Musik, in der, wenn irgendwo auf der Welt, Freiheit wohnt?
Immer wieder, wenn wir uns mit dem Werk Thomas Manns beschäftigen, bewegt uns die selbstverständliche Humanität, mit der dieser Geist jegliche Infektion aus au-

toritären und extremistischen, d. h. also die Würde des Menschenbildes beeinträchtigenden Welten abstößt. Doch wurzelt solche Haltung in den beiden Gedankenströmen, die Werk und Persönlichkeit Thomas Manns von Anfang an durchziehen: liberaler Geisteskultur, die politisch um die Problematik der Demokratie ringt, und christlicher Humanität, aus der die Pflicht zur Menschenliebe und zur Verantwortung vor Gott erwächst. Nichts ist so fruchtbar für die Entwicklung der Grundlagen zu freiheitlichem Denken als die Beschäftigung mit Thomas Mann. Die Rede des Siebzigjährigen bewies es aufs Neue. [85]

Das Zitat ist ein erster, bedeutsamer Beleg für Anderschs fortgesetzte Bemühungen um Vermittlung zwischen »ausgekochter« Ästhetik und schriftstellerischem »Engagement« [86]; seinem Engagement zufolge würdigt Andersch die politischen Essays Thomas Manns als Anregungen zu »freiheitlichem Denken«, rückt aber als genau differenzierender Ästhet von einer fragwürdigen Politisierung der Musik ab; besonders die »klassische Musik« implizierte »Freiheit«. [87] Ende 1948 zählt Andersch die »Bratsche Hindemiths« neben dem »Atelier Picassos« und der »Schreibmaschine Hemingways« zu den »Symbolen ›des Realismus‹ «. [88]

Auch in einer späteren Besprechung (1950) von Ernst Jüngers *Strahlungen* (1949) zeigt sich Anderschs Interesse für musikalische Motive. [89] In den *Kirschen der Freiheit* (1952) wird der Jazz zum Ausdruck freiheitlich-zukünftigen Stils. [90] Ein Protagonist des Andersch-Romans *Die Rote* (1960) ist Violonist (Fabio Crepaz) und hängt längeren, zum Teil zeitkritischen Reflexionen im Zusammenhang mit Monteverdis »Stile concitato« nach, [91] und das Motto des Romans ist ein Monteverdi-Zitat, das an Anderschs Bewunderung für den spezifischen Realismus im amerikanischen Roman erinnert: »Der moderne Komponist schreibt seine Werke, indem er sie auf die Wahrheit aufbaut.« [92]

Neben den demokratischen Tendenzen betont Andersch die »christliche Humanität« in Person und Werk Thomas Manns. [93] Spätere Aufsätze [94] zeigen, daß Andersch keineswegs einem konfessionell oder kirchlich verstandenen Christentum das Wort reden will; dennoch ist sein wiederholter Hinweis auf die christliche Komponente liberaler Humanität mehr als eine erste, vorübergehende Auseinandersetzung mit traditionellen Denkrichtungen. In den Jahren 1947/48 betonte Andersch mehrmals, er gehöre einer Generation an, die »aus dem unbedingtesten Gehorsam in den unbedingtesten Zweifel ... gesprungen sei.« [95] Selbst in jener Zeit totalen Ideologieverdachts und deutlicher Hinwendung zum Existentialismus Sartres [96] bekennt sich Andersch noch zu christlichen Werten (im Zusammenhang mit Deutschlands Zugehörigkeit zur »atlantischen Kultur«): »Das Wesen dieser Kultur ist Geöffnetheit, steter innerer Zwang zur Wandlung, zur ständigen kritischen Besinnung auf die menschliche Existenz und ihre Verpflichtung auf die Liebe, diesen dynamischen Kern des Christentums.« [97] Für Andersch sind »Geöffnetheit,« »Wandlung« und »Dynamik« Synonyma freiheitlichen Stils; so gesehen, gehen in Anderschs »Altantischer Kultur« (er entleiht diesen Begriff dem Vokabular André Malraux') Freiheit, Existentialismus und christliche Liebe eine enge Bindung ein. Die Problematik eines solchen existenziellen Christentums zwischen den Machtblöcken und Ideologien gewinnt in der Figur des Pfarrers Helander in *Sansibar oder der letzte Grund* (1957), in dem zentralen Symbol des gleichen

Romans, einer Barlach-Plastik (»Lesender Klosterschüler«), und in Professor Bertaldis Version der Markus-Legende [98] (*Die Rote*) literarische Substanz.

Ich habe die Gedankenansätze der ersten literarkritischen Arbeiten Alfred Anderschs im Hinblick auf seine späteren kritischen Einsichten analysiert; die wesentliche Ausstrahlung dieser ersten, in amerikanischer Kriegsgefangenschaft erhaltenen Impulse ist unverkennbar. Aus den frühen Kritiken, die größtenteils noch unter Pseudonym im amerikanischen *Ruf* erschienen, geht deutlich hervor, wie entscheidend die Berührung mit amerikanischer Kultur, Literatur und Gesellschaft den politischen Publizisten und späteren Schriftsteller Andersch formte. [99]

Alfred Anderschs »Deutsche Literatur in der Entscheidung« (1948) [100]: Literaturkritik im Zeichen christlich-existentiellen Engagements und französisch-amerikanischer Impulse

Alfred Anderschs Versuch, im November 1947 die Möglichkeiten einer deutschen Nachkriegsliteratur mit »streitendem Elan« [101] sichtbar zu machen, hatte programmatische Bedeutung. Der im Ulmer Rathaus, anläßlich der Herrlinger Tagung der »Gruppe 47« gehaltene Vortrag (*Deutsche Literatur in der Entscheidung*) war die erste umfassendere literarsoziologische Stellungnahme der Nachkriegszeit und lieferte dem eben konstituierten Literatur-Forum [102] genauere kritische Normen.

Andersch versteht die im Titel geforderte »Entscheidung« existentiell; zwar gilt es, dem Schriftsteller seine zeitkritische Verantwortung und der Literaturwissenschaft die soziologische Dimension nahezulegen, aber Andersch kennt die Problematik allzu rascher soziologischer und politischer »Einordnungen« [103]. Um den Gefahren einer literarisch ungenauen und einseitig ideologischen Kritik vorzubeugen, erhebt er die folgende Überzeugung zur zentralen Einsicht [104] seiner Untersuchung:

> ... daß die Zukunft der deutschen Literatur — wie immer die Situation sein mag, unter der sie ihren Weg antritt — abhängt von der persönlichen Entscheidung der Menschen, die sie machen. Indem wir die Dichtung zur Angelegenheit existentieller Entschlüsse der Dichter machen, erheben wir sie in jenes Reich der Freiheit, in dem allein sie geboren werden kann. [105]

Ich halte es für nützlich, Anderschs existenzphilosophischen Standort in seiner Entstehung zu erhellen. Im August 1947 setzt sich Andersch zum ersten Mal [106] in dem Aufsatz »Die Existenz und die objektiven Werte« mit Jean-Paul Sartres Philosophie und den fragwürdig gewordenen »absoluten Werten« idealistischer Denkrichtungen auseinander. [107] Andersch verbindet seine Parteinahme für den französischen Existentialismus mit der Frage, warum sich das »sonst so konkurrenzlos ›up to date‹ befindliche Feuilleton« der von der US Armee herausgegebenen *Neuen Zeitung* (»diese einmal als Vertretung unserer ausländischen Berater nehmend«) nicht früher mit Sartre und Camus beschäftigt habe. [108] Anderschs Hypothese lautet, das existentielle Denken lasse sich nicht mit dem »ungewöhnlich optimistischen ... amerikanischen Konzept der ... Rück-Erziehung« vereinbaren; ein solches Konzept setzt in den Augen der Amerikaner »objektive Werte« voraus. [109] Ungeachtet seiner Skepsis gegenüber dem »re-education«-Plan der Militärregierung glaubt Andersch an eine gültige »amerikanische Antwort« auf den Existentialismus, »dort nämlich, wo das tiefste Wesen der Philosophie William James' und John Deweys aufleuchtet, wo der Pragmatismus die Themata des existentiellen Denkens kontrapunktisch aufnimmt und erhellt.« [110] Leider führt Andersch diese bedeutsame dialektische Einsicht nicht weiter aus; beide Denkrichtungen, Existentialismus und Pragmatismus, teilen die Schwierigkeit, ein erkenntnistheoretisch überzeugendes System aufzubauen; beiden ist der Nachdruck auf die konkrete menschliche Situation gemeinsam. [111] Der künftige Schriftsteller Andersch neigt zu der Ansicht, die existentialistische Literatur könne die ethische Problematik einer wertverneinenden Philosophie überwinden, denn die literarische Darstellung mache das Problem »durchsichtig«. [112] Andersch führt überzeugende Beispiele aus Sartres Erzählung Le Mur (1939) und dem Résistance-Stück Les Mouches (1942) an:

> ... kann man noch das Wort des Orest in den Fliegen: »Der feigste aller Mörder ist der, der bereut«, mit dem Vorwurf des Nihilismus belasten, nachdem man der Erzählung des Orest über Korinth gelauscht hat, jener Schilderung eines wahrhaft humanen Seins, aus dessen stillem Grund seine Tat erwächst? Oder man mag sich fragen, warum der spanische Revolutionär in Sartres Novelle Die Wand vor die Entscheidung gestellt, ob er einen Kameraden verraten oder nicht verraten soll, sich zum Schweigen entschließt, obwohl er vorher alle ethischen Zwecke und Zielsetzungen in sich ausgelöscht hat. Man wird nicht mehr fragen. Man wird dann einsehen, warum der große französische Dichter und »Mode«-Philosoph einer Abhandlung, die sich mit (allzu) nahe liegenden Mißverständnissen seines Werks befaßt, die Überschrift gab: »Der Existentialismus ist ein Humanismus.« [113]

Der Essay Deutsche Literatur in der Entscheidung (1948) läßt erkennen, daß Andersch die Gefühlslage seiner Generation durch Sartres Fliegen in vielfacher, auch literarsoziologischer Hinsicht bestätigt findet. Am Ende seines Essays zitiert er den gesamten Text von Sartres Vorrede zur deutschen Ausgabe der Fliegen (1947). Diese, an die Deutschen gerichtete »Vorrede« ist deshalb so bedeutsam, weil Sartre den Akzent nicht auf Vergangenheit, Niederlage und Problematik eines besetzten Landes legt, sondern auf die Zukunft und eine freiheitlich-konstruktive Selbstbesinnung aller »Menschen guten Willens.« [114] Der Protagonist des Sartre-Dramas (Orest) äußert im Schlußwort die Überzeugung: »alles ist neu hier, alles ist von vorn zu beginnen.« [115] Andersch spricht in Anlehnung an Sartres »Vorrede« und im Bewußtsein einer politisch und literarsoziologisch »völlig neuartigen« Nachkriegssituation, [116] von einer »tabula rasa« und der »Notwendigkeit, in einem originalen Schöpfungsakt eine Erneuerung des deutschen geistigen Lebens zu vollbringen.« [117] Das »Nullpunkt«-Postulat vieler deutscher Nachkriegsautoren entspricht der Gefühlslage der französischen existentiellen Résistance.

Andersch betitelt jenen letzten Teil seines Essays, in dem er seinen persönlichen Standort definiert, »Deutsche Literatur im Vorraum der Freiheit.« [118] Das Vorläufige dieses Titels bezieht sich auf die gesellschaftliche Situation *und* die existenzphilosophische Bewußtseinslage des Nachkriegsschriftstellers in Deutschland. Für die gesellschaftliche Situation bleibt nach Andersch, ungeachtet des kalten Krieges und der unaufhaltsamen deutschen Spaltung, die linksintellektuelle Version des Roosevelt-Konzepts, »eine sozialistische Synthese von Freiheit und sozialer Gerechtigkeit« [119], das Ziel literarischen Engagements. Aber der »Getty-Spirit« einer konstruktiven Zusammenarbeit mit den Siegermächten erscheint zunehmend gedämpft durch die dumpfe Schwerfälligkeit der Militärregierungen [120]; Andersch wehrt sich gegen die »aufgedrungene Anerkennung einer Kollektivschuld« und »ihre Verhüllung durch ein schein-humanitäres und geistig völlig flaches System der sogenannten Rückerziehung.« [121] Gleichzeitig warnt er vor einem erneuten nationalistischen Ressentiment auf deutscher Seite als Reaktion auf solche Kurzsichtigkeit der Besatzungsmächte. [122] Die »Wertsysteme« der Sowjetunion und der USA erscheinen Andersch ebenso suspekt wie ein krasser Nationalismus, »weil wir ihre Bereitschaft kennen, unter der Maske höchster ethischer Postulate die tiefste Entwürdigung des Menschen vorzubereiten: den Krieg.« [123] Umso erstaunlicher nimmt sich inmitten dieser pazifistisch-ideellen Vorbehalte die anscheinend pragmatisch inspirierte Feststellung aus: »Die Gestalt des Don Quichote mag eine Figur von ewigem Wert sein; unser Leben aber hängt davon ab, die Realitäten zu sehen.« [124] Es gehört zu den tragischen Erfahrungen der Andersch-Generation, daß ihre Tabus von Macht und Ideologie sie zunehmend in eben diese Rolle des Don Quichote drängten.

Im existenzphilosophischen »Vorraum der Freiheit« nimmt Andersch einen »temporären Nihilismus« eher in Kauf, als die »permanente Langweiligkeit unserer ›werthaltigen‹ Literatur.« [125] Er hält es für »wahrscheinlich«, daß auch der Existentialismus nicht mehr ist als »die Vorstufe einer neuen und umfassenden Anthropologie«, betont aber die gegenwärtige Relevanz und »bewegende Kraft« dieses Denkens, das »durch alle Lager hindurch« wirke. [126] Er geht soweit, dem Existentialismus »die dialektische Rolle« zuzuerkennen, die einst der Marxismus als weltverändernde geistige Bewegung innehatte. [127] Von zentraler Bedeutung erscheint Andersch die Identität von »Freiheit und Existenz« mit dem darin enthaltenen »Appell an die persönliche Entscheidung«; er empfindet die »Viskosität eines entscheidungslosen Daseins« als »Unmenschlichkeit und Tod«. [128] Aus einer sehr aufschlußreichen (kleingedruckten) Anmerkung zum »Toleranz«-Begriff gewinnt man den Eindruck, daß Andersch bereits im November 1947 zu einer vorwiegend christlichen Variante existentiellen Denkens neigte:

Gerade der Faschisierungsprozeß, dem der Liberalismus und der Marxismus in der Verteidigung der hypothetischen Absolutheit ihrer Wertsysteme unterliegen, zeigt, daß die Toleranz-Idee heute in einer wesentlich tieferen Schicht begründet werden muß als in derjenigen der allgemeinen Duldsamkeit gegenüber Ideen. Die Moral von Lessings Ringparabel kann nicht auf den Nationalsozialismus angewendet werden. Diese Schicht kann nur in dem Für-sich-sein der menschlichen Existenz selbst und der ihr zugehörigen Freiheit gefunden werden. Dem Christentum ist der Gedanke der existentiellen Freiheit immanent, indem es den Menschen durch die von Gott gegebene Freiheit aus der Naturwelt heraushebt. Leider aber vergißt es in seiner geschichtlichen Praxis sehr oft diesen Urgrund des Wagnisses und strebt nach Gesichertheit in der Anlehnung an die Macht, statt nach jener echten Sicherung, die ihm in der ständigen Verteidigung der personalen Würde und Freiheit des Menschen gegen die Macht zuteil wird. [129]

Anderschs christlich-existenzielle Interpretationen, Gott habe den Menschen durch die ihm verliehene Freiheit »aus der Naturwelt« herausgehoben, impliziert noch einmal deutlich die Nähe zu Sartres Denken, besonders zu der intellektuellen Botschaft der *Fliegen;* als der erzürnte Jupiter den »naturentfremdeten« Orest auffordert, zur »Natur zurückzukehren« und in sich zu gehen, da er nur »ein Staubkorn im Weltall« sei, weigert sich Orest unter Berufung auf sein Menschsein und seine von Jupiter selbst verliehene Freiheit: [130] »ich bin dazu verurteilt, kein anderes Gesetz zu haben als mein eigenes.« [131] Auch Andersch gebraucht in seinem Essay die Formulierung vom »Verdammtsein zur Freiheit«. [132] Diese existenzielle Haltung bestimmt auch seine literarsoziologischen Betrachtungen.

Im Vorwort zur *Deutschen Literatur in der Entscheidung* (1948) betont Andersch, er wolle seinen Essay als »deutlichen Appell an die Literaturwissenschaft« in Deutschland verstanden wissen, denn man sei in diesem Wissenschaftszweig bisher »an einigen Grundfragen fast völlig vorbeigegangen«; Andersch empfiehlt vor allem eine nähere Beschäftigung mit dem »gesellschaftlichen Standort des Kunstwerks wie des Schriftstellers«; zu der Forderung nach einer soziologisch-kritischen Dimension tritt die am New Criticism orientierte Frage nach dem Verhältnis »von Form und Inhalt«. [133] Andersch weist auf die beispielhafte Situation in den angelsächsischen Ländern hin, wo eine literarkritische »Bewußtseinserhellung« fruchtbaren Einfluß auf die Literatur selbst nimmt. [134] Diese literaturwissenschaftlichen Postulate sind das Ergebnis verschiedener Andersch-Beiträge seit Herbst 1946.

Im September 1946 polemisiert Andersch (im Zusammenhang mit der Erich-Kästner-Würdigung »Fabian wird positiv«) in heilsamer Absicht gegen die Schwächen einer »hohen« Literaturwissenschaft, die von dem »*Künstler* Erich Kästner noch keine Notiz« genommen habe:

> Es ist natürlich leichter, über das Mythische bei Hölderlin oder die etymologischen Bezüge der Duineser Elegien zu schreiben, als mit heißem Herzen den Kampf zu verfolgen, den Erich Kästner und einige andere »Literaten« der Weimarer Republik um eine deutsche realistische Literatur geführt haben, eine Literatur, die die unselige deutsche Unterscheidung zwischen Dichter und Schriftsteller aufhebt, eine Literatur, die so würdelos ist, Humor zu haben, eine Literatur, in der Telephone, Wasserklosetts, Autos und Untergrundbahnen nicht nur vorkommen, sondern auch ohne alle Kunst metaphorischer Umschreibung so genannt werden, ... eine Literatur, die, mit einem Wort gesagt, lesbar ist. [135]

Im Zusammenhang mit dieser deutlichen literarkritischen Aufwertung von Satire, Zeitrequisit und unmetaphorischem Stil macht Andersch auf den bewunderten Kästner-Roman *Fabian* (1931) und die Tatsache aufmerksam, daß bisher

»nur der Marxist Georg Lukács die Bedeutung dieses Werks angedeutet« habe. [136] Im ungedruckten Probeexemplar des *Skorpion* (August/September 1947) wendet sich Andersch gegen eine »kalligraphisch« verschlüsselte Literaturkritik, die mit »angelesenen Bildungsmetaphern« jongliert und »soziales Bewußtsein« vermissen läßt; der Literaturkritiker soll vor allem »dienender Vermittler« sein. [137] Als beispielhafte Vertreter jener vermittelnden kritischen Tradition gelten Andersch Oskar Loerke, Franz Blei, Hermann Bahr und Josef Hofmiller. [138] Im September 1947 beschäftigen Andersch (im Zusammenhang mit einer Steinbeck-Würdigung) die gegen eine moderne amerikanische Prosa gerichteten »Nihilismus«-Vorwürfe in Deutschland *und* den USA. Er stellt fest, »daß Deutschland zur geistigen Verarbeitung der neuen amerikanischen Literatur bisher noch nicht gekommen ist« und nennt eine Reihe kritischer Rezensionen, die am Wesen des »schonungslosen Realismus etwa Hemingways« vorbeigehen, indem sie ihn als nihilistisch oder unwesentlich oder flach abtun. [139] Ebensowenig kann Andersch allerdings eine »mechanische Verpflanzung der amerikanischen Prosa nach Deutschland« gutheißen (wie sie von Wolfgang Weyrauch und dem Verleger Walter Kahnert gefordert wird): [140] »es wäre Aufgabe der Literaturkritik, entgegen solchen gutgemeinten Seichtheiten die wirkliche Tiefe der Dichtung des Westens auszuloten.« [141] Zum näheren Verständnis der amerikanischen Erzähler trägt Andersch Aspekte einer literarischen Debatte in den USA bei, in der ebenfalls der »Nihilismus«-Vorwurf gegen die zeitgenössische Prosa laut wird, weil man in ihr einen Angriff auf »bürgerliche Werte« sieht. [142] Andersch verweist auf die kenntnisreiche Richtigstellung solcher Vorurteile durch Alfred Kazins Untersuchung *On Native Grounds* (1945; *Der amerikanische Roman,* Overseas Edition) [143]:

> Gehalt und Methodik dieses Musterbeispiels moderner literarischer Analyse entsprechen aufs Genaueste der Größe des Gegenstandes. Vor allem mag die völlig im Ästhetischen und Philosophischen verfahrene deutsche Literaturforschung aus diesem Buch lernen, welche Vertiefung sie durch die Hereinnahme der Soziologie erfahren könnte. [144]

In all diesen didaktischen Anmerkungen zur Literaturkritik der ersten Nachkriegsjahre ist Anderschs Bemühen spürbar, die weitverbreitete ästhetische Unsicherheit an der außerdeutschen literarischen Entwicklung zu festigen und der Literaturwissenschaft das Bewußtsein einer neuen kritischen Verantwortung zu vermitteln. Zugleich fällt auf, wie häufig und weitverbreitet der undifferenzierte »Nihilismus«-Vorwurf nach dem Kriege in die kritischen Federn fließt; die solchermaßen verkannte Literatur umfaßt die existentiell gestimmten Dramen Sartres [145] ebenso wie die ›realistische‹ Prosa Hemingways, Faulkners und Steinbecks. Sie findet in Alfred Andersch einen gleichgesinnten Apologeten.

Anderschs Interesse an der soziologischen Dimension, an zeitkritischer Satire, existentieller und realistischer Prosa bestimmt auch die literarischen Nachkriegs-Prognosen und -Postulate des Essays *Deutsche Literatur in der Entscheidung* (1948). An die Schwelle der neuen Literatur führt die zeitkritische Prosa Thomas Manns; und obwohl Andersch Thomas Mann als »größten lebenden Autor deutscher Sprache« würdigt und in seinem Werk (wie im »Alterswerk Hermann Hesses und in Hermann Brochs experimentellen Romanen«) die »Vollendung der humanistischen Tradition« findet, impliziert die bewundernde Kritik auch einen deutlichen Vorbehalt der Andersch-Generation gegenüber dem literarischen Modell: »Wir stehen mitten im Vorgang einer neuen Wandlung, und es macht die Größe Thomas Manns aus, daß er uns die Türe in einen Raum nicht versperrt, sondern öffnet, in den er selbst nicht mehr einzutreten vermag.« [146] Andersch postuliert eine völlig tendenzfreie Literatur und ist konsequent genug, auch Tendenzen, mit denen er sympathisiert (»Freiheit,... Demokratie,... Humanität und... Pazifismus«) aus der realistischen Prosa fortzuwünschen. [147] Aus diesem Grunde gelten ihm die Romane Heinrich Manns, Franz Werfels, Arnold Zweigs und Alfred Döblins nur bedingt als Modelle; in didaktischer Gegenüberstellung macht er auf Faulkners »reinen Realismus« aufmerksam und erinnert an das »große Vorbild« Flaubert:

> Realistische Literatur ist Literatur aus Wahrheitsliebe; die Wahrheit aber spricht immer für sich selbst, sie hat keine Tendenz und keine Predigt nötig. Man kann dies an einem Beispiel deutlich machen: wenn man etwa eine Spitzenleistung des Tendenzromans, wie sie Arnold Zweigs *Streit um den Sergeanten Grischa* darstellt, mit einem Meisterwerk des reinen Realismus, des Amerikaners William Faulkner *Licht im August* vergleicht. Um wieviel wahrer und reinigender wirkt auf uns doch die gnadenlose Tragödie des zu Tode gejagten Negermischlings Joe Christmas, verglichen mit derjenigen des in die Räder der Justizmaschine geratenen Russen Grischa. Das ist kein Unterschied in der künstlerischen Qualität der beiden Autoren, sondern ein struktureller Unterschied in den metaphysischen Bezügen zweier Kunstrichtungen. ... Es wird immer eine große Aufgabe der deutschen Literaturforschung bleiben, aufzuklären, warum der reine Realismus in Deutschland niemals zum Durchbruch gekommen ist, da doch das große Vorbild Flauberts und der modernen Amerikaner auch in Deutschland gesehen wurde. [148]

Aufschlußreicher als der Hinweis auf »metaphysisch«-»strukturelle« Unterschiede realistischer Traditionen (in denen sich die existentielle Haltung Anderschs äußert) scheint mir die Auswahl der Beispiele und die Gleichsetzung von »Tendenz« und »Predigt«; Andersch erkennt, daß allzu deutliche Didaktik das realistische Kunstwerk zur Wirkungslosigkeit verurteilt. Anders verhält es sich mit der Satire; Andersch weiß, daß sie ohne eine Tendenz »nicht denkbar« ist, schätzt ihre zeitkritischen Möglichkeiten aber sehr hoch ein, und empfiehlt den Nachkriegsschriftstellern die erneute Beschäftigung mit Erich Kästners *Fabian* (1931). Er sieht in Kästners Roman »einen wichtigen Ansatz im Übergang von der bloßen Zeitsatire zum satirisch-surrealistischen Kunstwerk«. [149]

Als wirklich zukunftweisend, weil ästhetisch *und* gesellschaftskritisch beispielhaft, würdigt Andersch den »nüchternen Realismus« der deutschen Linken. [150] Seiner Ansicht nach entging die Gruppe der »proletarischen Schriftsteller« (Oscar Maria Graf, Willi Bredel, Anna Seghers, Bertolt Brecht, Theodor Plivier) am ehesten der Gefahr einer künstlerischen Isolierung in der Emigration; dank einer »klaren Einsicht in die gesellschaftlichen Hintergründe der Epoche, wie sie der Marxismus vermittelt«, blieb für sie »das deutsche Problem« immer zentral. [151] Andersch mischt seine Bewunderung mit fruchtbarer Kritik; er sieht die ästhetische Substanz dieser Literatur durch eine »Trockenheit« bedroht, die von der »erklärenden Dogmatik der gesellschaftlichen Vorgänge« und dem »Glauben an eine wissenschaftliche Methodik« herrührt; der Mensch »in seiner persönlichen Freiheit« muß Kern aller »Dialektik« und aller »soziologischen Gesetze« bleiben. [152] Daher gilt Anderschs ungeteilte Bewunderung weniger den späteren Werken Anna Seghers', als ihrer ersten »meisterhaften Novelle« *Der Aufstand der Fischer von St. Barbara* (1932), die eine wohltuende »Abwesenheit alles Dogmatischen und Tendenziösen« mit dem »Verständnis für das Fließendgewordene aller früher so festen Werte« verbindet. [153] Die Fortsetzung dieser epischen Tradition begrüßt Andersch in Theodor Pliviers *Stalingrad* (1945); das »erste große Kunstwerk der deutschen Nachkriegsliteratur« erscheint ihm »völlig dem Kern unseres Erlebens entwachsen.« [154]

Unter den Dramatikern richtet Andersch seine kritische Aufmerksamkeit vor allem auf Carl Zuckmayer und Bertolt Brecht. Die Wirkung von Zuckmayers *Des Teufels General* (1946) sieht er in der politischen Aktualität des Stückes, gesteigert durch das Bemühen um tendenzfreie Realität. [155] Von Bertolt Brecht erhofft er sich eine weitgehende didaktische Ausstrahlung auf die »junge Generation«, vor allem als »Rückhalt ... gegen die lastende Masse eines sogenannten Kulturerbes, das sich selbst überlebt hat«:

> Seine Autorität könnte deshalb so groß sein, weil er den Weg des Kampfes gegen den Faschismus, von der Machtergreifung über den Spanienkrieg bis zum zweiten Weltkrieg konsequent mitgegangen ist, ohne sich deshalb dem Dogma irgendeines der vielen »Auswege« aus jener apokalyptischen Situation des Menschen anzuschließen, von der der Faschismus nur ein Zeichen ist. ... Reiner Realismus und Tendenz, Satire und Proletariat, sie alle mischen sich im Werk des Dichters und Dramatikers Bert Brecht. Mehr noch: sie mengen sich in ihm mit hohem dichterischen Atem und mit einigen deutlichen Zeichen des Zeitgeistes: grausamer Dämonie und tiefer Verpflichtetheit, »Engagement«, wie es der französische Dichter bezeichnete. [156]

Es scheint mir aufschlußreich, daß Andersch mit diesen genau gewählten Worten Brecht eher existentiell als marxistisch interpretiert und, über den Begriff »Engagement«, in die Nähe Jean-Paul Sartres (des »französischen Dichters«) rückt. Der Hinweis auf die »lastende Masse eines sogenannten Kulturerbes« bezeugt, daß der »Nullpunkt«-Begriff (zumindest von Alfred Andersch) von Anfang an polemisch gemeint war.

Die ersten hoffnungsvollen Ansätze einer literarischen Erneuerung entdeckt Andersch (nach Pliviers *Stalingrad* und Elisabeth Langgässers *Unauslöschlichem Siegel*, 1946) in der realistischen Prosa Wolfgang Borcherts, Wolfgang Weyrauchs und Walter Kolbenhoffs (*Von unserem Fleisch und Blut*, 1947), in den Gedichten Günter Eichs und in den surrealistischen Versuchen Wolfdietrich Schnurres und Ernst Kreuders (*Die Gesellschaft vom Dachboden*, 1946). [157] Der Essayist und Lyriker Stephan Hermlin gilt Andersch als beispielhaft in der Auseinandersetzung mit neuen literarischen Entwicklungen im Ausland; eine solche Auseinandersetzung soll die »junge Literatur« davor bewahren, ihre ikonoklastischen Impulse allzu unreflektiert aus »romantischen Quellen« zu beziehen:

103

Es ist dies eine Gefahr, die gesehen werden muß. Der jungen Literatur kann es durchaus nicht schaden, wenn sie sich ihres internationalen Standortes bewußt wird, aus dem Vergleich mit fremden Literaturen Maßstäbe gewinnt und überdies daran ihr eigenes Selbstbewußtsein stärkt. Denn sie wird beim Aneignen ausländischer Einflüsse zu ihrem Nutzen feststellen können, daß die neuen Schriftsteller, etwa Amerikas, Frankreichs, Englands und Italiens, sich auf durchaus ähnlichen Pfaden bewegen, künstlerisch aber dank der freiheitlichen Tradition ihrer Länder eine Form erreicht haben, die verarbeitet werden will, wenn man den Wunsch hat, eine deutsche Literatur zu schaffen, die aus provinzieller Enge heraustritt. [158]

In seinem vielschichtigen und kenntnisreichen Essay erfüllt Alfred Andersch nach eigenen Kräften die Forderung nach kritischen Maßstäben, die aus »Kalligraphie« und »provinzieller Enge« herausführen. Seine Betrachtungen zur Nachkriegsliteratur zeugen von intensiver Berührung mit den geistigen Strömungen der modernen Franzosen und Amerikaner. [159] Viele seiner literarsoziologischen Einsichten sind noch im Jahre 1970 von überraschender Aktualität und die meisten ästhetischen Urteile halten im Lichte der überschaubarer gewordenen Nachkriegsentwicklung einer kritischen Prüfung stand.

Anderschs erste schriftstellerische Veröffentlichung ist eine Kurzgeschichte mit dem (ein wenig nach Frauen-Roman klingenden) Titel »Fräulein Christine«. Sie erschien am 15. Juni 1945 unter dem Pseudonym Anton Windisch im Feuilleton des amerikanischen *Ruf*. [1]

Die Erzählung setzt sich mit Kunst und Politik zu Beginn des Dritten Reichs auseinander. Eine junge Frau (Christine) hat zwei kunstinteressierte Freunde. Als Tochter eines »großen kämpferischen Gelehrten« neigt Christine entschieden dem vom NS-Regime überwachten jungen Arbeiter-Schriftsteller (Werner Rott) zu, nicht dem erfolgreichen, opportunistischen Geschichts-Dozenten (Dr. Witte), dem »Anwalt der neuen Ansichten«. [2] Christine führt mit Dr. Witte ein Gespräch über Barlach, dessen Ausstellung sie kürzlich in Zürich gesehen hat, als sie auf Wunsch ihres Vaters für den gefährdeten Werner bei ihrer Schwester einen Zufluchtsort suchte. Sie bleibt bei Dr. Wittes gegenteiligen Meinungsäußerungen ohne innere Anteilnahme, verabschiedet den Gast bald in ihrer Münchner Wohnung und ruft Werner Rott an. Von dessen Mutter muß sie erfahren, daß er verhaftet worden ist.

In der ersten Andersch-Erzählung deuten sich bereits bevorzugte Motive und Darstellungsmittel an (direkte Dialogwiedergabe, einander bestätigende Reflexionen und Handlungen); die Figur Werner Rotts trägt viele autobiographische Züge. Die ersten Sätze lauten:

> »Denken Sie, ich habe die Figuren gesehen«, erzählte sie, und in ihrer Stimme war die innere Atemlosigkeit des Erlebnisses zu fühlen. »Sie sind herrlich. So dicht und geschlossen, wie wirkliche Körper, die unter einer dünnen Holzhülle atmen. Und es sind Körper, in denen der Geist weht. Nichts Kleinliches ist daran.«[3]

Dieser abrupte Auftakt zu Anderschs schriftstellerischen Arbeiten ist symptomatisch: formal gesehen, ein Bemühen um direkte Dialogwiedergabe in knappen Sätzen, wie Andersch sie am häufigsten bei Hemingway vorfand; inhaltlich gesehen, ein bewegtes Votum für die belebende und fruchtbare Wirkung echter Kunst inmitten ideologischer Entmenschlichung. Barlachs Skulpturen werden (wie später in Anderschs *Sansibar*, 1957) zu symbolischen Widerstandsgestalten. [4]

In Christines Reflexion bleibt die Erinnerung an den Besuch der Barlach-Ausstellung gegenwärtig; mehrmals kommt sie in Gedanken auf dieses Erlebnis zurück. Andersch stellt die starke persönliche Bindung Christines an die Kunst Barlachs in den Mittelpunkt seiner Erzählung; sie fühlt sich »plötzlich umschlossen ... von der Welt dieser Figuren« und wird »beinahe wie eine Liebende von dem stemmenden Schreiten des ›Wanderers‹, von der rasenden und beschützerischen Kraft des ›Rächers‹ erfaßt.« [5] Die enge Beziehung zwischen Christines Interesse für Barlach und ihrem Gefühl für Werner Rott kann dem Leser nicht entgehen, auch wenn sie selbst sich diese Beziehung kaum eingesteht: »hinter all ihrem Denken und Betrachten an jenem Nachmittag« hatte »die Gestalt Werner Rotts gestanden.« [6] Andersch verwendet das einzige ausgedehnte Gleichnis seiner Erzählung in Verbindung mit Christines Gefühlen für Werner Rott und schließt dieses Gleichnis unmittelbar an einen Satz über Christines »Erlebnis mit den Figuren« [7] an:

> Ihm würde sie alles erzählen können von den Figuren Barlachs, und wie sie sich ihrem drängenden und beinah ängstlich machenden Anruf ergeben hatte. Und noch während Dr. Witte sich verabschiedete, sah sie die Verhaltenheit Werners vor sich wie einen Turm, um den ihr Vertrauen gleich einem Vogel kreisen konnte. [8]

Dr. Witte verliert durch seine abschätzige Beurteilung Barlachs Christines anfängliche Sympathie; als er von Barlachs »slawischer Sirenenmelodie,« »lastender Schwermut« und Mangel an »Pathos im besten Sinne« spricht [9] (»er gehört nicht in unsere nordische Welt«), [10] hört sie ihm kaum zu.

Die lastende Präsenz der Diktatur im Leben des einzelnen wird in Anderschs Erzählung spürbar: sie bestimmt Dr. Wittes und Werners Biographie, ist Anlaß für Christines Zürich-Reise und färbt Dr. Wittes Kunst-Urteil. Christines Urteil über die Landschaft des Zürich-Sees führt Andersch zur indirekt liberalen Kritik am totalitären Staat: »Es ist wunderschön, am Limmatkai zu sitzen und mit den Augen ins Gebirge spazieren zu gehen. Um die alten Zunfthäuser ist immer der leichte Bergwind. Ich glaube, daß die Schweizer deshalb so freie, heitere Menschen sind.« [11] Seiner Kontrast-Rolle gemäß, spricht Dr. Witte daraufhin »von der Unverbindlichkeit und satten Bürgerlichkeit des schweizerischen Lebens.« [12]

Die biographischen Hinweise auf Dr. Witte und Werner Rott sind didaktische Beispiele individueller Verhaltensweisen unter der Diktatur. Dr. Witte wird abgetan als »Anwalt der neuen Ansichten deren glatte und gewandte Vertretung ihm trotz seiner Jugend bereits das Lehramt für Geschichte an der Münchner Universität eingetragen hatte.« [13] Andersch schildert Werner Rotts schriftstellerisches Debüt in allen Einzelheiten, weil es sich um eine leicht veränderte Autobiographie handelt; dem schriftstellerischen Debütanten Andersch mußte dieses Thema naheliegen:

> Dann hatte er ihr von Werner Rott erzählt, von den ersten Novellen und Aufsätzen, die der junge Schlosser gerade in den letzten Monaten vor dem Ausbruch der Diktatur veröffentlicht habe, ausgezeichneten Arbeiten voller Sprachkraft und geistiger Originalität, wie der Vater sagte — und Christine wußte, daß ihr Vater, der große kämpferische Gelehrte, solche Urteile nicht ohne sorgfältige Prüfung fällte. Als die Macht sich gegen den Geist wandte, verstummte Werner und kehrte in die Motorenfabrik zurück, in der er nun sein anonymes Tagewerk verrichtete. Aber man wußte, daß ein Unwetter sich über seinem Haupte zusammenzog; seine frühere führende Stellung in der Jugendbewegung war nicht vergessen, und Werner hatte es nicht hindern können, daß noch immer junge Menschen zu ihm kamen; ihre Zuneigung war so herzlich, daß er nicht immer widerstehen konnte und ihnen manchmal aus seinen Gedichten und Erzählungen vorlas. Er wurde scharf überwacht. [14]

Andersch ergänzt den fiktiven Lebensausschnitt Werners durch psychologische Hinweise auf dessen »Verhaltenheit«. [15] Der »junge Arbeiter« erscheint Christine zunächst »nicht sehr bedeutsam«. [16] Sie erinnert sich an die »Härte seines Schweigens«, die von Dr. Wittes »fließender Überzeugtheit« bedeutend absticht, und fühlt sich doch »beschämt« von der Art, wie Werner das Barlach-Buch (mit seinem Namen darin) als »stummen Hinweis« auf die tieferen Gründe seines Schweigens bei ihr hinterläßt. [17] Die »Härte« des »Schweigens« ist (bei aller Nähe der Formulierung zum NS-Jargon) eine Formel für den achtenswerten passiven Widerstand der Schriftsteller und Künstler, die dem NS-Regime nicht ihren Namen leihen wollten.

Zu der Freundschaft und äußersten Hilfsbereitschaft des »kämpferischen Gelehrten« für den schriftstellernden Arbeiter tritt die aufkeimende Zuneigung der Akademiker-Tochter. Die Überwindung der gesellschaftlichen Kluft ist literarsoziologisch bemerkenswert [18]: Arbeiter und liberaler Akademiker bilden eine antifaschistische Fronde. Ein Vergleich der Figur Werner Rotts mit Anderschs späterem autobiographischem »Bericht« (*Die Kirschen der Freiheit*, 1952) gibt noch weiteren Aufschluß über diese außergewöhnliche soziologische Konstellation in Anderschs erster Erzählung. Übereinstimmungen und Abweichungen sind gleich bedeutend: auch Andersch nahm mit 18 Jahren eine »führende Stellung« in einer Jugend-Organisation ein und wurde deswegen 1933 zweimal verhaftet, dann »scharf überwacht«. Andersch und seine fiktive Figur teilen die schriftstellerische Begabung und die »geistige Originalität« im Gegensatz zum Denken in politischen Gemeinplätzen und Tendenzen.

Andersch war allerdings nicht »Schlosser,« sondern Verlagslehrling, als man ihn zum Leiter des kommunistischen Jugendverbandes in Südbayern machte, später Werbetexter und kaufmännischer Angestellter. Zur Zeit von Hitlers Machtübernahme hatte Andersch noch keine »Novellen und Aufsätze« veröffentlicht; seine späteren, meist lyrischen Schreib-Versuche blieben in der Schreibtisch-Schublade liegen. In der Gestalt Werner Rotts gelangen Anderschs nach 1933 gemachte Erfahrungen einer »totalen,« ästhetischen »Introversion« [19] zur Synthese mit seiner antifaschistischen Einstellung und der frühen Sympathie für die Arbeiter-Partei. Der Gedankenaustausch mit seinem literarischen Mentor, Dr. Herzfeld, mag zur Konstellation des »kämpferischen Gelehrten« auf Seiten des Arbeiters beigetragen haben; die Märchen Dr. Herzfelds, [20] die Lektüre Ernst Jüngers (*Blätter und Steine*, 1934; *Auf den Marmorklippen*, 1938) und Rainer Maria Rilkes, zusammen mit der persönlichen Reaktion auf die allzu deterministische (nicht mit dem »Menschen« rechnende [21]) Dialektik marxistischer Ideologie lassen die Gestalt eines schriftstellerisch engagierten Arbeiters verständlicher erscheinen.

Wichtiger noch als solche literarisch-biographischen Mutmaßungen über die Jahre 1933-45 ist der aus der Erzählung erkennbare Standpunkt Anderschs im »Jahre Null«: seine erste Kurzgeschichte bestätigt die Überwindung der eigenen »totalen Introversion« [22] (eingeleitet durch den Entschluß zur »Fahnenflucht«) auf literarischem Gebiet durch sein deutliches schriftstellerisches »engagement.« Wenn ich die Erzählung richtig deute, so ist die Art dieses »engagements« in ihr schon weitgehend ausgeprägt und kehrt in späteren Erzählungen, Essays, Hörspielen und Romanen wieder: [24] der totalitäre Staat prüft durch seinen rücksichtslosen Eingriff in die Privatsphäre die moralische Integrität der Protagonisten, die in der Auflehnung gegen diesen Staat einander vertrauen, helfen und schätzen lernen. Moralisches Verhalten, Hilfsbereitschaft und Liebe zum echten Kunstwerk fallen zusammen.

Die lebendige Ausstrahlungskraft (»wie wirkliche Körper, die ... atmen« [25]) und symbolische Expressivität der authentischen Barlach-Figuren demonstrieren in Anderschs Erzählung Freiheit »in menschlicher Relation« (ein wichtiger Bestandteil der erwünschten »Synthese von Freiheit und Sozialismus«) [26]; der »Wanderer« ist mit seinem »stemmenden Schreiten« Symbol für die (von Andersch wiederholt geforderte) [27] Wandlungsbereitschaft gegenüber den Widerständen und Versuchungen ideologischer Irrlehren und geistiger Erstarrung. Diesem Symbol entsprechen die Verhaltensweisen Werner Rotts, der trotz wachsender Gefahr ratsuchenden »jungen Menschen« aus seinen Arbeiten vorliest, und Christines Bereitschaft, ihr erstes oberflächliches Urteil über Werner zu revidieren und für ihn nach Zürich zu fahren. Die »rasende und beschützerische Kraft« [28] des Barlachschen »Rächers« potenziert die innere Stärke eines vom moralischen Impuls bestimmten Handelns und ist sicherlich Hinweis auf eine »höhere« Gerechtigkeit, die auch totalitäre Staatssysteme überdauert; hier deuten sich christliche Überzeugungen an, [29] die Andersch, existentiell interpretiert, im Jahre 1947 auch in dem Beitrag »Die Existenz und die objektiven Werte« [30] und in dem Vortrag (in Herrlingen, vor der Gruppe 47) *Deutsche Literatur in der Entscheidung* [31] vertritt. In *Sansibar oder der letzte Grund* (1957) ist die Barlach-Figur des »Lesenden Klosterjünglings« symbolisches Indiz aller genannten Aspekte: christlicher Bezug und denkerische Durchdringung der Probleme verbinden sich mit der Möglichkeit, jederzeit »fortzugehen« und zu handeln. [32] Dieser, in der Barlach-Figur implizierte, ethische Impetus bestimmt den Widerstand der Protagonisten gegen den totalen Staat. In »Fräulein Christines« Zürich-Reise und Barlach-Erlebnis sind erste Ansätze zu diesen Entsprechungen von künstlerischer Katharsis und moralischem Handeln zu erkennen. Sie ist eine Vorgängerin von Franziska, der *Roten* (1960), die einen geschmäcklerischen »Ästheten« (Herbert) [33] verläßt und sich für den Violonisten Fabio Crepas (einen ehemaligen Partisanen) entscheidet; Fabio reflektiert bedeutungsvoll über Monteverdis Kunst. Dr. Witte ist Herberts Vorgänger; sein opportunistisch-politisches Kunst-Dogma ist ebenso »blind« [34] gegenüber kathartischen Wirkungen echter Kunst, wie Herberts leeres Ästhetentum. Beide Figuren werden deshalb »flach« gezeichnet, als negative Kontrast-Figuren; beide sind eine Spur zu elegant gekleidet. [35] In dieser allzu eindeutigen Charakterisierung moralischen Ungenügens zeichnet sich bereits eine problematische Seite »engagierten« Schreibens ab; Andersch überwindet diese Schwierigkeiten in seinen späteren Erzählungen und Romanen (*Ein Liebhaber des Halbschattens, Erzählungen*, 1963; *Efraim*, 1967). [36] Dr. Wittes Namensvetter Lothar Witte, der »Liebhaber des Halbschattens«, ist ebenfalls Dozent; auch er versagt (als Mitwisser von NS-Verbrechen) im Dritten Reich menschlich und moralisch. Das ge-

schieht aber nicht aus Opportunismus, sondern aus konstitutioneller Handlungs-
unfähigkeit; er ist eine problematische Figur mit guten und schlechten Seiten und
daher wesentlich überzeugender als sein im Cliché erstarrter Vorgänger.

Andersch zeigt in seiner ersten Kurzgeschichte bereits einiges stilistisches Geschick. Da er sich Christines Perspektive zu eigen macht und ihre Sympathie für
Werner (ebenso wie ihre Antipathie gegenüber Dr. Witte) wachsen läßt, muß sich
das jähe Ende ihrer Hoffnungen dem Leser als schmerzliches Ereignis mitteilen;
daher das Fehlen jeden Kommentars nach der szenischen Dialog-Wiedergabe des
abschließenden Telefon-Gesprächs:

> Sie nahm den Hörer ab und wählte die Nummer. Eine weibliche Stimme meldete
> sich, leise und entfernt, und nannte den Namen: »Rott«. »Kann ich Werner Rott spre-
> chen, bitte?« fragte Christine ein wenig zögernd. »Mein Sohn ist nicht da.« Die Stimme
> der Frau klang müde, war wie von Schleiern verdeckt. »Er ist vor zwei Tagen verhaf-
> tet worden. Bitte rufen Sie nicht mehr an!« [37]

Es bleibt dem Leser vorbehalten, sich Christines Reaktion vorzustellen und den
Eingriff des totalitären Staats mit dem Ende eines aufkeimenden Gefühls in Zusammenhang zu bringen.

Die szenisch dargestellten Abschnitte bilden den Rahmen und verleihen der
Erzählung unmittelbare, über den Schluß hinausgreifende, Wirkung. Andersch
schafft sich aber durch diesen szenischen Rahmen die Schwierigkeit, eine Fülle an
faktischer Information (Exposition des zeitlich Voraufgegangenen) durch ausgedehnte Reflexionen der zentralen Figur (Christine) einblenden zu müssen; der Plus-
quamperfekt wird überanstrengt und das zunächst an Unmittelbarkeit Gewonnene
geht auf diese Weise wieder verloren. Andersch zeigt bereits in seinem ersten
Versuch, daß er den Leser spannen will [38]; aber er bereitet die Nachricht von
Werners Verhaftung sprachlich-atmosphärisch vor:

> Draußen schlug die Tür ins Schloß. Das Spätnachmittagslicht schrägte rötlich ins Zim-
> mer. ... Sie hatte schon aufspringen und ans Telefon eilen wollen, doch blieb sie
> noch eine Weile sitzen, von seltsamer Traurigkeit befangen. Sie begriff, daß sie ihn bald
> nicht mehr sehen würde, vielleicht sprach sie heute schon zum letzten Mal mit ihm. [39]

Der Sprachstil dieser ersten Andersch-Erzählung ist, im Gegensatz zu anderen
Nachkriegs-Erzählungen Wolfgang Borcherts, Wolfdietrich Schnurres und Heinrich Bölls, frei von Anklängen an expressionistische Form-Modelle, aber die gelegentliche Verwendung recht unorigineller Leitmotive (Dr. Wittes allzu eleganter
Anzug), Symbole (die emblematischen Barlach-Figuren), symbolistischer Bilder
(das an den frühen Rilke erinnernde Turm-Gleichnis) und militanter Ausdrücke
(die »Härte« des »Schweigens«, der »kämpferische« Gelehrte) verrät noch einige
sprachlich-technische Unsicherheit. Im Ganzen ein eher programmatisches als wesentlich literarisches Debüt.

ANDERSCHS »FESTSCHRIFT FÜR CAPTAIN FLEISCHER« (1968)

Anderschs eigene Eindrücke in den Vereinigten Staaten finden erst 23 Jahre
später (im Juli 1968) ihren Niederschlag in einem halbstündigen Rundfunk-Fea-

ture: »Festschrift für Captain Fleischer«. [40] Eine Episode im Lager-Hospital des Anti-Nazi-Compounds Ruston, La. (wo Andersch im Winter 1944/45 als Helfer tätig war) und Bahnfahrten durch den »Neuen« Kontinent sind Anlaß der betont retrospektiv gehaltenen Erzählung. Ein Vergleich dieser »Festschrift« mit der Kurzgeschichte »Fräulein Christine« eröffnet aufschlußreiche Einblicke in die Entwicklung des Stilisten und politischen Kopfes Andersch; zugleich ist die »Festschrift« ein lebendiges und eindrucksvolles Dokument für die soziologisch beachtliche Provenienz deutscher literarischer Nachkriegs-Impulse aus amerikanischen Kriegsgefangenen-Lagern.

Andersch wählt den schon einmal, in der Erzählung *Alte Peripherie* [41] verwendeten Decknamen »Franz Kien« für seine autobiographischen Beobachtungen (der Name ist eine beziehungsvolle Zusammensetzung aus den Namen zweier Protagonisten in Elias Canettis Roman *Die Blendung* [42]). Kien lernt als Helfer im Lager-Hospital einen jüdisch-amerikanischen Arzt, Captain Fleischer, kennen und schätzen, als dieser ohne jedes politische Ressentiment einen fanatischen jungen Nazi-Soldaten (Frerks) pflegt und in Schutz nimmt. Obwohl der schwierige und schweigsame Patient seine Uniform (und die Nazi-Embleme daran) nicht ablegen will, versucht der Arzt, den von seinen Mitgefangenen isolierten Deutschen als Freund anzusprechen und wieder in die lebensnotwendige Gemeinschaft zurückzuführen. Franz Kien, der den fanatisierten Kranken nicht so radikal verurteilt wie sein linksintellektueller Gesprächspartner im Lager (»Maxim Lederer« [43]), bewundert den vergeblichen Versuch des Arztes, die ideologischen Vorurteile durch Nächstenliebe und Berufsethos zu durchbrechen; besonders Fleischers entscheidender Ausspruch am Bett des uneinsichtigen Patienten, »It's easy to hate, easier than to love« (p. 13), stimmt Kien nachdenklich:

> Franz Kien hätte etwas darum gegeben, zu erfahren, ob Fleischer den Satz, daß es leicht sei zu hassen, leichter als zu lieben, an Maxim Lederer gerichtet hatte oder an den bei diesen Worten sicherlich noch schlafenden oder halb bewußtlosen Frerks. Hatte er dabei einen von den beiden angesehen oder keinen, sondern vielleicht auf die Wand hinter dem Bett geblickt? Es war zwecklos, Maxim Lederer danach zu fragen, der darauf sicherlich nicht geachtet hatte. Nach allem, was vorher gesprochen worden war, mußte er Fleischers Bemerkung auf sich beziehen. Wie aber, fragte sich Franz Kien, wenn Fleischer weder den einen noch den anderen gemeint hatte, sondern sich selbst? [44]

Andersch läßt in seiner Erzählung keinen Zweifel an der Undurchdringlichkeit der »Wand«, auf die Fleischer bei seinen Worten geblickt haben mag. Maxim, der viel von Revolution und Niedergang der KP spricht, meint zu Fleischers Bemühungen nur: »Diese Juden mit ihren Illusionen« (p. 13). Der fanatisierte Landser schließt sich nach seiner Gesundung nicht den anderen Kriegsgefangenen an, sondern einem Kleinbauern aus der Eifel, einem »primitiven Anarchisten und Eigenbrödler« (p. 21); und die Landser sehen in Fleischers Versuch, den trennenden Stacheldraht zu überspielen, indem er seine bildhübsche Frau zu Visiten ins Lager mitnimmt, nur niedrige Beweggründe (Eitelkeit, »Imponiergehabe«).

Franz Kien versteht und bewundert Fleischers tätige Nächstenliebe (und Ab-

110

neigung gegen Stacheldraht und politische Ressentiments), denn er teilt mit dem Arzt die Überzeugung von der Nichtigkeit ideologischer Einstellungen und Abgrenzungen. Ein Dialogausschnitt aus Anderschs Hörspiel »In der Nacht der Giraffe« (1958) [45] verdeutlicht die Position des engagierten Erzählers: als der Journalist Pierre von einer Welt der »falschen Alternativen« spricht, ergänzt der Philosoph Mondello, »daß Freiheit nicht bedeutet, irgendeine Ideologie wählen zu können, sondern das Unrecht zu zerreißen, wo immer man es trifft.« [46] Während Captain Fleischer durch sein Handeln vergebens versucht, das an Frerks begangene »Unrecht« (Fanatisierung des Jugendlichen im NS-System, Isolierung in einem Anti-Nazi-Lager) »zu zerreißen«, läßt Kien in Beobachtung und Reflexion Anderschs Abneigung gegen ideologische Einstellungen erkennen.

Franz Kien ist keine unproblematische Figur: was diese Verkörperung einer autobiographischen Phase Alfred Anderschs vor allem kennzeichnet, ist das Bemühen, alle politischen und ideologischen (auch rassenideologischen) Fragen auszuklammern; in der apolitischen Wirklichkeit Kiens hat selbst der freiheitsbeschränkende Stacheldrahtzaun des Kriegsgefangenenlagers keine Bedeutung. Er sieht vielmehr in dem Stacheldraht »ein filigranes Gitter ohne Bedeutung« (p. 5), denkt an »Kriege und Gewalt« und die kommunistische »Revolution« »als an etwas Gleichgültiges« (p. 12) und stellt am Ende der Erzählung mit geradezu provozierender Deutlichkeit fest, er habe »einen ruhigen Herbst und Winter in Louisiana verbracht, in dem alten Sklavenland.« (p. 22) Bereits zu Beginn der Erzählung zeigt sich, daß Kien nicht darüber nachdenken will, warum er aus der deutschen Armee desertierte und warum er sich in einem Anti-Nazi-Lager befindet; als Maxim Lederer erzählt, »was in den vergangenen Jahren aus der Kommunistischen Partei geworden« ist (p. 3), hört Kien nur mit halbem Interesse zu: »Was ihn jetzt hauptsächlich interessierte, war, daß es ihm gelungen war, aus dem Krieg zu flüchten, und daß er durch Amerika fuhr« (p. 3). In einer längeren Reflexion über Maxims bittere Erfahrungen mit der Kommunistischen Partei [47] befinden sich die autobiographisch beziehungsvollen Sätze: »Franz Kien wußte, daß mit Menschen, die in gewisse Verhöre, zwischen gewisse Fronten geraten waren, alles Mögliche geschehen sein konnte. Eine Nacht in einem Untersuchungsgefängnis entschied da oft über ein Leben.« [48] Alfred Andersch spricht aus eigener, traumatischer Erfahrung; in den *Kirschen der Freiheit* (1952) berichtet er von den angstvollen Stunden, die er nach seiner zweiten Verhaftung im September 1933 in einer Zelle der Münchner Polizeidirektion verbrachte. Die Erfahrungen, die er während seiner dreimonatigen Haftzeit im KZ Dachau gemacht hatte, erschienen in diesen Stunden als Auftakt zu weit schlimmeren Erlebnissen; Andersch glaubte sich schon verloren: »An jenem Tage wäre ich zu jeder Aussage bereit gewesen, die man im Verhör von mir verlangt hätte.« [49] Als man ihn wider Erwarten (nach Feststellung seines Alibis in bezug auf eine illegale kommunistische Druckerei) sofort wieder entließ, war er entschlossen, nicht mehr für die Kommunistische Partei zu arbeiten. Auf diese Weise erklärt sich die Einstellung des Protagonisten Kien gegenüber Maxims »fanatischen Geschichten aus der Emigration« (p. 11); und in dem folgenden Satz aus der »Festschrift für Captain Fleischer« tritt Anderschs

111

durch ehemalige Verbundenheit und neugewonnenen Abstand gekennzeichnete Einstellung gegenüber der Kommunistischen Partei deutlich zutage: »Es wäre besser, sich von dieser undurchsichtigen Existenz fernzuhalten, dachte Franz Kien manchmal, aber er mochte Maxim Lederers hoffnungslose, unpersönliche Stimme, die mit jedem ihrer Sätze die Revolution liquidierte« (p. 11).

Mit der Flucht aus dem Kriege und der Ankunft im Neuen Kontinent hat Kien/Andersch die Phase »totaler Introversion« überwunden; es zeugt von Anderschs großem stilistischen Können, daß er Franz Kiens hochgestimmte Erwartungen nur indirekt durch Kiens Wahrnehmungen in der neuen Umwelt wiedergibt. So entstehen die sprachlich dichtesten Abschnitte der Erzählung.

Kiens Wirklichkeit ist eine Welt genauer Details und vor allem mit dem Auge festgehaltener Sinneswahrnehmungen; Landschaften und Menschen weisen ähnlich belebte Eigenheiten auf, die sich mit der Intensität eines Films Kiens Gedächtnis einprägen. Captain Fleischers erster Auftritt im Hospital ist Kien daher noch »zwanzig Jahre später« (p. 8) so gegenwärtig, daß er die Szene »jederzeit ... wie einen Film« ablaufen lassen kann. Kien glaubt von Fleischer, dieser verstehe »den Mississippi« (p. 18); Berge und Flüsse haben für Kiens Art der einfühlenden Beobachtung ähnlich personifizierten Reiz wie Menschen. An den Menschen fallen ihm kennzeichnende Gesten auf, die Andersch leitmotivisch wiederholt: an Fleischer bemerkt Kien die saloppe Art, mit den Gliedern zu schlenkern und dabei doch die rechte Hand »krampfhaft nach hinten« zu biegen (p. 8), an Lederer die »hoffnungslose, unpersönliche Stimme« und die Tatsache, »daß man das Gespräch mit ihm einfach abbrechen konnte« (pp. 11/12). Während der Bahnfahrten verzeichnet Kien genau die Ortsnamen (»Fredericksburg, Alexandria, Washington, Baltimore« p. 2) und landschaftliche Besonderheiten und wird nicht müde, den Gegenständen der Umwelt im buchstäblichsten Sinne Farbe abzugewinnen. Er beobachtet die armseligen, »grau verwitterten« Siedlungen und Gesichter der Neger in Memphis (p. 4), »weiße Reiter« in Houston, »auf samtbraunen leichten Pferden«, »gekrümmt zwischen Texashüten und silbernen Sporen« (p. 4), erblickt eine Hängerbrücke über den Susquehanna, registriert Reiher, Pelikane und »parasitäre Gewächse« am Ufer des Mississippi (p. 2) und hat Augen für die »gläsernen Tiefen« einer »dunkelblauen Nacht« in Richmond (p. 1); das offene Tor einer Ladehalle erscheint ihm als »Quadrat aus virginischem Indigo« (p. 1), und die kriegsfangenen Erntearbeiter sieht er als blaue Flecken, die sich inmitten des flimmernden Meeres der Baumwollbällchen bewegten« (p. 7). Der Leser ist bereits aus Anderschs ersten literarkritischen Aufsätzen mit der Gleichsetzung von Freiheit und dem »Sinn für wildes Blühen« (50) vertraut. Besonders die Farbintensität in der »Festschrift« zeugt für Kiens Freude am Dinglich-Wirklichen einer unideologisch aber freiheitlich gesehenen, vielfach exotisch wirkenden Umwelt der Südstaaten Amerikas. Der Stacheldrahtzaun um das Lager verliert seine Bedeutung, denn Kien sieht »das Tälchen dahinter, mehr eine Geländefalte, ganz in Braun und Gelb getaucht, mit den Bäumen am Horizont, zwischen ihnen das Negergehöft mit der bunten Wäsche, die immer da hing, und den schwarzen Kühen, die in dem hohen gelben Steppengras weideten« (pp. 20/21). Die enge Begrenzung des Lagers wird durch

Kiens Perspektive relativiert, als er innerhalb des Lagerzauns einige blühende Zweige endeckt:

> Er sammelte einen Strauchzweig mit weinroten und grünen Blättern, zwei Gräser mit Blättern wie Lanzenspitzen, ein Gewächs mit traubigen roten Blüten und einem grünen Stengel, in dessen Mitte eine violette Blüte saß. In Louisiana gab es selbst im November noch Blüten, unter dem bedeckten Himmel, in der warmfeuchten Luft, die manchmal von Windstößen aufgeregt wurde. [51]

Anderschs wachsendes erzählerisches Geschick wird, gemessen an seiner ersten Kurzgeschichte (»Fräulein Christine«), evident. In beiden Erzählungen ist die Darstellungsperstektive einheitlich mit einer (dritten) Person verbunden. Hier wie dort wird an handelnden Menschen moralisches »engagement« exemplifiziert, zunächst noch mit anti-faschistischem Vorzeichen (»Fräulein Christine«, 1945; *Sansibar oder der letzte Grund*, 1957) später in christlich-existentieller Ausprägung, jenseits der Machtblöcke und ihrer Ideologien (*Ein Liebhaber des Halbschattens*, 1963; *Efraim*, 1967; »Festschrift für Captain Fleischer«, 1968). Andersch hat die Verwendung objektiver Korrelate in Verbindung mit psychologischer Einfühlung inzwischen soweit verfeinert, daß sich die 1968 entstandene »Festschrift« auf drei Ebenen lesen läßt: einmal als lebendige, oft szenisch verdichtete Reisebeschreibung durch die Südstaaten und Darstellung der Zustände in einem amerikanischen Kriegsgefangenen-Lager 1944/45; als Wiedergabe der Bewußtseinslage des dreißigjährigen Alfred Andersch im Portrait Franz Kiens; und, impliziert durch die Handlungsweise Captain Fleischers, als Aussage des sechzigjährigen Schriftstellers über die richtige Art des »engagement.« Durch die Genauigkeit der visuellen Eindrücke und ihre Festlegung auf die geographischen Koordinaten der realen Welt entsteht ein Erzählstil, den Max Bense treffend als »epische Fiktion in einer reportierten Realität« kennzeichnet; [52] der »eminent filmische« Erzähler »pflastere« seine fiktive Welt mit Realität. [53] Manche Abschnitte der »Festschrift an Captain Fleischer« nähern sich (durch Verwendung objektiver Korrelate in besonders kurzen, parataktisch gebauten Sätzen mit häufigen Wiederholungen) dem Stil der frühen Kurzgeschichten Ernest Hemingways [54]; auch Anklänge an Motive in William Faulkners Roman *Wild Palms* (1939) werden spürbar. [55] Der Schluß von Anderschs »Festschrift« verbindet alle erwähnten Stilmerkmale und faßt das zentrale Thema der Erzählung in zwei aufschlußreichen objektiven Korrelaten [56] zusammen:

> Franz Kien überlegte manchmal, wo er, wo Maxim Lederer, wo Fleischer und Frerks zwanzig Jahre später sein würden. Oder der Neger, der ihnen das Eiswasser gebracht hatte, mittags, beim Baumwollpflücken. Wie würden sie leben, jeder für sich, zwanzig Jahre später?
> Er dachte niemals an die Revolution, sondern nur an die Länder. Amerika, Tennessee, Gibraltar, Europa. An die Einsamkeit der Länder.
> Er hatte einen ruhigen Herbst und Winter in Louisiana verbracht, in dem alten Sklavenland.
> Ein alter Neger, ein Streckenarbeiter, stand neben dem Gleis, als sie an einem frühen Morgen auf einer Station in Tennessee hielten. Er trug ein Hemd aus verschossenem Ziegelrot. Als Franz Kien ihn betrachtete, sah ihn der Neger lang an, ohne sich zu bewegen, ohne zu lächeln.

Auf einem Holzhaus jenseits des Bahnhofs stand in abblätternder Schrift *Moses Play-house Nice clean rooms Meals Cold drinks.* In der Frühe waren alle Fenster und Türen verschlossen. Hier wäre Franz Kien gerne ausgestiegen um ein Zimmer zu nehmen. [37]

Die vier abschließenden Abschnitte der »Festschrift« sind in Reflexion und Beobachtung geteilt; die Haltung der Einsamkeit und Unverbindlichkeit bleibt ihnen gemeinsam. In dem eingeschobenen »jeder für sich« steckt bereits die Antwort auf die Frage nach dem Leben der Protagonisten »zwanzig Jahre später.« Mit diesem »jeder für sich« ist auch ein Schlußstrich unter die Bemühungen des Arztes Captain Fleischer gesetzt: wo Ideologien den Blick auf den Menschen verstellen, ist der christlich handelnde Einzelmensch zur Einsamkeit verurteilt, auch wenn er (wie die Haltung des Arztes impliziert) immer wieder versuchen muß, aus moralischen Impulsen Gemeinschaft herzustellen. So erfährt es Kien, so vertritt es auch der Erzähler Andersch, als er »zwanzig Jahre später« [58] sein Amerika-Erlebnis reflektiert.

Es fragt sich, wieweit die im Sommer 1968 entstandene »Festschrift« mit ihren Anspielungen auf den Niedergang der Kommunistischen Partei (Maxims bittere Erfahrungen mit der Prager »Generallinie«) vom politischen Geschehen nach dem Prager Frühling mitbeeinflußt wurde; die »Einsamkeit der Länder« ist eine Formel für das Unvermögen der Machtblöcke und Menschengruppen, einander mit echter Freundschaft zu begegnen. Dies gilt auch für die Beziehungen zwischen den Rassen; der kriegsgefangene Weiße im tiefen Süden Amerikas lebt vielleicht ruhiger als ein längst befreiter Schwarzer im »alten Sklavenland.« [59]

Das ziegelrote Hemd des schwarzen Arbeiters ist vielleicht ein objektives Korrelat für die Herausforderungen der Ideologie: als Vertreter einer sozial benachteiligten Rassen-Minorität tritt der Streckenarbeiter in der »verschossenen« Farbe der sozialistischen Revolution auf. Die Art, wie der Neger Kiens Blick erwidert, läßt sich, zusammenfassend, durch das Adjektiv »unverwandt« kennzeichnen (»ohne sich zu bewegen, ohne zu lächeln«); zwischen beiden Menschen bleibt ein (auch im »verschossenen« Rot sichtbar gemachter) Abstand, denn Kien will sich, auch in der Rassenfrage, nicht mehr ideologisch engagieren. [60]

Worauf es Kien/Andersch ankommt, impliziert das Holzhaus am Schienenstrang, in dem Kien wohnen möchte: ein ärmliches Gasthaus und Kino, das den (auf farbige Baptisten deutenden) Namen »Moses« trägt. Für die genauere Deutung von Kiens Wunsch ist ein Vergleich mit Anderschs Roman *Die Rote* (1960) aufschlußreich, in dessen Verlauf ein ähnlich tröstliches Haus in die Handlung einbezogen wird. Die Protagonistin (»Franziska«, »die Rote«) möchte in einem armseligen Haus jenseits der Bahngeleise in Mestre (bei Venedig) wohnen. Blättert von »Moses Playhouse« die Schrift ab, so hängt an dem Haus in Mestre der weiße Bewurf »in Fetzen« [61] von den Ziegelwänden; sind in Tennessee »alle Fenster und Türen« des Hauses »verschlossen«, so sind sie in Mestre, im ersten Stock des Hauses, »mit grauen Holzläden verschlagen« [62] — gerade dort, wo die »Rote« wohnen will. Das »lichtlose« Haus in Mestre erscheint als »Würfel aus Trostlosigkeit und Verfall und geheimen Leben«, in dem die Leute »abends im Dunkeln

114

sitzen und Geheimnisse bewahren, arme bittere leuchtende Geheimnisse«; und die Protagonistin bekennt, sie habe sich »immer nur für diese Art Häuser interessiert«. [63] Am Schluß des Romans erhält »die Rote« wirklich ein Zimmer im ersten Stock dieses Hauses, das einem armen Fischer gehört, und lebt mit dessen Sohn Fabio Crepaz zusammen. In Fabios Augen ist das Haus eine »Ghetto-Wohnung«. [64]

»Moses Playhouse« ist ebenfalls eine »Ghetto-Wohnung«, die »arme bittere leuchtende Geheimnisse« Farbiger birgt. Kien/Andersch, wie Fabio ein desillusionierter Revolutionär (»er dachte niemals an die Revolution«), identifiziert sich durch seinen Wunsch, dort zu wohnen, mit dem Los der Armen: er würde sich gern durch diese Geste über Ideologie und Rassen-Vorurteil hinwegsetzen. Die verschlossenen Fenster und Türen implizieren eine von Kien/Andersch ersehnte, aber nicht erreichbare Geborgenheit und verraten manches von den privaten Bedeutungen dieses Korrelats, in dem Kiens Bewußtseinslage zum symbolischen Gegenstand wird. »Moses Playhouse« weist auch auf den filmischen Stil des Schriftstellers Andersch und die befreienden Möglichkeiten der Kunst hin, die, dem Propheten gleich, aus der Alltagswüste der Armut und der politischen Gewalten herausführt.

ANDERSCHS GEDICHT »ERINNERUNG AN EINE UTOPIE« (1959/60)

Nach eigenem Zeugnis begann Alfred Andersch seine lyrischen Versuche im Schatten Rilkes und der Symbolisten. [65] Im Jahre 1947 warnte er aber vor der Gefahr einer »Hölderlin-, Rilke- und George-Epigonie« [66]; er bewunderte, als Gegengift, Bert Brechts *Hauspostille* (1927) und Günter Eichs Trümmerlyrik. [67] Andersch Wertschätzung für Günter Eichs Gedichte galt ebenso der Form [68] wie dem als kongenial empfundenen zeitkritischen »engagement«. Einen (im Jahre 1949 erschienenen) Aufsatz über Günter Eich beschloß Andersch mit der folgenden, freundschaftlichen Anerkennung:

> Ein Dichter der Moderne, ein großer Naturlyriker, ein Hexenmeister der Sprache, — ist's damit nicht genug? Günter Eich läßt es sich nicht genug sein. Er ist außerdem noch Soldat gewesen, ein Gefangener, ein Heimkehrer, ein Mensch der unser seltsames Schicksal erlebt hat. Und es ist fast das Beste an ihm, daß er diesem Erlebnis nicht ausweicht. [69]

Auch Andersch, der seine lyrischen Versuche erst wesentlich später (gegen Ende der Fünfziger Jahre) wieder aufnahm, wollte dem Kriegsgefangenen-Erlebnis »nicht ausweichend«. Sein bisher unveröffentlichtes Gedicht »Erinnerungen an eine Utopie« (1959/60) [70] bezieht sich auf seine ungewöhnlichen Erfahrungen im Herbst 1945 in Fort Getty, Rhode Island. [71] Ich werte das Gedicht als gelungenes literarisches Zeugnis dafür, daß Andersch gegen Ende seines Amerika-Aufenthalts den Glauben an die politische Verwirklichung seiner Ideale für kurze Zeit zurückgewann. Erfaßt von der Vision eines weltumfassenden »New Deal« im Sinne des (am 12. April 1945) verstorbenen Präsidenten Roosevelt, hoffte Andersch auf die »Synthese von Freiheit und Sozialismus« [72]; und in dem Gedicht auf die »Ära des großen Gelähmten« Roosevelt (Zeile 12) versucht Andersch fünfzehn Jahre später, die Intensität dieser unwiederbringlichen Vision festzuhalten:

Erinnerung an eine Utopie

azur rostrot meerblau
der indianersommer des orlogs
rhode island oder die klarheit aus herbst

die bucht der wind das gras
im freien hören die gefangenen
die lehre von der gewalten-trennung

teddy wilsons klavier
call me joe sagte der oberstleutnant
professor jones ironisiert poe

im osten die toten
hier der neue plan aus den ahorn-wäldern
die ära des großen gelähmten

oktober-nostalgie
nach der charta des bilderbuch-meeres
dem leuchtturm so weiß von narragansett

Nach meinen Ausführungen über Andersch in Fort Getty (Kap. II.) ist über den Inhalt des Gedichts nicht mehr viel zu sagen. Andersch war dort vom 15. September bis zum 15. November 1945 Teilnehmer der Sonderkurse für Verwaltung und Geschichte, Englisch und Amerikanistik; der Blick auf den Atlantik und eine betont freiheitliche Unterrichtsgestaltung sollten den Stacheldraht um das Lager soweit wie möglich vergessen machen. Lautsprecherverstärkter Jazz weckte die Kursteilnehmer (»teddy wilsons klavier«, V. 7) und die warmen späten Herbsttage des neuenglischen Indianersommers begünstigten den Unterricht im Freien. Die Lagerbehörden legten keinen Wert auf militärische Titel und Ehrenbezeichnungen (»call me joe«, V. 8). Aus Anderschs Getty-Aufsatz geht hervor, welchen bleibenden Eindruck Professor Howard M. Jones (Harvard Universität) in seinen amerikanistischen Vorlesungen (unter Berücksichtigung weltliterarischer Beziehungen, wie im Falle E. A. Poes) und durch seinen mutigen Rücktritt (aus Protest gegen den Stacheldraht) bei den deutschen Kriegsgefangenen hinterließ. [73] Präsident Roosevelts »New Deal« (der »große gelähmte«, V. 12; »der neue plan«, V. 11) war, nach Überwindung der amerikanischen Wirtschaftskrise, auf weltweite friedliche Koexistenz (»One World«) angelegt. Die Atlantik-Charta (»charta des bilderbuchmeeres«, V. 14) war eine (am 14. August 1941) zwischen den USA und Großbritannien vereinbarte Vorstufe der United-Nations-Charta; am 24. September 1941 erklärte auch die Sowjet-Union ihr Einverständnis mit der Charta. Roosevelt entwarf darin eine Nachkriegspolitik der »Vier Freiheiten« und weltweiter Abrüstung. [74]

An der Form des Gedichts fällt zunächst die interpunktionslose Kleinschreibung

116

auf; sie ist nach Stefan George und Arno Holz verhältnismäßig selten in der neuesten deutschen Literatur. Einige experimentelle Lyriker (Hans Arp, Paul Celan, Hans Magnus Enzensberger, Christa Reinig, Franz Mon u. a.) verwenden diese Schreibweise, und ich glaube, daß Andersch ihren Intentionen zum Teile folgt. Er schreibt seine wenigen Gedichte ausnahmslos in dieser Form. Ungeachtet der unterschiedlichen Thematik, die von Naturlyrik (»Ort im Waldmeer«, »Nymindegaab«) bis zu surrealistischen Erzählgedichten (»Die kranke Mutter«, »Der Tod in London«) und politischer Lyrik reicht (»Die Farbe von Ost-Berlin«, »Erinnerung an eine Utopie«) [75], ist das Stimmungselement vorherrschend; höchst genau beobachtete, realistische Einzelheiten schweben in einer magischen, oft unheimlichen Atmosphäre. Die interpunktionslose Kleinschreibung wird dem schwebenden, surrealistischen Stimmungselement gerecht.

Besonders kennzeichnend für diese magisch-realistische Montage-Technik ist Anderschs politisches Gedicht »Die Farbe von Ost-Berlin« (Oktober 1961). [76] Die zwei Anfangszeilen enthalten eine fast banale, technisch-konkrete Metapher (»dieser film/zeigt/«), aber einige Zeilen später ist von der schwelenden »haut des spreekanals« (V. 9) die Rede, und »der gendarmenmarkt/wartet noch blind/auf die stunde der ulenflucht« (V. 11-13). Am Ende des Gedichts beginnt sich die Farbe Ost-Berlins, »ein rostiges/grau« (V. 19, 20) »unter dem toten Krieg« (V. 17) zu »regen« (V. 18). Durch solche personifizierende Belebung toter Gegenstände führt Andersch den Leser, der nach Titel und Einleitung ein realistisch-dokumentarisches Gedicht erwarten muß, immer tiefer in den Bereich surrealistischer, unheimlicher Bezüge. Die interpunktionslose Kleinschreibung stellt konkrete, realistische Dinge (Objekte, Farben, geographische Indizien) übergangslos und gleichwertig neben das Kreatürlich-Belebte, Bedrohliche in genauen Verben und Adjektiven; an allen Metaphern hat das Stilmittel des »Conceit«, der »discordia concors«, magisch wirksamen Anteil [77] und wird unterstützt durch das Bindemittel des homogenen Schriftbilds.

In Anderschs »Erinnerung an eine Utopie« (1959/60) ist die surrealistische Atmosphäre (mit der ihr gemäßen, experimentellen Schreibweise) ebenfalls spürbar, wenn auch nicht so ausgeprägt. In einem Brief betont Andersch, es handle sich in diesem Falle nicht um die »écriture automatique« surrealistischer Arbeitsweise, [78] sondern um ein »höchst bewußt gearbeitetes« Gedicht; [79] das Ost-Berlin-Gedicht spricht aber dafür, daß auch die bewußte Montage-Technik eine surrealistische Wirkung zu evozieren vermag.

Das Gedicht »Erinnerung an eine Utopie« hat einen Rahmen aus Farben; es nennt in der ersten Zeile zwei Arten von Blau (»azur«, »meerblau«), ein rostiges Rot und, in der letzten Zeile, ein fast unwirkliches, nostalgisch erinnertes Weiß (»so weiß«, V. 15). Man könnte der Anfangszeile, wie im Ost-Berlin-Gedicht, die Einleitung vorausschicken: »dieser Film zeigt ...«, denn die Farben sind naturalistisch legitimiert durch den Herbst an der Atlantikküste, durch Himmel, Meer, verfärbtes Laub und den Leuchtturm an der Narragansett-Bucht Rhode Islands. Doch die zweite und, dem Rahmen gemäß, die vorletzte Zeile sprengen diese äußere Wirklichkeit durch das paradoxe Nebeneinander von »indianersommer« und

»orlog« (V. 2, niederl., »Krieg«), von Atlantik-»charta« und »bilderbuch«-meer (V. 14). Die »rostrote« Farbe erhält dadurch eine zweite, weniger harmlose Bedeutung; verbunden mit »orlog« und den »toten« »im osten« (V. 10; vergleichbar dem »rostigen grau« unter dem »toten krieg«, V. 17-20, im Ost-Berlin-Gedicht) ist sie die Farbe blutiger Kriegswirren. Aber dieses Rostrot mag auch die Farbe der sozialistischen Revolution sein, ähnlich dem »verschossenen Ziegelrot« im Hemd des farbigen Arbeiters in Anderschs »Festschrift«. [80] Hinter »meerblau« (V. 1) und »weiß« (V. 15) steht die Atlantik-Charta mit den Prinzipien weltweiten Friedens, verbunden mit Freiheit und sozialer Gerechtigkeit; der Leuchtturm signalisiert diesen »neuen plan« (V. 11) von der amerikanischen Küste aus nach Europa. Zusammengenommen sind es die blau-weiß-roten Farbsymbole der französischen Revolution (liberté, égalité, fraternité), die auch die Vereinigten Staaten für ihre Nationalflagge wählten. [81]

Ebenso hintergründig wie die Farben wirken die »concetti« in den Mittelzeilen jeder Strophe. Bereits der Titel enthält eine solche »discordia concors« aus Vergangenheit und Zukunft (»Erinnerung« und »Utopie«) und damit, gemessen an der Wirklichkeit der Gegenwart, einen Zug ins Unwirkliche (der auch den Begriffen »Erinnerung« und »Utopie« durch ihren subjektiven Charakter eignet). Während die Zeilen 1 und 3 jeder Strophe atmosphärische Einzelheiten wiedergeben, finden sich in den Mittelzeilen die Antithesen: »indianersommer« und »orlog« (V. 2), »im freien ... die gefangenen« (V. 5), »call me joe sagte der oberstleutnant« (V. 8), »im osten die toten/hier der neue plan« (V. 10, 11), »charta« und »bilderbuch« (V. 14). Die längeren Pausen zwischen den drei Farben (oder den drei Lage- und Klima-Indizien) sind im Schriftbild der Zeilen 1 und 4 deutlich gekennzeichnet; sie verlangsamen das Sichtbarwerden dieser atmosphärischen Einzelheiten und machen so den Prozeß des »Erinnerns«, gleichsam in »Zeitlupe«, auf nostalgische Weise spürbar. Das Vokabular kindlich-vertrauten Spiels (»bucht«, »wind«, »gras«, »frei«, »indianer-«, »teddy«, »bilderbuch-«, »klavier«) trifft auf die unverwandte Härte der Erwachsenenwelt, des Kriegs und der Fremdwörter (»orlog«, »die toten«, »gewalten-«, »der gelähmte«, »ironie«, »ära«, »nostalgie«). Diesen Antithesen wirkt der Wortklang als Bindemittel entgegen: »rostrot-sommer-orlog« (V. 1,1), »joe-jones-poe« (V. 8,9), »wälder-ära-gelähmt« (V. 11,12), »oktober-nostalgie« (V. 13), »nach der charta« (V. 14), »narragansett« (V. 15). Andersch drängt die kaum begreiflichen Gegensätze von eben verlassenem Kriegschaos und durchsichtiger Herbst-Idylle, von Toten im Osten und belebend globalen Visonen im Westen, von Kriegsgefangenen-Situation und freiheitlicher Lebensart, zu einer inkongruenten Einheit zusammen.

KAPITEL IX. LITERARISCH-POLITISCHE NEUORIENTIERUNG IM »INTERREGNUM«: HANS WERNER RICHTER

In Hans Werner Richters autobiographischem Jugendroman *Spuren im Sand* (1953) [1] wird deutlich, daß die Jahre 1919-1924 dem Halbwüchsigen erste, entscheidende Eindrücke von Literatur und Gesellschaft vermittelten. Die Schwächen der ›guten Gesellschaft‹ im kleinen, pommerschen Seestädtchen Bansin blieben dem Halbwüchsigen nicht lange verborgen. Seine Abneigung galt besonders dem deutschnationalen Onkel (mit Monokel, Herrenreitermanieren und Schulden als Folge dauernder Schürzenjägerei), dem hochmütig-lehrhaften Pastor, und dem Lehrer, der seinen Geschichtsunterricht immer wieder bei Bismarck und Wilhelm II. abbrach. Richters erster Lehrherr, ein Buchhändler voller Bildungsdünkel (und Servilität gegenüber den »besseren« Kunden), setzte seinem eifrigen Lehrjungen mit harten Worten und falschen Verdächtigungen zu. Im städtischen Gesangverein trafen sich Deutschnationale und Sozialdemokraten und sangen einmütig: »Wer hat dich, du schöner Wald«.

Hans Werner Richters Lehrherr veranstaltete von Zeit zu Zeit »Dichterlesungen«, die dem Buchhandelslehrling bald zuwider waren. Ein Bild fad-aristokratischer Kulturbetriebsamkeit prägte sich dem Jungen ein, der die Werke des jeweiligen »Dichters« am Büchertisch verkaufen sollte; das Publikum bestand zum Großteil aus »hysterischen Damen«, [2] die bei Balladen zu weinen begannen. Man kam nicht, um Bücher zu kaufen, sondern um den »Dichter« zu sehen. Als ein besonders elegant gekleideter, nach Parfüm riechender Poet [3] (nach längerem Blättern in ersten eigenen Buch) den jungen Lehrling fragte, ob er auch mal ein »Dichter« werden wolle, lautete die Antwort: »Nein, ... ein Seemann.« [4] Der Sechzehnjährige las mit leidenschaftlichem Interesse die Romane Tolstois und Dostojewskis. Nach einer kurzen, unbefriedigenden Zeit als Schiffsjunge zog Richter nach Berlin, wo er in dem Buchhändler Ebersberg einen verständnisvolleren Brotgeber fand. Beim Passieren des Ullstein-Verlagshauses und dem dort hörbaren Rasseln und Pochen der Druckmaschinen fiel Hans Werner Richter wieder die See ein; nun erhoffte er sich Abenteuer und echte Freiheit von der Literatur.

Diese abschließende Episode seines autobiographischen »Romans einer Jugend« [5] hatte für Richters Fortentwicklung ebenso programmatische Bedeutung wie das Leitmotiv des einzigen, als Vorbild konzipierten Protagonisten (Bruder Max), die Internationale. In den folgenden Jahren gehörten Richters Sympathien mehr und mehr dem Sozialismus und einer realistischen Literatur, von der er sich gesellschaftliche Wirkungen erhoffte. [6] Diese beiden fundamentalen Interessen Hans Werner Richters bestimmten auch Art und Richtung seines publizistischen

Debüts im Kriegsgefangenen-Lager Ellis, Illinois, wo er ein Jahr lang (vom 1. September 1944 bis zum 31. August 1945) Mitarbeiter der *Lagerstimme* war. [7]

Bis zum April 1945 begnügte sich Hans Werner Richter (unter dem Eindruck der nationalsozialistisch bestimmten Machtverhältnisse im Lager) [8] mit Theaterkritiken über Aufführungen der Lagerbühne und Glossen über das Lagerleben. Aufmunternde Ermahnungen zu nüchternem Denken und tätiger Anteilnahme an Lagerprojekten sollten der um sich greifenden Lethargie entgegenwirken, [9] die Richter in einem seiner Gedichte festhielt:

Es ist . . .

Es ist ein müder Glanz
der hier von draußen noch
auf unser Leben fällt
Es ist ein Widerschein
der aus den hundert Bogenlampen
in der Nacht
dies karge Leben noch erhellt
es sind Türme
die ein Gott der Zeit
so wachsam rings
um dieses Leben stellt
daß es so eingeengt
sich nur des Abends noch
in unsere Wünsche drängt
und mit dem Morgen geht
wenn es mit einer Pfeife
schrill in unsre Träume gellt
Es ist die Erde
die vom Lehm verkrustet
der Blume sparsam
ihre Säfte leiht
Es ist das Leben
das mit den Drahtgewächsen
um uns zur
immer neuen Wirklichkeit gedeiht
Es ist die Stille
die nun wachsen will
Und halten wir den Atem an
ist hinter blaßgepreßten Bildern
nur noch der größere Wille. [10]

Das Gedicht, dessen Erscheinen mit Hitlers Geburtstag zusammenfällt, hat sicher mehr dokumentarischen als künstlerischen Wert. Richter begrüßte die Möglichkeit, inmitten der kargen Umwelt des Gefangenenlagers gesteigerten Wirklichkeitssinn und klareres politisches Bewußtsein zu entfalten, aber er sah auch die Gefahr einer zu langen Trennung von der »ganzen Fülle und Natürlichkeit« »zwangslosen« Normallebens: »Ein Leben, das in seiner äußeren Einförmigkeit immer nur aus den Quellen unserer inneren Bilder gespeist werden muß, verlangt mehr Kraft, mehr Energie und mehr Sammlung als ein Leben der äußeren Tat.« [11] Das Gedicht spiegelt, oft unbeabsichtigt, in Vokabular und Form die angedeuteten Möglichkeiten und Gefahren wider; die »Quellen . . . innerer Bilder« sind noch deutlich mit Rilke-Anklängen versetzt. So wird die politische Entwicklung zum Werk eines »Gottes der Zeit« stilisiert, während der Lebenswille des Landsers als »der größere Wille« erscheint; durch solche metaphysischen Prägungen und das wiederholte »Es ist . . .« gerät die Aussage ins Unbestimmt-Schicksalhafte. Neben schon anachronistischen Wendungen (»müder Glanz«, »Säfte leiht«, »gedeiht«, »Stille, die wachsen will«) treten nüchterne Zeitrequisiten (»hundert Bogenlampen«, »schrill«) und dem gelegentlichen Reim (»fällt«, 3; »erhellt«, 7; »stellt«, 11; »gellt«, 17; »leiht«, 21; »gedeiht«, 25) wirkt der freie, wenn auch sehr gestaute Rhythmus entgegen. Ungeachtet der geringen literarischen Qualität ist das Gedicht symptomatisch für eine »Lyrik der Kriegsgefangenen«, aus der Hans Werner Richter eine Art »Kahlschlag«-Theorie ableitet. [12] Dieses Gedicht erscheint noch in Richters Lyrik-Anthologie: *Deine Söhne, Europa* (1947). [13]

Am 6. Juli 1945 begann Hans Werner Richter das Thema »Lyrik« in der Gefangenschaft« in der *Lagerstimme* genauer zu untersuchen. Er verzeichnet zunächst die negativen Auswirkungen der langen Kriegsgefangenschaft auf das »seelische Aufnahmevermögen« der Landser: die Sparsamkeit im äußeren Erscheinungsbild des Lagers erlaubt keine natürliche »Reproduktion der seelischen Kräfte«; und mit dem Fehlen der »Farben und Klänge« stellt sich eine weitgehende »Armut des seelischen Empfindens« ein. Aber in dieser Entwicklung sieht Richter neue künstlerische Ausdrucksmöglichkeiten in Sprache und Musik:

> Wird nun der Versuch unternommen von hier aus etwas zu gestalten, es im Wort oder in der Musik zu erfassen, und es bleibt dabei völlig gleich, ob es Gegenstände unserer unmittelbaren Umgebung oder der Erinnerung, also jener Welt sind, von der wir uns schon so weit entfernt haben, muß diese Armut, die sich von dem äußeren Bild auf das innere übertragen hat, nun auch wieder nach außen sichtbar werden. Die im Wort und in der Musik mitschwingende Gefühlswelt wird und muß immer die Empfindungswelt des Gefangenen sein, ob es dabei um die künstlerische Erfassung einer Blume, eines Weges, ja einer Baracke aus unserem unmittelbaren Leben oder um jene Dinge geht, die in uns nur noch als täglich mehr verblassende Bilder lebendig sind. Wie sich aber nun die Empfindungswelt zur Armut neigt, so muß sich auch die Sprache notwendigerweise dieser Entwicklung anpassen, denn auch sie wird ja in ihrem Reichtum oder in ihrer Armut von unseren inneren Kräften gespeist. [14]

Aus den etwas unbeholfenen, extrem hypotaktischen Sätzen schält sich das Postulat einer Kunst der sparsamsten Mittel heraus. Hans Werner Richter hofft, aus der ernüchternden Banalität der Lager-Umwelt werde eine Vereinfachung und stärkere Sachlichkeit der Sprache resultieren; die kargen Darstellungsmittel sollen nicht nur die unmittelbare Lagerumgebung gestalten, sondern auch die unmittelbare Vergangenheit des Kriegsgeschehens (»Erinnerung«, »täglich mehr verblassende Bilder«) [15]; die »Empfindungswelt des Gefangenen« soll die Sprache von allem überflüssigen Ballast befreien. Wenn diese Entwicklung wirklich, wie angenommen, »aus dem Unbewußten kommt«, so folgert Richter weiter, dann muß sie sich in der Lyrik als dem »subtilsten« künstlerischen »Ausdrucksmittel« am deutlichsten abzeichnen. Die deutsche Lyrik hat sich seit der Jahrhundertwende immer mehr »von den strengen Formen des Versmaßes gelöst«; der Expressionismus hat freie Rhythmen bevorzugt und vom französischen Symbolismus eine gesteigerte »Klang- und Farbengebung« übernommen; das Zusammenspiel von ungebundenem Rhythmus und verfeinerter Klangmalerei bildet die »Grundlage einer jeden modernen Lyrik«. [16] Im Erlebnis der Kriegsgefangenschaft hat sich aber das ausgewogene Verhältnis dieser Darstellungsmittel entscheidend zugunsten des Rhythmus verändert:

> Farb- und Klangmalerei, die ja aus dem buntesten Spiel des Lebens erwachsen und gleichsam den ganzen Reichtum des Lebens in seiner unendlichen Fülle an Schönheiten, an Farben und Klängen, zur Voraussetzung hat, muß dem Gesetz der Armut des Gefangenenlebens, das nun auch hier wirksam wird, unterliegen. Klänge und Farben, die in der äußeren Welt nicht gegeben sind, widerspiegeln sich nicht in der inneren, und werden auch in der Lyrik nur in dem Maße sichtbar, wie sie vorhanden sind. Wie aber die Klänge und Farben hier der Sparsamkeit der Sprache weichen müssen, so müssen in dem gleichen zunehmenden wie abnehmenden Verhältnis die ungebundenen Rhythmen immer mehr zu den eigentlichen Gestaltungskräften der Lyrik werden. Die Rhythmen sind überall wirksam. Wo das farbige Wort und der formvollendete Vers in der Sparsamkeit der Sprache ihre Bedeutung verlieren, bleibt nur der Rhythmus, der gerade in der größten Sparsamkeit am wirksamsten werden kann. [17]

Sicherlich ist Richters erste Darstellung lyrischer Stilwandlungen im POW-Lager ein wenig schematisch gezeichnet. Zu rasch setzt er ein Gleichheitszeichen zwischen Umwelt und Innenleben und übersieht, daß der Mangel an Farbe und Klangmalerei im Gedicht nicht unbedingt belebend auf den Rhythmus wirken muß. Dennoch ist Hans Werner Richters verhältnismäßig früh formuliertes Postulat einer »sparsamen« Sprachgestaltung wichtig für die literarische Nachkriegsdiskussion und symptomatisch für die eigenen späteren Prosawerke. Seine Lyrik-Theorie findet zumindest in dem bedeutendsten der Kriegsgefangenen-Gedichte, in Günter Eichs »Inventur« (1945), die schöpferische Entsprechung. [18]

Hans Werner Richter begnügt sich nicht mit den im Lager Ellis formulierten Gedankenansätzen zu einer Kriegsgefangenen-Poetik; ein Jahr später, am 15. September 1946, erscheint ein längerer Beitrag über die »Lyrik der Kriegsgefangenen« in dem von ihm (und Alfred Andersch) edierten (deutschen) *Ruf*. [19] In diesem Beitrag erweitert Richter seine Lyrik-Theorie zu einem literarsoziologischen Entwicklungsbild, das Kriegsgefangenen- und Trümmer-Lyrik als wichtige Faktoren im Prozeß des »geistigen Wiedererwachens« Nachkriegsdeutschlands darstellt. [20] Richter geht davon aus, daß »Millionen junger Menschen, Millionen junger Europäer« das gleiche Kriegsgefangenenerlebnis verbindet. Als beispielhaft empfindet er die fruchtbare Einwirkung der aus Deutschland zurückgekehrten, französischen Kriegsgefangenen auf ein »geistig wiedererwachendes Frankreich«; unter den deutschen Kriegsgefangenen habe die »geistige Wende« später eingesetzt. Der Krieg und die »politische Erstarrung« nach zwölfjähriger NS-Diktatur haben zu »geistiger Betäubung« und nationalsozialistischem »Schlagwortfanatismus« geführt; und selbst »die Rückbesinnung in der seelischen Einsamkeit« sei einer raschen geistigen Wandlung zunächst im Weg gewesen. Jene »Rückbesinnung«, meint Richter, manifestiere sich formal in Gedichten, die mit traditioneller Metrik und reichem Wortschmuck »die Sehnsucht nach der Natur, nach ... dem Glück der

Heimat«, und allgemein nach »verlorenen Dingen« ausdrückten. Positiver beurteilt Richter

jene Gedichte, in denen der Versuch unternommen wird, aus der Perspektive der Gefangenschaft heraus das Zeitgeschehen einzufangen und es als das Zeiterlebnis einer jungen Generation, die durch alle Fegefeuer des Krieges und des Lebens ging, zu formen. In dem Versuch, das Erlebnis dieser Generation in der ganzen aufwühlenden Leidenschaft dieser Jahre, in der Trostlosigkeit des Elends, das ihr auch außerhalb des Stacheldrahts verblieb, zu gestalten, gehen sie in ihren stilistischen Ausdrucksmitteln bereits den Weg, der durch die Gesetze der Gefangenschaft bestimmt wird. ... Nur die äußerste Sparsamkeit im Wort, nur der nüchtern hingesprochene Satz kann in seiner absoluten Einfachheit die dämonischen Bewegungskräfte unserer Zeit, den Hunger, den Krieg, die Zerstörung der Städte, die Einsamkeit des einzelnen inmitten der Masse wiedergeben. [21]

Das stilistische Postulat sprachlicher Nüchternheit und Sparsamkeit der Ausdrucksmittel gilt nach Richters Überzeugung nicht nur für die Lyrik der Kriegsgefangenen, sondern auch für die Trümmerliteratur des Jahres 1946; das unmittelbare »Zeiterlebnis«, ob Krieg oder Hunger, Stacheldraht oder Ruine, verlange nach Gestaltung durch den »nüchtern hingesprochenen Satz«. Richters Versuch, die Erfahrungen der POW-Lager und die Probleme »außerhalb des Stacheldrahts« mit analogen Stilmitteln in Verbindung zu bringen, läuft auf ein Kahlschlag-Postulat hinaus. Die Frage bleibt aber, ob »absolute Einfachheit« dämonischen Bewegungskräften« gerecht zu werden vermag; und während Richter aus den (für alle Altersstufen gültigen) psychologischen Auswirkungen des Lagerdaseins eine karge, rhythmische Lyrik abzuleiten sucht, fordert er von derselben Lyrik, sie solle das »Zeiterlebnis einer jungen Generation ... in der ganzen aufwühlenden Leidenschaft dieser Jahre« zum Ausdruck bringen. Im Grunde glaubt Richter von der Form zu sprechen, wo er Inhalte kennzeichnet und gerät so in die Nähe politischer Polemik zugunsten einer »jungen Generation« der Europäer (»Millionen junger Europäer«).

Die Hintergründe solcher Polemik erhellen aus Richters ersten politischen Beiträgen (ab Mai 1945) in der *Lagerstimme*, Camp Ellis, und im *Ruf*, Fort Kearney. Der Glaube an ein vereintes, demokratisch-sozialistisches Europa resultiert aus Richters Fehleinschätzung der Kriegsfolgen: das Los der vielen »displaced persons« und Kriegsgefangenen verleitet Hans Werner Richter zu der Annahme, ganz Europa sei bereits durcheinandergewürfelt und proletarisiert [22]; da sich die Industrien auf Jahrzehnte hinaus nicht von den Kriegsfolgen erholen würden, müsse Europa sozialistisch werden. [23] Das finanzpolitische Versagen der Weimarer Republik läßt Richter auf die künftige Planwirtschaft nach russischem Muster drängen [24]; andererseits will er keine Diktatur in Kauf nehmen und hofft, Deutschland könne als »Mittler zwischen Ost und West«, [25] zwischen Demokratie und Sozialismus, seine eigene, drohende Spaltung vermeiden. Als die englische Labour-Party im Juli 1945 unter Attlee die Regierung übernahm, sieht Richter seine Vision bestätigt und verkündet den »Weg zu einer demokratischen, sozialistischen Staatengemeinschaft nicht gegen, sondern mit Rußland«: »Nur so kann Deutschland wieder erstehen, nur so kann Europa zu einem stabilen und dauerhaften Frieden kommen.« [26] Immer wieder betont Richter den Übergangszustand der Gegenwart und überträgt der »jungen Generation« verarmter, durch Krieg und Kriegsgefangenschaft belehrter Europäer die Aufgabe, jenes »Interregnum« [27] zu überwinden. Richter erkennt aber auch die Gefahren der Massenpsychose in Krisenzeiten und analysiert die NS-Machtübernahme als einen »Einbruch des Irrationalen.« [28] Er warnt vor jeder Art von ideologischer Polemik gegen Ost oder West und appelliert an eine Literatur nüchterner Vernunft und realistischer Umweltanalyse. Stacheldrahl und Ruine sind für ihn Zeichen der Krise und des notwendigen Umbruchs; die neue Literatur einer »jungen Generation« muß sich diesen Zeitzeichen stellen, das neue Europa mit allen Kräften zu verwirklichen. Das Ende des Ersten Weltkrieges hat eine »Welle der Friedenssehnsucht und der Menschenverbrüderung« ausgelöst [29]; aber idealistische Parolen, wie »Nie wieder Krieg«, [30] oder pazifistische Romane, wie Le Feu (1916) von Henri Barbusse, seien bald in Vergessenheit geraten. Nun kommt es darauf an, »im nüchternen Licht unserer Tage« zu erkennen, »daß der Friede . . . allein eine Sache der wirtschaftlichen und politischen Ordnung« ist. [31] Angesichts der ersten Atombombenabwürfe unterstreicht Hans Werner Richter seine Mahnung zu größter Nüchternheit; jede Form von Nationalismus sei durch solche Waffen zum gefährlichen Anachronismus geworden. Mit einer kaum verhüllten Anspielung auf Ernst Jüngers Roman In Stahlgewittern (1920) verneint Richter entschieden die Auffassung, »Kriege entsprängen einem Naturgesetz« und seien »Stahlbäder, . . . notwendig, um ein Volk in Mut und Tapferkeit zu härten.« [32] Als literarisches Gegengift zitiert er Erich Kästners grotesk-satirisches Gedicht über »Das letzte Kapitel« (1930) menschlicher Selbstvernichtung.

Diese Einsichten und Forderungen Richters (veröffentlicht im Sommer und Herbst 1945 in den USA) machen die Unterschiede zwischen seinen literarischen Postulaten und der Praxis der Kriegsgefangenen-Lyrik verständlicher; wo er eigene Gedichte [33] (und solche anderer Kriegsgefangener [34]) als Beispiele anführt, sieht er sich immer noch gezwungen, zuzugeben, daß die lyrische Gestaltung des Gefangenendaseins nicht auf traditionelle Stilmittel verzichten will:

> Die Einflüsse der jungen Expressionisten, Trakl, Heym, Stadler, sind spürbar, und noch immer wirkt sich die Wortkunst Rainer Maria Rilkes aus. . . . Die Stilmittel des französischen und des deutschen Symbolismus, das Abstimmen der Vokale aufeinander, die Klang- und Tonfarben, werden verarbeitet. Und doch tritt das Wort gegenüber dem mehr tragenden Rhythmus zurück. [35]

Hans Werner Richters literarkritische Postulate richten sich jedoch, seinen politischen Ansichten gemäß, auf »das künstlerische Schaffen aus dem Nichts«, [36] das, wie er glaubt, im Kriegsgefangenenlager seinen Anfang nahm. Im Jahre 1947 leitet er seine Anthologie deutscher Kriegsgefangenen-Lyrik, Deine Söhne, Europa, mit folgenden literarsoziologischen Gedanken ein:

> Ein anderer Ton bestimmt das Leben, ein Ton, der aus der Welt der Trümmer geboren wurde. Er ist näher der Wirklichkeit und näher dem Leben denn je. Der Mensch, in diesen Jahren einer absinkenden bürgerlichen Welt unendlich weit entfernt von der Mitte seines Seins, sucht wieder zu sich selbst durchzudringen, zum Echten, zum

Wahren, zur unmittelbaren Aussage des Gegenständlichen und Erlebten. Die Sehnsucht nach einer »Regeneration des Herzens« verbindet sich mit dem Auftakt zu einem neu sich bildenden Realismus ... Es ist zugleich der Weg der Söhne dieses Krieges aus dem engen Blickfeld ihrer Nation zu dem größeren Land Europa, dem sie angehören. Hinter dem Stacheldraht, der zum Symbol dieser Zeit geworden ist, in der Einsamkeit der abgeschlossenen Welt, die er begrenzt, ist der Pulsschlag der Entwicklung früher spürbar als draußen in der Hast des Getriebes um das tägliche Brot. So kommen auch die ersten Zeichen einer neuen literarischen Entwicklung aus den stacheldrahtumfriedeten Dörfern und Städten dieses Krieges. [37]

Die zentrale Einsicht des Anthologie-Vorworts betrifft das Besondere an dem »neu sich bildenden Realismus«; dieses Besondere ist der Durchbruch zur »unmittelbaren Aussage des Gegenständlichen und Erlebten.« Am Anfang dieses Durchbruchs steht nach Richter der Zwang zur Selbstbesinnung, den die Kriegsgefangenen am intensivsten erlebten. Allerdings scheint das »Gegenständliche und Erlebte« epischen Ausdrucksformen noch näher zu kommen als dem Gedicht.

Diese Tendenz zum Episch-Realistischen bestätigt Hans Werner Richter selbst auf schöpferische Weise im Erlebnis- und Reisebericht, durch direkte Dialogwiedergabe und Reportagestil; seine »Skizzen von einer Reise in die östliche Zone«, »Wo sollen wir landen, wo treiben wir hin?« (1946) [38] sind sprachlich und atmosphärisch gelungene Vorstufen zu Richters im Reportage-Stil gehaltenen Romanen *Die Geschlagenen* (1949) und *Sie fielen aus Gottes Hand* (1951). [39] Nicht nur in der Form, auch im politischen Gehalt weisen Richters Reiseskizzen ein größeres Maß an Wirklichkeitsnähe auf als die meisten seiner politischen Essays. Noch um die Jahreswende 1946/47 polemisiert Richter im *Ruf* für Deutschlands Mittlerrolle zwischen Ost und West und erwartet von der »jungen Generation« entscheidende Schritte zum sozialistischen Europa. [40] In seinen »Skizzen von einer Reise in die östliche Zone« (August 1946) hält Richter aber schon wirklichkeitsnähere Beobachtungen im Berliner Freundeskreis fest: »Einer sagt etwas über die Aufgaben der jungen Generation, von den sozialistischen Aufgaben, die auf uns warten und auf die wir jahrelang gewartet haben. Alle lächeln resigniert.« [41] Der Reisebericht schließt mit einer bemerkenswert nüchternen politischen Prognose zur Frage der deutschen Teilung:

Meine Gedanken wandern noch einmal dem Osten zu. Was drüben geschieht, gleicht einer kalten Revolution, ist eine gewaltsame Veränderung aller bestehenden Lebensverhältnisse, der Erziehung, der Wirtschaft, der sozialen Schichtung, ja der gesamten Struktur der menschlichen Gesellschaft. Was hier geschieht, erscheint wie eine Restauration, eine Wiederholung dessen, was einmal bestand, eine Wiederherstellung rechtsstaatlicher Verhältnisse, wie sie vor 1933 gegeben waren. Beides beginnt sich in den Gesichtern der Menschen auszuprägen, in ihrer Lebensform, ihrer Kleidung, ihrer ganzen Erscheinung. Drüben das proletarische Deutschland, hier die Reste des bürgerlichen. Die Zonengrenze ist der Kaiserschnitt durch Deutschland Mitte. Er kann tödlich sein. [42]

Der Ausschnitt aus Richters Reisebericht macht den Gewinn an sprachlicher Klarheit gegenüber den literarkritischen Richter-Aufsätzen deutlich; die Sätze sind kürzer, parataktischer, übersichtlicher gegliedert. Gustav René Hocke weist (am 15. November 1946) in seinem Ruf-Essay über »Deutsche Kalligraphie« [43]

auf die neue Gattung »kaleidoskopartiger Berichte über Deutschlandfahrten« hin, in denen »plötzlich hell, klar, scharf Wirklichkeit in guter Sprache zu finden« sei. [44] Dieses Urteil trifft auf Hans Werner Richters erste Reiseskizzen in vollem Maße zu. Wenn Richter gefahrvolle nächtliche Grenzüberquerungen, Flüchtlingsgespräche in überfüllten Bahnhöfen, Berliner Trümmerfrauen, betrunkene russische Offiziere beim Tanz, oder eine Nacht auf der heimatlichen Insel Usedom beschreibt, setzt er die emotionalen Akzente sehr sparsam; der Ich-Erzähler bleibt scheinbar unbeteiligter Beobachter, während er Vorgänge und Gespräche abwechselnd szenisch (durch Dialogausschnitt) und panoramatisch (durch das erzählte Bild von Menschen, Landschaften und Städten) wiedergibt. Indem der Erzähler subjektive Kommentare weitgehend vermeidet und seine Beobachtungen wirksam wählt, schafft er eine dichte, belebte und wirklichkeitsnahe Atmosphäre, die der Metapher nicht bedarf:

> Ein russischer Hauptmann steht an der Straße und winkt. Wir halten an. Der Hauptmann zeigt auf den leeren Platz neben mir: »Berlin?« fragt er, »Berlin?« »Dah-dah«, antwortet der Fahrer. Der Hauptmann steigt ein und setzt sich zu mir. Er bietet mir eine russische Zigarette an. Der Fahrer wendet sich um. Er bemüht sich in gebrochenem Deutsch zu sprechen. »Straße schlecht«, sagt er. »Nix gut«, antwortet der Hauptmann und lacht. Plötzlich fährt ein Motorrad an uns vorbei, hält an und bringt uns zum Stoppen. Ein etwas zerzaustes Mädchen springt vom Beifahrersitz und läuft auf den Hauptmann zu. Es kommt zu einer stürmischen, echt russischen Verabschiedungsszene. Der Hauptmann blickt verlegen zu mir herüber. Ich sehe in die Kornfelder hinaus. Wenige Stunden später verlassen wir das gut und eng bebaute Land. Ruinen wachsen vor uns aus der Landschaft heraus. Ruinen umgeben uns. An den Straßen arbeiten Frauen. Sie klopfen Mauersteine ab und karren sie zu wohlgeschichteten Haufen zusammen. Einige von ihnen tragen Höschen, Büstenhalter und Sonnenbrillen, und ihre Lippen leuchten rot in dem flimmernden Ruinenstaub. An einer einsam ragenden Fassade zwischen ausgebrannten und zusammengestürzten Häusern steht auf weißem Grund mit großen, schwarzen Teerbuchstaben: »Wählt Liste 2. Deutschland erwache.« [45]

Richters Bemühen um Einfachheit, Objektivität und Aktualität bestimmt den Stil seiner Reiseskizzen. Er erzählt im Präsens statt im traditionellen Präteritum, reiht kurze, parataktische Sätze aneinander und vermeidet Formen subjektiven Kommentars (Kausalkonjunktionen und wertende Adjektive). Seine Schilderungen sind gerade dort zu Kontur und Intensität erregt, wo sie die Welt der Trümmer sehen (»Ruinen wachsen vor uns ... Ruinen umgeben uns«; »ihre Lippen leuchten rot in dem flimmernden Ruinenstaub«; »einsam ragende Fassade«; »ausgebrannt und zusammengestürzt«). In manchen Sätzen weisen die Gegenstände schon auf mehr als jene pragmatischen Probleme hin, die Gustav René Hocke in seinem »Kalligraphie«-Essay treffend zusammenfaßt:

> Hier gleitet man an den Menschen heran, auch an den andersartigen. ... Der Blick wird schärfer. Allegorisch gesprochen: Angesichts des Leids korrigiert die Schönheit ihre Proportionen. Man sieht die Dinge, wie sie sind, und bezeichnet offen und ohne Arabesken, was man am Rande der Wege und Ruinen findet. Man schildert, aber nicht nur um zu schildern, ebensowenig wie man aus Vergnügen reist. Man schildert, um in dieser Wirklichkeit Antwort und Lösung zu finden ... in Trümmern entdeckt man die ersten neuen Gesetze der soziologischen und psychologischen Wirklichkeit von heute. [46]

Wenn Hans Werner Richter in idiomatischen Gesprächsfetzen oder bewegten Abschiedsszenen die menschlichen Kontakte zwischen Russen und Deutschen kennzeichnet, oder die Schutzlosigkeit und bewunderungswürdige Widerstandskraft der halb bekleideten Trümmerfrauen durch das »leuchtende« Lippenrot im Ruinenstaub festhält, wird die stilistische Nähe zu Ernest Hemingway deutlich.

Im März 1947 empfiehlt Hans Werner Richter (in dem *Ruf*-Beitrag: »Literatur im Interregnum«) [47] den deutschen Nachkriegsautoren die stilistischen Tugenden Hemingways, warnt aber gleichzeitig vor einem Hemingway-Epigonentum. Richters beide Grundthesen lauten: »Realismus — das bedeutet Bekenntnis ... zur Wirklichkeit des Erlebten, das bedeutet, daß sich die Sprache dem Gegenständlichen anpaßt wie ein festgeschneidertes Kleid.« »Das Wirkliche beginnt zugleich hinter der Wirklichkeit, die wir objektiv erfassen.« Während die erste These eine gewisse Affinität zu Sprachreinigungstendenzen (Kahlschlag) impliziert, soll die zweite These eine Verwechslung mit den Theorien des älteren deutschen Realismus (Spielhagen, Fontane) [48] verhindern; das neue Schlagwort heißt »magischer Realismus.« [49] Im Anschluß an seine zweite These nennt Richter »die großen Realisten der Amerikaner«, Ernest Hemingway, William Faulkner und Thomas Wolfe; man könnte zwar »von ihnen ... lernen«, müßte aber erkennen, daß die amerikanische Erlebniswelt von den »Erschütterungen dieser Zeit« in Europa unberührt geblieben sei. Richter warnt vor der Nachahmung deutscher Autoren der Gegenwart: »Der künstlerische Leerlauf der Emigranten war gleich dem ästhetischem Leerlauf der inneren Emigration«; die amerikanische Stilmodelle bleiben daher tiefer verbindlich. Das erweist sich in Hans Werner Richters eigenem, ersten Roman *Die Geschlagenen* (1949), in dem die »Erschütterungen dieser Zeit« (die Materialschlacht bei Monte Cassino und die Kriegsgefangenschaft in den USA) mit dem an Hemingway geschulten Stil eine wirkungsvolle Synthese eingehen.

Mit dem Titel *Die Geschlagenen* sind vor allem jene allseits verkannten deutschen Landser gemeint, die, von der Linken herkommend und gegen Krieg und Nationalsozialismus eingestellt, ihr Leben in Hitlers Armeen aufs Spiel setzen — nach ihrer Gefangennahme durch die Amerikaner richtet sich nicht nur der nationalsozialistische Lagerterror gegen sie, sondern auch die Antipathie der US-Lagerbehörden, die sie zunächst (1943/44) im militärischen Sinne als »Verräter« und »troublemakers« betrachten, [50] und dann (1945) im Kollektivschuld-Sinne als mitschuldig an Krieg und Kriegsverbrechen. [51] Hans Werner Richter hält diese bitteren Erfahrungen in seinem Roman fest, um aufzuklären und richtigzustellen. Die Widmung des Romans läßt Richters eigene politische Position erkennen: »Meinen vier Brüdern, die Gegner und Soldaten dieses Krieges waren, die ein System haßten und doch dafür kämpfen mußten und die weder sich selbst, ihren Glauben, noch ihr Land verrieten.« [52]

Richter erzählt die Erlebnisse des Protagonisten Gühler und einiger Soldaten seiner Einheit, bemüht sich aber um einen historisch stimmigen Hintergrund und verleiht Gühler bis ins Einzelne autobiographische Züge. [53] Da die historischen Ereignisse Einstellung und Verhalten der Protagonisten entscheidend mitbestimmen, handelt es sich im Grunde um einen politisch-realistischen Roman. Die Handlungs-Struktur akzentuiert diese Tatsache: der Roman ist zwar in 30 kürzere Kapitel geteilt, gliedert sich aber dem Inhalt nach in drei große Abschnitte, und zwar Gühlers Teilnahme am Italien-Krieg vom Tage des italienischen Waffenstillstands mit den Alliierten (8. September 1943) bis zu seiner Gefangennahme durch amerikanische Soldaten am 10. November 1943 bei Monte Cassino (p. 203); später Gühlers Verhöre durch amerikanische Offiziere, sein Aufenthalt in einem Sammellager bei Neapel, das Weihnachtsfest 1943 an Bord eines Liberty-Schiffes (das die Kriegsgefangenen am 25. Dezember, nach vier Wochen Überfahrt, an die Küste Virginias bringt) und die Ankunft im Lager in der Nähe von St. Louis (p. 302); zuletzt die schlimmste Zeit des NS-Terrors unter den Kriegsgefangenen (von Januar bis Mai 1944) und, nach der Normandie-Invasion der Alliierten (am 6. Juni 1944), die allmähliche Entspannung der Verhältnisse zwischen Gühlers Gesinnungsgenossen, den amerikanischen Lagerbehörden und den langsam ernüchterten Hitler-Anhängern (p. 459). Beginnt der Roman mit den Auswirkungen des italienischen Waffenstillstands auf die deutschen Landser, so beschreibt das Schlußkapitel die Siegesfeier des US-Lagerpersonals nach der deutschen Kapitulation (8. Mai, 1945).

Nach stilistisch-formalen Gesichtspunkten ergeben sich zwei Teile; der Übergang ist etwa durch Gühlers Gefangennahme gekennzeichnet (p. 200). Hans Werner Richter schildert Gühlers Teilnahme am Italien-Krieg wirkungsvoll durch variierte Stilmittel: der epische Bericht wird oft, wie bei Hemingway, durch Dialoge abgelöst (selten kommentiert durch Gühlers Gedanken) und häufig durch knappe Landschaftsskizzen und naturalistische Details veranschaulicht; einzelne Handlungsausschnitte und Gegenstände gewinnen durch den Zusammenhang wieder die Bedeutung objektiver Korrelate und exemplifizieren Richters Idee des »magischen Realismus.« Die Technik des »understatement« zeigt sich vor allem im stark beschränkten, oft wiederholten Vokabular; sie ist naturalistisch legitimiert durch die ausschließliche Verwendung des Landser-Jargons (bis zum unverblümten Kraftausdruck) in den Dialogen und bestimmt sogar die Wahl der wenigen Bilder. Nur Gühlers Reflexionen zeigen in der spürbaren Rhythmisierung des Sprechmodus Ansätze zum inneren Monolog; Gühler erfüllt in seinen gedanklichen Kommentaren die Funktion des Räsoneurs. Die Einheitlichkeit dieser fast kunstlos wirkenden, aber höchst bewußt gewählten Stilmittel wird dem Thema der ersten Romanhälfte auf bewundernswerte Weise gerecht. Richter zeigt, wie der jahrelang andauernde Krieg die Soldaten und Menschen der betroffenen Gebiete verroht und abstumpft:

Hahnemann kam an den Wagen entlang.
»Es geht weiter«, sagte er, »hier haben schon die Fallschirmjäger aufgeräumt.«
Gühler zog sich die Decke über den Kopf. Die Nacht kam ihm plötzlich kalt und unheimlich vor.
»Aufgeräumt«, dachte er, »aufgeräumt mit der Sehnsucht nach Frieden, mit den Menschen, die müde waren, aufgeräumt, das heißt erschlagen, erschossen, gehängt.«
Er zog die Decke fest um sich und versuchte einzuschlafen. Neben ihm schnarchte Beijerke. . . . (p. 33)

Gühler wandte sich ab. Der Geruch der bettelnden Frauen schien ihm plötzlich unerträglich.

»Hau ab«, sagte er.

Er stieß der Frau mit dem Knie in das Gesäß.

»Hunger«, sagte sie, »Hunger, Herr.«

Er nahm eine Konservenbüchse und warf sie ihr zu. Die Frau verzog das Gesicht. Sie weinte. Die Tränen zogen helle Striche in ihrem weißgepuderten Gesicht. Sie standen um den Wagen herum und schrien. Breutzmann saß auf dem Wagen und schnitt von dem Käse dünne Scheiben ab. Er hielt jede Scheibe hoch, ließ die Frauen danach springen, und warf sie dann auf die Straße.

»Laß den Unsinn«, sagte Gühler.

»Lauter Puffs hier in der Straße, lauter Puffs«, sagte Breutzmann. . . . (p. 38)

»Die plündern die ganze Kaserne aus«, sagte Breutzmann.

»Ja«, sagte Gühler.

Aber sie blieben auf ihren Wagen sitzen und sahen den plündernden Frauen zu. Die Frauen rissen sich die geplünderten Gegenstände aus den Händen und schlugen aufeinander ein.

Immer mehr Frau kamen aus den Häusern.

Dann fuhr ein italienischer Polizeiwagen in die Straße. Die Polizisten auf dem Wagen richteten das MG auf die Frauen. Die Frauen schrien sie an.

»Maledetto fasciste, maledetto fasciste.«

Das MG begann zu schießen. . . . (p. 41).

»Verdammt tüchtig, die Nutten«, sagte Breutzmann. Die Frauen rannten in die Häuser. Langsam leerte sich die Straße. Eine der Frauen blieb auf dem Bürgersteig liegen. Sie schrie. Auf ihrem blaßgrünen Kleid bildete sich in der Nähe des Oberschenkels ein roter Fleck. Die Frau riß ihre Kleider hoch. Ihre zuckenden Oberschenkel hoben sich weiß von den Steinen ab.

»Die hat's erwischt«, sagte Breutzmann.

Gühler sah das Blut auf den Bürgersteig fließen. Die Frau riß ihre Hose von den Hüften. Sie preßte ihre Hände in den Bauch. Das Blut quoll durch ihre Finger. Es lief zwischen ihre Beine auf die Straße.

»Bauchschuß«, sagte Breutzmann.

»Ja, Bauchschuß«, flüsterte Gühler.

Aber sie blieben auf ihren Wagen sitzen und rührten sich nicht. Die Frau schrie gellend auf, wimmerte dann und schwieg. Die italienischen Polizisten nahmen sie auf und trugen sie in das Haus. Eine dichte Blutspur blieb hinter ihnen zurück. Dann wurde es still in der Straße. (p. 42)

Die roten und die grünen Funken sprühten durcheinander unter dem rotgelben Mond.

»Wie ein Feuerwerk im Lunapark«, sagte Grundmann.

Gühler saß auf einem Stein und sah hinüber. Die Schreie wurden zahlreicher. Es waren die Hilferufe der Verwundeten und die Aufschreie der Sterbenden. Er unterschied Schreie und ordnete sie ein.

»Der«, dachte er, »der ist hin.«

Er sah sich selbst sitzen und die Schreie einordnen und er dachte: »Wir haben kein Gefühl mehr in uns, wir sind schon tot, bevor wir sterben.« (pp. 142—143)

Die kurzen Roman-Ausschnitte von dramatischen Kriegs- und Straßenszenen bei Nettuno (pp. 33-42) und Monte Cassino (pp. 142-143) sind sorgfältig komponierte, in sich geschlossene Skizzen. Das äußere Druckbild der vielen Absätze und des wie bei Hemingway angeordneten Dialogs (wobei jeder neue Gesprächsbeitrag einen neuen Zeilenanfang erhält) vermittelt den Eindruck einer atomisierten epischen Struktur; jeder Gesprächsfetzen und jeder Gegenstand besitzt autonome

Bedeutung. Die Gleichwertigkeit aller Details wird auch in der Syntax spürbar; ähnlich gebaute, parataktische Sätze stehen unverbunden nebeneinander; Kausalkonjunktionen sind ebenso selten, wie bei Albert Camus (besonders in *L'Etranger*, 1942) [54] und Ernest Hemingway; größere Eindringlichkeit wird nicht durch subjektive Betonung, sondern durch Wortwiederholung erreicht. Dem Leser wird auf diese Weise der Eindruck vermittelt, er lese das faktische Protokoll eines unbeteiligten Beobachters. Je mehr sich Hans Werner Richter jedoch auf die genau dosierte, fast filmische Wiedergabe äußerlicher Sinneseindrücke beschränkt und den epischen Bericht nur aus Registriertem und Gesprächsfetzen zusammensetzt, desto mehr zwingt er den Leser, nach den nicht »gesagten« Gründen für die Entmenschlichung des Geschehens zu suchen. Das zum Nachdenken zwingende »understatement« wird zum obersten Stilprinzip von Richters Fiktion, nur durchbrochen in den bitteren Einsichten des Protagonisten Gühler.

Hans Werner Richter charakterisiert seine Romanfiguren indirekt durch ihr Verhalten und ihre im Landser-Jargon gehaltenen Äußerungen. Er nuanciert auch hier genau: Hahnemann spricht von »aufräumen« (p. 33), wenn er töten meint, während Gühler die Dinge beim Namen nennt. Breutzmann behandelt und quält die »Nutten« (p. 42) wie hungrige Tiere, Gühler will ihn von dem »Unsinn« abbringen (p. 38). Breutzmann kommentiert den Konflikt zwischen Frauen und Polizisten, als wäre es ein sportlicher Schaukampf (»Verdammt tüchtig, die Nutten«, p. 42) [55] und konstatiert brutal: »Die hat's erwischt« (p. 42). Er registriert die Verwundung mit lakonisch-klinischer Sachlichkeit (»Bauchschuß«, p. 42), aber was er laut »sagt«, kann der mitfühlendere Gühler nur »flüstern« (p. 42). Doch auch Gühler ist kein positiver Held und unterliegt der zunehmenden Abstumpfung durch den Krieg; während er zu Beginn des Romans noch den unmenschlichen Euphemismus in solchen Worten wie »aufräumen« entlarvt (p. 38), [56] macht ihn der dauernde Artilleriebeschuß bei Monte Cassino so gleichgültig, daß er die Schreie Sterbender mechanisch »einordnet« und in Gedanken dem rohen Landser-Jargon verfällt: »Der,« dachte er, »der ist hin« (p. 143).

Objektive Korrelate vertiefen die Wirkung der vielen »understatements« und zielen auf den Sinn der Gegenständlichkeit. Gühler findet die Nacht »plötzlich kalt und unheimlich« (und zieht die Decke »fest um sich«, p. 33), weil er die wahre Natur des Krieges und sein eigenes Ausgesetztsein darin erkennt; die verwundete Frau auf dem Straßenpflaster, die sich entsetzt die Kleider vom Leibe reißt (p. 42), ist in ihrer gequälten Nacktheit ein Emblem seiner Einsicht. Hungrige Frauen schnappen wie Tiere nach dem Käse, und Tränen ziehen Striche durch ihre »weißgepuderten« Gesichter (p. 38); der Krieg hat sie zu Tieren und Masken verwandelt. Das wiederholte »Aber sie blieben auf ihrem Wagen sitzen« (pp. 41-42) klagt den Krieg an, der die Landser zwingt, bei solchen Szenen unbeteiligte Zuschauer zu bleiben. Den stärksten Grad kriegsbedingter Teilnahmslosigkeit und Abstumpfung (»wir sind schon tot, bevor wir sterben«, p. 43) verdeutlicht Richter in der Reaktion Gühlers und Grundmanns auf die Schreie sterbender Soldaten unter Artilleriebeschuß. Das »understatement« ist hier Stilmittel äußerster Inkongruenz; Grundmann findet für das schreckliche Geschehen den entmenschlichten Euphemismus

»Wie ein Feuerwerk im Lunapark«, während Gühler die Schreie, ebenso entmenschlicht, mit mechanischer Genauigkeit »unterscheidet« und »einordnet«. Richter akzentuiert den Eindruck der Gleichgültigkeit durch den Stein, auf dem Gühler sitzt, und durch die genaue Metapher der Selbstentfremdung: »Er sah sich selbst sitzen«. [57] Der kurze Romanausschnitt läßt besonders deutlich erkennen, wie bewußt und ökonomisch Richter seine Mittel wählt.

Die wenigen, aber ungewöhnlichen Metaphern des Romans (die sich fast ausschließlich in der ersten Roman-Hälfte finden) haben an der Entmenschlichung und den zerstörerischen Impulsen des Kriegsgeschehens teil. Die Landschaft wird dem Menschen unverwandt oder voll böser Vorzeichen gegenübergestellt: »Die Nacht kam ihnen von der Straße herauf entgegen. Sie kroch langsam über den Hügel und fraß Häuser, Menschen und Bäume auf ...« [58] »Die dichte Dunkelheit fraß ihn auf ...«; »Ein heftiger Windstoß jagte über sie hin. Die Bäume ächzten und bogen sich. Dann zerriß die Dunkelheit. Wie eine schwarze Wand zerbrach sie vor ihnen ...« [59] »Der Mond schwamm blaß und verloren durch das Feuermeer ...« [60] Durch die Kriegsmaschinerie schafft sich der Mensch seine eigene Apokalypse (»Sie schinden die Erde und verbrennen den Himmel, dachte Gühler« [61]); die Soldaten glauben sich bereits tot (wie Gühler, p. 143), oder sehen so aus: »Ihre Gesichter unter dem Stahlhelm wirkten gleichmäßig und einförmig wie die Gesichter der Toten.« [62]

Den Aufenthalt der Landser in einer von der Bevölkerung geräumten Hafenstadt gestaltet Richter zu einer besonders eindringlichen und unwirklich-grotesken Szene:

> Die Bevölkerung hatte die Stadt verlassen. In den palastartigen Villen am Meer hockte das Schweigen. In den Gärten plätscherten die Springbrunnen, aber das Obst hing vertrocknet und verfault an den Bäumen. Die Türen der Villen standen offen oder waren erbrochen. Über die Marmorfliesen krochen die Ameisen. [63]

Die latente Drohung dieser Szenerie aus Luxus, Gewalt und Verfall teilt sich der abendlichen Landschaft mit (»Draußen lag das Meer, bleiern und tot. Die Schatten der Dämmerung standen am Horizont und kamen langsam über das Wasser gekrochen« [64]) und greift unaufhaltsam auf die Ruhe suchenden Landser über:

> Sie hörten nur das Meer, das sich draußen an der Kaimauer rieb. Gühler spürte den starken, süßlichen Geruch, der aus dem Kopfkissen kam.
> »Eine Frau«, dachte er, »mein Gott, eine Frau.«
> Neben ihm atmete Grundmann tief und schwer.
> »Vielleicht war sie schön«, dachte Gühler, »schön wie die Frauen auf dem Korso von Frascati, die jetzt unter den Ruinen liegen.«
> »Die Ameisen«, flüsterte Grundmann, »merkst du was?«
> »Vielleicht hat sie hier gelegen, vor ein paar Tagen«, dachte er, »und ihre Beine waren jung und schlank.«
> »Die Ameisen«, sagte Grundmann, »hörst du, Gühler, die Ameisen kommen.«
> »Vielleicht war sie allein«, dachte er, »und ihr Mann war unter denen, die ich in die Gefangenschaft fuhr.«
> »Die Ameisen«, schrie Grundmann.
> »Wer?« sagte Gühler schlaftrunken.

Dann sprang er auf. Die Ameisen liefen über seinen Körper. Er spürte sie überall, unter den Achselhöhlen, auf der Brust, zwischen den Beinen. Fahles Mondlicht lag in dem Zimmer. Er sah das Bett, das schwarz von Ameisen war. [65]

Entsetzt taumeln die todmüden Soldaten aus dem Haus und erfahren, daß U-Boote gesichtet wurden; sie müssen die Stadt verlassen: »Der Schlaf hockte auf ihren Schultern ... Ihre Stiefel bewegten sich, aber sie merkten nicht, daß sie gingen ... »Ameisen«, dachte Gühler, »Millionen Ameisen kriechen über die Erde ...« [66]

In konsequenter Steigerung vollendet sich die unbestimmte Drohung der toten Stadt (»tot und ausgestorben, als hätte sie nie ein Leben gekannt« [67]) im Bild der Ameisen. [68] Die unheimliche Natur-Atmosphäre und die abstoßenden Insekten gehören zusammen: Ameisen und »Schatten der Dämmerung« »kriechen« langsam heran, das Schweigen »hockt« sprungbereit in den Häusern und das »bleierne«, »tote« Meer »reibt sich« an der Kaimauer wie ein riesiges, erwachendes Tier. Während Gühler im Halbschlaf das Wunschbild einer schönen, jungen Frau immer deutlicher vor sich sieht, dringt die abstoßende Wirklichkeit des Krieges im Worte von den Ameisen immer lauter an sein Ohr (Grundmann »flüsterte«, »sagte«, »schrie«) [69] und steigert sich zur erschreckenden Vision einer ameisenbevölkerten Erde. [70]

Tod, Trennung und Gefahr, die sich selbst aus Gühlers Wunschbildern nicht mehr verdrängen lassen (die Frau »unter den Ruinen«, ihr Mann in »Gefangenschaft« [71]), sind im Krieg allgegenwärtig; sie erlauben kein Entfliehen in den Schlaf oder in eine integre Welt der Phantasie. In dieser Episode seines Romans erfüllt Hans Werner Richter sein Nachkriegs-Postulat, den Realismus angesichts der »Unsicherheit des Menschen unserer Zeit« »aus der bloßen Wahrnehmung des Objektiven ins Magische« zu »erheben«. [72]

Zwei Metaphern implizieren die zentralen Einsichten (und akzentuieren die epischen Höhepunkte) des Romans; Krieg und Politik erscheinen als »Maschine« und »Karussell«. Als Grundmann Gühler in der verlassenen Hafenstadt fragt, warum er als Hitlergegner für Hitler kämpfe, antwortet Gühler: »ich bin nur ein Rad in einer Maschine, das nicht herausspringen kann.« [73] Nachdem Gühler 14 Tage schwersten amerikanischen Artilleriebeschusses in einem winzigen Unterschlupf am Berghang bei Cassino überstanden hat, ist er am Ende seiner Kräfte: »Gühler schloß die Augen. Die Sterne, die brennenden Berge und der blasse Mond drehten sich über ihm wie ein Karussell.« [74] Nach Gühlers Gefangennahme glaubt er »aus dieser ganzen, dreckigen Totenmaschine« »raus« zu sein, aber Grundmann ist skeptischer und prophezeit eine »neue Maschine«. [75] Die zweite Hälfte des Romans, in der Hans Werner Richter eineinhalb Jahre amerikanischer Kriegsgefangenschaft fast ausschließlich durch Dialoge charakterisiert, gibt Grundmanns pessimistischem Urteil recht. Die »neue Maschine« heißt NS-Terror, denn gegenüber einem Gros fanatisierter Afrika-Korps-Soldaten hält sich das meist verständnislose US-Lagerpersonal strikt an die Genfer Nichteinmischungs-Klausel; man greift erst ein, als der Lagerterror der NS-Schlägertrupps Todesopfer fordert. [76] Für eine richtige Beurteilung der deutschen Linken und des Übergangs der Weimarer

Republik in das Dritte Reich fehlen den meisten Amerikanern die Voraussetzungen; man bleibt den sozialistisch denkenden Anti-Faschisten gegenüber mißtrauisch. Die Schlußsätze des Romans versuchen nicht, die Bitterkeit des Autors über die simple amerikanische Umerziehungsformel (»Kollektivschuld, Salzheringe und amerikanische Geschichte« [77]) zu verbergen; die Metaphern von »Karussell« und »Maschine«, Sinnlosigkeit und Entmenschlichung, die am Ende des Romans noch einmal zusammen erscheinen, richten sich nun gegen mangelndes (US-) Verständnis und ideologisches (NS-) Dogma; ungeachtet des bitteren Tons impliziert der Roman-Schluß Richters ungebrochene Hoffnungsbereitschaft:

> »Du bist ein Idealist«, sagte Konz, »genau so dämlich wie alle andern auch.«
> Gühler sah die Strahlen der Scheinwerfer von den Wachtürmen über sich an der Decke spielen. Immer schneller drehte sich die Decke, wie ein Karussell.
> »Es kann doch nicht immer so weitergehen«, sagte er, »einmal müssen wir doch aus dieser ganzen dreckigen Maschine herauskommen.«
> Aber Konz lachte nur. [78]

Hans Werner Richters bittere epische Rückschau (im Jahre 1949) auf problematische Kriegsgefangenen-Erfahrungen wird verständlicher, wenn man sich seine Schwierigkeiten (als *Ruf*-Herausgeber) mit den amerikanischen Lizenz-Behörden im Jahre 1947 vergegenwärtigt. In gewissem Sinne ergab sich eine ähnliche Konstellation der Kräfte wie im POW-Lager, denn auch deutsche Publizisten griffen die unorthodoxe *Ruf*-Richtung heftig an und trugen zum Lizenz-Entzug durch die US-Militärregierung bei. So warf Carl-Hermann Ebbinghaus, ein Redakteur der (von der US-Armee herausgegebenen *Neuen Zeitung*), bereits am 31. Januar 1947 in einem »offenen Brief« der Ruf-Redaktion »Opposition um jeden Preis« vor. [79] Ebbinghaus nahm den *Ruf*-Hinweis, Besatzungsmächte seien nicht beliebt, [80] aus dem Zusammenhang und betonte, die Not in Deutschland werde »eher mit einer sinnvollen Zusammenarbeit mit den Alliierten beseitigt, als dadurch, daß man nationale Ressentiments unter falschen Voraussetzungen« wecke. [81] Die *Ruf*-Redakteure (Hans Werner Richter und Alfred Andersch) antworteten in der *Neuen Zeitung*, »eine Gruppe durchaus internationalistisch gesinnter junger Sozialisten« wolle sich im *Ruf* ihre kritischen Unabhängigkeit bewahren; es gehe um eine »Grundlagendebatte mit den Mächtigen dieser Welt« und um das »Grunderlebnis der Freiheit«, das man nicht in »homöopathischen Dosen verabreichen« könne. [82] Durch solche freiheitlich-streitbare »Grundlagendebatte« mußte der *Ruf* zwischen alle Stühle geraten; auch die dogmatisch-marxistische Jugendzeitschrift *Der Start*, Berlin, bescheinigte dem *Ruf* unliebsames Ketzertum im Gewande eines »neofaschistischen Existentialismus«. Von dem »unwissenschaftlichen Sozialismus der Enttäuschten« im *Ruf* wollte die orthodoxe Linke nichts wissen. [83] Das *Ruf*-Verbot konnte nicht ausbleiben; Hans Werner Richter (und der *Ruf*-Redakteur Dr. Walter Maria Guggenheimer) wurden im April 1947 in München vor ein amerikanisches Tribunal zitiert. In Gegenwart von sieben hohen US-Offizieren und einem General, vor der Kulisse aller Alliierten-Fahnen, wurde der Vorwurf, »Kritik an der Besatzungsmacht geübt« zu haben, [84] mit der Androhung des *Ruf*-Verbots verbunden, falls die nächste Nummer noch Beiträge dieser Art enthielten. Richter wollte jenem quasi-diktatorischen Ansinnen nicht nachgeben und änderte nichts an der nächsten Nummer, die zwei seiner brisantesten Kritiken gegen die Stagnation des orthodoxen Marxismus (aber auch gegen den »Kapitalismus« des »Bürgertums«) enthielt [85]; so kam es zum Verbot. Drei Tage nach dem Verbot, am 20. April 1947 wurde Richter noch einmal zu einer freundschaftlichen Aussprache mit zwei US-Offizieren gebeten, [86] und man diskutierte darüber, ob Richters »Nihilismus« einem Anarchismus im Sinne Bakunins ähnele; heute [87] hält Hans Werner Richter (unter Hinweis auf den damals noch existierenden Alliierten Kontrollrat), einen Zusammenhang zwischen dem amerikanischen Ruf-Verbot und einer vorherigen sowjetischen Intervention für durchaus möglich. Der ungewöhnliche Versuch, die »junge Generation« zu selbständigem Denken anzuregen, hatte jedenfalls 120 000 Leser beschäftigt.

Die Ruf-Herausgeber suchten nun ein neues Forum für die »geistige Umformung des jungen Deutschland«. [88] Hans Werner Richter versuchte zunächst eine literarkritische Zeitschrift, den Skorpion, zu edieren; im August/September 1947 entstand ein fast 60seitiges Probe-Exemplar mit Literatur- und Zeitkritik, Gedichten und Kurzgeschichten von Wolfdietrich Schnurre, Günter Eich, Alfred Andersch, Walter Kolbenhoff, Nikolaus Sombart, Walter Mannzen und Ilse Schneider-Lengyel [89]; die US-Behörden verweigerten (gestützt auf ein deutsches Gutachten) auch diesmal die Lizenz. In einem längeren Vorwort im unveröffentlichten Probeexemplar des Skorpion blickt Hans Werner Richter noch einmal auf die Ruf-Probleme zurück (»das mißbilligende Gesicht eines Lizenzträgers als Erlebnis der Freiheit« [90]) spricht sich dann aber entschieden für jenes literarisch-organisatorische Engagement aus, das im September 1947 zur Gründung der »Gruppe 47« führte:

> Wir stehen an den Grenzpfählen einer neuen Zeit. Der Blick in das Land jenseits der Grenzpfähle ist uns versperrt. Wir befinden uns zwischen Gestern und Morgen. Unsere Zeit ist ein Niemandsland zwischen den Zeiten. Sie ist voller Dunkelheit. Sie lebt in einer seelischen und geistigen Verwirrung, die ohne Grenzen ist. In einer solchen Zeit wächst der Literatur eine neue Aufgabe zu. Sie muß klären und führen. Sie kann sich nicht zurückziehen. Sie muß auf die Straße gehen und mit der Straße leben. Schon taucht allerorten die Frage auf »Wo steckt unsere junge Literatur?« Nun, sie wird kommen. Sie steht schon diesseits der Grenzpfähle. Wir werden sie sammeln und fördern, wir werden sie zusammenhalten und vorwärtstragen ... [91]

Die politischen Ambitionen, die Richter mit der »klärenden und führenden« Rolle der Nachkriegsliteratur verband, erwiesen sich bald als illusorisch [92]; das Bestreben aber, mit einer Gruppe verbündeter Publizisten und Schriftsteller die Problematik einer solchen Literatur zu diskutieren, führte weiter. Am 10. September 1947 trafen sich die meisten ehemaligen Ruf-Redakteure [93] auf Einladung Hans Werner Richters (im Hause Ilse Schneider-Lengyels) am Bannwaldsee, um den Skorpion vorzubereiten; man las einander Manuskripte und geplante Skorpion-Beiträge vor. Den nachhaltigsten Eindruck hinterließ Wolfdietrich Schnurres kurzer Prosa-Text »Das Begräbnis«, [94] der eine existenzielle Thematik (Gott selbst wird dritter Klasse begraben) mit surrealistischen Motiven, knappem

Hemingway-Dialog (Landser-Jargon und Understatement) und zeitbezogener Gegenständlichkeit verband.

In einem Gespräch mit Hans Werner Richter regte Hans Georg Brenner den Namen der »Gruppe 47« an; Brenner dachte dabei an die spanische »Gruppe 98« um Miguel de Unamuno. [95] Am 7. November 1947 erwähnte ein Beitrag Hans Jürgen Soehrings in der *Neuen Zeitung* [96] die »Gruppe 47« zum ersten Male namentlich. Am 8. und 9. November 1947 traf sich die Gruppe in Herrlingen bei Ulm. Auf dieser Tagung sorgte Alfred Andersch mit dem Vortrag *Deutsche Literatur in der Entscheidung* (1948) für eine fruchtbare literarsoziologische Standortsbestimmung dieses wesentlichsten Forums der deutschen Nachkriegsliteratur, dessen Wirkung bis in die späten Sechziger Jahre reichte.

ZUSAMMENFASSUNG UND AUSBLICK: DER »MAGISCHE« REALISMUS EINER »JUNGEN« NACHKRIEGSLITERATUR

In den Jahren 1944 bis 1947 suchte eine zwangsläufig verspätete Generation deutscher Schriftsteller (geboren etwa zwischen 1905 und 1915) nach einer geeigneten Sprache für ihre Themen — die eigenen Erfahrungen in Krieg und Kriegsgefangenschaft, die unmittelbare Gegenwart in den zerstörten deutschen Städten, und die Hoffnung auf ein demokratisch-sozialistisches Europa. In meiner Untersuchung habe ich versucht, die Ansätze und Probleme dieser literarischen Erneuerung unter den deutschen Kriegsgefangenen in den Vereinigten Staaten aufzuspüren. Die Analyse der dort vor und nach Kriegsende erschienenen Lagerzeitschriften zeigt starke Schwankungen zwischen irrationalen und zeitkritisch-nüchternen Tendenzen, nicht immer deutlich getrennt nach politischen Parteiungen. Der nationalen und militaristischen Tradition entsprechen vitalistisch inspirierte Aufsätze und Gedichte, die den Krieg als Steigerung des Lebens darstellen; traditionelle Metrik und suggestiver Klang (Reim, Alliteration), archaisierende und pseudo-religiöse Metaphern, antithetische Rhetorik und der positive Held kennzeichnen die Neigung zum Irrationalen. Jugendbewegte Vorstellungen äußern sich im Natur-Idyll, im Bilde einer integren Familien-Welt und einer provinziellen Literatur-Auffassung, verbunden mit der vergeblichen Hoffnung auf die »vollen Schubladen« der »inneren« Emigration (Wiechert, Carossa, Ernst Jünger). Die liberal denkenden Anti-Faschisten unter den Kriegsgefangenen betonen weltliterarische Zusammenhänge und die demokratisch gestimmte Tradition Schillers und der Jungdeutschen; sie glauben an die ästhetischen Möglichkeiten des pazifistischen und sozialen Engagements (Kollwitz, Ossietzky, die Emigranten) und der zeitkritischen Satire (Erich Kästner, Tucholsky, Grosz). Die meisten Beiträge sind faktenreiche Analysen der zeitgenössischen Politik und Gesellschaft und der liberalen deutschen Geschichte (1830 und 1848, die Weimarer Republik, der Widerstand der Linken gegen den NS-Staat). Im Gegensatz zu nationalistischen und jugendbewegten Beiträgen (mit ihrem kollektiven und pseudo-romantischen Stil) implizieren die liberalen Aufsätze eine urbanere, durch die Erfahrungen des Einzelnen belegte Wirklichkeit. Ihre Literaturkritik tendiert zur deutschen Existenzphilosophie und zu einem Skeptizismus, der noch mehr Unsicherheit als Konsequenz verrät; christliche und marxistische Impulse mischen sich mit apokalyptischen Visionen und Hoffnungslosigkeit; und eine dogmatischer gestimmte Minderheit nähert sich den ästhetischen Postulaten des sozialistischen Realismus. Die Gedichte liberaler Lagerzeitungen sprechen von der Sinnlosigkeit des Krieges, dem verstärkten Widerstand gegen den NS-Staat und von apokalyptischen Themen (Massengräber, Totenperspektive, drohende Vernichtung der Menschheit).

Die Form dieser lyrischen Versuche ist noch stark in der Tradition der Irrationalität befangen; mit den Gedichten des politischen Gegners teilen sie epigonale Stilmittel (Reim, Alliterationen, Pathos) und überdeutliche Didaktik. Die Sprache der Kriegs- und Hitler-Gegner ist noch nicht frei von militanten, intolerant und irrational gefärbten Vokabeln. Dennoch bezeugen die meisten Prosa-Beiträge der liberalen Kriegsgefangenen ein wachsendes politisches Bewußtsein, zeitkritisches Engagement und ein Anknüpfen an Stil und Thematik der Neuen Sachlichkeit um 1930, das alles begleitet von einer weit skeptischeren Haltung gegenüber ideologischen Programmen.

Auch eine kleine, aber produktive Gruppe von liberalen Schriftstellern unter den Kriegsgefangenen — Alfred Andersch, Hans Werner Richter, Walter Kolbenhoff, Gustav René Hocke und Walter Mannzen — versuchte, die Probleme der politischen und literarischen Situation Deutschlands im »Jahre Null« kritisch zu klären. Ihre Beiträge in einzelnen Lagerzeitschriften und im *Ruf* (in Zusammenarbeit mit den Amerikanern für alle Lager redigiert) lassen erkennen, daß ihnen zur Zeit der deutschen Kapitulation (8. Mai 1945) die politische Bewußtseinsbildung weit wichtiger erschien als ästhetische Probleme. Ungeachtet dieses politischen Primats wählten sie von Anfang an die Literatur (zunächst das zeitkritisches Essay) als das Medium ihrer aufklärerischen Bemühungen und verwiesen, wenn sie von »Freiheit« sprachen, auf die Implikationen der modernen amerikanischen Prosa (Hemingway, Steinbeck, Faulkner, Wolfe) für den »Stil des freiheitlichen Menschen«. [1]

Für eine politische und gesellschaftliche Bewußtseinsbildung empfahlen die kriegsgefangenen Schriftsteller als Gegenmittel gegen den »Einbruch des Irrationalen« [2] die »Besinnung des einzelnen auf sich selbst« [3]; die karge Umwelt und Eintönigkeit des Lebens hinter Stacheldraht kam, ihrer Meinung nach, dieser notwendigen Ernüchterung und Selbstbesinnung entgegen. Sozialwissenschaftliche Kenntnisse (Psychologie, Anthropologie, Soziologie), empirische Methodik und eine hohe Bewertung positiver Fakten dienten ihnen in der Analyse der letzten zwanzig Jahre; einem unter amerikanischem Lagerpersonal anzutreffenden Kollektivschulddenken setzten sie massenpsychologische Erkenntnisse entgegen. Nach bitteren Erfahrungen mit der marxistischen Geringschätzung des Einzelmenschen [4] schienen ihnen die Einsichten Freuds und eine im Ansatz existenzielle Perspektive zukunftweisender. [5] Soweit sie mit amerikanischen politischen Vorstellungen in Berührung kamen, [6] erkannten sie im *One-World*-Konzept Präsident Roosevelts ein gleichgesinntes Bemühen um weltweiten Frieden und die Synthese demokratischer und sozialistischer Tendenzen. Deutschland, so hofften sie, sollte den Blick nach außen, nach Europa, öffnen und Mittler zwischen Ost und West, Freiheit und sozialer Gerechtigkeit werden. [7] Sie wollten aus der Vergangenheit lernen, um möglichst rasch eine grundlegend veränderte Zukunft zu schaffen; nationale und ideologische Affekte schienen ihnen hierbei ebenso hinderlich wie ein Beharren in falschen Kollektivschuldvorstellungen. Allerdings rechneten sie im Jahre 1945 noch nicht mit der endgültigen Spaltung Deutschlands und mit dem Unterschied zwischen Roosevelts idealistischem Vermächtnis und der Praxis der Militärregierungen in den Besatzungszonen.

Eine fruchtbare Wechselbeziehung zwischen Politik und Literatur bestimmte das Debüt dieser Nachkriegsschriftsteller; ihre Literaturkritik wurde zur (bis dahin in Deutschland selten geübten) Literarsoziologie; der totale Ideologieverdacht verwies sie in zunehmendem Maße auf die befreienden Möglichkeiten der Literatur, vor allem des engagierten Erzählens. Die ersten Ansätze dieser Entwicklung lassen sich ebenfalls seit Mitte 1945, in den Kriegsgefangenenlagern, dokumentieren. Die Suche nach literarischen Modellen, die dem Bestreben nach größerer Nüchternheit entgegenkommen, ohne eine bestimmte politische Tendenz zu vertreten, führt zur Bewunderung der amerikanischen Erzähler. »Freiheit« — und das heißt zunächst Befreiung von ideologischer Tendenz und blindem Pathos — kann nur zurückgewonnen werden, wenn die Gegenstände genau geschildert werden, wenn sich zwischen Autor und erzähltes Geschehen möglichst wenig Deutung drängt. Diesen Postulaten wird besonders die *short story* Hemingways und Steinbecks gerecht; Andersch erkennt (bereits im Juni 1945) die Tugenden des szenisch dargebotenen, umgangssprachlichen Dialogs, der jeden Erzähler-Kommentar ausschließt. Indirekte Charakterzeichnung, »understatement«, Montage und betontes Aussparen von Gefühl und Reflexion kennzeichnen einen Realismus, den die kriegsgefangenen Schriftsteller als befreiend und tendenzlos empfinden. Ihrer Gefühlslage entspricht auch die anarchische Drift in der Prosa der modernen Amerikaner, die gewollte Banalität mancher Themen, der Anti-Held als Einzelgänger oder Außenseiter und eine, in Krieg und »Depression« erfahrene »Gefährdung der Welt«. [8] Andersch verkennt diese Drift aber nicht als Nihilismus (wie so viele der deutschen Nachkriegskritiker); vielmehr empfindet er Wert und »Würde des Menschen« in der freiheitlichen Prosa der Amerikaner als »vorausgesetzt«. [9] Im Zusammenhang mit den indirekten Stilmitteln dieses Realismus (vor allem des objektiven Korrelats) spricht Andersch bereits Mitte 1945 von einer »magischen Wirkung«, und würdigt, mit deutlichem Seitenblick auf die deutsche literarische Situation, die »reinigende Kraft« der neuen amerikanischen Prosa. [10]

Hans Werner Richter empfiehlt (und beherzigt) ebenfalls das stilistische Modell der Amerikaner, entwickelt aber seine Postulate einer »kargen« und »sparsamen« Gegenständlichkeit vor allem aus den Daseinsbedingungen der Kriegsgefangenenlager. [11] Dieser literarsoziologische Ansatz führt zur Theorie einer zeitbezogenen, möglichst einfachen, aber rhythmisch belebten Kriegsgefangenenlyrik, die ihre nachträgliche Bestätigung in den Lager-Gedichten Günter Eichs findet. [12] Auch Walter Mannzen erinnert an die belebende Berührung mit amerikanischer Literatur während der Weimarer Republik und Kriegsgefangenschaft. Seine Vorliebe für die Gegenständlichkeit Hemingways, Steinbecks und Faulkners schließt nicht aus, daß er bereits Anfang 1946 (noch als Kriegsgefangener) auf die faszinierenden, »der stärksten Zeitströmung« entsprechenden, Wirkungen des Surrealismus hinweist [13]; die von Mannzen bewunderte Verbindung surrealistischer, traumähnlicher Themen mit einem äußerst konkreten, realistischen Stil nimmt (Mitte 1947) eine Wiederentdeckung Franz Kafkas voraus, die um 1950 das Hemingway-Modell in der deutschen Nachkriegsliteratur ablösen wird. [14] Gustav René Hocke gelangt (Ende 1946) in seinem »Kalligraphie«-Essay anhand von Beispielen des französischen Realismus (Balzac, Gide) zu stilistischen Rezepten, die vieles mit der amerikanischen *short story* gemeinsam haben; eine durchsichtige, gegenständliche Prosa ist, nach Hocke, der geschliffenen symbolistischen Manieriertheit vieler »innerer Emigranten« (Ernst Jünger) vorzuziehen; die jungen Nachkriegsschriftsteller sollen ohne Scheu vor dem »Trivialen« (im Sinne Gides) die Probleme der Zeit durchdringen und zunächst ihre stilistische Unsicherheit in kurzen, skizzenhaften Reiseberichten (auf der Fahrt durch die deutschen Zonen) überwinden. [15] Die politischen Implikationen dieser didaktischen Hinweise werden in der an Brecht erinnernden Formulierung deutlich: »Angesichts des Leids korrigiert die Schönheit ihre Proportionen.« [16]

Als Alfred Andersch und Hans Werner Richter (aus amerikanischer Kriegsgefangenschaft zurückgekehrt) im August 1946 einen deutschen *Ruf* gründen, übernehmen sie Richters (im Juli 1945 geprägten) Begriff der »Jungen Generation« in den Titel der Zeitschrift; [17] sie verbinden damit ihre progressiven politischen und literarischen Vorstellungen. Die politischen Bestrebungen stellen sich, angesichts der Teilung Deutschlands und des Kalten Krieges, bald als vergeblich heraus; aber die Bemühungen um einen neuen Stil führen im Laufe des Jahres 1947 erstmals zu einer echten Durchdringung von Kritik und literarischer Praxis. Hans Werner Richter prägt (im März 1947) den Begriff des »magischen Realismus«, in dem sich äußerste Gegenständlichkeit des sprachlichen Ausdrucks mit einer bedeutungsgeladenen, aber das Wesentliche aussparenden Montage-Technik paaren: »Das Wirkliche beginnt zugleich hinter der Wirklichkeit, die wir objektiv erfassen.« [18] Seit Mitte 1947 [19] übernehmen Andersch und Richter in zunehmendem Maße die existentielle Perspektive der französischen Résistance für eine Erneuerung der Literatur im besetzten Deutschland; der innere Zusammenbruch bürgerlich-geistiger Grundlagen, und der Ausfall einer ganzen Schriftsteller-Generation, die sich im Widerstand gegen den NS-Staat verbraucht hat (und in »Sackgassen der Form« geriet), bestimmen ihre »Nullpunkt«-Haltung. [20] Der Ausspruch des aus göttlicher Vormundschaft befreiten Orest in Sartres *Fliegen* (1947 übersetzt) hat für die »Junge Generation« programmatische Bedeutung: »Alles ist neu hier, alles ist von vorn zu beginnen.« [21] Als die amerikanische Militärregierung im April 1945 den *Ruf* wegen Nihilismus verbietet (obwohl, oder weil die deutschen *Ruf*-Redakteure im Sinne Präsident Roosevelts die Synthese von Freiheit und Sozialismus anstreben), gründet Hans Werner Richter, um ein kritisches Forum bemüht, im Herbst desselben Jahres die »Gruppe 47«. Auf der zweiten Tagung der Gruppe 47 (in Herrlingen, November 1947) liefert Alfred Andersch mit seinem Vortrag »Deutsche Literatur in der Entscheidung« genauere kritische Normen für die »Junge Literatur«. [22] Als die beiden wichtigsten literarischen Zeitströmungen erscheinen ihm Realismus und Surrealismus; Andersch verweist auf die Modelle Sartres, Faulkners und Brechts, würdigt Erich Kästners Zeitsatire *Fabian* (1931) und Anna Seghers *Aufstand der Fischer von St. Barbara* (1932) als stilbildend, und wertet die Prosa Wolfgang Borcherts, Theodor Pliviers, Wolfdietrich Schnurres, Wolfgang Weyrauchs, Elisabeth Langgässers, die Lyrik Günter Eichs und den Essay Stephan Hermlins als vielversprechende Anfänge nach 1945.

Andersch warnt eindringlich vor der Provinzialisierung des Stils nach der langen Isolation und dem dadurch bedingten Rückgriff auf pseudo-romantische oder expressionistische Formen. Die Berührung mit neuen Entwicklungen in »Amerika, Frankreich, England, und Italien« (Vittorini, Silone) [23] soll der »Jungen Literatur« helfen, schöpferisch-kritische Maßstäbe zu erarbeiten.

Wie schwierig es ist, diese zielsicheren kritischen Einsichten in der literarischen Praxis zu verwirklichen, illustrieren die Kriegsgefangenen-Gedichte Hans Werner Richters (1944/45), die ersten Kurzgeschichten und Essays von Alfred Andersch (1945), und Walter Kolbenhoffs im POW-Lager geschriebener Roman *Von unserem Fleisch und Blut* (1945/46). In Richters lyrischen Versuchen sind Nachklänge Rilkes und Heyms unverkennbar; in Anderschs früher Prosa (»Fräulein Christine«; »Die neuen Dichter Amerikas«, 1945) fallen die unscharfen Gleichnisse des frühen Rilke, eine allzu deutliche antifaschistische Didaktik, und gelegentliche Entgleisungen in das Pathos und den militanten Jargon der NS-Presse störend ins Auge. [24] Auch im Kolbenhoff-Roman schwächen didaktische Überzeichnungen und eine nachexpressionistische Neigung zum Exemplarischen die künstlerische Wirkung; Hemingway-Dialoge gehen jedoch mit Elementen der Neuen Sachlichkeit (Parolen, Dokumente, etc., wie bei Döblin interpoliert) eine fruchtbare neue Mischung ein. Die Reiseskizzen Hans Werner Richters im Jahre 1946 (»Wo sollen wir landen, wo treiben wir hin«) [25] weisen bereits viele der Tugenden auf, die Gustav René Hocke kurz darauf (im November 1946) in seinem »Kalligraphie«-Essay fordert [26]; szenische Dialoge, eine sorgfältig auswählende Reportage, Gegenständlichkeit ohne Autorenkommentar, Parataxe und objektives Korrelat verbinden sich zu wirkungsvoller Zeitkritik. In seinem Roman *Die Geschlagenen* (1949) [27] gelingt Richter eine Synthese dieser Stilmittel, die weit über das Dokumentarische (Monte Cassino und amerikanische Kriegsgefangenschaft) hinausreicht; stellenweise erreicht der Roman surrealistische Wirkungen und erfüllt so das Postulat eines »magischen Realismus«.

Alfred Andersch gewinnt im Laufe des Jahres 1947 im politischen und literarischen Essay an Genauigkeit (*Deutsche Literatur in der Entscheidung*, 1948); seine Kritik zweier Romane Thornton Wilders und Ernest Hemingways im Jahre 1951 (»Amerikanische Anarchisten«) [28] ist beispielhaft für faktische Informiertheit, soziologische Dimension, treffsichere Stilkritik und knappe Formulierkunst. Anderschs autobiographischer »Bericht« *Die Kirschen der Freiheit* (1952) ist das literarsoziologische Gegen-Stück zu Richters *Geschlagenen*. Beide Bücher bauen auf dem eigenen Kriegs-Erlebnis ihrer Autoren auf, ohne primär das biographische »Ich« zu meinen; wo Richter den Decknamen »Gühler« und die dritte Person wählt, vermeidet Andersch das »Ich« im betonten Understatement seines Telegrammstils, oder wechselt zum »Wir«: »Sah kürzlich einen dieser italienischen Filme (›Neo-Verismo‹) und hatte Vision, wie wir leben werden.« [29] Es geht um ein Generationenerlebnis und unmittelbare Gegenwart. Aber Anderschs *Kirschen* unterscheiden sich grundsätzlich von Richters *Geschlagenen* durch die existentielle Perspektive; wo Gühler/Richter, ungeachtet aller ideologischen Mißverständnisse an die gesellschaftliche Einsicht seiner Mitgefangenen appelliert, glaubt Andersch nur noch an kurze, individuelle Verwirklichungen der Freiheit »zwischen Gefangenschaft und Gefangenschaft«. [30]

Anhand der vorliegenden Untersuchung scheint es mir geboten, einige liebgewordene Vorstellungen in Verbindung mit »Nullpunkt« und »Kahlschlag« zu korrigieren. Hans Mayer und Urs Widmer entlarven diese Begriffe als gut gemeinte Fehleinschätzungen der faktischen literarischen Entwicklung [31]; der »Kahlschlag«, so schließen sie aus einzelnen sprachlichen Entgleisungen im *Ruf* (1946/47) und aus Wolfgang Borcherts verquollenem »Manifest« (1947), war nicht so »kahl«, und in einer »Nullpunkt«-Situation lebten die expressionistischen Stilmittel fort. Diese Urteile beruhen auf historisch nicht belegbaren Assoziationen, die in den beiden Begriffen potentiell angelegt sind. Weder Andersch noch Richter, weder Hocke noch Kolbenhoff sprachen vom »Nullpunkt«; ihr Drängen nach einem Neuanfang und ihr Gefühl von der »Voraussetzungslosigkeit« im Geistigen [32] entsprang einer bewußt polemischen Identifizierung mit der Ausgangslage der französischen Résistance und deren existentieller Haltung. Der »Kahlschlag« war ein Terminus, den Wolfgang Weyrauch erst im Jahr 1949 für sprachreinigende Tendenzen prägte [33]; Alfred Andersch distanzierte sich aber bereits Mitte 1947 von Weyrauchs »völlig flachen« Realismus-Vorstellungen. [34] Anderschs didaktische Hinweise auf die Tugenden amerikanischer und französischer Erzähler bezeugen, daß es den Initiatoren der Nachkriegsliteratur weniger um das »Wörterbuch des Unmenschen« zu tun war, als um fruchtbare kritische Normen und geeignete literarische Modelle zur Überwindung der großen stilistischen Unsicherheit nach 1945.

Alfred Anderschs »magisch«-realistisches Gedicht »Erinnerung an eine Utopie« (1959/60) und seine »Festschrift an Captain Fleischer« (1968) zeigen, wie einschneidend und nachhaltig das Amerika Roosevelts auf ihn wirkte. Zugleich dokumentieren sie die Unhaltbarkeit der These vom »Geschlagenen Revolutionär« Andersch. [35] Das Trauma der Gestapo-Verhöre und KZ-Erlebnisse von 1933 determiniert nicht, wie Reich-Ranicki meint, die Flucht-Motive und den Ideologie-Verdacht in Anderschs Werk; spätestens im September 1945, in Fort Getty, ist dieses Trauma überwunden, und der »weltweite New Deal« Roosevelts beginnt, Andersch zu faszinieren. [36] Es ist die ersehnte Synthese von Sozialismus und Freiheit, die den Ideologie-Verdacht bedingt, und die Flucht-Metaphern sind existentielle Proteste gegen die Entmenschlichung durch Macht-Doktrin und Systemzwang; [37] in allen Andersch-Erzählungen finden sich Beispiele menschlich-moralischen Triumphs (oder Versagens) in der Krise. Der engagierte Schriftsteller gibt sich nicht geschlagen.

Anderschs existentielle Perspektive und Richters karger, realistischer Stil kennzeichnen, zusammen mit dem Ideologieverdacht und der engagierten Darstellung der Gegenwart, bereits den Abschluß der ersten nachkriegsliterarischen Phase; von 1947 bis etwa 1952 streben außer ihnen auch Günter Eich, Hans Erich Nossack, Heinrich Böll, Wolfdietrich Schnurre und Wolfgang Koeppen nach Überwindung von Rilke-Ton und Expressionismus durch einen gegenständlichen und gefühlsarmen, aber »magischen« Realismus. Das Jahr 1949 markiert vielleicht den Höhepunkt des Hemingway-Einflusses in Deutschland.* Böll, Schnurre, Richter und Andersch bezeugen seinen Einfluß in ihren Erzählungen, Romanen, Aufsätzen und im Gespräch. [38]

Zugleich mit dem realistischen Modell amerikanischer Erzähler wirkt, in minderem Maße, die surrealistische deutsche Tradition (z. B. Arp, Canetti) stilbildend in der Prosa Ernst Kreuders, Ilse Aichingers, Wolfdietrich Schnurres und den Hörspielen Günter Eichs fort. Nach 1950 beginnt der Surrealismus, über Sprache und Thematik hinaus, auch die Erzählstruktur nachdrücklicher zu bestimmen, bis er, wie in Ilse Aichingers *Spiegelgeschichte* (1952), zum wirksamen stilistischen Grundprinzip wird. Aber mit dem Jahre 1952 wird die deutsche Literatur wieder »literarischer« und stilisierter; sie findet in der Prosa (Walter Jens) zu differenzierteren Vorbildern zurück, in der Lyrik (Ingeborg Bachmann) zum *poeta doctus* und zu den Modellen T. S. Eliot, Pound, Auden und Benn; das Drama löst sich mehr und mehr von den spielerischen Vorbildern Wilder und Anouilh zugunsten der engagierten epischen Theater-Tradition Bertolt Brechts. Die Themen der Trümmerliteratur sind nach 1952 nicht mehr beliebt (bis man sie nach 1960 unter anderem Blickwinkel wieder aufgreift), aber einige literarsoziologische Impulse der ersten Nachkriegsphase wirken unvermindert fort, am deutlichsten die Fixierung auf den faschistischen Einbruch; auch nach 1960 bleibt diese Fixierung spürbar, nun vor allem auf das Autoritäre »um uns« gerichtet. Der totale Ideologieverdacht der frühen Nachkriegszeit besteht bis in die späten 50er Jahre; das Gefühls-Tabu bleibt auch darüber hinaus ein wichtiges ästhetisches Prinzip deutscher Autoren. Die Orientierung der Nachkriegsliteratur zur Soziologie hin bestimmt auch die Literatur der 60er Jahre, die in ihren gedanklichen Konflikten dem methodologischen Streitgespräch der Positivisten (Popper, Topitsch) und der Hegelschen Linken (Adorno, Habermas) merkwürdig nahesteht. Vieles in diesen Entwicklungen spricht dafür, daß die Grundgedanken der Gruppe 47 und die in den US-Kriegsgefangenenlagern gewonnenen Einsichten ihrer Initiatoren noch eine Generation später nicht aufgehört haben, in neuen Formen fortzuwirken.

---

* Es scheint mir von einiger Ironie, daß Hemingway selbst (der deutschen Nachkriegsautoren den Rilke-Ton abgewöhnen sollte) Rilkes *Cornet* (1899) schätzte und von Heinrich Mann nichts hielt (in: *Green Hills of Africa*, 1935).

Einleitung

1 Cf. »Stimmen eines anderen Deutschland?«, in: *Neue Schweizer Rundschau*, XIII (1946), pp. 537–547.
2 Hans Mayer, »Zwei Bücher von Ernst Wiechert«, in: H. Mayer/S. Hermlin, *Ansichten über einige neue Schriftsteller und Bücher* (Wiesbaden, 1947), p. 62.
3 *Ibid.*, p 67.

Kapitel I. Im »Goldenen Käfig«

1 Auch »POW-Lager« genannt, nach dem amerikanischen »Prisoner-of-War«; die deutschen Kriegsgefangenen erhielten in den USA einheitliche, graue Anzüge mit den Buchstaben »PW« auf dem Rücken.
2 Cf. John Brown Mason, »Wie Amerika während des Kriegs über Deutschland dachte«, *Die Amerikanische Rundschau*, May 1947, pp. 117—126; Mason weist darauf hin, daß die Zahl der Veröffentlichungen über Deutschland während der Kriegsjahre auf ca. 50 Bücher und Zeitschriftbeiträge pro Monat anstieg; sie wurden in einer besonderen Bibliographie *in Re: Germany* besprochen (p. 119).
3 *Ibid*, 117.
4 Hermann Rauschning, *Die Revolution des Nihilismus* (Zürich, 1938); *The Revolution of Nihilism* (New York, 1940); *The Voice of Destruction* (New York, 1940).
5 Heinrich Fränkel, *People Versus Hitler* (New York, 1942); Kressman Taylor, *Until That Day* (New York, 1942); John B. Jansen und Stefan Weyl, *The Silent War* (New York, 1943).
6 Martin Niemöller, *Gott is my Führer* (New York, 1941).
7 Anna Seghers, *The Seventh Cross,* Übers. James A. Galston (Boston, 1942).
8 Mason, »Wie Amerika...«, p. 119.
9 Henry Ehrmann, Institute of World Affairs, New York, wurde im Jahre 1945 in Fort Getty, R. I., »Lehrer für deutsche Geschichte« im Rahmen von Sonderkursen zur Re-Demokratisierung deutscher Kriegsgefangener; vgl.: Alfred Andersch, »Getty oder Die Umerziehung in der Retorte«, Frankfurter Hefte, November 1947, p. 1092.
10 Mason, »Wie Amerika...«, p. 120; Hiram Motherwell, *The Peace We Fight For* (New York, 1943); Paul Hagen, *Germany After Hitler* (New York, 1944).
11 Mason, »Wie Amerika...«, p. 121.
12 *Ibid.*
13 William Shirer wurde vor allem durch die folgenden Bücher über Deutschland bekannt: *Berlin Diary* (New York, 1941) und *The Rise and Fall of the Third Reich* (New York, 1960).
14 Mason, »Wie Amerika...«, p. 121.
15 Im Jahre 1944 schlug Sumner Welles (in *Times for Decision,* New York, 1944) vor, man solle Deutschland in drei etwa gleich große Staaten aufteilen, um dem deutschen Militär jede zukünftige Aggressionsmöglichkeit zu nehmen. Ostpreußen und Teile des »Korridors« einschließlich Danzig sollten an Polen abgetreten werden, nach-

dem man die deutsche Bevölkerung ins Reich überführt hatte. Diesem »harten Kurs« schlossen sich diejenigen an, die auf freundliche Beziehungen zu der Sowjet-Union Wert legten. Die Pläne des damaligen Kabinettmitglieds Henry Morgenthau wurden von ihnen lebhaft unterstützt. Morgenthaus Buch *Germany is Our Problem* (New York, 1945) konzentrierte sich auf die Verhinderung künftiger deutscher Angriffe durch Entmilitarisierung, Gebietsabtrennungen im Osten und Westen, Internationalisierung des Ruhrgebietes und Steigerung der deutschen landwirtschaftlichen Produktion. Gegen solche »Pastoralisierungs«-Pläne wandten sich angesehene Wissenschaftler, sowie das »Brookings Institute«. Walter Lippman warnte in seinem Buch *US War Aims* (New York, 1944) vor jeder unrealistischen Planung, die aus abstrakten Überlegungen resultiere. Am wichtigsten erscheint Lippmans Vorschlag, Deutschland nach einer gründlichen Entmilitarisierung »in eine europäische Gemeinschaft einzubauen«, da eine »fortdauernde Isolierung keine Lösung der deutschen Frage« mit sich bringe (Mason, »Wie Amerika . . .«, p. 123.

16 Mason, »Wie Amerika . . .«, p. 123.
17 *Ibid.*
18 *Ibid.*
19 *Ibid.*
20 *Ibid.*, p. 124.
21 Cf. Alfred Andersch, »Die Kriegsgefangenen, Licht und Schatten—eine Bilanz«, *Der Ruf*, 15. Oktober 1946, pp. 6—7.
22 John Brown Mason, »German Prisoners of War in the United States«, *The American Journal of International Law*, 39 (1945), p. 206.
23 Andersch, »Die Kriegsgefangenen«, p. 6.
24 *Ibid.*
25 Mason, »German Prisoners of War«, p. 206.
26 Andersch, »Die Kriegsgefangenen«, p. 6.
27 E. g., *Tales of Manhattan* (1944); cf. »Hollywood kann auch anders«, *PW*, Fort Devens, Mass., March 1, 1945, p. 12; cf. *infra*, Kap. IV, Anm. 88.
28 Cf. Johann Gottschick, *Psychiatrie der Kriegsgefangenschaft* (Stuttgart, 1963), p. 12.
29 Andersch, »Die Kriegsgefangenen«, p. 6.
30 Cf. Wolfang Hildebrandt, »Zauberberg und Kriegsgefangene«, *Der Ruf*, USA, October 1, 1945, p. 5.
31 Cf. Hans Wener Richter, *Die Geschlagenen* (München, 1949), pp. 303—353.
32 Mason, »German Prisoners«, p. 202; dort heißt es wörtlich: »The members of the proud Afrikakorps are therefore the veterans among the German ›PWs‹. Picked for physical and soldierly qualities, and having the reputation of possessing strong National Socialist sentiments, their average age even today (1945) is only twenty-three years—a sharp contrast to the age range of sixteen (or less) to sixty-nine years of age which the writer noted among arrivals from France and Belgium.«
33 Richter, *Die Geschlagenen*, pp. 389—92.
34 Andersch, »Die Kriegsgefangenen«.
35 *Ibid.*
36 Gottschick, *Psychiatrie*, p. 12.
37 *Ibid.*
38 »Vor dem 7. Mai«, *Der Ruf*, USA, December 1, 1945, p. 8.
39 *Ibid.*
40 Nach Angaben von Hans Werner Richter im Gespräch mit dem Verf.. Richter wurden diese Zahlen in Fort Kearney, R. I., genannt. Eine Notiz in den Spalten des *Ruf*, USA, April 1, 1945, p. 8, macht deutlich, daß es sich bei diesen Zahlen um keine Übertreibung handelt; die Notiz aus Camp Tonkawa, Oklahoma, lautet: »Ende Januar 1945 wurden die Unteroffiziere Walter Beyer, Berthold Siedel, Hans Demme, Willi Scholz und Hans Schomer durch ein amerikanisches Kriegsgericht wegen Mordes an ihrem Mitgefangenen, dem Unteroffizier Johann Kurze zu Tode verurteilt. Kurze

wurde am Morgen des 5. November 1943 ... mit Knüppeln und Flaschen erschlagen. Sie gaben die Tat zu.«

41 Cf. Richter, *Die Geschlagenen*, pp. 330—41; die Lagerbehörden erfuhren auch nur selten von den Maßnahmen der NS-Anhänger im Lager, denn auch hier verlegten Drohungen der NS-Anhänger den Weg zu den US-Lagerbehörden. Richter beschreibt (pp. 323—28), wie ein von dem NS-»Rollkommando« brutal zusammengeschlagener Landser vor dem deutschen Lagerarzt angeben muß, er sei auf dem Fußballplatz gefallen; durch dieses Tarnmanöver dringt wenig von der Wahrheit zu den US-Lagerbehörden durch.

42 »Vor dem 7. Mai«.

43 *Ibid.*

44 *Ibid.*

45 Nach dem *Christian Science Monitor*, September 29, 1945, waren zu diesem Zeitpunkt die ersten 340 Absolventen der Getty-Kurse bereits nach Europa unterwegs.

46 Nach Angaben von Andersch und Kolbenhoff im Gespräch mit dem Verf. (10. 9. 1968 und 30. 9. 1968). Cf. »Ein Jahr *Ruf*«, *Der Ruf*, March 1, 1946, p. 1.

47 Major General Lersch, »Aufruf«, *Der Ruf*, USA, June 1, 1945, p. 8.

48 Walter Mannzen, »Der Weg aus der Isolierzelle«, *Der Ruf*, USA, June 15, 1945, p. 8.

49 Mason, »German Prisoners«, p. 204.

50 E. g., »Was geschah am 20. Juli 1944«, *Das offene Wort*, Camp Wheeler, Georgia, August 1945, pp. 1—3, worin auf die *New Yorker Staatszeitung und Herold* verwiesen wird.
Der *Chesterfield-Herold*, Camp Chesterfield, Missouri, May 1945, p. 19, empfiehlt folgende Zeitungen zur Lektüre: *New Yorker Staatszeitung und Herold*, *Deutsche Blätter* (Santiago de Chile), *Neue Volkszeitung* (New York), und *German-American* (New York). Im Juli 1945, p. 20 verweist der *Chesterfield-Herold* auf die *New York Times Book Review*.

51 Diese unveröffentlichten Kriegsgefangenen-Zeitungen befinden sich in der Library of Congress, Washington, D. C. unter der Archivnummer D 731-G 596-Folio. Die 56 Folio-Bände wurden in der Library of Congress auch auf Mikro-Film (No. 10779) aufgenommen.

52 Cf. *Der Ruf*, USA, April 1, 1946, p. 8.

53 Die einzelnen Titel sind alphabetisch aufgeführt in: Karl J. Arndt and Lee Olson, *History of German-American Newspapers and Periodicals 1730—1955²* (New York, 1965), pp. 60—64.

54 Cf. Mason, »Wie Amerika ...«, p. 124; Mason erwähnt, daß Prof. Henry Ehrmann 1943 in *The New Republic* einen Beitrag gegen den »harten Kurs« von Kingsbury Smith schrieb. Prof. Ehrmann war auch Geschichtslehrer in Fort Getty (Cf. Andersch, »Getty«).

55 KK (nur mit Initialen gezeichnet), »Die geistige Brücke«, *Der Ruf*, USA, Nr. 16, November 1, 1945.

56 Nach Andersch im Gespräch mit dem Verf. am 10. 9. 1968; demnach war auch Robert H. Pestalozzi als Zensor in Ft. Kearney, R. I., tätig.

57 »Die geistige Brücke«.

58 *Ibid.*; in Camp Ruston, La., befanden sich 3 000 bis 6 000 deutsche Anti-Nazis, ebenso in Fort Devens, Mass.

59 »Die geistige Brücke«.

60 *Ibid.*, Unterabschnitt »Erste Anfänge«.

61 Wolf Dieter Zander, »Freiheit hinter Stacheldraht«, *Der Ruf*, USA, December 1, 1945, p. 1; obwohl der Verfasser des Beitrags nicht im *Ruf* genannt wird, erwähnt die *New York Herald Tribune*, October 30, 1945, seinen Namen, denn Zander hält den Beitrag als Vortrag im Rundfunk innerhalb des vielbeachteten »Forum der NY. Herald Tribune«.

62 *Ibid.*
63 *Ibid.*, p. 2, Abschnitt 6.
64 Zander, »Freiheit«, p. 2.
65 *Ibid.*, auch Gustav R. Hocke kennzeichnet in dem Aufsatz »Briefe zwischen Konti-nenten«, *Deutsche Beiträge*, October 1947, p. 555, den Fatalismus der Europäer als gefährliches Resultat des II. Weltkriegs.
66 »Die geistige Brücke«; Untertitel: »Erste Anfänge«.
67 *Ibid.*, Untertitel »Die Ideenfabrik.«
68 *Ibid.*, p. 2.
69 *Der Ruf*, April 1, 1946 p. 3, Abschnitt 1.
70 *Der Ruf*, March 1, 1945, p. 2, Abschnitt 1.
71 »Goodbye to ›Der Ruf‹«, *Der Ruf*, April 1, 1946, p. 1.
72 »Ein Jahr ›Ruf‹«, *Der Ruf*, March 1, 1946, p. 1.
73 »Ein Jahr ›Ruf‹«, *Der Ruf*, March 1, 1946, p. 1.
74 *Ibid.*, p. 2.
75 Cf. »Guard-house und ›Der Ruf‹«, *Der Ruf*, March 1, 1946, p. 2; *Der Ruf* entstand in der Wacht-Stube des Lagers. In »Ein Jahr ›Ruf‹«, *ibid.*, heißt es: »Die Nachfrage war größer als die Auflage, obwohl die Vertriebskurve sich stetig und steil aufwärts entwickelte.«
76 Cf. Curt Vinz, »Das freie Buch«, *Der Ruf*, April 1, 1946, p. 5; Vinz nennt Schön-stedt einen »maßgeblichen Förderer der Bücherreihe«.
77 Nach Angaben von Alfred Andersch (Gespräch vom 10. 9. 1968).
78 Curt Vinz, »Das freie Buch«.
79 Folgende Bücher der *Bücherreihe Neue Welt* waren für die Unterhaltung und Ent-spannung der Kriegsgefangenen bestimmt: Vicki Baum, *Liebe und Tod auf Bali* (Amsterdam, 1937) und Eva Curie, *Madame Curie* (Paris, 1938).
Weitere Brücken zur Weltliteratur entstanden durch die Wahl von William Saroyan, *Die menschliche Komödie (The Human Comedy*, New York, 1943) und Joseph Conrad, *Der Freibeuter*, Übers. Elsie McCallum (*Romance*, London, 1903).
Das kulturelle Erbe weiter zurückliegender Kunst-Tradition in Deutschland sollte durch einige Auswahlbände bewußter gemacht werden: *Briefe deutscher Musiker*, *Die schönsten Erzählungen deutscher Romantiker*, und *Heinrich Heines Meisterwerke in Vers und Prosa*.
80 Folgende Werke verbotener und Emigranten-Literatur sind hier zu nennen: Leonhard Frank, *Die Räuberbande* (Stockholm, 1939); Franz Werfel, *Die vierzig Tage des Musa Dagh* (Berlin, 1933), *Das Lied von Bernadette* (Stockholm, 1941); Thomas Mann, *Der Zauberberg* (Berlin, 1924), *Achtung Europa*, Essays (Stockholm, 1938), *Lotte in Weimar* (Stockholm, 1939) und Carl Zuckmayer, *Ein Bauer aus dem Taunus* (Berlin, 1927), *Der Hauptmann von Köpenick* (Berlin, 1931).
81 Von Ernest Hemingway erschienen vor dem II. Weltkrieg im Rowohlt Verlag, alle in der Übersetzung von Annemarie Horschitz-Horst: *Fiesta (The Sun Also Rises)*, (Ber-lin, 1928); *Männer (Men Without Women)*, (Berlin, 1929); *In einem anderen Land (Farewell to Arms)*, (Berlin, 1931); *In unserer Zeit (In Our Time)*, (Berlin, 1932).
82 Zur großen Bedeutung des Hemingway-Romans für die deutsche Kriegsgeneration: cf. Erich Pfeiffer-Belli, »Wem die Stunde schlägt«, *Der Ruf*, 15. November 1946, p. 5.
83 Vinz, »Das freie Buch«.
84 Cf. Andersch, »Die Kriegsgefangenen«.

KAPITEL II. DEUTSCHE NACHKRIEGSSCHRIFTSTELLER ALS KRIEGSGEFANGENE

1 »Die geistige Brücke«, Untertitel: »Das Arbeitsfeld vergrößert sich«.
2 *Ibid.*; man schickte dann vier der neuen Leute und sechs der urpsrünglichen Van

Etten Gruppe nach Frankreich (Cherbourg) wo sie in einem ähnlichen Lager arbeiten sollten.

3 *Ibid.*

4 Cf. Hans-Joachim Wißmann, Leserbrief, *Die Amerikanische Rundschau,* II (1946), p. 125.

5 »Die geistige Brücke«.

6 *Ibid.*

7 Der Verfasser sprach mit Alfred Andersch am 10. 9. 1968, mit H. W. Richter am 1. 10. 1968, mit Kolbenhoff am 30. 9. 1968 und Mannzen am 30. 11. 1968.

8 Zur Veranschaulichung dieser Tatsache nenne ich die wichtigsten Bücher und Essays der genannten Autoren:
Alfred Andersch, *Deutsche Literatur in der Entscheidung* (Karlsruhe, 1948); *Die Kirschen der Freiheit,* Ein Bericht (Frankfurt, 1952); *Sansibar oder der letzte Grund* (Olten und Freiburg i. Br., 1957); *Geister und Leute,* Zehn Geschichten (Olten und Freiburg i. Br., 1958); *Die Rote* (Olten und Freiburg i. Br., 1960); *Ein Liebhaber des Halbschattens,* 3 Erzählungen (Olten und Freiburg i. Br., 1963); *Die Blindheit des Kunstwerks und andere Aufsätze* (Frankfurt/M., 1965); *Efraim* (Zürich, 1967). Weitere wichtige Aufsätze der Nachkriegszeit:
Alfred Andersch, »Die neuen Dichter Amerikas«, *Der Ruf,* USA, June 15, 1945, p. 5; »Das junge Europa formt sein Gesicht«, *Der Ruf,* München, 15. August 1946; »Die Kriegsgefangenen«,; »Getty«,; »Das Gras und der alte Mann«, (Über Wolfgang Borchert), *Frankfurter Hefte,* (1948), p. 928; »Mit den Augen des Westens« (Thomas Mann als Politiker, 1952) zuerst erschienen in: *Texte und Zeichen,* I (1955).
Hans Werner Richter, *Die Geschlagenen* (München 1949); *Sie fielen aus Gottes Hand* (München, 1951); *Spuren im Sand* (München, 1953); *Du sollst nicht töten* (München, 1955); *Linus Fleck oder der Verlust der Würde* (München, 1959); *Menschen in freundlicher Umgebung,* Erzählungen (München 1965); *Blinder Alarm, Geschichten aus Bansin* (Frankfurt/M., 1970); *Deine Söhne, Europa,* Kriegsgefangenenlyrik, Hrsg. H. W. Richter (München, 1946). Wichtige Aufsätze: Hans Werner Richter, »Ost und West«, Der Ruf, USA, September 1, 1945; »Der Einbruch des Irrationalen«, *Der Ruf,* USA, December 1, 1945; »Lyrik der Kriegsgefangenen«, *Der Ruf,* München, 15. September 1946; »Literatur im Interregnum«, *Der Ruf,* München, 15. März 1947.
Walter Kolbenhoff, *Von unserem Fleisch und Blut* (München, 1947); *Heimkehr in die Fremde* (München, 1949). *Das Wochenende* (Freiburg i. Br., 1970). Aufsätze in *Der Ruf,* München 1946/47 und *Die neue Zeitung,* München, 1946—49.
Gustav R. Hocke, *Der tanzende Gott* (München, 1948); *Manierismus in der Literatur,* Rowohlts deutsche Enzyklopädie (Hamburg, 1959). Essays: Gustav R. Hocke, »Deutsche Kalligraphie oder: Glanz und Elend der modernen Literatur«, *Der Ruf,* 15. November 1946.
Walter Mannzen, *Die Eingeborenen Australiens* (Hamburg, 1949); *Almanach der Gruppe 47,* Hrsg. Walter Mannzen und H. W. Richter (Hamburg, 1962). Aufsätze: Walter Mannzen, »Hat Weimar versagt«, *Der Ruf,* USA, October 15, 1945, p. 1; »Überwindung des Hasses«, *Der Ruf,* USA, December 15, 1945, p. 2; »Surrealismus«, *Der Ruf,* USA, February 15, 1946, p. 6; »Amerikanisches in Deutschland«, *Der Ruf,* April 1, 1946, p. 4; »Die Selbstentfremdung des Menschen«, *Der Ruf,* München, 1. September 1946.

9 Walter Kolbenhoff, *Untermenschen* (Kopenhagen, 1933); *Moderne Ballader* (Kopenhagen, 1936).

10 Alle Zitate gehen auf das Gespräch Kolbenhoffs mit dem Verf. vom 30. 9. 1968 in München-Germering zurück.

11 Dieser Hinweis ist für Kolbenhoffs weitere Erkenntnis wichtig, daß die ideologisierte Sprache dringend der Reinigung bedurfte.

12 Kolbenhoff im Gespräch, 30. 9. 1968.

13 *Ibid.*

14 Kaum war man dort angelangt und ausgeschifft worden, begann sich die Nachwir-

kung der Hitler-Propaganda unter den deutschen Mitgefangenen Kolbenhoffs zu zeigen. Angehörige einer besonders militant eingestellten NS-Fallschirm-Einheit wollten den anderen klar machen, daß die überall zu sehenden Autos nur aus Propaganda-Gründen dort abgestellt worden wären. Später behauptete man ähnliches von den Zeitungen und Zeitschriften, die auf ihren Bildern den hohen Lebensstandard der Vereinigten Staaten erkennen ließen.

15 Kolbenhoff kam in das größere Anti-Nazi-Compound, in dem sich ca. 6000 deutsche Kriegsgefangene befanden; die drei anderen Ruston-Lager enthielten Offiziere, Nicht-Deutsche und Nationalsozialisten.

16 Nach 6 Stunden Arbeit kamen nur 40 Pfund Baumwolle in dem 6 m langen Sack zusammen, den man über den Rücken gehängt hatte.

17 Walter Kolbenhoff, *Von unserem Fleisch und Blut* (München und Stockholm, 1947).

18 Dieser Hinweis entstammt dem Gespräch von Walter Mannzen mit dem Verf. vom 30. 11. 68 in Kiel.

19 Walter Kolbenhoff, *Heimkehr in die Fremde* (München, 1949), p. 32.

20 Diese Einzelheiten gehen auf die Gespräche H. W. Richters mit dem Verf. vom 1. 10. 1968 und 10. 4. 1970 zurück; cf. auch *Die Gruppe 47, Bericht, Kritik, Polemik, Ein Handbuch*, Hrsg. Reinhard Lettau (Neuwied und Berlin, 1967), p. 297.

21 Hans Werner Richter, *Die Geschlagenen*, pp. 227—235; auch die Widmung des Romans ist für Richters politische Einstellung aufschlußreich: »Meinen vier Brüdern, die Gegner und Soldaten dieses Krieges waren, die ein System haßten und doch dafür kämpfen mußten und die weder sich selbst, ihren Glauben, noch ihr Land verrieten« (p. 6).

22 Nach Richter im Gespräch mit dem Verf. vom 1. 10. 1968.

23 Richter, *Die Geschlagenen*, p. 387; Richters Vorgänger im Literaturunterricht begnügte sich damit, Kleists *Prinz von Homburg* und Hebbels *Nibelungen* mit verteilten Rollen lesen zu lassen.

24 In der Library of Congress, Washington, D. C., sind nur Teile dieser Lagerzeitung erhalten (mit Unterbrechungen vom 15. Dezember 1944 bis zum 31. August 1945); die fehlenden Nummern vom 1. September 1944 an stellte Hans Werner Richter dem Verf. zur Verfügung.

25 Hans Werner Richter, »Ost und West«, *Der Ruf*, USA, September 1, 1945.

26 Laut Gespräch Walter Mannzens mit dem Verf. vom 30. 11. 1968 in Kiel; Mannzen, der die Weimarer Republik noch in politischer Klarheit erlebt hatte, und danach Hitlers Propagandamaschine kennenlernte, war im Herbst 1944 überrascht, wie ruhig und sachlich die US-Presse über die Deutschen urteilte. Allabendlich übersetzte er in Fort Robinson für deutsche Offiziere die *New York Times*.

27 Walter Mannzen, »Der Weg aus der Isolierzelle«, *Der Ruf*, USA, June 15, 1945, p. 8.

28 Gustav R. Hocke hatte bereits die folgenden Bücher veröffentlicht: *Das geistige Paris* (1937) und *Das verschwundene Gesicht* (1939).

29 Im Archiv der Library of Congress sind von der Lagerzeitschrift *Der Europäer*, Camp Campbell, Kentucky, nur zwei Nummern erhalten. Es handelt sich um die Nummer 2, October 1944, und die Februar-Nummer 1945. Nur in der Februar-Nummer erscheint der Name G. R. Hockes als Schriftleiter. Jedoch könnte der Beitrag »Wo liegen die Wurzeln der Diktatur«, *Der Europäer*, October 1944, p. 10, bereits von Hocke stammen.

30 Walter Schönstedt, *Shot Whilst Escaping*, Übers. Michael Davidson (London, 1934); *Das Lob des Lebens* (New York/Toronto, 1938); *In Praise of Life*, Übers. Maxim Newmark (New York/Toronto, 1938); *The Cradle Builder*, Übers. Richard Winston (New York/Toronto, 1940).

31 Laut Andersch im Gespräch mit dem Verf. vom 10. 9. 1968 in Berzona, Tessin, Schweiz.

32 Jetziger Regisseur des Süddeutschen Rundfunks, Stuttgart; Andersch wies im zweiten Gespräch mit dem Verf. vom 16. 10. 1968 auf Wilimzig hin.

33 Laut Andersch im Gespräch mit dem Verf. vom 10. 9. 1968.

34 Cf. *supra*, p. 9.
35 Laut Gespräch Mannzens, 30. 11. 1968; die Mehrzahl der POWs empfand den *Ruf* zunächst als zu »demokratisch« und lehrhaft, eine sozialdemokratische Minderheit hielt ihn für »zu farblos.«
36 Laut Mannzen im Gespräch, *ibid.*
37 *Der Ruf*, USA, June 1, 1945, pp. 1—6.
38 Ludwig Börne, *Die Waage*, Hrsg. 1818—21; Karl Kraus, *Die Fackel*, Hrsg. 1899 bis 1935.
39 Der Hinweis auf die wahre Identität »Julian Ritters« stammt von Andersch im Gespräch mit dem Verf., 10. 9. 1968.
40 Gustav R. Hocke (unter Pseud. Julian Ritter), »Ursache des Zusammenbruchs«, *Der Ruf*, USA, June 1, 1945, p. 1.
41 Cf. *Der Ruf*, USA, June 15, 1945, p. 2; July 15, 1945, p. 2; August 15, 1945, p. 2.
42 »Insel des Friedens«, *Der Ruf*, April 1, 1945, p. 2.
43 Cf. Julian Ritter (G. R. Hocke), »Das geistige Gesicht Amerikas«, *Der Ruf*, USA, July 15, 1945, p. 4.
44 »Ausgleich zwischen Ost und West«, *Der Ruf*, July 15, 1945, p. 1.
45 Alfred Andersch, »Abschied von Rom«, *Der Ruf*, USA, April 15, 1945, p. 2; »Die neuen Dichter Amerikas«, *Der Ruf*, June 15, 1945, p. 5; Anton Windisch (Pseud. für Alfred Andersch), »Fräulein Christine«, *Der Ruf*, USA, June 15, 1945, p. 6; »Deutscher Geist in der Sicht Thomas Manns«, *Der Ruf*, USA, July 15, 1945, p. 2; F. A. (Initialen für »Fred Andersch«), »Black Boy«, *Der Ruf*, July 15, 1945, p. 4; Thomas Gradinger (Pseud. für Alfred Andersch), »Pueblos und Puritaner«, *Der Ruf*, August 1, 1945, p. 7; F. A. (»Fred Andersch«), »Zeitungen lesen...«, *Der Ruf*, August 15, 1945, p. 4; »Unsere Mädchen«, *Der Ruf*, August 15, 1945, p. 6; F. A. (»Fred Andersch«), »Robert Frost«, *Der Ruf*, August 15, 1945, p. 7.
46 Laut Andersch im Gespräch mit dem Verf. vom 10. September 1968.
47 *Ibid.*
48 Laut Mannzen im Gespräch mit dem Verf. vom 30. November 1968; als Ernst Wiechert Anfang 1946 mit der US-Militärregierung in Konflikt geriet, verbot Schönstedt den *Ruf*-Redakteuren jede lobende Erwähnung Wiecherts. Für den *Ruf*, USA, December 1, 1945 war ein Beitrag Richters gegen die Kollektivschuld-These vorgesehen; statt dessen erschien der Aufsatz »Die Anklage«, der diese These vertrat (unsigniert).
49 Cf. Hans Werner Richter, »Ost und West— die ausgleichende Aufgabe Mitteleuropas«, *Der Ruf*, USA, September 1, 1945, p. 2.
50 Nach Richter im Gespräch mit dem Verf.; cf. auch *Der Ruf, Eine deutsche Nachkriegs-Zeitschrift* (München, 1962), p. 11.
51 *Der Ruf*, München, 15. August 1946, p. 1.
52 Cf. *Der Ruf, Eine deutsche Nachkriegs-Zeitschrift*, pp. 11—12; andere Mitarbeiter waren: Walter Maria Guggenheimer (geb. 1903), Walter Heist (geb. 1907), Hans Schwab-Felisch (geb. 1918), Heinz Friedrich (geb. 1922), Nicolaus Sombart (geb. 1923) und Ernst Brücher (geb. 1925).
53 Erich Kuby war auch Mitarbeiter der *Neuen Zeitung*, Berlin und München, 1946—49, und ist Autor der Romane: *Hitlers letzte Festung* (1952), *Der verlorene Graf* (1953), und *Sonderzug* (1954).
54 Cf. *Die Gruppe 47*, Hrsg. Reinhard Lettau, p. 24, n. 2.
55 Cf. Andersch, »Getty«, und das unveröffentliche Gedicht »Erinnerung an eine Utopie« (1959/60), *infra*, p. 116.
56 Alfred Andersch, *Die Kirschen der Freiheit, Ein Bericht* (Frankfurt/M. 1952), p. 62.
57 Cf. Anderschs unveröffentlichtes Gedicht »Erinnerung an eine Utopie«, 1959/60, *infra*, p. 116.
58 Andersch, *Kirschen*, p. 16
59 *Ibid.*, p. 18.

60 *Ibid.*, p. 29.
61 *Ibid.*, p. 28 und p. 39.
62 *Ibid.*, p. 40.
63 *Ibid.*, p. 50.
64 *Ibid.*, p. 26.
65 *Ibid.*, pp. 49—53.
66 *Ibid.*, pp. 48—49.
67 *Ibid.*, p. 63.
68 *Ibid.*, p. 86.
69 *Ibid.*, p. 124.
70 Andersch schildert dieses Erlebnis nicht nur in *Die Kirschen*, sondern auch in der Erzählung »Drei Phasen«, in: *Geister und Leute*, (Olten und Freiburg i. Br., 1958).
71 Nach dem Gespräch Kolbenhoffs mit dem Verf., 30. 9. 1968.
72 Alfred Andersch, »Festschrift für Captain Fleischer«, Hörfunk-Feature, Hessischer Rundfunk, II. Programm, 22. September 1968, 18.30—19.00 Uhr; der Text wurde dem Verf. von Alfred Andersch zur Verfügung gestellt.
73 *Ibid.*, p. 12.
74 *Ibid.*, p. 5.
75 *Ibid.*, 20—21.
76 *Ibid.*, p. 22.
77 *Ibid.*, p. 21.
78 Alfred Andersch, »Getty oder Die Umerziehung in der Retorte«, *Frankfurter Hefte*, II (1947), pp. 1089—1096.
79 Die leitenden Persönlichkeiten des Getty-Lehrprogramms waren: Prof. Howard Mumford Jones, Präsident der Amerikanischen Akademie für Kunst und Wissenschaft, und Prof. Thomas Vernor Smith, Professor für amerikanische Geschichte an der Universität Chicago, 1934—38 Senator der gesetzgebenden Versammlung des Staates Illinois, 1938—40 Mitglied des dortigen Kongresses.
80 Howard M. Jones, »Hitlers furchtbares Vermächtnis«, *Der Ruf*, USA, November 1, 1945, pp. 2—3; auf p. 2 heißt es:
»Wir fabrizieren nicht irgendetwas, wir kaufen und verkaufen nicht im eigentlichen Sinn des Wortes, obwohl wir alle einen Beruf ausüben, und wir versuchen auch nicht, einander in der Jagd nach Geldgewinn zu überflügeln. Kurz, das Dasein in Fort Getty ähnelt sehr dem Leben, wie es Plato in seiner ›Republik‹ schildert.... die Sicherheit ist gemeinsam; wir gehen zu Bett leidlich dessen sicher, daß wir nicht wieder herausgejagt werden, und wir können jeden Morgen mit dem sicheren Gefühl aufstehen, daß für Nahrung, für Heizug, für Pflege, falls wir krank sein sollten, ausreichend gesorgt ist. In unserem platonischen Staat gibt es keine Unsicherheit.«
81 *Ibid.*
82 Thomas V. Smith, »Diskussionen mit deutschen Kriegsgefangenen«, *Die Amerikanische Rundschau*, München, August 1946, pp. 37—45; der Vergleich war Prof. Smith eingefallen, als er einige deutsche Kriegsgefangene den Sonnenuntergang am Atlantik genießen sah, an dessen anderer Seite sie Europa und Deutschland wußten (p. 44).
83 E. g., Wolf Dieter Zander, »Freiheit hinter Stacheldraht«, *Der Ruf*, USA, December 1, 1945, pp. 1—2; auf S. 1 schreibt Zander:
»Ich erinnere mich noch deutlich des Morgens unserer Ankunft. 29 Monate Gefangenschaft lagen hinter uns.... Der Frühnebel hatte uns die Umgebung verborgen, aber wir atmeten Salzluft und fühlten die Nähe des Meeres. Nach mehreren Appellen... brach mittags plötzlich die Sonne durch und hob den Nebelschleier: wir sahen uns auf einer kleinen Halbinsel, auf einem Felsen im Meer. Stacheldraht der einen, und der Atlantik auf der anderen Seite gaben uns das beruhigende Gefühl, uns heimisch zu fühlen zu dürfen. Aber der Ozean war ein Versprechen! Wir liebten ihn vom ersten Tage an, obwohl er uns von unserer Heimat trennte.«
Auf p. 2 beschreibt Zander den Geist des Ganzen: »Seine besondere Wirkung mußte

auch der starke, missionsartige Enthusiasmus unserer Lehrer auf uns haben — ein amerikanischer Zug, der auf müde, fatalistische Europäer besonders faszinierend wirkt. Oder war es die Landschaft, die Luft, unser Fels im Meer? ... Sicher war eins: Innerhalb weniger Tage war unser Gefühl der Unsicherheit verschwunden. Die Zyniker verloren ihren Anhang. Die Spannung auf unseren Zügen wich schwungvoller Lebhaftigkeit ... Wir haben nicht mehr das Gefühl, als Deutsche von der übrigen westlichen Zivilisation abgeschnitten zu sein, und wir haben die moralischen Verpflichtungen erkannt, die die ganze Menschheit überall aneinander binden.« Hans-Joachim Wißmann schrieb in einem Leserbrief an *Die amerikanische Rundschau*, II (1946), p. 125 über das ansteckende Beispiel von T. V. Smith.

84 Andersch, »Getty«, p. 1090.
85 *Ibid.*, p. 1091.
86 *Ibid.*, p. 1092; cf. auch Andersch, »Die Zukunft der deutschen Hochschulen. Ein Vorschlag«, *Der Ruf*, 1. Januar 1947; und Hinweise von Andersch im Gespräch mit dem Verf., 10. September 1968.
87 *Ibid.*, p. 1093; dort heißt es zu dem Problem einschlägiger Standardwerke über die Weimarer Republik:
»In Fort Getty stand den Studenten ferner eine Bibliothek zur Verfügung, an die man sich nur mit Wehmut erinnert, wenn man bedenkt, wie leicht es wäre und wie notwendig, sie in mehrfacher Ausführung einigen deutschen Insituten und Organisationen zu übergeben. Die reiche Literatur, die das angelsächsische Ausland und die Emigration zum Deutschland-Problem besitzt, eine Literatur mit großer Vielfalt an brauchbaren Ergebnissen, — hier stand sie für einige Monate einem Kreis von Deutschen offen, und ihre Benutzer waren überzeugt, sie würden mindestens die Standardwerke der Erkenntnis des Nazismus nach ihrer Rückkehr in den Händen ihrer Mitbürger vorfinden. Selbst der kühnste Pessimismus verleitete nicht zu der Annahme, sie würden noch nach zwei Jahren des Waffenstillstands in Deutschland völlig unbekannt sein. ...«
88 Im Gespräch mit dem Verf., 10. September 1968 in Berzona; cf. auch Zander, »Freiheit«, *supra*, Anm. 83. Siehe Bildteil.
89 Cf. Andersch, »Das neue Europa formt sein Gesicht«, *supra*, Anm. 8.
90 Cf. T. V. Smith, »Diskussionen ...«, p. 37.
91 Andersch, *Die Kirschen*, p. 50; dort spricht Andersch von einer »Ahnung des Jazz« in den Jahren 1933—38; in der Nachkriegszeit auch von der »Jazztrompete Louis Armstrongs« (p. 128).
92 Andersch, »Getty«, p. 1091; diese Anmerkung zeigt in polemischer Gegenüberstellung von Vokabeln aus dem NS-Jargon und Worten einer gereinigten Sprache (Früher »Fanatismus«, jetzt »Enthusiasmus«, früher »Schulung«, jetzt »Erziehung«), daß Andersch sich zu diesem Zeitpunkt (November 1947) genügend von der überkommenen und vielfach mißbrauchten Sprache distanziert hat.
Urs Widmer (in: *1945 oder die »Neue Sprache«*, Düsseldorf, 1966) versucht, Andersch und anderen Nachkriegsschriftstellern Rückfälle in den NS-Journalismus nachzuweisen, indem er zum Beispiel zu dem Gebrauch des Wortes »Fanatismus« schreibt (p. 43): »Auch wenn *fanatisch* oder *Fanatismus* pejorativ gebraucht werden, bleibt der direkte Bezug auf den Nationalsozialismus deutlich.«
Mir will dagegen der »pejorative Grauch« einer NS-Progaganda-Vokabel eher kritischen Abstand verraten. Urs Widmer tut seiner These, daß kein »Nullpunkt« im Jahre 1945 in der deutschen Literatur festzustellen war, da man »im gleichen diffusen Stil weiterschrieb« (p. 198), mit solchen Vereinfachungen des Problems keinen Gefallen.
93 Andersch, »Getty«, p. 1091.
94 Hans-Joachim Wißmann, Leserbrief, *Die Amerikanische Rundschau*, II (1946) p. 125.
95 Andersch, »Getty«, p. 1089.
96 *Ibid.*, p. 1090; Andersch schreibt zur Verschiedenheit der sozialen Herkunft und des

Bildungsgrads unter den deutschen POWs in Fort Getty: »Arbeiter, Handwerker, Bauern saßen neben Technikern, Kaufleuten, Künstlern, Universitätsprofessoren ...« (p. 1089).

97 *Ibid.*, p. 1090; Andersch kommentiert dieses Auswahlverfahren: »Ein solches Vorgehen darf nicht übersehen werden, es ist symptomatisch für den Geist der Unvoreingenommenheit, in dem das Experiment, von dem hier die Rede ist, unternommen wurde. ... dieser Bericht hat nur den Zweck, den deutschen Leser die Vergleiche ziehen zu lassen, die zwischen einem in der Retorte richtig begonnenen Bemühen und seinem bösen Ende in der durchaus nicht keimfreien Luft Nachkriegsdeutschlands gezogen werden müssen.«

98 Alfred Andersch betonte auch im Gespräch (mit dem Verf. am 10. September 1968 in Berzona) die Klugheit und vorurteilslose Umsicht der amerikanischen Lagerverwaltung, die sich mit einer für die deutsche Gesellschaft repräsentativen Auslese auseinandersetzen wollte.

99 Andersch, »Getty«, p. 1094.

100 *Ibid.*

101 *Ibid.*

102 Ibid., p. 1095; unter den Getty-Mitgefangenen, die mit Andersch die Schiffe in die Heimat bestiegen, befand sich auch der Politiker Walter Hallstein. Er war Zimmergenosse von Andersch in Getty gewesen. Die Amerikaner hatten Hallsteins Fähigkeiten bald erkannt und machten ihn zum Sprecher der mit Andersch ausgebildeten Gruppe.

103 Andersch, »Getty«, p. 1096; Andersch spricht dort von dem »Kapital an Vertrauen«, welches sich in Getty angesammelt hätte.
Noch betonter stellt Howard M. Jones, »Hitlers furchtbares Vermächtnis«, p. 2 das »Vertrauen« zwischen Amerikanern und Deutschen als Haupt-Ziel von Getty dar; er zitiert in diesem Sinne den amerikanischen Schriftsteller Archibald Mac Leish: »Die Hitlerbewegung war die Revolution, die Auflehnung gegen die Formen der menschlichen Gesellschaft, und ihr furchtbarstes Ergebnis ist, daß Hitler das Vertrauen des Menschen in die Formen gesellschaftlicher Beziehungen untergraben und zerstört hat und dadurch vernichtete.«

104 E. g., H. M. Jones, »Hitlers furchtbares Vermächtnis«; T. V. Smith, »Diskussionen«; »Politik und Erziehung«, *Die Amerikanische Rundschau*, IV (1948), pp. 73—86; cf. auch H. M. Jones, *Ideas in America* (Cambridge: Harvard U. Press, 1944).

105 Andersch, »Getty«, p. 1092.

106 *Ibid.;* Andersch zitiert auch die amerikanische Fassung: »To get a maximum of co-operation in a maximum of speech-situations.«

107 *Ibid.;* dieselbe Generation national gesinnter Studienräte hatte nicht nur auf sprachlichem Gebiet Schwierigkeiten, den amerikanischen Argumenten zu folgen. Nach Andersch »kam es zu mehr amüsanten als lebenswichtigen Erörterungen, wie etwa derjenigen, ob Friedrich II. von Preußen das Prädikat ›der Große‹ verdiene oder nicht ...« (p. 1092).

108 Cf. Alfred Andersch (unter Pseud. »Thomas Gradinger«), »Pueblos und Puritaner«, *Der Ruf*, August 1, 1945, p. 7; »Robert Frost«, *Der Ruf*, August 15, 1945, p. 7. Cf. *infra*, p. 92 f.

109 Alfred Andersch, »Die neuen Dichter Amerikas«, *Der Ruf*, June 15, 1945, p. 5. Auch bei Willa Cather spricht Andersch von einem »hellen, realistischen Bewußtsein« puritanischen Geistes, und bei Robert Frost vom »kargen, ... immer auf das Wesentliche ausgehenden Geist jener Kultur«. Cf. *infra*, p. 92 f.

110 Andersch, »Getty«, p. 1093.

111 *Ibid.*

112 *Ibid.*

113 Ibid.; auch im Gespräch mit dem Verf. (10. September 1968) ging Andersch darauf ein.

114 T. V. Smith, »Diskussionen«, p. 37: »Abstrakte Prinzipien bewahren uns vor nichts. Jedes derartige Prinzip kann zu unserer Vernichtung benutzt werden. Nur die Achtung der Menschen voreinander kann die Menschheit retten.... Es wird sich die Toleranz entwickeln, die notwendig ist, um verschiedene ›Absoluta‹ im Auf und Ab der Diskussion einander anzugleichen.«

115 Cf. Alfred Andersch, »Die Nacht der Giraffe«, *Geister und Leute,* p. 164; »Ich sagte:... erstens ist Fayard nicht die Demokratie und zweitens könnte Fayard in dieser Sache sogar recht haben. Demokratie ist eine Technik des Kompromisses, natürlich nicht des faulen, sondern des schöpferischen Kompromisses...«

116 Cf. *supra,* Anm. 104.

117 G. R. Hocke, »Das geistige Gesicht Amerikas«, *Der Ruf,* July 15, 1945, p. 6; der Beitrag ist unter dem Pseudonym »Julian Ritter« erschienen.

118 *Ibid.*

119 *Ibid.*

120 *Ibid.*

121 In dem Gedicht »Erinnerung an eine Utopie« (1959/60), V. 12, spricht Andersch von der »Ära des großen Gelähmten« Roosevelt; cf. *infra,* p. 116.

122 *Ibid.,* Titel.

123 Andersch, »Getty«, p. 1096.

124 Alfred Andersch, »Thomas Mann als Politiker«, *Die Blindheit des Kunstwerks und andere Aufsätze* (Frankfurt/M., 1965), pp. 41—60.

125 Ibid., pp. 59—60.

126 Ibid., p. 60; die folgenden Zitate aus Andersch, »Getty«, pp. 1095—96, mögen noch einmal deutlich machen, warum nur ein kleiner Teil der deutschen Kriegsgefangenen in Sonderlagern ausgebildet wurde, und wie groß die positive Nachwirkung dieser Ausbildung in Getty und Eustis war:
»... in den USA ... wurde ... die künstliche Abtrennung einer Elite von der Masse der Gefangenen vollzogen. Zu diesem Entschluß mochten zwei Gründe beigetragen haben: einmal die realistische Einsicht, daß man Menschen, die man nicht in voller Übereinstimmung mit den Bestimmungen der Genfer Konvention an eine Gewahrsamsmacht auslieferte (an Frankreich; der Verf.), ohnehin ideell nicht beeinflussen könne, zum anderen der Wunsch, die Schüler von Fort Getty würden sich als Helfer der Zivilverwaltung, als Beamte in allen Zweigen, als Juristen, Gewerkschaftsfunktionäre, Lehrer, Journalisten ... in der Heimat nützlich erweisen. Dieser Wunsch ging in Erfüllung.
... Noch im Jahre 1946 haben sich Gruppen ehemaliger Getty-Schüler bemüht, etwas von dieser Gesinnung wieder ins Leben zu rufen und in die breitere Öffentlichkeit zu tragen. So wurden in Württemberg zwei Aussprache-Konferenzen auf der Groß-Coburg bei Schwäbisch-Hall veranstaltet. In München wurde eine ›Demokratische Gesellschaft‹ ins Leben gerufen, die hin und wieder Vorträge bedeutender Persönlichkeiten der deutschen Politik veranstaltet. Aber im Grunde ist es sehr still geworden um den ›Getty-spirit‹ der Zusammenarbeit mit den Siegern. — Die Atmosphäre des Vertrauens und der Zusammenarbeit wieder zu beleben, dazu bedarf es nicht eines Idealstaates — den verlangt niemand —, aber wenigstens tragfähiger Ansätze zu einer Brücke über den Abgrund, der heute die Worte der Prediger von ihren Taten trennt.«
(»heute« = November 1947; der Verf.).

KAPITEL III. »BLUT UND BODEN«, UND DIE FOLGEN

1 *Die Brücke,* Wochenzeitung des deutschen Kriegsgefangenenlagers Crossville, Tennessee, March 3, 1945, p. 1.

2 *Ibid.*

3 Vesper, *Die Ernte der Gegenwart*; unter dem Titel: »Ernte der Zeit, 1910—1940«, sind in dem letzten Teil der Anthologie (pp. 297—385) die folgenden programmatischen Untergruppen zu finden: »Vor dem großen Krieg«, »Im großen Krieg«, »Nach dem großen Krieg«, »In der Mitte der Welt«, »Das neue Reich«.

4 *Ibid.*, p. 386.

5 *Ibid.*

6 Ernst Bloch schrieb in einem Aufsatz: »Die Verwechslung von Gleichgültigkeit und Toleranz« (in: *Sind wir noch das Volk der Dichter und Denker*, Hamburg 1964, p. 37), das »Volk der Dichter und Denker« hätte im Dritten Reich folgenden Wandspruch gekannt: »Intellektueller, du Wort mit dem jüdisch grellen Schein, / Ein rechter deutscher Mann kann nie ein Intellektueller sein.«

7 Wilhelm von Scholz, *Das deutsche Gedicht* (Berlin, 1941), p. 602.

8 *Die Brücke*, Camp Crossville, March 3, 1945, p. 1.

9 H. Brandenburg (geb. 1885), H. Leifhelm (1891—1947), F. Schnack (geb. 1888) und F. Bischoff (geb. 1896) hatten wenig mit dem offiziellen Kurs zu tun; M. Raschke (1905—1944) stand entschieden abseits vom NS-System; G. von der Vring (geb. 1889), H. Burte (1879—1960) und H. Franck (1979—1964) standen der NS-Partei näher; H. Zillich (geb. 1889) war Parteischriftsteller.

10 Von Carossa erschien u. a. das Gedicht »Der Acker der Zeit« (in: Hans Carossa, *Gesammelte Gedichte*, Leipzig, 1938, p. 130) in der *Deutschen Lagerzeitung*, Camp Concordia, Kansas, April 1, 1945.

11 *NSN*, Camp Concordia, Kansas.

12 Richard Wagner, *Deutsche Kunst und Politik* (Leipzig, 1868).

13 *NSN*, Camp Concordia, Kansas, February 4, 1945.

14 Der Flame Charles Theodor Henry de Coster (1827—1879) holte seinen *Ulenspiegel* (1867) — Stoff aus der flämischen Volksbewegung, weshalb er im Rahmen der deutschen Volkstums-Politik Interesse fand.

15 *PW-Rundschau*, Camp Daniel Field, Georgia, No. 22, May 1945 (in: Ina Seidel, *Neben der Trommel her*, München, 1915).

16 Das Gedicht hat vier Strophen. Der Schluß lautet: »Keiner unter euch, den wir nicht ertrugen, / Der durch uns nicht an der Heimat hing. / ... Aus dem Borne der uns alle speist, / Strömend, strömend wollen wir euch tränken — / Und ihr wißt es. Und das Leben kreist.«

17 Aber auch zu den Stilmitteln der NS-Lyrik überhaupt. Cf. Albrecht Schöne, *Über Politische Lyrik im 20. Jahrhundert* (Göttingen, 1965), pp. 27—38.

18 Der Ausdruck entstammt Gottfried Benns Vortrag *Probleme der Lyrik*, (Wiesbaden, 1951), p. 17.

19 E. g. *Der Stacheldraht*, Camp Custer, Mich., May 19, 1945. In der *Drahtpost*, Camp Algona, Iowa, erscheint im Dezember 1944 das Bild eines Soldaten auf Wache, darunter das Gedicht: »Mütter, euch sind alle Feuer / alle Sternlein aufgestellt, / Mütter, tief in eurem Herzen / Schlägt das Herz der weiten Welt.«

20 *Der Stacheldraht*, Camp Custer, Mich., February 27, 1945; das Annacker-Gedicht (als »Spruch der Woche«) lautet: »Denn solang ein einzig Tröpflein Blut / Kraft noch hat, in uns zu schlagen, / Wollen wir das anvertraute Gut / Weit voraus zu fernen Ufern tragen.«
Der Stacheldraht illustriert auch eindrucksvoll die gezielte Auswahl scheinbar militanter Gedichtstellen aus der literarischen Tradition. Am 1. Januar erschien aus Goethes Gedicht »Ein Gleiches« der zweizeilige Ausschnitt als Titelspruch: »Allen Gewalten / Zum Trutz sich erhalten.« Am 7. März erschien Theodor Körners Gedicht »Gebet während der Schlacht.« Noch am 5. Mai 1945 fanden sich in *Der Stacheldraht* aus Anette von Droste-Hülshoffs Gedicht »Am Turme« bezeichnenderweise nur die folgenden Verse aus der 4. Strophe: »Wär ich ein Jäger auf freier Flut / Ein Stück nur von einem Soldaten.«

21 »Den Müttern der Toten«, *Der Stacheldraht*, Camp Custer, Mich., March 7, 1945.

22 Ernst Wiechert, *Jedermann, Geschichte eines Namenlosen* (München, 1932), Ka pitel vi.

23 Das angebliche Wiechert-Zitat ist in der zitierten Form nicht in *Jedermann* (1932) enthalten; wohl aber befinden sich in Kapitel vi verschiedene ähnliche Verquik-kungen von Mütter-Verehrung, -Leid und mystischer Gegenwart im Krieg.

24 »Den Müttern der Toten«, *Der Stacheldraht*.

25 Dem entspricht die Tatsache, daß sich in derselben Zeitung *(Der Stacheldraht)*, anti-christliche Sprüche und Witze auf niedrigstem Niveau finden. E. g. »Grabinschrift«, January 6, 1945: »Longinus mit der Lanzen / sticht Christus in den Ranzen / daß er laut aufschreit: / Gelobt und gebenedeit / sei die heilige Dreifaltigkeit!«

26 *Drahtpost*, Camp Algona, Iowa, November 19, 1944 (in: Felix Lützkendorf, *Wieder-geburt, Lieder aus dem Osten*, Berlin, 1943, pp. 18—19). In derselben Zeitung befindet sich noch am 17. Mai 1945 das Gedicht »Der Mähder« des NS-Lyrikers Alfred Huggenberger (1867—1960) und Georg Brittings (geb. 1891) Erzählung »Frankreich-fahrt«.

27 Schöne, *Politische Lyrik*, pp. 7—9.

28 *Ibid.*, p. 8: »Wohl kann man die Sprache zur Verstellung und Lüge nötigen. Doch scheint es, als könnte man kaum verhindern, daß sie ... die Lüge auf eine Art sagt, welche die Lüge als solche erkennbar macht ... [p. 9:] denn von Anfang an war sie ... epigonale Imitation und verzerrender Nachklang ...«

29 Felix Lützkendorf, *Wiedergeburt, Lieder aus dem Osten* (Berlin, 1943), pp. 18—19.

30 Diese Technik des unmittelbaren Einsatzes im Gedicht weist auf die französischen Symbolisten (Rimbaud, Mallarmé), Rilke und Hofmannsthal (e. g. »Ballade des äußeren Lebens«, 1903) zurück.

31 Im Zusammenhang mit den lyrischen Untugenden des erklärenden und moralischen Gedichtendes, sowie überdeutlich durch »wie« eingeleiteten Vergleich ist Gottfried Benns Vortrag: *Probleme der Lyrik* (Wiesbaden, 1951), besonders aufschlußreich.

32 Um das Vokabular der zweiten Gedichthälfte in der lyrischen Tradition anzusie-deln, wähle ich eine berühmte Ballade, die einen Flammentod zum Gegenstand hat: Goethes »indische Legende«, »Der Gott und die Bajadere« (1797). Ich zitiere vier Verse der Schlußstrophe (9.5—8) und stelle sie entsprechenden Wendungen des Lütz-kendorf-Gedichts gegenüber.
»... Doch der *Götterjüngling hebet* / Aus der Flamme sich *empor,* / Und in seinen Armen *schwebet* / Die Geliebte mit *hervor* ...«
»aus den *Flammen stieg ... auf*« (4.1), »*Götterjahre*« (4.3), »*emporgereckt* (3.3).

33 Felix Lützkendorfs Biographie ist aufschlußreich für den Mangel an politischer Klar-sicht oder Konsequenz bei manchen, zunächst der Jugendbewegung zuneigenden Schriftstellern. Lützkendorfs Vater fiel als aktiver Offizier im Ersten Weltkrieg. L. selbst besuchte 1918 die Naumburger Kadettenanstalt. 1931 promovierte er über Hermann Hesse.
Franz Lennartz (in: *Deutsche Dichter und Schriftsteller unserer Zeit*, Stuttgart, 1959) schreibt über ihn: »Lützkendorf hatte bis 1933 der mitteldeutschen sozialistischen Jugend angehört, war dann vom Faschismus ›überrumpelt‹ und als vielseitiger Dich-ter einer ›neuen Männlichkeit‹ gefördert und geehrt worden. Nach dem Krieg knüpfte er als dichterischer Chronist des ›verratenen Sozialismus‹ wieder an die Ziele seiner Jugendzeit an.« (pp. 461—62). L. publizierte bis in die 60er Jahre weiter.

34 *Drahtpost*, Camp Algona, Iowa, November 19, 1944.

35 *Ibid.*

36 Cf. Schöne, *Politische Lyrik*, p. 15: »In rauschhaften Bildern verbindet sich heroisches Pathos mit pseudoromantischen Zügen und einer kultischen Obertonreihe von Opfer- und Auserwähltheitsassoziationen.... Diese ›stählerne Romantik‹, die man in Ernst Jüngers frühen Schriften vorgebildet sah, bezeichnete Langenbucher (Hellmuth Lan-genbucher, *Nationalsozialistische Dichtung*, Berlin, 1935, p. 21) als das Stilgesetz der ›Kunstform des Dritten Reiches‹.«

37 *Drahtpost*, November 19, 1944.

38 *Ibid.*

39 *Der Ekkehard*, »Deutsche Soldatenzeitung«, Camp Douglas, Wyoming, February 17, 1945, p. 1.

40 *Ibid.*, p. 2.

41 *Ibid.* Wörtlich heißt es dort: ».. . Aber der Glaube, daß wir berufen sind, bald diesen Vorhang zu öffnen (... der uns das Morgen verhüllt...), gibt uns die Kraft, durchzuhalten.«

42 Unrichtig zitiert nach Emmanuel Geibels Gedicht »Deutschlands Beruf«, 1861 (Emmanuel Geibel, *Gesammelte Werke*, III, Stuttgart, 1883, p. 214), dessen letzte Strophe lautet:
»Macht und Freiheit, Recht und Sitte / Klarer Geist und scharfer Hieb / Zügeln dann aus starker Mitte / Jeder Selbstsucht wilden Trieb, / Und es mag am deutschen Wesen / Einmal noch die Welt genesen.«

43 *Der Ekkehard*, February 17, 1945, p. 1.

44 Cf. Rudolf Alexander Schröders Gedicht »Deutscher Schwur« (1914), dessen erste zwei Verse lauten: »Bei den Sternen steht, / Was wir schwören /...« Das Gedicht wurde auch in den *Nationalsozialistischen Monatsheften* (IV [1935], p. 27) abgedruckt. Albrecht Schöne, *Politische Lyrik*, p. 29, schreibt dazu: »Jede Frage nach der Berechtigung dieser Behauptung griffe ins Leere; ja, der vom Stabreim unterstützte seraphische Ton, der eine höhere Beglaubigung vorgibt,... verwirft das Fragen überhaupt.«

45 Ludwig Schirk, »Walter Flex«, *Der Stacheldraht*, Camp Custer, Mich., March 31, 1945.

46 Das wichtigste Werk von Walter Flex, der Roman *Der Wanderer zwischen beiden Welten* (München, 1917) schildert eine idealistische Kriegskameradschaft und erreichte 1935 eine Auflagenhöhe von 406 000 Expl., bis 1966 erstaunlicherweise sogar eine Million.
Auch eine andere Kriegsgefangenenzeitschrift ließ einen Aufsatz über Walter Flex erscheinen: »Besuch an Walter Flex' Grab«, *Die Lagerstimme*, Camp Ellis, Illinois, January 19, 1945.
Die Jugendbewegung, 1899 durch den »Wandervogel« begonnen, legte ihre Ziele 1913 auf dem Hohen Meißen bei Kassel fest und erfuhr nach dem ersten Weltkrieg eine Wiederbelebung in der »Bündischen Jugend«, die 1933 aufgelöst wurde. Zu ihren Zielen gehörten: Lebensreform durch Rückkehr zur Wahrhaftigkeit und Natürlichkeit (Wandern, Volkslied, Volkstanz), Selbstverantwortlichkeit und Anerkennung des Eigenwertes der Jugend.

47 Schirk, »Walter Flex«.

48 *Ibid.*

49 Cf. Herbert Marcuse, »Zur Kritik des Hedonismus« (in: *Kultur und Gesellschaft I*, Edition Suhrkamp, Frankfurt/M., 1965, p. 155) wo es zum obigen Problem u. a. heißt: »In der autoritären Phase der bürgerlichen Ordnung tritt die Bindung der Liebe an die Ehe in offenen Widerspruch zu dem Bedarf des Staates nach einer starken militärischen und wirtschaftlichen Reservearmee.... Nicht die Kindererzeugung als solche, sondern die Erzeugung tüchtiger und brauchbarer Kinder ist entscheidend...«

50 Ludwig Schirk, (in: »Walter Flex«) bezeichnete die unvollendete Erzählung von Walter Flex, *Wolf Eschelohr* (München, 1919) im NS-Jargon als Werk »von stahlhartem Wirklichkeits-Idealismus« über ein »treu-deutsches Herz«.

51 Will Vesper, *Die Ernte der Gegenwart* (München, 1940, p. 314).

52 Bei Will Vesper, *ibid.*, wurde das Gedicht unter dem Sammelbegriff: »Im großen Krieg« (dem I. Weltkrieg) eingeordnet.
Den Hinweis auf die Wirkung des Gedichts während des Dritten Reichs verdanke ich dem Dissertations-Berater dieser Arbeit.

53 Ähnliches gilt für R. A. Schröders Gedichte aus der Zeit des Ersten Weltkriegs, vor allem für »Deutscher Schwur«, (1914).

54 Cf. *supra*, p. 52: Abwertung anderer Völker als »Tagmenschen«.

55 Mit den »trauernden Propheten« eines »Weltendes« (3) könnten Georg Trakl (1887 bis 1914) und Georg Heym (1887—1912) gemeint sein. In ihren Gedichten zeugen apokalyptische Visionen von einem Gefühl des nahenden Weltendes. Über den »Krieg« heißt es im gleichnamigen Gedicht bei Heym (1912; V. 4.1) »Und den Mond zerdrückt er in der schwarzen Hand.« Trakl sieht in »Grodek« (1914) unter dem Eindruck der Schlacht »alle Straßen ... in schwarze Verwesung« münden (V. 10). Auch Karl Kraus (1874—1936) setzte der Kriegsbegeisterung eine epische Tragödie entgegen, deren Titel ein nahes »Weltende« implizierte: *Die letzten Tage der Menschheit* (1922; entstanden 1915—1919).

56 Ein anderes Gedicht Carossas aus dem I. Weltkrieg (»Flucht«, 1916, in: Hans Carossa, *Gedichte*, Leipzig, 1935, p. 94) stellt als wichtigstes, auf der Flucht zu rettendes Gut das Emblem christlichen Glaubens dar: »Näher qualmt die Schlacht! ... (V. 1.1) Geisthaft huscht ein Kind, ... (V. 4.1) Den uralten Schrein, / drin das Gottkind wohnt auf Gold und Seide, / schlägt es in den rauhen Mantel ein. / Schweigsam ziehn sie durch die Heide.« (V. 5.1—4).

57 Bei Eckart Peterich, *Götter und Helden der Griechen* (Frankfurt/M., 1958), p. 38, heißt es: »... und jene Kastalia, von der römische Schriftsteller sagen, daß ein Trunk ihres Wassers die Dichter zu Gesängen mitreiße.«

58 Auch andere Aspekte dieser Allegorie entsprechen dem 23. Psalm: V. 2: Er weidet mich auf grüner Aue und führet mich zum frischen Wasser. Auch V. 4 entspricht im weiteren Verlauf der Carossa-Metapher von den »Spuren gütigerer Geister« (24): Und ob ich schon wanderte im finstern Tal, fürchte ich kein Unglück; denn du bist bei mir, dein Stecken und Stab trösten mich.

59 Will Vesper (1882—1962) und Hanns Johst (geb. 1890) führten den Vorsitz der NS-Reichsschrifttumskammer und organisierten die literarische Diktatur.

60 Von der »Dichter«-Gestalt des Carossa-Gedichts führen Verbindungslinien zur Zentralfigur des Wiechert-Romans *Das einfache Leben* (1939) und Ernst Jüngers Romanhelden in den *Marmorklippen* (1939); diese Protagonisten kultivieren den Geist in der Einsamkeit der Natur. In Jüngers Roman müssen sie allerdings erkennen, daß es in Gegenwart des diktatorischen »Oberförsters« keinen »freien Wald« (V. 15) mehr geben kann und werden in die Flucht gedrängt. Cf. Erich v. Kahler, *Der Deutsche Charakter in der Geschichte Europas* (Zürich, 1937), p. 584; dort heißt es zur »Dichter«-Gestalt: »Und so wie man den Denker ganz besonders abstrakt, utopisch, ›idealistisch‹ wünscht, weil man dann im praktischen Leben Ruhe vor ihm hat und es bei der folgenlosen, unendlichen Bestrebung, ihm und sich selber zum Ruhme, bewenden lassen kann, so schätzt man den Dichter, je irrealer und irrationaler, je phantastischer und ›lebensferner‹, um so eher, weil unverpflichtender, weil offenkundig ohne Bezug zum gegenwärtigen Dasein.«

61 Werner Heck, »Dichtkunst und Politik«, *An der Schwelle*, Camp Eglin Field, Florida, October 15, 1945.

62 Cf. Thomas Mann, *Von Deutscher Republik* (Berlin, 1923), und *Appell an die Vernunft* (Berlin, 1930); *Meine Zeit 1875—1950* (Frankfurt/M., 1950); *The War and the Future*, (Washington: Library of Congress, 1944).

63 Alfred Andersch, »Thomas Mann als Politiker«, (1952) in: Alfred Andersch, *Die Blindheit des Kunstwerks und andere Aufsätze* (Frankfurt/M.: Edition Suhrkamp, 1965), p. 44.

64 Cf. Alfred Andersch, *Die Kirschen der Freiheit, Ein Bericht* (Frankfurt/M., 1952), besonders p. 48 und pp. 86—130.

65 Andersch, *Thomas Mann*, p. 44.

66 *Ibid.*, p. 46

67 Cf. Alfred Andersch, *Deutsche Literatur in der Entscheidung* (Karlsruhe: US-Lizenz

1062, Vlg. Volk und Zeit, Januar 1948), p. 10; dort spricht Andersch von einer Reihe »großer alter Schriftsteller, denen aus inneren und äußeren Gründen die Emigration ins Ausland unmöglich war. Stellvertretend für sie nennen wir hier die Namen von Gerhard Hauptmann, Rudolf Alexander Schröder, Hans Carossa, Ricarda Huch oder Gertrud von Le Fort. Unter ihnen war es lediglich Carossa, der aus sehr noblen Gründen, in einem mißgeleiteten Versuch, zu retten, was zu retten war, sich dazu bewegen ließ, der Kulturpolitik des ›Dritten Reiches‹ seinen Namen zu leihen.«

KAPITEL IV. DAS »ANDERE DEUTSCHLAND« UND DIE »ENGAGIERTE« KUNST

1 Cf. »Ein Jahr Ruf«, *Der Ruf*, Zeitung deutscher Kriegsgefangener in den USA, March 1, 1946, p. 1.

2 Das Lager Chesterfield hatte nur 140 Insassen.

3 Cf. Bildteil.

4 Cf. »Unsere unbekannten Mitarbeiter«, *PW*, April 1, 1945, p. 15. Die sechzehn Zeitschriften-Seiten mußten einzeln mit der Hand in die Maschine gelegt werden. Jede Auflage erforderte 48 000mal denselben Handgriff.

5 Dieses Urteil des *Ruf* erschien im PW, March 1, 1945, p. 11.

6 Cf. Lothar Schlicht, »Aus meinem Tagebuch«, *PW*, February 15, 1945, p. 4; Franz Winkel, »Kulturstunde in Sachsenhausen«, *PW*, March 1, 1945, p. 5; Oskar Holewa, »Schicksal in Nordafrika«, *PW*, May 1, 1945, p. 9; Franz Kain, »Einer von Vielen«, *PW*, May 15, 1945, pp. 8—9.

7 E. g. Hans Joachim Wißmann und Werner Jahn, »Gedanken über das National-Komitee ›Freies Deutschland‹«, *PW*, March 1, 1945, pp. 15—16: Ich stelle die Frage so: 1. Was bedeutet das Vorhandensein dieser beiden Körperschaften für uns Deutsche? Meine Antwort ist die: Sie liefert der Welt ... einen Beweis dafür, daß ... das deutsche Volk und die Nazis nicht generell identifizierbar sind.«
Cf. auch »Lagerleben«, *PW*, March 1, 1945, p. 10: »... wir bitten Euch, zu unsern Artikeln Stellung zu nehmen.«

8 Laut *PW*, April 1, 1945, p. 2 wurde der Text des »Friedensappells deutscher Kriegsgefangener« über den Rundfunk nach Deutschland gesendet und »in der ganzen amerikanischen Presse besprochen«. 1391 Lagerinsassen (»Mannschaften und Unteroffiziere«) hatten den Text eigenhändig unterschrieben. Der Appell entstand schon am 6. Februar 1945 forderte zum Widerstand gegen den NS-Staat auf; alle Deutschen sollten die Waffen niederlegen.

9 Cf. »Für das Kind in Not«, *PW*, April 1, 1945, p. 9.

10 In *PW*, September 1, 1945, p. 4 erschien folgende »Erklärung«: »Nach der Kapitulation Japans, die die Beendigung des II. Weltkriegs bedeutet, empfinden wir Anti-Nazis in ... Fort Devens besonders schwer die Lage des deutschen Volkes ... Eine erbitterte Welt klagt das deutsche Volk der Duldung schwerster Verbrechen an.... Wir sind bereit, durch ständige Arbeit an uns selbst und an dem ganzen Volke unseren Beitrag zum Aufbau einer friedlichen Welt zu leisten ...«

11 Cf. »Ein amerikanischer Professor spricht zu PW‹s«, *PW*, May 1, 1945 p. 12. Es handelte sich um Prof. Seavey (Geschichte), Harvard University.

12 Lothar Schlicht, »Jungkameradschaft«, *PW*, February 15, 1945, p. 8.

13 E. g. Paul Lohmann, »Rettet das Kind«, *PW*, March 15, 1945, p. 3: »Nun ist der Kampf nach Deutschland hineingetragen. Deutsche Kinder sehen amerikanische Soldaten an. Doch das ist mein fester Glaube: der amerikanische Soldat wird genau so denken, fühlen und handeln wie wir ...«
Cf. Col. H. Storke, »Ihre Situation im Lager«, *PW*, July 15, 1945, p. 3; Paul Lohmann, »Battle for Peace — und wir«, *PW*, May 15, 1945, p. 2; Willy Vellen, »Die soziale Stellung der Frau in Amerika«, *PW*, April 1, 1945, p. 15.

14 Cf. H. J. Wißmann, »Streiter von 1848 in Amerika«, *PW*, March 15, 1945, p. 7; Adolf Schröder, »Karl Schurz«, *PW*, March 15, 1945, p. 5.
15 »Der PW über den Ruf«, *PW*, May 15, 1945, p. 11: »Der *Ruf* hat eine dankbare Mission. Sein Kopf trägt die von uns zum Symbol erwählte Fackel. *Der Ruf* ist eine Fackel der Wahrheit in dem geistigen Nebel, der noch manchen deutschen Kriegsgefangenen umgibt.«
16 Erwin Welke, »Vorher«, *PW*, July 1, 1945, p. 9: »Zwölf Jahre deutscher Geschichte werden plötzlich lebendig.... Man kann sie nicht negieren, man muß Stellung beziehen und Klarheit schaffen,... daraus Lehren ziehen für die Zukunft... Wir können es uns nicht erlauben, an einem bestimmten Punkt in unserem Leben stehen zu bleiben....«
17 Cf. Erich Rätzke, »Betrachtungen über Schuld und Sühne«, *PW*, March 15, 1945, pp. 4—5; Oskar Holewa, »Deutsche Jugend — eine Gefahr für den Frieden?«, *PW*, March 15, 1945, p. 12; Walter Schule, »Kriegsgefangene Jugend wohin?«, *PW*, July 15, 1945, pp. 14—15.
18 Cf. Paul Lohmann, »Wir werden leben, auch nach dem Kriege«, *PW*, March 1, 1945, p. 2.
19 Wißmann und Jahn, »Gedanken über das National-Komitee ›Freies Deutschland‹«.
20 Cf. H. J. Wißmann, »Warum Fremdsprachen«, *PW*, May 15, 1945, pp. 6—7. Dort heißt es u. a.: »Die Erlernung der Fremdsprachen ist das einzige Mittel, uns aus unserer engen, nur-nationalen Reserve herauszuführen und den Weg zu einem positiven, weltweiten Blickpunkt freizulegen.«
21 Cf. Erich Rätzke, »Kriege wird es immer geben...?«, *PW*, March 1, 1945, p. 4. Der Beitrag schließt mit den Worten: »...die furchtbaren Auswirkungen moderner Kriege zwingen die Menschheit bei Strafe ihres Untergangs... das eigene Schicksal bewußter zu gestalten und den Krieg, wie zuvor Blutrache, Kannibalismus und Hexenverbrennung, in das Museum seiner Geschichte zu stellen.«
Cf. auch: Oskar Holewa, »Carl v. Ossietzky«, *PW*, May 15, 1945, p. 5; Werner Jahn, »Walter Rathenau«, *PW*, July 1, 1945, p. 5.
22 Cf. Adolf Bauer, »Gedanken zum März«, *PW*, March 15, 1945, p. 2; Bodo Gerstenberg, »Die deutsche Revolution 1848—1849«, *PW*, March 15, 1945, pp. 8—10; Gerstenberg zitiert den Spruch Georg Herweghs: »Frisch auf, mein Volk mit Trommelschlag / Im Zorneswetterschein / O, wag's — und wär's nur einen Tag, / Nur einen frei zu sein.«
23 Cf. Paul Lohmann, »Das andere Deutschland«, *PW*, May 1, 1945, p. 2; Alfred Schramm, »Eine verlorene Generation«, *PW*, July 1, 1945, p. 8.
24 Cf. Herbert A. Tulatz, »Junker im Oderland«, *PW*, March 1, 1945, p. 8; Kurt Kienast, »Ein Handschlag«, *PW*, March 15, 1945, p. 6.
25 Cf. Josef Meixner, »Der Mann mit der Peitsche«, (Julius Streicher), *PW*, July 15, 1945, p. 6; Willi Krause, »Hitlers Polizei als Kirchenschänder«, *PW*, March 1, 1945, p. 6; Peter Klingen, »Tatsachen über Buchenwald«, *PW*, May 1, 1945, p. 3.
26 Cf. Walter Schmidt, »Freie oder staatliche Gewerkschaften«, *PW*, May 1, 1945, pp. 4—5; Paul Hepperle, »August Bebel«, PW, April 1, 1945, p. 7.
27 Friedrich Schiller Wilhelm Tell II. ii.
28 Paul Hepperle, »Friedrich Schiller, ein Kämpfer für Freiheit und Demokratie«, *PW*, May 1, 1945, pp. 7—8.
29 Cf. Herbert Cysarz, *Friedrich Schiller* (Leipzig, 1934).
30 Hepperle, »Schiller«.
31 Wißmann, »Streiter von 1848 in Amerika«.
32 Schröder, »Karl Schurz«.
33 Werner Jahn, »Das junge Deutschland 1830—1848«, *PW*, March 15, 1945, p. 7.
34 *Ibid.*
35 Werner Jahn, »Bücher auf dem Scheiterhaufen«, *PW*, May 1, 1945, pp. 8—11.
36 Jahn, »Das junge Deutschland«.

37 *Ibid.*

38 *Ibid.*

39 Die politischen und ikonoklastischen Implikationen in dem Sammelbegriff »Junge Generation« in der Polemik der deutschen Nachkriegs-Literatur-Diskussion haben ihren historischen Ausgangspunkt im »Jungen Deutschland«. Cf. Urs Widmer, *1945 oder die »Neue Sprache«* (Düsseldorf, 1966), pp. 7—8.

40 Jahn, »Das junge Deutschland«.

41 Hans Reinow, Pseud. für Reinowski (geb. 1900) ist der Autor von *Wer stürzt den Diktator* (1939), und *Lied am Grenzpfahl* (Zürich: Oprecht-Vlg., 1940); auf eine NS-Intervention hin mußte der Oprecht-Verlag die Auflage stark beschränken (Cf. R. Greulich, »Hans Reinow«, *PW*, July 15, 1945, p. 5). Leonhard Frank (1882—1961); Ernst Gläser (1902—1963), Friedrich Rosenthal (1885—1944?); »Doris Schäfer« ist vielleicht eine Verwechslung mit Oda Schäfer (geb. 1900).

42 Erich Kästner, *Lärm im Spiegel*, Gedichte (Leipzig, 1928).

43 Erich Maria Remarque (Pseud.), *Im Westen nichts Neues* (Berlin, 1929); Ernst Gläser, *Jahrgang 1902* (Berlin, 1928).

44 Leonhard Frank, »Der Vater«, in: *Der Mensch ist gut* (Zürich, Berlin, 1918).

45 E. R. Greulich, »Dichtung verbrannt und verbannt«, *PW*, April 1, 1945, p. 10.

46 Das geht auch aus den gegen den militaristischen Zeitgeist gerichteten Versen hervor: »... Man machte doch / in Jugend Ausverkauf«. (Aus Erich Kästner, »Sergant Waurich«, in: *Lärm im Spiegel*, V. 14, 15).

47 Kästner, »Sergeant Waurich« (1928), V. 21—30:

> ... Wer ihn gekannt hat, vergißt ihn nie.
> Den legt man sich auf Eis!
> Er war ein Tier. Und er spie und schrie.
> Und Sergeant Waurich hieß das Vieh,
> damit es jeder weiß.
>
> Der Mann hat mir das Herz versaut.
> Das wird ihm nie verziehn.
> Es sticht und schmerzt und hämmert laut.
> Und wenn mir nachts vorm Schlafen graut,
> dann denke ich an ihn.

48 In *PW*, May, 1945, p. 8.

49 Cf. Erich Kästner, »Über das Verbrennen von Büchern«, Ansprache auf der Hamburger PEN-Tagung am 20. Mai 1958, in: Erich Kästner, *Gesammelte Werke für Erwachsene*, VIII (Zürich, München, 1969), pp. 277—85.

50 Jahn, »Bücher auf dem Scheiterhaufen«, p. 8.

51 *Ibid.*; aber auch Ernst Wiecherts *Der Dichter und die Zeit*, Rede, gehalten am 16. April 1935 im Audit. Max. der Universität München, Hrsg. F. Witz (Zürich, 1945), wurde auszugsweise am Ende von Werner Jahns Aufsatz unter dem Untertitel »Ein mutiges Bekenntnis« wiedergegeben.

52 Sein endgültiger Titel lautete: *Morgenröte*, Ein Lesebuch, eingeführt und ediert von Heinrich Mann (New York, Aurora-Vlg., 1947).

53 Jahn, »Scheiterhaufen ...«.

55 *Ibid.;* das Feuchtwanger-Zitat läßt sich nicht in seinem Werk verifizieren.

56 *Ibid.*

57 Werner Jahn, »Von der neuen deutschen Dichtung«, *PW*, February 15, 1945, p. 5.

58 *Ibid.*

59 Nach dem I. Weltkrieg entstanden auch die ersten Formulierungen von Karl Jaspers und Martin Heidegger zur deutschen »Existenzphilosophie«. Cf. Otto Friedrich v. Bollnow, *Existenzphilosophie* (Stuttgart, 1947), Reihe *Systematische Philosophie*.

60 Nach v. Bollnow, *ibid.* (zusammengefaßt) kann der in seine »Zeitlichkeit« und eine feindliche Umwelt »geworfene« Mensch seinem Leben trotzdem fruchtbare, exi-

stenzielle Echtheit verleihen, indem er den Grenzsituationen nicht ausweicht und im Blick auf das drohende »Nichts« die daraus entstehende »Existenzangst« aushält.

61 Cf. v. Bollnow, *Existenzphilosophie*, ibid., und Martin Heidegger, *Sein und Zeit* (Halle a. d. Saale, 1927; Tübingen, 1963).

62 Martin Heidegger, *Hölderlin und das Wesen der Dichtung* (München, 1937).

63 Friedrich Hölderlin, »Andenken«, *Sämtliche Werke*, Hrsg. F. Beissner, II (Stuttgart, 1951), pp. 188—89, V. 59.

64 Cf. Otto Friedrich v. Bollnow, *Unruhe und Geborgenheit im Weltbild unserer Dichter, Acht Essays* (Stuttgart, 1953). Rainer Maria Rilkes *Sonette an Orpheus* (1922) und seine Ausführungen zur Aufgabe des Dichters (anhand der Gestalt Louise Labés) in *Malte Laurids Brigge* (Leipzig, 1910) fördern den Brückenschlag zu Jahns Auffassung von der »Liebe«, ohne die der Dichter »nicht sein kann«. (Jahn, »Von der neuen ... Dichtung«).

65 Jahn, »Von der neuen ... Dichtung«.

66 *Ibid.*

67 Cf. *supra*, Anm. 51.

68 E. R. Greulich, »Gedanken über Kunst«, *PW*, July 1, 1945, p. 4.

69 Cf. Greulich, »Bücher verbrannt«, wo seine Vorliebe für E. M. Remarque und Erich Kästner deutlich bezeugt wird.

70 Greulich, »Gedanken über Kunst«; für diese Definition Greulichs gibt es bedeutende ästhetisch-philosophische Vorbilder: bereits Aristoteles propagierte eine Ästhetik dessen, was das Publikum für möglich hält (*Ars Poetica 25—27*).

71 Greulich, »Gedanken ...«.

72 Kennzeichnend für die ungenaue Argumentation Greulichs gegen experimentelle Kunst ist folgende (falsche) Parallele zur Schauspielkunst: »Keiner könnte sich erlauben, auf der Bühne unartikulierte Laute von sich zu geben, wie Tarzan herumzuhüpfen und hinterher zu erklären: ›Das ist eben meine Auffassung von Hamlet.‹« Natürlich wird hier der Unterschied zwischen dramatischer Mimesis der Wirklichkeit und werkgerechter Interpretation des schon gegebenen Textes durch den Schauspieler übersehen; im letzten Fall ist der Spielraum für individuelle Auffassung weit geringer.

73 Greulich, »Gedanken ...«.

74 Greulich übersieht, daß auch Kubisten und Surrealisten eine pazifistisch engagierte, bildende Kunst verwirklichen können: E. g. Pablo Picasso, »Guernica«, (1937) und Salvador Dali, »Der Weg Spaniens in den Bürgerkrieg« (1936). Diese berühmten Bilder sind »experimentell« und doch keineswegs »l'art-pour-l'art«.

75 Greulich, »Gedanken ...«.

76 Eine Zeichnung von George Grosz trägt den Titel: »Tiere sehen dich an« (1926).

77 Die wesentlichen Kennzeichen des soz. Realismus sind:
1. »Die wahrheitsgetreue, historisch-konkrete Darstellung der Wirklichkeit in ihren revolutionären Entwicklung.« (Definition nach Maxim Gorki, anläßlich des 1. Sowjetischen Schriftstellerkongresses 1934).
2. Der positive Held.
3. Volkstümlichkeit, Zeitnähe und Optimismus.
4. Die Literatur ist ein wichtiges Instrument der Propaganda (Agit-Prop-Literatur). Cf. Wilhelm Bortenschlager, *Deutscher Dichtung im 20. Jahrhundert* (Zürich, 1966), pp. 413—14.

78 Greulich, »Gedanken ...«.

79 Erge weiß seinen Beitrag genau zu belegen: zu den Feinden der Künstlerin zählte auch das deutsche Kaiserpaar. Schon 1898 widerrief Wilhelm II. eine an K. Kollwitz verliehene Goldmedaille, weil sie den Weberaufstand »zu lebensecht« dargestellt habe. Die Kaiserin nahm 1908 Anstoß an einem Plakat für eine Heimarbeiter-

Ausstellung. Ein Plakat, das Spielplätze für die Großstadtkinder forderte, wurde von der Polizei Wilhelms II. verboten. Von den NS-Machthabern wurden ihre Werke 1933 als »entartete« Darstellung »ostischer Untermenschentypen« verboten.

80 Erge, »Professor Käthe Kollwitz«, *PW*, March 1, 1945, p. 7.

81 *Ibid.*

82 Cf. Anhang.

83 Im Jahre 1932 war George Grosz von der »Art Student League« in New York als Lehrer berufen worden.

84 Eine ähnliche Szene, allerdings naturalistisch legitimiert, beschreibt Walter Kolbenhoff in seinem (im Lager Ruston, La., USA, entstandenen) Roman: *Von unserem Fleisch und Blut* (München, 1947), Kap. XXIV.

85 Ernst Walsken, »George Grosz, Porträt eines Malers«, *PW*, September 1, 1945, pp.4—5.

86 *Ibid.*

87 Ich verweise in diesem Zusammenhang auf Günter Eichs Hörspiel: *Träume* (1950; Günter Eich, *Träume*, Vier Spiele, Frankfurt/M., 1953), worin Menschen sich symbolisch oder im Traum »tiefer in die Erde« verkrochen haben, so daß sie zum Teil sterben müssen, ohne die Sonne zu kennen.
In einem Gedicht, das Erich Kästner schon 1930 geschrieben hatte, ist eine sehr ähnliche Zukunftsvision enthalten: cf. Erich Kästner, »Das letzte Kapitel«, in: *Ein Mann gibt Auskunft* (Stuttgart, 1930), zitiert nach Kästner, *Gesammelte Schriften*, I, pp. 219—20, Strophe V:
> »... Die Menschen krochen winselnd unter die Betten.
> Sie stürzten in ihre Keller und in den Wald.
> Das Gift hing gelb wie Wolken über den Städten.
> Millionen Leichen lagen auf dem Asphalt.«

88 Die Illustrationen Bodo Gerstenbergs wurden schon erwähnt (Cf. Bildteil). Auch eine Filmkritik im *PW* (March 1, 1945, p. 12) bestätigt das Interesse an realistischer, gesellschaftsbezogener Kunst, Walter Schmidt bespricht in »Hollywood kann auch anders«, den Film *Tales of Manhattan* (mit Charles Laughton, Charles Boyer, Rita Hayworth). Schmidt betont, der Film unterscheide sich von den lebensfernen Revue-Filmen; hier werde »ein unverhüllter Abriß der amerikanischen Gesellschaft gezeigt«. Man bekomme »Gegenstände des täglichen Lebens«, »eine große Anzahl von typischen Vertretern« des amerikanischen Volkes und eine psychologisch wahre Darstellung zu sehen.
Anläßlich der Lageraufführung von Ludwig Thomas *Moral* (1908) betont ein Kriegsgefangener in einer Besprechung, Thoma entlarve in einer der Nebenfiguren den »Typus des Mansardendichterlings, der dem Wort Dichter den leicht lächerlichen ... Anstrich« verliehen habe: »Es gehört zum guten Ton, solch einen Dichter einzuladen. Aus dem Erlebnis des Hungers macht er eine Legende statt einer Anklage und aus seinen Stationen der Erniedrigung baut er interessante Schauobjekte statt Forderungen zu einer besseren Menschheit« (Erge, »Moral kommt auf die Bretter«, *PW*, May 1, 1945, p. 12).
Erge richtet seine kritische Aufmerksamkeit auf die Aktualität schriftstellerischen Engagements und fordert vom »Dichter« Gesellschaftskritik (»Anklage«, »zu einer besseren Menschheit«).

89 Horst Heitzenröther, »Helm auf dem Grabe«, *PW*, March 1, 1945, p. 15.

90 Cf. Emil Staiger, *Grundbegriffe der Poetik* (Zürich, 1946).

91 Horst Heitzenröther, »Aufruf«, *PW*, March 15, 1945, p. 4.

92 Cf. Peter Demetz, *Marx, Engels und die Dichter, Zur Grundlagenforschung des Marxismus* (Stuttgart, 1959), Kap. IV: »Georg Herwegh«, »Ferdinand Freiligrath«.

93 Aber auch an Kleists Kriegsgedichte und Aufrufe (»Germania an ihre Kinder«, »Katechismus der Deutschen«, 1809).

94 In Horst Heitzenröther, »Eingekesselt«, (*PW*, April 1, 1945, p. 8) ist in der ersten (von vier) Strophen von »deutschem Blut« in »fremder Erde« die Rede; ein An-

klang an den Blut-und-Boden-Mythos wird spürbar: »Lacht Leute, lacht, / ist auch
die Nacht / gespenstisch beleuchtet, / und dampfend durchfeuchtet / von deutschem
Blut / die fremde Erde. / Was das schon tut! / Bleibt doch das ›Werde‹, / und alles
wird gut.«

95 Oskar Wintergerst, »Den Toten des Krieges«, *PW*, March 15, 1945, p. 12.

96 I Kor. 13,8.

97 Die abschließende Geste der aus dem »Grabe gereichten Hand« (5.47) legt es mir
nahe, an ein Kästner-Gedicht, »Verdun, viele Jahre später« (1932), zu erinnern
(Strophen VI, VII:

> Zwischen Ähren und gelben Blumen,
> zwischen Unterholz und Farnen
> greifen Hände aus dem Boden,
> um die Lebenden zu warnen.
>
> Auf den Schlachtfeldern von Verdun
> wachsen Leichen als Vermächtnis.
> Täglich sagt der Chor der Toten:
> »Habt ein besseres Gedächtnis!«

Erich Kästner sieht die in dem Thema angelegten, motivischen Möglichkeiten klarer
und benützt sie, um seine warnende Schlußpointe wirkungsvoll zu unterstreichen.
Dazu dienen ihm Stilmittel der Groteske in enger Verbindung mit ironischem »understatement«. Daher gerät ihm die Lehre der Schlußzeile nicht ins Pathetische (wie
Heitzenröther und Wintergerst), sondern, im Gegenteil, ins ätzend Ironische. Der
stilistische Sprung zwischen dem Alltagsjargon der Schlußzeile und der Anspielung
auf C. F. Meyers feierlich gestimmten »Chor der Toten« entspricht dem engen
Nebeneinander von Totenhand und »gelben Blumen« (6.1,3). Kästner bezieht seine
treffsichere Schärfe aus der Entlarvung von Phrasen (gegen die auch Heitzenröther
und Wintergerst vergebens polemisieren) und militaristischen Emblemen (1.4, 2.4)
durch rücksichtslose Konfrontation mit der prosaischen Wirklichkeit. So entsprechen
sich Stilmittel und Aussage vollkommen.

98 Walter Krumbach, »Stimme der Toten«, (»Totenklage«) *PW*, February 15, 1945, p. 3.

99 Der Vergleich mit Wolfgang Borcherts Heimkehrer-Dramolett *Draußen vor der Tür*
liegt nahe, wo im »Traum« des Vorspiels die Elbe zum griesgrämigen Fischweib
personifiziert wird, das Selbstmörder trotzdem fast zärtlich wieder an Land spült.
(Wolfgang Borchert, *Draußen vor der Tür*, Hamburg 1947).

100 *Der Ruf*, USA, November 15, 1945, p. 6; *Deine Söhne, Europa*, Hrsg. Hans Werner
Richter (München, 1947), p. 40; Hans Werner Richter, »Lyrik der Kriegsgefangenen«,
Der Ruf, München, 15. September 1946, p. 10.

101 In Max Frischs Nachkriegsdrama *Nun singen sie wieder*, Versuch eines Requiems
(Basel, 1946) treten übergangslos Gestorbene und Lebende auf. In Wolfgang Borcherts *Draußen vor der Tür*, hält der Tod als »Beerdigungsunternehmer mit Schluck-
auf« fachtechnische Monologe. In Ilse Aichingers Erzählung »Spiegelgeschichte«, (in:
Der Gefesselte, Frankfurt/M., 1953) erzählt eine Verstorbene ihren Tod. Wolfdietrich Schnurre läßt in »Das Begräbnis«, 1947 (in: *Man sollte dagegen sein*, Freiburg i. Br., 1960) einen Heimkehrer dem Begräbnis von Gott beiwohnen. Walter
Kolbenhoff läßt in »Ich sah ihn fallen«, 1949 (in: *Almanach der Gruppe 47*, Hrsg.
H. W. Richter und W. Mannzen, Freiburg i. Br., 1962) einen Mann, der gehängt
wird, seinen Tod träumen. Alfred Andersch beschreibt in »Die Letzten vom Schwarzen Mann«, (in: *Geister und Leute*, Olten, 1958) zwei Gefallene, die ihr Grab be-
suchen. Marie-Luise Kaschnitz schreibt das Gedicht »Gennazano« (in: *Neue Gedichte*, Hamburg, 1957) aus der Totenperspektive. Thornton Wilders Stücke *Our
Little Town* (1939) und *The Skin of Our Teeth* (1944) wirken hier modellbildend.

1 E. g. *Der Aufbau,* Fort Leonard Wood, Missouri, June 2, 1945; dort heißt es: »Der letzte Rest einer unglückseligen Ideologie muß verschwinden, damit jeder von uns vorurteilsfrei um eine neue politische Lebenshaltung ringen kann. . . .« Als Folgerung dieser Erkenntnis tritt an die Stelle der *Brücke* die neue Zeitung *Der Aufbau.*« Andere Beispiele eines Titelwechsels sind: *Lagerfackel,* Camp Butner, N. C. wird zu *European; Ekkehard,* Camp Douglas, Wyoming zu *Wort; Neue Stacheldrahtnachrichten* (NSN) zu *Ausblick; Mattscheibe,* Camp Beale, Calif., zu *Zeitung; Stacheldraht,* Camp Custer, Michigan zu *Brücke; Funkturm,* Camp Memphis, Tenn. zu *Fenster.*

2 E. g. »Huldigung«, ein Aufsatz Friedrich Walters zu Ehren Thomas Manns, der zuerst in der *Neuen Rundschau* (September, 1945) erschien, dann in *Der Ruf,* USA, October 1, 1945, p. 4, abgedruckt wurde.

3 E. g. *Die Neue Zeitung,* Berlin und München, 15. September 1945; *Die Allgemeine Zeitung,* Berlin, 7. August 1945.

4 *Die Wandlung,* Hrs. Karl Haspers, Dolf Sternberger, Alfred Weber und Marie Luise Kaschnitz.

5 Cf. *1945 — Ein Jahr in Dichtung und Bericht,* Hrs. H. Rauschning (Frankfurt/M.: Fischer-Taschenausgabe, 1965), pp. 155—62.

6 »Der Weg nach Innen«, *Der Ruf,* USA, December 15, 1945 p. 3.

7 *Ibid.*

8 Jakob Wassermann (1873—1934), *Der Fall Mauritius* (1928); Erich Maria Remarque, *Im Westen nichts Neues* (1929); Ludwig Renn, *Krieg* (1928); Arnold Zweig, *Der Streit um den Sergeanten Grischa* (1927).

9 »Der Weg nach Innen«.

10 *Ibid.*

11 Der Ausdruck entstammt dem autobiographischen »Bericht« von Alfred Andersch, *Die Kirschen der Freiheit* (Frankfurt/M., 1952), p. 48.

12 »Der Weg nach Innen«.

13 *Ibid.*

14 Anstatt dem staatlich geförderten, irrationalen Mythos Klarheit der Sprache und nüchternen Abstand entgegenzusetzen, schuf man durch solche »Oasen« und »Inseln« geistiger Rückwendung (und epigonaler Stilpflege) die Voraussetzungen für unklares Denken. Das führte zu einer teilweisen Selbstentmündigung des Geistes gegenüber nationalsozialistischer Machtdoktrin.
Cf. Fanz Schonauer, *Deutsche Literatur im Dritten Reich, Versuch einer Darstellung in polemisch-didaktischer Absicht* (Olten/Freiburg i. Br., 1961).

15 Franz Friese, »Bekenntnis zu Hermann Hesse«, *Der Ruf,* December 15, 1945, p. 3.

16 *Ibid.*

17 *Ibid.*

18 Herbert Schramm (Lager 174), »Das Glasperlenspiel — ein Buchhinweis«, *Der Kulturspiegel,* Zeitschrift deutscher Kriegsgefangener in England, June 1946, pp. 55—58.
Über die günstige Situation deutscher Kriegsgefangener in England, insbesondere die Kriegsgefangenen-Universität in Wilton Park: Cf. Alfred Andersch, »Die Kriegsgefangenen — Licht und Schatten. Eine Bilanz«, *Der Ruf, Eine deutsche Nachkriegszeitschrift,* Hrs. H. Schwab-Felisch (München, 1962), pp. 67—69.

19 Schramm, »Glasperlenspiel«, p. 56.

20 Cf. Johann W. Goethe, *Wilhelm Meisters Wanderjahre* (1821, 1829).

21 Schramm, »Glasperlenspiel«, p. 57.

22 *Ibid.,* p. 58.

23 H. Bürger, »Warum liest du nicht«, *Die Brücke,* Camp Custer, Michigan, January 19, 1946, pp. 8—10.
Die meisten, Ernst Wiechert gewidmeten Beiträge in Lagerzeitschriften begnügten sich mit einem kurzen und anerkennenden Bericht über Wiecherts Rede im Jahre 1935

in der Münchner Universitäts-Aula: »Der Dichter und die Zeit« (in: Ernst Wiechert, *An die deutsche Jugend,* Vier Reden, München, 1951); e. g. *Brücke zur Heimat,* Camp 33, Petawawa, Canada, September 30, 1945 und *Der Lotse,* Camp McCain, Miss., October 10, 1945, pp. 10—12. In seiner Rede hatte sich Wiechert, wenn auch nur in Andeutungen und Umschreibungen gegen die NS-Erziehungsideale gewandt; 1938 kam er wegen dieser Haltung vier Monate ins KZ Buchenwald.

24 Bürger, p. 9.

25 *Ibid.,* p. 10.

26 Hans Hess, »Gedanken zu Carossa: Der Arzt Gion«, *Die Lagerstimme,* Camp Ellis, August 31, 1945, pp. 9—12.

27 *Ibid.,* p. 9.

28 Hans Carossa, *Der Arzt Gion* (Leipzig, 1931), p. 277.
Hermann Hesses *Narziß und Goldmund* (1930) und Carossas Arzt-Roman haben den Aspekt einer auf künstlerische Vollendung zielenden Lebensentwicklung gemeinsam; nach Jahren zügellosen Lebens verwertet Goldmund seine Erfahrungen zur Gestaltung einer Marien-Schnitzerei.

29 Hess, »Gedanken ...«, p. 11.

30 Eine Untersuchung der Spracheigenheiten Carossas nahm Karlheinz Deschner vor; in *Kitsch, Konvention und Kunst* (München, 1957), pp. 41—67 bezeichnet Deschner Carossas Stil als »steifes, antiquiertes Pathos« (p. 65).

31 »Dank an Thomas Mann«, *Der Ruf,* USA, October 1, 1945, pp. 4—6.

32 Thomas Mann, *Achtung Europa!,* Aufsätze zur Zeit (Stockholm: Bermann-Fischer Vlg., 1938). Dieser Band erschien auch in der *Bücherreihe Neue Welt* (New York,

33 Thomas Mann, *Der Zauberberg* (Berlin, 1924); *Lotte in Weimar* (Stockholm: Bermann-Fischer Verlags.

33 Thomas Mann, *Der Zauberberg* (Berlin, 1924); Lotte in Weimar (Stockholm: Bermann-Fischer Vlg., 1939); *Joseph und seine Brüder* (Wien: Bermann-Fischer Vlg., 1943).

34 »Ernte der Standhaftigkeit«, *Der Ruf,* USA, October 1, 1945, p. 4.

35 *Ibid.*

36 Cf. J. F. G. Grosser, Hrs. *Die große Kontroverse* (Hamburg, 1963). Während Walter v. Molo Thomas Mann bat, als »guter Arzt« nach Deutschland zurückzukehren, schrieb Frank Thiess, er glaube, daß die »inneren« Emigranten andere Erlebnisse und ein schwierigeres Los gewählt hätten. Thomas Mann antwortete (in einem offenen Brief in der *Bayerischen Staatszeitung,* die unter US-Lizenz erschien, am 12. Oktober 1945) sehr irritiert, Familienprobleme verhinderen seine Rückkunft. Alle zwischen 1933 und 1945 in Deutschland erschienenen Bücher seien mit »Blut und Schande« behaftet und zu vernichten.

37 Cf. Thomas Mann, *Deutsche Hörer!,* 25 Radiosendungen nach Deutschland (Stockholm: Bermann-Fischer Vlg., 1945).

38 Cf. Friedrich Nietzsche, *Die Geburt der Tragödie aus dem Geist der Musik* (1871).

39 Im ersten, hier nicht wiedergegebenen Abschnitt des Beitrags »Ernte der Standhaftigkeit« ist davon die Rede.

40 Anläßlich einer Germanistentagung über Thomas Mann und seine möglichen Nachfolger mußte man 1965 feststellen, daß mit wenigen Ausnahmen (Walter Jens) niemand diesen Stil als Modell gewählt hatte. So gesehen erwies sich die *Ruf*-Prognose als unzutreffend.

41 Wolfgang Hildebrandt, »Zauberberg und Kriegsgefangene«, *Der Ruf,* October 1, 1945, p. 5.

42 *Ibid.;* die Anspielung auf eine »hermetische Pädagogik« bezieht sich auf den in Thomas Manns *Zauberberg* näher dargelegten Einfluß von Abgeschiedenheit, Entwurzelung und Höhenlage auf die Bildungs-Assimilation Hans Castorps. Der »hermetische« Prozeß intensiviert diesen Vorgang.

43 Hildebrandt, »Zauberberg«.

44 Cf. Andersch, *Die Kirschen der Freiheit*, pp. 117—130; »Die Wildnis«; und den Aufsatz »Getty, oder die Umerziehung« (*supra*, Kap. II, n. 8).

45 Ein Beitrag über »Verbotene Bücher«, (*Die Lagerfackel*, Camp Butner, N. C., August 12, 1945, p. 15) hebt auch die Werke Kurt Tucholskys (1890—1935) und Walter Mehrings (geb. 1896) besonders hervor: »Was waren das für Bücher? Es waren Werke moderner Schriftsteller, die den Krieg, die Diktatur und die bürgerliche Selbstgefälligkeit engstirniger Nationalisten mit der Leidenschaft einer großen Begabung in künstlerischer und literarischer Form ablehnten.«
   Von Heinrich Manns Werken wird in den POW-Lagern nur *Lidice* (1943) empfohlen, wobei der Rezensent sich bemüht, der Ablehnung vieler Leser im Lager zu begegnen (»Für den Lesefreund«, *Die Brücke*, Camp Custer, Mich., October 20, 1945, p. 14).
   Zum Tode Franz Werfels im Sommer 1945 erschienen mehrere summarische Würdigungen: *Kolibri*, Camp Crossville, Tenn., September 16, 1945, p. 13; *Die Brücke*, Westover Field, Mass., September 15, 1945, pp. 1—2.

46 Erich Kästner, »Und wo bleibt das Positive, Herr Kästner«, in: *Ein Mann gibt Auskunft* (Berlin, 1930).

47 Cf. »Die Wiedergeburt der deutschen Sozialdemokratie«, *Das PW-Echo*, Camp Rucker, Alabama, November 15, 1945, pp. 2—3.

48 Henrik Paulsen, »Erich Kästner, der Dichter und Schriftsteller«, *Das PW-Echo*, Camp Rucker, Alabama, November 15, 1945, pp. 2—3.

49 In einer Rede anläßlich des Princeton-Treffens der »Gruppe 47« im April 1966 sagte Günter Grass über das Thema »Dichter-Schriftsteller«: »...wenn immer, in Deutschland zum Beispiel, ein Lyriker oder Erzähler anläßlich einer öffentlichen Diskussion von einer alten Dame oder von einem noch jungen Mann als ›Dichter‹ angesprochen wird, beeilt sich der Lyriker oder Erzähler — der Vortragende eingeschlossen — darauf hinzuweisen, daß er Wert darauf lege, Schriftsteller genannt zu werden. Wer will schon ein Stefan George sein und mit glutäugigen Jüngern umherlaufen? Wer schlägt die Ratschläge seines Arztes in den Wind und lebt wie Rimbaud heftig konzentriert und ohne Lebensversicherung dahin?...« (in: Günter Grass, *Über das Selbstverständliche*, München: dtv-Report, 1969, p. 85).

50 Der erste Kästner-Gedicht-Band erschien schon 1928: *Herz auf Taille* (Leipzig, 1928).

51 Paulsen führt dazu in seinem Beitrag »Erich Kästner...«, p. 3, noch das Folgende an: »Um hier kein falsches Bild aufkommen zu lassen,... will ich noch hinzufügen, daß wahre Lyrik, wie sie Rainer Maria Rilke, Stefan George, Paul Valéry, Paul Verlaine etc. schrieben, hier nicht angetastet wird...«

52 Ibid., pp. 2—3.

53 Cf. Wolfgang Borcher, »Das ist unser Manifest«, in: *Die Hundeblume* (Hamburg, 1947); Günter Eich, *Abgelegene Gehöfte*, Gedichte (Frankfurt/M., 1948); Peter Huchel, *Gedichte* (Karlsruhe, 1948); Max Frisch, *Tagebuch 1946—1949* (Frankfurt/M., 1950), schreibt anläßlich einiger Brecht-Gedichte, die als positive Beispiele dienen: »Man klagt, daß unsere Poeten nicht ernst genommen werden, vor allem die lyrischen — klagt, ... statt daß man es in Ordnung findet... Im Gegensatz zur englischen und französischen Sprache, die eine moderne Lyrik haben, gibt es offensichtlich wenig deutsche Gedichte, die nicht antiquarisch sind —... schon in ihrer Metaphorik; sie klingen oft großartig, dennoch haben sie meistens keine Sprache: keine sprachliche Durchdringung der Welt, die uns umstellt. Die Sense des Bauern, die Mühle am Bach, die Lanze, das Spinnrad, der Löwe, das sind je nicht Dinge, die uns umstellen. Das Banale der modernen Welt (jeder Welt) wird nicht durchstoßen, nur vermieden und ängstlich umgangen« (pp. 221—22).

54 Cf. Ingeborg Bachmann, *Anrufung des großen Bären* (München, 1956), »Das Spiel ist aus«, p. 7; »Heimweg«, p. 34; »Die blaue Stunde«, pp. 38—39; »Reklame«, p. 46. Ähnlich werden Märchen-Motive parodiert, e. g. in »Von einem Land, einem Fluß

und den Seen«, pp. 9—21; »Curriculum Vitae«, pp. 30—33. Cf. auch die »Stimmen« in dem Hörpsiel *Der gute Gott von Manhattan* (1958).
55 Paulsen, »Kästner«, p. 3.
56 Besonders in dem implizierten Hinweis, daß die Naturschönheit für das Dasein des Menschen belanglos, oder gegebenenfalls eine unmenschliche Folie sein kann. Dieser Aspekt ist charakteristisch für die Trümmerlyrik und -Prosa Günter Eichs, Peter Huchels und Wolfgang Borcherts.
57 Erich Kästner, »Die andere Möglichkeit«, *Ein Mann gibt Auskunft* (Stuttgart 1930); das Gedicht erschien auch im *PW-Echo,* Camp Rucker, Alabama, November 1, 1945, p. 3.
58 Paulsen, »Kästner«, p. 3.
59 *Ibid.*
60 Wie aktuell das Thema der Appell-Wirkung einer pseudo-edlen, oder mit anachronistischen Idealen bestückten, Sprache, (bis hinein in den Deutschunterricht der Schulen) noch 1969 ist, beweist Wolfgang E. Haugs Studie *Der hilflose Antifaschismus* (Frankfurt/M., 1967); daran schließt sich eine Diskussion an (anläßlich der Frühjahrstagung der deutschen Akademie für Sprache und Dichtung 1969 in Köln), die Dieter E. Zimmer für *Die Zeit* (23. Mai 1969, p. 24) zusammenfaßt; Zimmer berichtet über die starke Kritik des Linguisten Peter v. Polenz an der Methode selektiver Wörter-Auswahl, mit der man die Sprache vom NS-Jargon reinigen wollte (Cf. *Wörterbuch des Unmenschen* von Sternberger, Storz, Süßkind, München, 1962). Die wahre Gefahr für eine zunehmende Begriffsvernebelung, wie Paulsen sie 1945 an dem »Vaterlands«-Begriff erkennt, liege in »einer Idealnorm, über Jahrhunderte in den Schulen tradiert, von Grammatiken festgelegt. Bei dieser ›aristokratischen‹ Normierung‹ habe eine wissenschaftliche Sprachkritik heute anzusetzen, sie habe aufzuweisen, wie diese Normen entstanden sind.... Und was das *Wörterbuch des Unmenschen* angehe: nicht mit den dort angeprangerten Vokabeln hätten die Faschisten das Volk verführt, sondern gerade mit den archaisierenden, pseudo-edlen Elementen, an denen — das sagte von Polenz allerdings nicht — eine eher konservative Sprachkritik wenig auszusetzen hat. Wichtiger als die Symptom-Funktion sei die Appell-Funktion«. Am Beispiel der Sprache der »inneren Emigranten« und dem Beitrag »Der Weg nach Innen« wurde die Nähe zu solcher »aristokratischen Normierung« der Sprache im Dritten Reich und in der unmittelbaren Nachkriegszeit deutlich. Die Schriftsteller der »Gruppe 47« waren sich über den Grad des Sprachverfalls im klaren, übersahen aber zum Teil die Bedeutung der Appell-Funktion.
61 Erich Kästner, »Das letzte Kapitel«, in: *Ein Mann gibt Auskunft* (Stuttgart, 1930).
62 Paulsen, »Kästner«, p. 3.
63 Der Ausdruck »Innere Emigration« wurde nicht erst im Jahre 1945 im Zusammenhang mit der Thomas-Mann-Kontroverse geprägt. Schon 1934 schrieb Heinrich Mann über einen jungen Kommunisten in Deutschland: »Das gehetzte, versteckte, tollkühne Dasein, das dieser Junge führte, heißt ›die innere Emigration‹«. (*Europäischer Merkur, Paris, 1934, p. 5).*

KAPITEL VI. AN DER SCHWELLE DER DEUTSCHEN NACHKRIEGSLITERATUR UND -PUBLIZISTIK

1 Der Wettbewerb wurde im Ruf, Fort Kearney, R. I. am 1. September 1945 erstmals ausgeschrieben; der erste Preis war mit 3 000 DM dotiert.
2 Cf. Wolfdietrich Schnurre, »Für die Wahrhaftigkeit, Eine Antwort an Walter Kolbenhoff«, *Skorpion,* August/September 1947, pp. 43—46; auf p. 46 nimmt Schnurre zu Kolbenhoffs Roman in einer Weise Stellung, die für den »magischen Realismus« nach 1945 aufschlußreich ist: »Ich begnüge mich nicht damit, nur das äußere Bild: nur das Sichtbare, das Greifbare zu geben, so wichtig und unumgänglich dessen

Hereinnahme in unsere heutige Literatur auch ist. Ich begnüge mich nicht damit, vermittels eines virtuos geschilderten Äußeren und Realen, Anlaß zu (meist schwachen und verzerrten) Rückschlüssen aufs Innere zu geben. Die Kunstfertigkeit, die sich auf dem Gebiet dieser indirekten, nur andeutenden und gleichsam dem Leser überlassenen Seelenerkundung die Amerikaner erworben haben, soll nicht übersehen werden. Aber was wir bei ihnen, erst noch fast unbewußt, ahnten: das haben uns ihre deutschen Nachahmer nur klar (und wahrscheinlich deutlicher als ihnen lieb ist), bewiesen: Ein solcher Versuch, das Innere durchs Äußere widerzuspiegeln, kann zuletzt immer nur Stückwerk sein. Gewiß, es können Charaktere damit umrissen, es können Seelenkämpfe dadurch angedeutet werden. Aber eben auch nur umrissen. Aber eben auch nur angedeutet. Und mehr nicht...

Es darf uns nun nicht darauf ankommen, als Anhänger einer dieser zwei Richtungen — die fraglos die beiden Hauptströmungen in der von uns jungen Schriftstellern getragenen neuen Literaturepoche sein werden — die Anhänger der anderen an die Wand drücken zu wollen... Sondern worauf es ankommt, ist zu erkennen, daß sowohl der ›blanke‹, als auch der ›magische‹ Realismus nur Wege sind; Wege zum gleichen Ziel, nämlich: der geistigen Durchdringung des Chaos und der Neuwertung des Menschen.«

3 Hans Hayer, *Zur deutschen Literatur der Zeit — Zusammenhänge, Schriftsteller, Bücher* (Reinbek b. Hamburg, 1967), p. 305.

4 Walter Kolbenhoff, *Von unserem Fleisch und Blut* (München, 1947), p. 33: »Zwei Wände waren eingestürzt und die dritte hatte einen Riß von oben bis unten, aber die vierte war heil und an dieser hing der Mann. In seiner Tasche stak ein zusammengefalteter Bogen Papier, darauf hatte er geschrieben: ›Mutter und Erna‹ verzeiht mir. Ich habe es nicht mehr ertragen können.... Karl Huber.«

5 Wolfgang Borchert wechselt Perspektive und Handlungsort systematisch in seiner pazifistisch-didaktischen Erzählung »An diesem Dienstag« (1948). Döblin verfährt ähnlich mit seinem Protagonisten Biberkopf (*Berlin — Alexanderplatz*, 1929), dessen uneinsichtiges Verhalten er mißbilligt. Beide Autoren stehen dem Expressionismus nahe. Bertolt Brecht verbindet in seinen Lehrstücken (um 1930) expressionistische Stilaspekte mit didaktischer Demonstration. Ähnliches versucht Kolbenhoff in seinem Roman.
Auch Ernest Hemmingway wechselt den Handlungsort in »A Banal Story« (1927), um in ironischem Kontrast die Oberflächlichkeit eines Schriftstellers auf dem amerikanischen Kontinent dem Sterben eines Stierkämpfers im Madrider Krankenhaus gegenüberzustellen.

6 Kolbenhoff, *Fleisch und Blut*, p. 16.

7 *Ibid.*, pp. 88—89.

8 In die satirische Analyse des politischen Klimas in Bonn (*Das Treibhaus*, 1953) streut Wolfgang Koeppen NS-Parolen, literarische Bildungsphrasen, Reklamejargon, Zitate moderner Lyrik (E. E. Cummings), umgangssprachliche Klischees und Bibelstellen ein, die auch in den inneren Monolog seines Protagonisten (Keetenheuve) fließen.

9 Kolbenhoff, *Fleisch und Blut*, p. 139.

10 *Ibid.*, p. 198.

11 *Ibid.*, p. 45, pp 47—48.

12 *Ibid.*, p. 7, p. 9.

13 *Ibid.*, p. 49, p. 56, p. 134, p. 145; vom Verf. hervorgehoben.

14 *Ibid.*, p. 69, p. 55, p. 129.

15 Im Gespräch mit dem Verfasser (vom 29. September 1968) betonte Walter Kolbenhoff seine Vorliebe für die robuste Schule jener Kriminal-Schriftsteller, die von Hemingway gelernt haben: Dashiell Hammett und James M. Cain.
Auch in seinem Beitrag »Wir wollen leben!« *(Der Ruf*, 15. September 1946, pp. 6—7) nennt Kolbenhoff einige Lieblingsautoren (indirekt, als Bücher seines Diskussions-

partners »Paul«): Dostojewski, Gide, Rilke, Hemingway, Gorki, Faulkner, D. H. Lawrence.

16 Im Archiv der Library of Congress sind von der Zeitschrift *Der Europäer*, Camp Campbell, Kentucky nur die Nummern 2 (October 1944) und 6 (February 1945) erhalten; es ist zu vermuten, daß die erste Nummer im September 1944 erschien. Beide Beiträge befinden sich in der Februar-Ausgabe des *Europäer*, Camp Campbell, Ky.

17 Gustav René Hocke, »Wir und die Zeit«, *Der Europäer*, Camp Campbell, Ky., February 1945, pp. 3—7.

18 *Ibid.*, p. 3.

19 *Ibid.*, vom Autor hervorgehoben.

20 *Ibid.*, p. 5.

21 Cf. Thomas Mann, *Doktor Faustus* (1947); Hermann Broch, *Die Schuldlosen* (1950), *Der Versucher* (1953), *Massenpsychologie* (1959).

22 Hocke, »Wir und die Zeit«, p. 7.

23 Gustav René Hocke, »Was wollen wir lesen«, *Der Europäer*, Camp Campbell, Ky., pp. 18—19.

24 *Ibid.*, p. 18.

25 Gustav René Hocke, »Briefe zwischen Kontinenten«, *Deutsche Beiträge*, VI (1947), p. 554.

26 *Ibid.*, pp. 554—55; vom Autor hervorgehoben.

27 Gustav René Hocke, »Deutsche Kalligraphie oder: Glanz und Elend der modernen Literatur«, *Der Ruf*, 15. November 1946; in: Der Ruf, *Eine deutsche Nachkriegszeitschrift*, Hrsg. Hans Schwab-Felisch (München, 1962), p. 207.

28 Alfred Andersch, »Die neuen Dichter Amerikas«, *Der Ruf*, June 15, 1945, p. 5.

29 Hocke, »Kalligraphie«, pp. 206—07: »Eine neue Gattung, so könnte man sagen, ist in den Zeitschriften aller Zonen entstanden: der kaleidoskopartige Bericht über Deutschlandfahrten. Auf diesen ... Irrfahrten wird ... die Wirklichkeit zurückgewonnen.«

30 *Ibid.*, p. 205.

31 *Ibid.*, p. 204.

32 Alfred Andersch nimmt in: *Deutscher Literatur in der Entscheidung* (Karlsruhe, 1948), pp. 11—12, n. 4, in dem Abschnitt »Widerstand und Kalligraphie« auf G. R. Hockes »Kalligraphie«-Essay Bezug und nennt die meist jüngeren Schriftsteller: Stefan Andres, Walter Bauer, Theodor Heinz Köhler, Horst Lange, Hans Leip, Ina Loos, Martin Raschke (†) und Eugen Gottlob Winkler (†).

33 Hocke, »Kalligraphie«, p. 204.

34 *Ibid.*, p. 204.

35 Cf. Gustav René Hocke, »Begegnungen mit Ernst Robert Curtius«, *Merkur*, XX (1966), pp. 690—97; Hocke betont darin, er habe seine Dissertation zunächst nicht über Lukrez, sondern Proust und Bergson schreiben wollen, habe aber an dem von Curtius gestellten Lukrez-Thema »etwas von dem« gelernt, »was man historisches Bewußtsein nennt« (p. 692). Curtius habe jene Autoren geschätzt, die sich durch ein »Spannungsverhältnis zwischen Gegenwart und Geschichte« auszeichneten; Hocke fügt aus eigenem Impuls hinzu: »Wer nicht die ganze geistige Tradition Europas umfaßt, wird durch die Zentrifugalkraft der Zeit ausgeschieden« (p. 694). Curtius sei aber auch einer der ersten Entdecker von Joyce, T. S. Eliot, Proust und Cocteau gewesen.

36 Hocke, »Kalligraphie«, pp. 206—97.

37 Mannzen war von Februar bis Juli 1945 Mitarbeiter der Zeitung in Camp Greeley; der erste politisch-zeitkritische Beitrag Mannzens erschien aber erst am 3. Juni 1945 unter dem Titel: »Es ist höchste Zeit!«, *Unsere Zeitung*, p. 1. Besonders aufschlußreich für das Ausmaß des Lager-Terrors ist der Aufsatz von Walter Mannzen, »Der Weg aus der Isolierzelle«, *Der Ruf*, 15. Juni 1945, p. 7; »Angst wovor? Einmal ist es die tief eingewurzelte abstrakte Angst des lange an Terror Gewöhnten. Er kann es noch nicht glauben, daß wirklich endgültig Schluß mit dem Gestapoterror in Deutsch-

land sein wird, daß er nicht später eines unbedachten Wortes wegen verfolgt werden kann. Aber unmittelbarer ist die Angst vor den zu allem bereiten Nazis in den Lagern, die es — von den Drahtziehern ganz abgesehen — gewohnt sind, mangels Argumenten die Faust sprechen zu lassen (und, wie die Erfahrung zeigte, auch hier in den Lagern vor Mord nicht zurückschreckten), die auf Grund jahrelanger Dressur sich gar nicht vorstellen können, daß Andersdenkende keine Verbrecher sind ...«

38 Walter Mannzen, »Freiheit der Kunst«, *Unsere Zeitung*, Camp Greeley, Col., August 19, 1945, pp. 9—11; laut Gespäch Mannzens mit dem Verf. (vom 30. November 1968) wurde der nicht signierte Beitrag nach Mannzens Abreise in *Unsere Zeitung* veröffentlicht.

39 *Ibid.*, p. 9.

40 *Ibid.*, pp. 9—10.

41 *Ibid.*, pp. 10—11.

42 *Ibid.*, p. 9.

43 Dafür spricht auch der folgende Abschnitt, *ibid.*, p. 10: »Sollte es nicht zu denken geben, daß von dem greisenhaften Gerhard Hauptmann abgesehen unter den deutschen Schriftstellern internationalen Rangs sich nur Gottfried Benn und Rudolf G. Binding für den Nationalsozialismus ausgesprochen haben. Binding starb bald nach seiner Entgleisung im Antwortbrief an Romain Rolland, so blieb ihm Benns Schicksal erspart, dessen Bücher, die alten und die neuen, bald nach seinem Umfall verboten wurden.«

44 *Ibid.*, p. 11.

45 Mannzen nannte das Jahr 1936 (als Arbeitsbeginn an der anthropologischen Studie) im Gespräch mit dem Verf. vom 30. November 1968.

46 Cf. Walter Mannzen (ungenannt), »Hat Weimar versagt?«, *Der Ruf*, USA, October 15, 1945, p. 2; dieser Beitrag blieb, wie alle Mannzen-Aufsätze im US-*Ruf* (mit Ausnahme vom 15. Juni 1945) unsigniert und wurde dem Verf. im Gespräch am 30. November 1968 von Mannzen bestätigt.

47 Walter Mannzen, (ungenannt), »Die geistige Kluft«, *Der Ruf*, November 15, 1945, p. 3.

48 *Ibid.*

49 Walter Mannzen (ungenannt), »Die Gefährdeten«, *Der Ruf*, November 15, 1945, p. 5.

50 Elisabeth Langgässer, »Die Kinder der Medea« in: *Märkische Argonautenfahrt* (Hamburg, 1950), pp. 330—396.

51 Walter Mannzen (ungenannt), »Grundrechte des Staatsbürgers«, *Der Ruf*, December 1, 1945, p. 3.

52 Walter Mannzen (ungenannt), »Der Rassenwahn«, *Der Ruf*, December 15, 1945, p. 1.

53 *Ibid.*

54 *Ibid.*

55 Walter Mannzen (ungenannt), »Überwindung des Hasses«, *Der Ruf*, December 15, 1945, p. 2.

56 *Ibid.*, Mannzen zitiert nach Erich Kahler, *Deutsche Blätter*, III (1945) p. 26.

57 Walter Mannzen (ungenannt), »Amerikanisches in Deutschland«, *Der Ruf*, (Schlußausgabe), April 1, 1946, p. 7.

58 *Ibid.*

59 Laut Gespräch mit dem Verf. vom 30. November 1968 in Kiel.
Die Steinbeck-Ausgabe erschien im Vorwerk-Verlag, Darmstadt und Berlin, 1943, Übers. Karin v. Schab.

60 Walter Mannzen (ungenannt), »Der Surrealismus«, *Der Ruf*, February 15, 1946, p. 6.

61 Mannzen, *ibid.*

62 Walter Mannzen, »Zu Gertrud Dahlmann-Stolzenbach: *Der Schwarze Engel* (München, 1946)«, *Skorpion* (Probedruckexemplar), August/September 1947, p. 49.

1 Als Anzeichen für die allgemeine Ermüdung der Literaturkritiker angesichts dieser Interpretationstechnik zitiere ich Marcel Reich-Ranicki über Uwe Johnson (Marcel Reich-Ranicki, *Deutsche Literatur in West und Ost*, München, 1963, p. 231): »Mehrere Rezensenten führten, nach altem Brauch, die Namen der Schriftsteller an, deren Einfluß sich in der Prosa des Debütanten bemerkbar zu machen schien.«

2 Cf. Gustav R. Hocke, »Deutsche Kalligraphie oder: Glanz und Elend der modernen Literatur«, *Der Ruf*, München, November 15, 1946; und: Alfred Andersch, *Deutsche Literatur in der Entscheidung* (Karlsruhe, 1948).

3 Cf. Andersch, *ibid.*, »Freiheit und Isolation«, pp. 16—17.

4 Es handelt sich um zwei längere Gespräche Alfred Anderschs mit dem Verfasser am 10. September und 16. Oktober 1968 in Berzona, Schweiz.

5 Alfred Andersch, *Die Kirschen der Freiheit* (Frankfurt/M., 1952), p. 26: »Es begann ... mit den Romanen Upton Sinclairs, die ich bei dem Verlag bestellte, in dem ich als Lehrling arbeitete ... Sie tauchten meinen Geist in das Bad der Utopie; ich glaubte, daß man den Menschen durch rationale Willensakte ändern und so die Welt verbessern könne.«

6 *Ibid.*, pp. 26—27.

7 Laut Gespräch mit dem Verfasser vom 10. September 1968 in Berzona, Schweiz.

8 *Ibid.*

9 Als »Staatliches Bauhaus« im Jahre 1919 von Walter Gropius (1883—1969) gegründet, vereinigte die Weimarer Schule berühmte Künstler, die statt expressionistischer Tendenzen eine konstruktive, architektur-bezogene Form bevorzugten: Lyonel Feininger, Paul Klee, Oskar Schlemmer, Wassilij Kandinsky, Josef Albers, Gerhard Marcks und Mies van der Rohe (u. a.). Nach Hitlers Machtübernahme löste sich das *Bauhaus* auf. Zu den wichtigsten Werken zählt Paul Klees *Pädagogisches Skizzenbuch* (München, 1925).

10 Dr. Herzfeld meinte zu Anderschs ersten Gedichten, Andersch habe noch »die Eierschalen ungeeigneter Lehrer, zum Beispiel Rilkes, an sich ...« (Andersch, *Die Kirschen*, p. 52).

11 Andersch, *Die Kirschen*, p .50: »kalligraphische Gebilde am Schreibtisch«.

12 *Ibid.*, p. 50—51.

13 Auf Anfrage des Verfassers zur Identität Dr. Herzfelds schrieb Alfred Andersch (am 15. April 1970), er könne sich aus persönlichen Gründen nicht näher dazu äußern.

14 Andersch, *Die Kirschen*, pp. 52—53.

15 Hemingways Romane erschienen bis 1932 im Rowohlt-Verlag, Thomas Wolfes Romane bis 1937, William Faulkners Romane bis 1938 (beide Autoren im Rowohlt-Verlag); erstaunlicherweise erschien John Steinbecks Roman *The Grapes of Wrath* (1919) noch 1943 in textgetreuer Übersetzung in Deutschland; die NS-Kulturkammer hielt das Buch für antiamerikanisch. John Steinbeck, *Die Früchte des Zorns*, Übers. Karin v. Schab (Darmstadt, Berlin: Vorwerk-Verlag, 1943).

16 Andersch, *Die Kirschen*, p. 57; der Eulen-Aphorismus erscheint bereits 1948 in Alfred Andersch, »Der Anti-Symbolist«, *Frankfurter Hefte*, III (1948), p. 1145.

17 Laut Andersch-Gespräch mit dem Verf. vom 10. September 1968.

18 Andersch, *Die Kirschen*, p. 63.

19 Alfred Andersch, »Die neuen Dichter Amerikas«, *Der Ruf*, USA, June 15, 1945, p. 5.

20 *Ibid.*

21 *Ibid.*

22 Cf. Max Frisch, *Tagebuch 1946—1949* (Frankfurt/M., 1950), pp. 221—228; Ende 1947 fordert Frisch das Zeitrequisit in der deutschen Lyrik mit Bezug auf beispielhafte Brecht-Gedichte. In Deutschland erscheinen ähnliche Anregungen nicht vor

Ende 1946, größtenteils erst Ende 1947 (Gustav René Hocke, Stephan Hermlin, Wolfdietrich Schnurre, Wolfgang Weyrauch, Wolfgang Borchert).

23 Andersch, »Dichter Amerikas«; die Verbindung von Ernst Jünger zu Poe verläuft über die französischen Symbolisten, vor allem Baudelaire und Mallarmé, an denen Jünger sich schulte (sowie an ihrem Nachfolger Joris Huysmans), und die wiederum E. A. Poes berühmtes Essay über sein *Raven*-Gedicht (1845), »The Philosophy of Composition«, für sich entdeckt hatten. Poes möglicherweise ironisch gemeinter Essay wurde in Frankreich als Auftakt moderner Literaturtheorie und Poetik ernst genommen; es geht darin um den bewußten Einsatz literarischer Stilmittel zur Hervorbringung kalkulierter Wirkungen.

24 Andersch, »Dichter Amerikas«.

25 Cf. *supra*, p. 87, und Andersch, *Die Kirschen*, pp. 51—53.

26 Zu ähnlichen, noch weiter präzisierten Einsichten kommt der Schriftsteller Hans Bender (geb. 1919) in: Hans Bender, »Seismographen des amerikanischen Lebens«, *Die Welt*, Literaturbeilage, 15. April 1965; Bender weist darauf hin, daß US-Verleger bis 1891 keine Gebühren für den Nachdruck ausländischer Autoren zahlen mußten, weshalb 75 % der in den USA gedruckten Bücher von englischen Schriftstellern stammten. So mußten sich US-Autoren zwangsläufig den Zeitschriften und Journalen zuwenden und damit den Leserwünschen eines Publikums, das nicht auf längere Fortsetzungs-Erzählungen warten wollte; so entstand die US-Domäne auf dem Gebiet der »short story«.

27 Zu geistesgeschichtlichen und metaphysischen oder funktionellen Erklärungen eines literarischen »short story«-Genres, cf.: Hermann Pongs, »Die Anekdote als Kunstform zwischen Kalendergeschichte und Kurzgeschichte«, *Der Deutschunterricht*, I (1957), p. 20; Helmut Motekat, »*Gedanken zur Kurzgeschichte*«, *Der Deutschunterricht, ibid.*, pp. 21—23; Ruth Lorbe, »Die deutsche Kurzgeschichte der Jahrhundertmitte«, *Der Deutschunterricht, ibid.*, p. 37.

28 Andersch, »Dichter Amerikas«.

29 Andersch erwähnt folgende Romane: Thomas Wolfe, *Look Homeward, Angel* (1929), *Of Time and the River* (1935) und *The Web and the Rock* (1938); William Faulkner, *Light in August* (1932), *Pylon* (1935); Thornton Wilder, *Cabala* (1926), *The Bridge of San Luis Rey* (1927).
Es fällt auf, daß die meisten der genannten Romane noch in deutscher Übersetzung während des Dritten Reiches erschienen.

30 Andersch, »Dichter Amerikas«.

31 *Ibid.*

32 *Ibid.*

33 *Ibid.*

33 Der Begriff »objektiver Korrelate« entstammt T. C. Eliots Essay »Hamlet and his Problems«, in: *The Sacred Wood, Essays on Poetry and Criticism* (London, 1920), pp. 95—103.

34 In dem programmatischen Vorwort Hans Werner Richters zu der unveröffentlichten Probenummer der Zeitschrift *Skorpion* (August/September 1947, p. 8) erscheint der Begriff des »magischen Realismus«.

35 Cf. George A. Plimpton, »Gespräch mit Ernest Hemingway«, *Merkur*, XIII (1959), pp. 526—544, besonders pp. 540—41.

36 *Ibid.*

37 Cf. Andersch, *Die Kirschen*, p. 26.

38 Cf. Alfred Andersch, »Amerikanische Anarchisten«, *Frankfurter Hefte*, VI (1951), pp. 764—767 (über Hemingways *To Have and Have not*, 1937).

39 Andersch bestätigte diese polemische Absicht im Gespräch mit dem Verf. vom 10. September 1968 in Berzona.

40 John Steinbeck, *Of Mice and Men* (1937), *The Grapes of Wrath* (1939).

41 Rainer Maria Rilke, »Archäischer Torso Apollos«, in: *Neue Gedichte* (1907).

42 Andersch, »Dichter Amerikas«.
43 *Ibid.*
44 Alfred Andersch, »Eine amerikanische Erzählung«, *Frankfurter Hefte,* II (1947), pp. 940—41; John Steinbeck, »Tularecito«, in: *The Long Valley* (1938).
45 Andersch, »Eine amerikanische Erzählung«.
46 *Ibid.*; es ist aufschlußreich, daß Alfred Andersch (in: »Getty oder Die Umerziehung.«) den in Fort Getty vorgefundenen Geist in ähnlichen Worten beschreibt: »Unklar spürten wir, daß dieser Glaube einen Glauben an die guten Kräfte im Menschen voraussetzte« (p. 1091).
47 *Ibid.*
48 Anderschs Unvermögen genau zu sagen, warum etwas »realistisch« oder »dichterisch« wirkt, erinnert an den Briefwechsel Georg Lukács' mit Anna Seghers (1938/39; in: *Marxismus und Literatur,* II, Hrsg. Fritz Raddatz, Reinbek b. Hamburg, 1969, pp. 110—138). Lukács bleibt beharrlich bei methodischen Rezepten gegen eine nicht engagierte, »dekadente« Schriftstellerei; er hält Anna Seghers das Beispiel Gottfried Kellers entgegen, der das »spezifisch Poetische« als »Privatliebhaberei« und »Voraussetzung« ausgeklammert habe (in einem Brief Kellers an Hettner). Lukács fügt hinzu, man müsse es einmal »ganz offen und brutal« aussprechen: »zum Schriftsteller gehört Talent« (p. 132).
49 Vor allem in seiner Schrift *Deutsche Literatur in der Entscheidung* (Karlsruhe, 1948).
50 Andersch, »Eine amerikanische Erzählung«.
51 *Ibid.*
52 *Ibid.*
53 *Ibid.*
54 *Ibid.*
55 Cf. *supra,* p. 90; Andersch, »Dichter Amerikas«.
56 Cf. Andersch, *Deutsche Literatur in der Entscheidung,* p. 11.
57 Andersch weist an anderer Stelle auch auf Ernst Jüngers Interesse an der englischen Literatur hin (in: Alfred Andersch, »Thomas Mann als Politiker«, 1952, *Die Blindheit des Kunstwerks und andere Aufsätze,* Frankfurt/M., 1965, p. 44): »der Leutnant Jünger« habe im ersten Weltkrieg »zwischen zwei Feuerpausen im *Tristram Shandy*« (Laurence Sterne, 1767) gelesen.
58 Andersch, »Eine amerikanische Erzählung«.
59 Willa Cather, *Der Tod kommt zum Erzbischof,* Übers. Sigismund v. Radecki (Zürich: Scientia Ag., 1940).
60 Alfred Andersch (unter den Initialen »F. A.«), »Amerikanische Profile«, *Der Ruf,* August 15, 1945, p. 7.
61 Richard Wright, Black Boy, *A Record of Childhood and Youth* (Cleveland und New York, 1945).
62 Andersch, »Amerikanische Profile«.
63 In: *Deutsche Literatur in der Entscheidung* (Karlsruhe, 1948), gibt Andersch näheren Aufschluß über seine Position gegenüber beiden Schriftstellern. Er erkennt Wiecherts »Rede an die Jugend« (1935) als »offenen Kampf gegen den Nationalsozialismus« an, zählt jedoch Wiecherts Romane zu den Werken solcher »Volkstümer«, wie Kolbenheyer, Grimm, Schaefer und Strauß (p. 9), die im Erzählstil eines deutschen »Frührealismus des ausgehenden 19. Jahrhunderts«, versetzt mit romantischen Elementen, das sozial unterhöhlte »kleine und mittlere Bürgertum« (p. 9) ansprachen. Wiecherts Kult der »Verinnerlichung« sei von »einem Stil getragener Mystik« und »abgrundtiefer Humorlosigkeit« (p. 10) geprägt. Andersch urteilt genau: er setzt die politische Haltung und Aktion eines Autors im Dritten Reich von seinem literarischen Schaffen ab, wenn diese Aspekte nicht zur Synthese gelangt sind, zählt aber beide Seiten der schriftstellerischen Existenz zum »Ferment« (p. 10) einer literarischen Erneuerung nach 1945.
So rechnet er den Schriftsteller Carossa, zusammen mit Hauptmann, Schröder, Huch

und Le Fort (p. 10) den »Nachkommen bürgerlicher Klassik« zu, die als Stilisten ernst zu nehmen seien, obwohl ihr »klassizistischer Formalismus« und die »Bewahrung humanistischer Tradition« sie »von den wirklich bewegenden Kräften der Zeit« isoliert habe (p. 11). Die meisten dieser Schriftsteller hätten Hitler schweigend ignoriert; nur Carossa habe in einem »mißgeleiteten Versuch, zu retten, was zu retten war«, der Kulturpolitik des Dritten Reiches seinen Namen geliehen (p. 10). Entgegen polemischer Vereinfachungen versucht Andersch, die persönlichen Motive Carossas zu achten. Ähnlich differenziert ist sein literarisches Urteil über Carossa; obwohl er Carossas Romane jenseits der »wirklich bewegenden Kräfte der Zeit« ansiedelt, übersieht er nicht die einfache und durchsichtige Klarheit von Carossas Lyrik (Frost-Essay, 1945). Im Gespräch mit dem Verfasser (10. September 1968) ließ Andersch erkennen, daß er auch Carossas Jugenderinnerungen, vor allem *Das rumänische Tagebuch* (1924) schätzt.

64 Alfred Andersch (unter dem Pseudonym »Thomas Gradinger«), »Pueblos und Puritaner«, *Der Ruf*, August 1, 1945, p. 7.
65 *Ibid.*
66 *Ibid.*
67 Andersch, *Deutsche Literatur*, p. 14 Andersch stellt diese Kategorien dem Stil der Jünger-Bände *Blätter und Steine* (1934) und *Auf den Marmorklippen* (1939) entgegen, meint also den »Stil des freiheitlichen Menschen« auch literarisch-stilistisch.
68 Alfred Andersch (unter den Initialen »F. A.«), »Black Boy«, *Der Ruf*, July, 15, 1945, p. 4.
69 *Ibid.*
70 Alfred Andersch (unter den Initialen »F. A.«), »Zeitungen lesen ...«, *Der Ruf*, August 15, 1945, p. 4.
71 *Ibid.*
72 *Ibid.*
73 Andersch, »Die neuen Dichter Amerikas«.
74 Cf. *infra*, p. 95.
75 Alfred Andersch, »Thomas Mann als Politiker«, *Die Blindheit des Kunstwerks und andere Aufsätze* (Frankfurt/M., 1965), p. 46; vom Autor unterstrichen.
76 Cf. Hans Habe, *Im Jahre Null, Ein Beitrag zur Geschichte der deutschen Presse* (München, 1966).
77 Andersch, »Thomas Mann als Politiker«, p. 60.
78 Alfred Andersch (der als Verfasser nicht genannt ist), »Deutscher Geist / In der Sicht Thomas Manns«, *Der Ruf*, July 15, 1945, p. 2.
79 Thomas Mann, »Deutschland und die Deutschen«, Library of Congress und Hunter College, N. Y., 1945.
80 Andersch, *Deutsche Literatur in der Entscheidung*, pp. 17—18.
81 In einem Aufsatz über Wolfgang Borchert (»Das Gras und der alte Mann«, *Frankfurter Hefte*, III [1948], p. 928) bringt Andersch den stilistischen Abstand zu Thomas Mann am deutlichsten zum Ausdruck: »Wolfgang Borchert (1921—1947), dessen Sprache Andersch rückhaltlos bewundert, sei amerikanischen Stil-Modellen verpflichtet: »Gepriesen seien die Freunde, die ihm Wolfe, Faulkner, Hemingway in die Hand gaben. Hätte er das, was er zu sagen hatte, mit den Stilmitteln Wiecherts oder Carossas, Hesses oder Thomas Manns audrücken können?« Diese Worte bestätigen noch einmal die fundamentale Bedeutung, welche Andersch der zeitgenössischen amerikanischen Prosa auf der Suche nach einer neuen Sprache beimißt. Thomas Mann gilt der Andersch-Generation nicht mehr als verpflichtendes Stilmodell.
82 Andersch, »Thomas Mann als Politiker«.
83 Thomas Mann, *Politische Dokumente 1930—1950*, hrsg. und eingeleitet von Alfred Andersch (Frankfurt/M., 1950); gedruckt in zwei Exemplaren, nicht erschienen.
84 Andersch, »Deutscher Geist / In der Sicht Thomas Manns«.

85 *Ibid.*

86 Cf. Alfred Andersch, »Nachricht über Vittorini«, *Die Blindheit des Kunstwerks*, p. 83. Zur Deutung dieses wichtigen Kernsatzes von Anderschs Literaturkritik cf. Peter Demetz, »Alfred Andersch / Der Essayist«, *Merkur*, Köln, Berlin, July 1966, pp. 675—79.

87 Andersch, »Deutscher Geist / In der Sicht Thomas Manns«.

88 Alfred Andersch, »Der Anti-Symbolist«, *Frankfurter Hefte*, III (1948), p. 1145.

89 Alfred Andersch, »Metaphorisches Logbuch«, *Frankfurter Hefte*, V. (1950), pp. 209—211: »Aber stilles Kopfschütteln anläßlich der einzigen Bemerkung über Musik (p. 576, *Strahlungen*). Was das Verhältnis von Melos und Rhythmus anbelangt, so sei der Autor um die Konsultation von Igor Strawinskij oder Werner Egk gebeten. Er geht ja auch zu Picasso und Braque.« (p. 211).

90 Alfred Andersch, *Die Kirschen der Freiheit, Ein Bericht* (Frankfurt/M., 1952), p. 128: »die Trompete Louis Armstrongs«; p. 23: »Ellingtons' East St. Louis Doodle Doo«.

91 Alfred Andersch, *Die Rote*, Roman (Olten und Freiburg i. Br., 1960), pp. 20—22.

92 *Ibid.*, p. 7; aus Claudio Monteverdi, *Die Vollkommenheiten der modernen Kunst* (Venedig, 1605).

93 Auch im Schlußsatz über Willa Cather und die Vereinigten Staaten (»Pueblos und Puritaner«) verleiht Andersch der Begegnung von »unbedingtem Freiheitsstreben und christlicher Tradition« den Charakter einander mit Notwendigkeit ergänzender Tugenden.

94 Alfred Andersch, »Die Existenz und die objektiven Werte«, *Die Neue Zeitung*, August 15, 1947; »Metaphorisches Logbuch«, p. 210.

95 Andersch, »Die Existenz«, *ibid.*; in: Alfred Andersch, »Das Unbehagen in der Politik«, *Frankfurter Hefte*, II (1947), pp. 912—925, heißt es in aktivistischer Abwandlung (p. 916): »Wir sind eine Generation, die unmittelbar aus dem unbedingtesten Gehorsam in die unbedingteste Kritik gesprungen ist.«

96 Andersch, »Die Existenz«. Andersch betont die ethische Komponente von Sartres Existentialismus und zitiert den Titel einer Sartre-Abhandlung: »Der Existentialismus ist ein Humanismus«. Andersch übernimmt damit bezeichnenderweise den affirmativen, französischen Originaltitel, während die deutsche Ausgabe lautete: *Ist der Existentialismus ein Humanismus?* (Zürich, 1947).

97 Andersch, *Deutsche Literatur*, p. 18.

98 Andersch, *Die Rote*, p. 147.

99 Peter Demetz weist (in: »Alfred Andersch / Der Essayist«, vgl. Anm. 86) auf die Kongenialität Elio Vittorinis und Alfred Anderschs hin und betont, auch Vittorini habe »die amerikanische Literatur als Gegengift gegen den Faschismus« entdeckt (p. 678).

100 Alfred Andersch, *Deutsche Literatur in der Entscheidung* (Karlsruhe, 1948); als Vortrag gehalten in Ulm, am 9. November 1947.

101 *Ibid.*, p. 4.

102 Hans-Jürgen Soehring erwähnte den Namen der »Gruppe 47« erstmals in der *Neuen Zeitung* am 7. November 1947.

103 Andersch, *Entscheidung*, p. 3.

104 Andersch, *Entscheidung*, p. 7; Andersch bezeichnet die zitierte Überzeugung als »Generalthema dieser Untersuchung«.

105 *Ibid.*

106 Cf. Alfred Andersch, »Fabian wird positiv«, *Der Ruf*, 15. September 1946, p. 8, worin von der »geistigen Leidenschaft eines neues Glaubens an den Menschen« die Rede ist, ohne daß Andersch vom Existentialismus spricht. Erst im August 1947 taucht der Begriff »Existenz« in Andersch Beiträgen auf; cf. *infra*, n. 107.

107 Alfred Andersch, »Die Existenz und die objektiven Werte«, *Die Neue Zeitung*, 15. August 1947, p. 6.

108 *Ibid.*

109 *Ibid.*

110 *Ibid.*; vom Autor unterstrichen.

111 Cf. William James, *Pragmatism* (1907), dessen berühmter Kernsatz lautet: »The whole function of philosophy ought to be to find out, what definite difference it will make to you and me, at definite instants of our life, if this world-formula or that world-formula be the true one.«

112 Andersch, »Existenz«, p. 6.

113 *Ibid.*; cf. Jean-Paul Sartre, *L'Existentialisme est un humanisme* (Paris, 1947).

114 Jean-Paul Sartre, *Die Fliegen*, mit einem Vorwort des Autors an die deutschen Leser, Übers. Gritta Baerlocher, *Die Quelle*, I (1947), p. 129.

115 *Ibid.*, p. 197.

116 Andersch, *Entscheidung*, p. 24; Andersch nennt einen einleuchtenden Grund für diese Situation: »Unsere Betrachtung hat das Ausmaß des Widerstandes erwiesen, das die deutsche Literatur gegen den Nationalsozialismus geleistet hat ... Sie hat aber auch nachgewiesen, daß dieser Kampf ein riesiges Maß an Kraft verzehrt, viele gesunde Tendenzen in die Isolation oder in Sackgassen der Form getrieben und eine ganze Generation geistig schöpferischer Menschen verbraucht hat.«

117 *Ibid.*

118 *Ibid.*

119 *Ibid.*, p. 28.

120 Cf. Alfred Andersch, »Getty oder Die Umerziehung in der Retorte«, *Frankfurter Hefte*, II (1947), p. 1096: »... im Grunde ist es sehr still geworden um den ›Gettyspirit‹ der Zusammenarbeit mit den Siegern, und das ist kein Wunder, da doch der Grundsatz der Gleichberechtigung und die Voraussetzung der deutschen Einheit, die in Fort Getty dazu veranlaßten, in dem Deutschland, das man dann vorfand, nicht mehr gegeben sind.«

121 Andersch, *Entscheidung*, p. 27.

122 *Ibid.*: »Die Aufgabe des Intellektuellen ist also eine zweifach unpopuläre: er muß im Namen der wahren Demokratie die Heuchelei derjenigen enthüllen, die heute die Demokratie durch ihre Politik gegenüber Deutschland diskreditieren, und er muß den Geist der Demokratie verteidigen gegen alle, die aus der Diskrepanz zwischen Theorie und Praxis, an der wir leiden, bereits wieder ihre faschistischen Schlüsse ziehen.«

123 *Ibid.*, p. 28: »Solange sich hinter den Begriffen der Freiheit und Humanität die Atombombe verbirgt, hinter dem der sozialen Gerechtigkeit das größte Landheer der Welt, und hinter dem Begriff der Nation der faschistische Galgen, solange werden uns diese Begriffe selbst als ihres Inhalts beraubt und tief verdächtig gelten.«

124 *Ibid.*

125 *Ibid.*, p. 29.

126 *Ibid.*: »... es gibt einen glaubenslosen und einen christlichen Existentialismus, genau so, wie sich ein marxistischer denken ließe.«

127 *Ibid.*: »... indem es [das existentielle Denken] Freiheit und Existenz identifiziert, ... übernimmt es die dialektische Rolle einer geistigen Bewegung, welche die Welt, um ein Wort von Marx zu gebrauchen, nicht nur interpretiert, sondern verändert.«

128 *Ibid.*

129 *Ibid.*, p. 30, n. 8.

130 Cf. Sartre, *Die Fliegen*, p. 191: Jupiter: »Ich bin dein König, schamloser Wurm — wer hat dich denn erschaffen?« Orest: »Du! Aber du hättest mich nicht frei erschaffen sollen.«

131 *Ibid.*, p. 192.

132 Andersch, *Entscheidung*, p. 30.

133 *Ibid.*, pp. 3—4.

134 Andersch, *Entscheidung*, p. 4.

135 Andersch, »Fabian wird positiv«, p. 8; vom Autor unterstrichen.

136 *Ibid.*, p. 8.

137 Alfred Andersch, »Ein wirklich hochgebildeter Kritiker«, *Der Skorpion*, Probeexemplar, August/September 1947, pp. 53—54.

138 *Ibid.*, p. 54.

139 Alfred Andersch, »Eine amerikanische Erzählung«, *Frankfurter Hefte*, II (1947), p. 940; Andersch verweist auf die Beiträge Bastian Müllers (*Welt und Wort*, November, 1946) und P. Hubert Gorskys (*Stimmen der Zeit*, Juni 1947); er wendet sich vor allem gegen Gorskys Vorbehalt, Hemingway mangele es an »symbolisch erhöhter Darstellung der Wirklichkeit im Medium der Sprache«; Andersch wertet solchen Symbolismus als Mangel an Klarheit, Formstrenge und Offenheit.

140 Cf. Walter Kahnert, *Objektivismus, Gedanken über einen neuen Literaturstil* (Berlin, 1946); mit Textbeispielen aus Ernest Hemingways »Indian Camp« und Wolfgang Weyrauchs »Ein Mann kommt durch die Tür«. Cf. auch Wolfgang Weyrauch, »Realismus des Unmittelbaren«, *Neuer Aufbau*, II (1946), pp. 701—06; Weyrauch empfiehlt »dem deutschen Nachwuchs, der noch arg verwirrt ist« (p. 705) die Lektüre Steinbecks, Hemingways und Wolfes und legt besonderen Nachdruck auf Hemingways Dialogtechnik und die zentrale Bedeutung des Alltags bei Thomas Wolfe.

141 Andersch, »Eine amerikanische Erzählung«, p. 940.

142 Alfred Andersch, »Nachbemerkung zu dem Aufsatz ›Eine amerikanische Erzählung‹«, *Frankfurter Hefte*, II (1947), p. 976; Andersch nennt die Beiträge von J. Donald Adams, »The Shape of Books to Come«, und, als Apologie der neuen amerikanischen Erzähler, James T. Farrells »The Case of the Frightened Philistines«, beide in der *New York Times Book Review* (1946/47).

143 *Ibid.*; Cf. Alfred Kazin, *On Native Grounds, An interpretation of modern American prose literature* (New York, 1945).

144 Andersch, »Nachbemerkung«, p. 976.

145 Über den »Nihilismus«-Vorwurf gegen Sartre, cf. Andersch, »Existenz«, p. 6, und *Entscheidung*, p. 28.

146 Andersch, *Entscheidung*, p. 18.

147 *Ibid.*, p. 19.

148 Andersch, *Entscheidung*, pp. 19—20.

149 *Ibid.*, pp. 20—21.

150 *Ibid.*, p. 22.

151 *Ibid.*

152 *Ibid.*, p. 22.

153 *Ibid.*

154 *Ibid.*

155 *Ibid.*, p. 20.

156 *Ibid.*, pp. 22—23.

157 *Ibid.*, pp. 25—26.

158 *Ibid.*, p. 26.

159 Cf. Alfred Andersch, »Amerikanische Anarchisten«, *Frankfurter Hefte*, VI (1951), pp. 764—767; auch in diesem späteren Aufsatz über Thornton Wilder und Ernest Hemingway kommt Andersch zu dem Schluß, »daß die neue amerikanische Epik vorläufig die letzte wirklich erregende Literatur unserer Epoche ist«. Zugleich erfüllt dieser Beitrag Anderschs Vorstellungen von soziologisch informierter Kritik auf bewundernswürdige Weise. Andersch liest Hemingways *To Have and Have Not* (1937) so genau, daß er aus einer Bemerkung des Protagonisten (Harry Morgan) schlüssig entnehmen kann, Hemingway habe nichts für das Programm der FERA übrig gehabt (»Man mußte schon ein Schriftsteller oder ein Beamter der FERA sein, um eine Frau zu haben, die so aussieht«, dachte Harry Morgan). Da die »Federal Emergency Relief Administration« (FERA) dem, von Andersch bewun-

derten, »New Deal« Roosevelts entstammt, entdeckt Andersch den Anarchisten Hemingway, »das Ressentiment des Fischers und Jägers Hemingway gegen die geplante Welt«.

KAPITEL VIII. ANDERSCHS SCHRIFTSTELLERISCHES DEBÜT UND AMERIKA-ERLEBNIS

1 Alfred Andersch (Pseud. »Anton Windisch«), »Fräulein Christine«, *Der Ruf*, June 15, 1945, p. 6. Der schwer zugängliche Text erscheint vollständig im Anhang, pp. VII—VIII.
2 *Ibid.*
3 *Ibid.*
4 Ernst Barlach (1870—1948) wurde trotz seiner Popularität seit 1933 vom NS-Regime verfemt und bis zum Ende seines Lebens ständig überwacht. Er durfte seit 1933 nicht mehr ausstellen. Auch Barlachs erklärte Gegnerschaft zum »l'art-pour-l'art«-Standpunkt mag Andersch als kongenial empfunden haben.
5 Andersch, »Christine«, p. 6; »Der Wanderer« und »Der Rächer« sind authentische Barlach-Skulpturen. Bei dem »Wanderer« handelt es sich wahrscheinlich um den Barlachschen »Wanderer im Wind« (Eiche, 1934), der sich gegen den Wind anstemmt und seine Mütze festhält. »Der Rächer« entstand auch in mehreren Fassungen, zuerst 1914 (Gips unter Schellack). Die Figur fällt durch die extreme Vorwärtsneigung des Körpers, den flügelgleichen Faltenschwung des langen Mantels, und das hoch erhobene Schwert auf; biblische Implikationen (der Erzengel) sind unverkennbar.
6 *Ibid.*
7 *Ibid.*
8 *Ibid.*, p. 6; das Gleichnis verrät Anderschs stilistische Nähe zu Rainer Maria Rilkes *Stundenbuch* (1899—1903), vor allem dem zweiten Gedicht in: »Das Buch vom mönchischen Leben« (1899), dessen 2. Strophe lautet: »Ich kreise um Gott, um den uralten Turm, / und ich kreise jahrtausendelang; / und ich weiß nicht: bin ich ein Falke, ein Sturm / oder ein großer Gesang.«
9 *Ibid.*; im Jahre 1906 unternahm Barlach eine Rußland-Reise; seine Eindrücke von dem urwüchsig-russischen Bauerntum förderten den Durchbruch zu expressiv-folkloristischer Gestaltungsweise.
10 *Ibid.*
11 *Ibid.*
12 *Ibid.*
13 Andersch, »Christine«, p. 6; Andersch trifft mit diesem Satz auch das Versagen der Universitäten gegenüber der NS-Ideologie.
14 *Ibid.*
15 *Ibid.*
16 *Ibid.*
17 *Ibid.*
18 Cf. Ralf Dahrendorf, »Die soziale Schichtung des deutschen Volkes«, in: *Gesellschaft und Demokratie in Deutschland* (München, 1965), pp. 94—115; und Theodor Geiger, *Die soziale Schichtung des deutschen Volkes* (Stuttgart, 1932), besonders pp. 84—97. Dahrendorf verweist auf Geigers wichtigen Begriff der »Schichtungs-Mentalität (p. 102), wonach die Gesellschaft der Weimarer Republik vom Arbeiter als »dichotomisch« (p. 113), von allen anderen Gesellschaftsschichten dagegen als »hierarchisch« empfunden wurde (Geiger, p. 237). Dahrendorf erwähnt eine Reihe weiterer »tieferliegender sozialpsychologischer« Mentalitätsunterschiede (p. 112) zwischen Arbeitern und anderen Gesellschaftsschichten.
19 Andersch, *Kirschen*, p. 48.
20 *Ibid.*, pp. 51—52: »Er selbst schrieb Märchen, in ... immer kahleren Fassungen, rücksichtslos entblößte er sie von ›Stimmung‹, so daß die Figuren immer sichtbarer wur-

den, rein gezeichnet und plastisch projizierten sie sich in die Tiefe seiner Fabeln. Meisterwerke. Wo sind sie geblieben?«

21 *Ibid.*, p. 39: »Aber daß die Dialektik der Geschichte durch den Menschen geschaffen wird, war niemand so unfähig, zu erkennen, wie die Führer der Kommunistischen Partei.«

22 *Ibid.*, p. 48.

23 *Ibid.*, pp. 59—63; Andersch hatte zuerst im Jahre 1941 in Thüringen mit dem Gedanken an Fahnenflucht gespielt und beschloß im März 1944, in Dänemark, zu desertieren.

24 Cf. Alfred Andersch, *Sansibar oder der letzte Grund* (Olten und Freiburg i. Br., 1957); *Fahrerflucht: Hörwerke der Zeit 10* (Hamburg, 1958); *Geister und Leute: Zehn Geschichten* (Olten und Freiburg i. Br., 1958); *Die Blindheit des Kunstwerks und andere Aufsätze* (Frankfurt/M., 1965); cf. dazu Ingeborg Drewitz und Peter Demetz, »Alfred Andersch oder die Krise des Engagements«, *Merkur*, XX (1966), pp. 669—79.

25 Andersch, »Cristine«, p. 6.

26 Andersch, »Thomas Mann«, in: *Die Blindheit*, p. 60.

27 Cf. besonders Anderschs Hinweis auf die Sirenenklänge der Ideologien (Andersch, *Kirschen*, p. 24) und auf eine »Welt der falschen Alternativen« (Andersch, »Die Nacht der Giraffe«, in: *Geister und Leute*, p. 184).

28 Andersch, »Christine«, p. 6.

29 Barlachs »Rächer« weist durch das erhobene Schwert und den flügelgleichen Mantel auf die Gestalt des biblischen Erzengels.

30 Alfred Andersch, »Die Existenz und die objektiven Werte«, *Die neue Zeitung*, 15. August 1947, p. 6.

31 Andersch präsentierte den wichtigen Essay zuerst als Vortrag am 9. November 1947 vor der Gruppe 47 in Herrlingen; cf. Heinz Friedrich, »Hat die junge Dichtung eine Chance«, *Die Epoche*, 23. November 1947 (in: *Die Gruppe 47, Bericht, Kritik, Polemik, Ein Handbuch*, Hrsg. Reinhard Lettau, Neuwied und Berlin, 1967, pp. 25-27); im Januar 1948 erschien der Essay im Verlag Volk und Zeit, Karlsruhe. Cf. *supra*, pp. 97—104.

32 Andersch, *Sansibar*, p. 56.

33 Andersch, *Die Rote*, p. 15.

34 Andersch, »Die Blindheit des Kunstwerks« (1956), in: *Die Blindheit*, pp. 21—33.

35 Andersch, »Christine«, p. 6: »Sein ein wenig zu eleganter Anzug verschob sich . . .«; cf. Andersch, *Die Rote*, p. 23; Franziska erkennt, daß Kunstgeschichte für Herbert »eine Sache für sich« sei, »eine Sache für seine Eitelkeit, wie seine Anzüge . . .«

36 Cf. Ingeborg Drewitz, »Alfred Andersch oder Die Krise«, besonders pp. 671—75.

37 Andersch, »Christine«, p. 6.

38 Noch in *Efraim* (1967) läßt Andersch den Leser erst in den letzten Kapiteln wissen, welche Rolle Keir Horne gegenüber seiner Tochter und in der Ehe des fiktiven Erzählers spielt.

39 Andersch, »Christine«, p. 6.

40 Alfred Andersch, »Festschrift für Captain Fleischer«, Eine Sendung des Hessischen Rundfunks, Frankfurt/M., 22. September 1968, II. Programm, 18.30—19.00 Uhr. Der Hessische Rundfunk erwarb diesen Text am 15. Juli 1968 als Eigentum.

41 Alfred Andersch, »Alte Peripherie«, in: *Ein Liebhaber des Halbschattens* (Olten und Freiburg i. Br., 1963, pp. 89—123).

42 Cf. Elias Canetti, *Die Blendung* (Wien, 1935), pp. 7—10. Peter Kien ist ein weltfremder, ungeheuer belesener Sinologe; ein neunjähriger Junge, Franz Metzger, bittet Kien aus Wißbegierde, in dessen Bibliothek lesen zu dürfen. Franz liest gegen den Willen seines Vaters. Der Junge versucht also, sich von seinem Elternhaus durch autodidaktisches Lernen zu emanzipieren. Die Beziehung zu Alfred Anderschs eigener Jugend ist evident. *Alte Peripherie* beschreibt diesen Lebensabschnitt Anderschs/Kiens.

43 Andersch, »Festschrift«, p. 3; das Protrait Lederers (»sein kleines bleiches Gesicht, die Augen hinter der Brille aus schwarzem Horn«, p. 12) und seine Vorgeschichte als kommunistischer Emigrant stimmen teilweise mit dem Schriftsteller Walter Kolbenhoff überein, der Andersch die Stelle im Lagerhospital besorgte.

44 *Ibid.*, p. 13.

45 Andersch schrieb »In der Nacht der Giraffe« zunächst als Erzählung (in: Geister und Leute, pp. 147—193); als Hörspiel wurde die Erzählung im Jahre 1960 vom Hessischen Rundfunk erstaufgeführt.

46 Andersch, »Die Nacht der Giraffe«, *Geister und Leute*, p. 186.

47 Nach Lederer hatte die KP in Deutschland und in der Tschechoslowakei »ganze Zellen hochgehen lassen« und »der Gestapo ausgeliefert, wenn sie nicht mehr der Generallinie aus Prag gehorchten.« (p. 11).

48 Andersch, »Festschrift«, p. 11.

49 Andersch, *Kirschen*, p. 45.

50 Alfred Andersch, *Deutsche Literatur in der Entscheidung* (Karlsruhe, 1948), p. 14.

51 Andersch, »Festschrift«, p. 15.

52 Max Bense, »Alfred Andersch«, *Schriftsteller der Gegenwart*, Hrsg. Klaus Nonnenmann (Olten und Freiburg i. Br., 1963), p. 23.

53 *Ibid.*, p. 22 und p. 25.

54 Cf. besonders die Kurzgeschichten-Sammlung Ernest Hemingways *In Our Time* (New York, 1925); für eine Interpretation dieser Geschichten im Sinne des »objective correlative« cf. Philip Young, »Adventures of Nick Adams«, *Ernest Hemingway* (New York, 1952), Kap. 1.

55 Kien erfährt von der Fahrt des Arztes zum Mississippi, der bei Vicksburg über seine Ufer getreten ist; Kien nimmt von dem bewunderten Arzt an, er verstehe »den Mississippi« (p. 18).
   Man denke in diesem Zusammenhang an Kiens abschließende Reflexion über »die Einsamkeit der Länder« (p. 22), die wie Individuen behandelt werden. In Anderschs Roman *Die Rote* (1960), p. 15, wird erwähnt, daß die Titelheldin Franziska William Faulkners Roman *Wild Palms* (New York, 1939) liest. Sie findet das Buch »unglaublich gut ... sehr intelligent, sehr wild, nein das reicht nicht aus: ein rasendes Buch, eine ... Raserei gegen das Schicksal«.
   In einer der beiden, lose zusammengehaltenen Erzählstränge von *Wild Palms* wird geschildert, wie der Mississippi bei Vicksburg über die Dämme tritt (cf. Andersch, »Festschrift«, p. 18). Faulkner nennt den Fluß, der Südstaaten-Tradition gemäß »Old Man«, und personifiziert den Fluß auf diese Weise ähnlich wie Andersch durch Kiens Reflexionen über Berge (p. 16) und Flüsse (p. 18). Eine der beiden Zentral-Figuren in Faulkners Roman ist ebenfalls Arzt.

56 Die in diesen Absätzen durchgeführte Umsetzung der Thematik in Umwelt-Objekte (»objective correlatives«) erinnert an den Stil Hemingways.
   Zur Diskussion des »objective correlative« cf. T. S. Eliot, »Hamlet and his Problems«, (1919), in: *The Sacred Wood, Essays on Poetry and Criticism* (London, 1920), pp. 95—103. Auf p. 100 faßt T. S. Eliot zusammen: »The only way of expressing emotion in the form of art is by finding an ›objective correlative‹; in other words, a set of objects, a situation, a chain of events which shall be the formula of that *particular* emotion; such that when the external facts, which must terminate in sensory experience, are given, the emotion is immediately evoked.«

57 Andersch, »Festschrift«, p. 22.

58 *Ibid.*, p. 8 und p. 22.

59 Cf. Andersch, »Festschrift«, p. 7: »Der Neger, der das Eiswasser gebracht hatte ... war ... der einzige Neger, mit dem sie in Berührung kamen; nicht einmal in der Ferne sahen sie Neger auf den Feldern arbeiten, die Neger sollten nicht sehen, daß es Weiße gab, die Baumwolle pflückten.«

60 In eine ähnliche Richtung weist Anderschs Feststellung (*Kirschen*, p. 24), der einzelne

dürfe sich auf seiner »Odyssee durch das Jahrhundert, umtönt von den Klängen der das Herz zerfleischenden Ideologien«, nicht vom Mast losbinden lassen.

61 Andersch, *Die Rote*, p. 17.
62 *Ibid.*
63 Andersch, *Die Rote*, p. 18.
64 *Ibid.*, p. 175.
65 Andersch, *Kirschen*, p. 50: »Versuche mit kalligraphischen Gebilden am Schreibtisch, Rilke-Lektüre . . .«
66 Alfred Andersch, »Ein wirklich hochgebildeter Kritiker«, *Der Skorpion* August/September 1947 (unveröffentlichtes Probeexemplar), p. 53.
67 Andersch, *Deutsche Literatur in der Entscheidung*, pp. 22—25.
68 Alfred Andersch, »Freundschaftlicher Streit mit einem Dichter«, *Frankfurter Hefte*, IV (1949), p. 151; Andersch betont, Eich wolle das poetische »Handwerk« »auf die Sprache beschränken« und nicht auf »Metrik ausdehnen«.
69 *Ibid.*, p. 152.
70 Laut Brief von Alfred Andersch an den Verfasser (vom 9. März 1969) entstand das Gedicht zwischen dem 17. März 1959 und dem 18. Oktober 1960. Andersch stellte das unveröffentlichte Gedicht dem Verfasser freundlicherweise zur Verfügung.
71 Andersch nahm vom 15. September bis zum 15. November 1945 an den Verwaltungskursen in Fort Getty, R. I., teil und kehrte anschließend nach Europa zurück (Cherbourg).
72 Andersch, »Thomas Mann als Politiker«, in: *Die Blindheit*, p. 60.
73 Cf. Alfred Andersch, »Getty oder Die Umerziehung in der Retorte«, Frankfurter Hefte, II (1947), p. 1091.
74 Die sog. »Four Freedoms« waren in der Jahresbotschaft Präsident Roosevelts an den Kongreß enthalten (6. Januar 1941); eine weltweite Abrüstung sollte allen Völkern nach dem Kriege die »Freiheit von Furcht« gewähren; Roosevelt wollte durch wirtschaftliche Verständigung zwischen den Völkern auch die »Freiheit von Mangel«, zusammen mit der Religions- und Meinungsfreiheit global verwirklichen. Außerdem vertrat er in der Atlantik-Charta die Prinzipien des Annexionsverzichts und des Selbstbestimmungsrecht der Völker nach außen und innen; ein System kollektiver Sicherheit sollte zur Zusammenarbeit von Siegern und Besiegten führen.
75 Die Andersch-Gedichte »Ort im Waldmeer«, »Nymindegaab«, »Die kranke Mutter« und »Der Tod in London« erschienen im *Merkur*, XIII (1959), pp. 918—921.
76 Alfred Andersch, »Die Farbe von Ost-Berlin«, *Merkur*, XV (1961), p. 950. Der Gedicht-Text findet sich im Anhang, p. 204.
77 Alfred Andersch prägte (unter dem Titel »Der Antisymbolist«, *Frankfurter Hefte*, II (1948), p. 1145) folgende, hier relevante Aphorismen: »Die Romantik wird dort fruchtbar, wo sie das Magische als Realität behandelt. . . . Da die Magie wirklich ist, gehört sie zu den Gegenständen des Realismus.«
78 Cf. Hans Arp, *Wortträume und schwarze Sterne* (Wiesbaden, 1953), pp. 5—8. Auch André Breton spricht von Versuchen, »wie die der écriture automatique am Anfang des Surrealismus«, (in: André Breton, *Manifestes du Surréalismes*, Hrsg. Jean-Jacques Pauvert, Paris, 1962, pp. 355—357. Übers. Helmut Scheffel, Reinbek bei Hamburg, 1966).
79 Laut Brief Alfred Anderschs an den Verfasser vom 9. März 1969.
80 Andersch, »Festschrift«, p. 22.
81 Meine Interpretation stützt sich auch auf die Tatsache, daß Andersch seiner »Festschrift für Captain Fleischer« einen ähnlichen Rahmen aus beziehungsvollen Farben verleiht; die Erzählung enthält im ersten, kurzen Absatz (Kiens Ankunft in den USA) die optische Wiedergabe der Flagge der Vereinten Nationen, deren Prinzipien auf die Atlantik-Charta zurückgehen:
»Hinter dem offenen Tor drang die Nacht dunkelblau in gläserne Tiefen. Vor dem

Quadrat aus virginischem Indigo stand ein Marine-Offizier mit einer weiß leuchtenden Mütze.« (p. 1).
Im letzten Absatz der Erzählung findet sich ein »verschossenes Ziegelrot«. (p. 22).

KAPITEL IX. LITERARISCH-POLITISCHE NEUORIENTIERUNG IM »INTERREGNUM«:
HANS WERNER RICHTER

1 Hans Werner Richter, *Spuren im Sand, Roman einer Jugend* (München, 1953).
2 *Ibid.*, p. 322.
3 Hans Werner Richter identifizierte diesen »Dichter« (im Gespräch mit dem Verf. am
   10. April 1970) als Waldemar Bonsels (1881—1952).
4 Hans Werner Richter, *Spuren*, p. 322.
5 *Ibid.*, Untertitel.
6 Hans Werner Richter wurde 1930 Mitglied der KPD; laut Gespräch mit dem Verf.
   vom 30. September 1968 las Richter die großen russischen und französischen Realisten des 19. Jahrhunderts, deutsche gesellschaftlich engagierte Autoren der Zwanziger
   Jahre, besonders Heinrich Mann, Stefan und Arnold Zweig, Alfred Döblin, Kurt
   Tucholsky und Erich Kästner. Von den amerikanischen Realisten kannte Richter die
   bis 1936 erschienenen deutschen Übersetzungen (William Faulkner, *Licht im August,*
   1935; *Wendemarke,* 1936. Thomas Wolfe, *Schau heimwärts, Engel,* 1932; *Von Zeit
   und Strom,* 1936). Von Hemingway hatte er 1945 alles bis dahin Erschienene gelesen.
7 Ab Mai 1945 war Richter Herausgeber der Zeitschrift; in der Library of Congress,
   Washington, D. C., USA, befinden sich nur einige Nummern der *Lagerstimme,* Camp
   Ellis, Ill. Hans Werner Richter stellte dem Verf. den gesamten Jahresband der Zeitschrift zur näheren Einsicht freundlicherweise zur Verfügung. Cf. Anhang.
8 Cf. Hans Werner Richter, *Die Geschlagenen* (München, 1949).
9 Hans Werner Richter, »Lyrik der Kriegsgefangenen«, *Die Lagerstimme,* Camp Ellis,
   July 6, 1945; »Vom geistigen Überwinden«, November 17, 1944, p. 13.
10 Hans Werner Richter, »Es ist...«, *Die Lagerstimme,* April 20, 1945; das Gedicht
   erschien auch in: *Deine Söhne, Europa,* Hrsg. Hans Werner Richter (München, 1947),
   p. 70.
11 Hans Werner Richter, »Vom geistigen Überwinden«, *Die Lagerstimme,* Camp Ellis,
   November 17, 1944, p. 13.
12 Das Schlagwort vom »Kahlschlag« stammt aus Wolfgang Weyrauchs Nachwort zu der
   von ihm edierten Anthologie *Tausend Gramm,* Sammlung neuer deutscher Geschichten (Hamburg und Stuttgart, 1949), p. 213.
13 Cf. *supra,* Anm. 10.
14 Hans Werner Richter, »›Lyrik‹ der Kriegsgefangenen«, *Die Lagerstimme,* Camp Ellis,
   July 6, 1945.
15 Eines der drei Gedichte Hans Werner Richters in seiner Anthologie *Deine Söhne,
   Europa,* p. 69, »Der tote Mann«, schildert die nächtlichen Todesschreie eines verblutenden Soldaten; die Erinnerung läßt das lyrische Ich nicht mehr los.
16 Richter, »›Lyrik‹ der Kriegsgefangenen«, *Die Lagerstimme.*
17 *Ibid.*
18 Günter Eichs berühmtes Gedicht »Inventur« (1945; in: *Abgelegene Gehöfte,* Frank-
   furt/M., 1948, p. 42—43) erschien auch in der von Hans Werner Richter edierten
   Anthologie *Deine Söhne, Europa* (1947), p. 17. Das Gedicht lebt vom Gegenständlichen; es beginnt und schließt mit dem monoton wiederholten, sprachlichen Gestus des
   stückweisen Herzeigens der armseligen Habe des Kriegsgefangenen: »Dies ist meine
   Mütze, / dies ist mein Mantel, / hier mein Rasierzeug / im Beutel aus Leinen. /...
   Dies ist mein Notizbuch, / dies meine Zeltbahn, / dies ist mein Handtuch, / dies ist
   mein Zwirn.« (Strophe 1 und 7). Da Eich einen Nagel »kostbar« nennt, und die Blei-

stiftmine, mit der er Verse schreibt, »liebt« (V. 10 und V. 22), impliziert das Gedicht die Verelendung des zivilisierten Menschen durch den Krieg, ist aber zugleich programmatisch für das von Hans Werner Richter geforderte »geistige Überwinden« (*Die Lagerstimme*, November 17, 1944) der Kriegsgefangenschaft.

19 Hans Werner Richter, »Lyrik der Kriegsgefangenen«, *Der Ruf*, September 15, 1946, pp. 9—12.

20 *Ibid.*, p. 9; die große Bedeutung der »geistigen Kräfte« im gesellschaftlichen Wandlungsprozeß hält Hans Werner Richter bereits im *US-Ruf* in Fort Kearney, R. I., fest (»Die geistigen Kräfte«, *Der Ruf*, USA, November 15, 1945, p. 4; Richter zeichnet mit den Initialen H. R.); er zitiert Carl v. Ossietzky und den neu gewählten bayerischen Ministerpräsidenten, Dr. Wilhelm Hoegner, als Vertreter »jener geistigen Kräfte, deren Opposition in der äußeren und in der inneren Emigration in diesen vielen Jahren nie erlahmt ist«. Diese Kräfte sollen nun, »wiederum an einer Wende« der deutschen Entwicklung, »Demoralisierung« und »Elend« überwinden helfen.

21 *Ibid.*, p. 10.

22 Hans Werner Richter, »Die Folgen des Krieges«, *Die Lagerstimme*, Camp Ellis, May 25, 1945; Richter spricht darin von einer »Völkerdurcheinanderwanderung«. Das Thema der »displaced persons« bestimmt Inhalt und Struktur seines späteren Romans *Sie fielen aus Gottes Hand* (München, 1951).

23 Hans Werner Richter, »Der Weg in die Zukunft«, *Die Lagerstimme*, June 8, 1945.

24 Richter, »Die Folgen des Krieges«, und »Von der geistigen Unsicherheit des Menschen unserer Zeit«, *Die Lagerstimme*, July 20, 1945.

25 Hans Werner Richter, »Der Blick nach dem Osten«, *Die Lagerstimme*, July 27, 1945; und »Ost und West«, *Der Ruf*, USA, September 1, 1945, p. 2.

26 Hans Werner Richter, »Zum Sieg der ›Sozialistischen Arbeiterpartei‹ in England«, *Die Lagerstimme*, Camp Ellis, August 3, 1945.

27 Richter »Von der geistigen Unsicherheit«; noch im *Ruf* (München), März 1947, pp. 10—11, schreibt Richter über »Literatur im Interregnum«.

28 Hans Werner Richter, »Der Einbruch des Irrationalen«, *Der Ruf*, USA, December 1, 1945, p. 2; Richter bestätigte (dem Verf.) die Urheberschaft des unsignierten *Ruf*-Beitrags.

29 Hans Werner Richter, »Und wieder . . . Frieden«, *Die Lagerstimme*, June 22, 1945, p. 2.

30 Carl v. Ossietzky gründete im Jahre 1919 ein Friedens-Komitee »Nie wieder Krieg«, (und war Sekretär der Deutschen Friedensgesellschaft).

31 Richter, »Und wieder . . . Frieden«, pp. 2—3.

32 Hans Werner Richter, »Im Zeitalter der Atombombe«, *Die Lagerstimme*, Camp Ellis, August 17, 1945, pp. 1—3.

33 Obwohl das Richter-Gedicht »Der tote Mann« erst im Jahre 1947 in der (von Hans Werner Richter edierten) Anthologie *Deine Söhne, Europa* (München, 1947), p. 69, erscheint, verkörpert es genau die Mischung von pazifistischer Thematik und Heym-Rilke-Ton, die Richter, entgegen seinen literarischen Nachkriegs-Postulaten in vielen Kriegsgefangenen-Gedichten vorfindet. Von einem nachts in den Bergen verblutenden Soldaten heißt es (Strophe 3): »Er schrie die lange, lange Nacht, / rings war die Stille aufgewacht. / Der Mond saß auf der Felsenwand, / er hockte blakend auf dem Land, / das Bellen der Geschütze schwieg, / unhörbar atmete der Krieg.«

34 Richter zitiert das (in dieser Arbeit ausführlich besprochene) Gedicht »Stimme der Toten« von Walter Krumbach; cf. *supra*, pp. 57—59. Auch Adrian Russo, »Kriegsjunge« und »O. A.«, Lager Stenay, Frankreich, »Der Regen sinkt«, sind neben Richters »In dieser Nacht« positive Gedicht-Beispiele für »Lyrik der Kriegsgefangenen«.

35 Richter, »Lyrik der Kriegsgefangenen«, *Der Ruf*, p. 10.

36 *Ibid.*

37 Hans Werner Richter, Hrsg. *Deine Söhne, Europa* (München, 1947), p. 5.

38 Hans Werner Richter, »Wo sollen wir landen, wo treiben wir hin?«, *Der Ruf*, 15. August und 1. September 1946.

39 Hans Werner Richter, *Die Geschlagenen* (München 1949) und *Sie fielen aus Gottes Hand* (München 1951).

40 Cf. Hans Werner Richter, »Parteipolitik und Weltanschauung«, *Der Ruf*, 15. November 1946; und »Zwischen Freiheit und Quarantäne«, *Der Ruf*, 1. Januar 1947.

41 Richter, »Wo sollen wir landen, wo treiben wir hin?«, *Der Ruf, Eine deutsche Nachkriegszeitschrift*, Hrsg. Hans Schwab-Felisch (München: dtv-Dokumente, 1962), p. 243.

42 *Ibid.*, pp. 251—52.

43 Gustav René Hocke, »*Deutsche Kalligraphie oder: Glanz und Elend der modernen Literatur*«, *Der Ruf*, 15. November 1946.

44 *Ibid.*, p. 206.

45 Richter, »Wo sollen wir landen«, p. 249.

46 Hocke, »Deutsche Kalligraphie«, p. 207.

47 Hans Werner Richter, »Literatur im Interregnum«, *Der Ruf*, 15. März 1947, pp. 10—11.

48 *Ibid.*, p. 10: »Man sagt uns, wir müßten von dem Realismus der anderen lernen . . . , die Welt um uns objektiv zu erfassen . . . Realismus — das ist für uns die Welt eines Spielhagen und eines Theodor Fontane. Es ist der Spiegel einer Welt, nicht ihre Durchdringung und Gestaltung über das äußere Bild ihrer Erscheinungen hinweg. Dieser Realismus gehört dem vergangenen Jahrhundert an.«

49 *Ibid.*, p. 11: »magischer Realismus . . . der Weg aus dem Vakuum unserer Zeit zu einer neuen Wirklichkeit.«

50 Hans Werner Richter, *Die Geschlagenen* (München, 1949), p. 245 bzw. p. 364.

51 *Ibid.*, p. 216, p. 452.

52 *Ibid.*, p. 5.

53 Richter behält den Namen einiger Mitgefangener in seinem Roman unverändert bei (in der *Lagerstimme*, Camp Ellis erscheint am 6. April 1945 F. Santos Beitrag »Die Wiese«; Santo heißt eine der Nebenfiguren des Romans). Richter wurde am 12. November 1943, seinem 35. Geburtstag, gefangengenommen; im Roman wird Gühler am 10. November, ebenfalls an seinem Geburtstag von Amerikanern gestellt. Gühler übernimmt, ebenso wie Richter, Literaturunterricht, Zeitung und Bibliothek des Kriegsgefangenenlagers.

54 In diesem Zusammenhang ist besonders die Studie von Germaine Brée, *Camus* (Paris, 1958) aufschlußreich, in der die fehlenden Kausalkonjunktionen als integrierender Bestandteil der existentiellen Perspektive des *Fremden* erkannt wird.

55 Ein Vergleich mit Ernest Hemingways Short Story »Today is Friday« (1927) liegt nahe. Römische Soldaten sitzen nach Christi Kreuzigung in einem Weinkeller und vergleichen Christus mit einem sportlichen Wettkämpfer in der Arena: »He was pretty good in there today.«

56 Cf. Bertolt Brecht, »Fünf Schwierigkeiten beim Schreiben der Wahrheit«, (1934), 5. Abschnitt, wo Konfutse als Entschleierer von Euphemismen vorgestellt wird. Er habe in einem »alten, patriotischen Geschichtskalender« statt »töten« »ermorden«, statt »umgekommen« »hingerichtet worden« geschrieben.

57 Richter, *Die Geschlagenen*, p. 143.

58 *Ibid.*, p. 32.

59 *Ibid.*, p. 64.

60 *Ibid.*, p. 183.

61 *Ibid.*, p. 184.

62 *Ibid.*, pp. 34—35.

63 *Ibid.*, p. 71.

64 *Ibid.*, p. 73.

65 *Ibid.*, pp. 75—76.

66 *Ibid.*, pp. 78—79.

67 *Ibid.*, p. 80.

68 Insekten gehören zum Instrumentarium der Groteske und Ameisen sind ein vertrautes Requisit surrealistischer Malerei.
Cf. Wolfgang Kayser, *Das Groteske in Malerei und Dichtung* (Oldenburg und Hamburg, 1957). Ameisen sind besonders in Salvatore Dalis Gemälden ein wichtiges Requisit (»Spanischer Bürgerkrieg«, 1936). Auch das absurde Theater bedient sich ähnlicher verfremdender Stilmittel; in Jean Genet, *Le Balcon* (1956), worin ein permanenter Kriegszustand herrscht, fragt der masochistische Richter, ob die »Läuse« vorhanden seien, bevor er sich peitschen läßt.

69 Idyll und Groteske werden dialektisch konfrontiert; es handelt sich um ein Oxymoron in stichomytischer Anordnung.

70 Richter, *Die Geschlagenen*, p. 79.

71 *Ibid.*, p. 75.

72 Richter, »Literatur im Interregnum«, pp. 10—11.

73 Richter, *Die Geschlagenen*, p. 73.

74 *Ibid.*, p. 185.

75 *Ibid.*, p. 216.

76 Cf. *ibid.*, pp. 335—36, p. 338 und p. 349.

77 *Ibid.*, p. 458.

78 *Ibid.*, p. 459.

79 Carl-Hermann Ebbinghaus, »Offener Brief an den ›Ruf‹«, *Die Neue Zeitung*, 31. Januar 1947, p. 6.

80 Cf. Hans Werner Richter, »Zwischen Freiheit und Quarantäne«, *Der Ruf*, 1. Januar 1947.

81 Ebbinghaus, »Offener Brief«, p. 6.

82 »Sorgen im Lager der erhobenen Zeigefinger, Antwort auf einen ›Offenen Brief‹«, *Die Neue Zeitung*, 14. Februar 1947, p. 6.

83 Cf. Hans Werner Richter, »Sauve-qui-peut-Philosophen«, *Der Ruf*, 15. April 1947 (nicht zur Auslieferung gelangt); abgedruckt in: *Der Ruf, Eine deutsche Nachkriegszeitschrift*, Hans Schwab-Felisch Hrsg. (München, 1962), p. 303.

84 Alle Einzelheiten dieser Begleitumstände des *Ruf*-Verbots erfuhr der Verfasser aus einem Gespräch mit Hans Werner Richter am 30. September 1968.

85 Hans Werner Richter, »Der Sieg des Opportunismus«, und »Sauve-qui-peut-Philosophen«, *Der Ruf*, 15. April 1947, in: *Der Ruf, Eine deutsche Nachkriegszeitschrift*, pp. 291—296 und pp. 303—305.

86 Einer der Offiziere hieß Captain Dalcher; er traf Richter Jahre später auf einer Gesellschaft in Wien und freute sich, indirekt zur Gründung der Gruppe 47 beigetragen zu haben.

87 Der Verfasser befragte Hans Werner Richter noch einmal, am 10. April 1970 zu diesem Punkt; cf. auch Hans Schwab-Felisch, »Einleitung«, in: *Der Ruf, Eine deutsche Nachkriegszeitschrift*, p. 16; Schwab-Felisch weist auf ein Treffen der KP im Frühjahr 1947 in München hin; das Motto hieß »Der Ruf und die Nation«. Man verurteilte Richters Brief an Cachin (*Der Ruf*, 15. Februar 1947) und den Aufsatz »Churchill und die europäische Einheit« (*Der Ruf*, 1. März 1947). In der ungedruckten *Ruf*-Probenummer (die der Verfasser von Andersch erhielt) waren für den 15. April 1947 noch vier weitere kritische Beiträge vorgesehen, die bei Russen und Amerikanern auf Ablehnung stoßen mußten; die Titel sprechen für sich: Walter Mannzen, »Marxismus — heute«; Karl Surenhöfener, »Utopie und Sozialismus«; Ernst Klöppels, »Neutralität auch für uns Deutsche?«; (Die Redaktion), »Deutsche Kommentare: Moskau und die Kumpels von der Ruhr«.

88 »Sorgen im Lager der erhobenen Zeigefinger«, p. 6.

89 Das im Manuskript gedruckte Probeexemplar des *Skorpion* wurde dem Verf. von

Hans Werner Richter zur Verfügung gestellt. Es sollte ab 1. Januar 1948 monatlich erscheinen und entstand im August/September 1947. Außer den genannten Autoren zeichneten als Mitwirkende: Wolfgang Bächler, Heinz Friedrich, Walter Maria Guggenheimer, Walter Hilsbecher, Wolfgang Lohmeyer, Friedrich Minssen, Maurice Toesca und Heinz Ulrich. Die Redaktion sollte Walter Heist übernehmen. Cf. Abbildung im Bildteil.

90 *Ibid.*, p. 7.

91 *Ibid.*, p. 9.

92 Cf. Hans Werner Richter, »Fünfzehn Jahre«, in: *Almanach der Gruppe 47, 1947 bis 1962* (Reinbek bei Hamburg, 1962), p. 11; »Ihre Hoffnung war die Wiederherstellung der deutschen Einheit und die Vereinigung Europas, eines neuen demokratischen, sozialistischen Europas, geführt von jenen ›Equipen‹, die in allen europäischen Ländern nach dem Krieg entstanden waren.
Ihre Hoffnung zeigte sich als trügerisch. Schon nach wenigen Jahren waren sie fast alle aus der politischen Publizistik abgedrängt.«

93 Wolfgang Bächler, Heinz Friedrich, Dr. Walter Guggenheimer, Walter Kolbenhoff, Nicolaus Sombart, Hans Werner Richter, Ilse Schneider-Lengyel, Wolfdietrich Schnurre, Walter Hilsbecher, Friedrich Minssen, Heinz Ulrich; in Herrlingen kamen hinzu: Alfred Andersch, Ernst Kreuder, Walter Mannzen, Günter Eich (Siegfried Hildwein, Walter Heist, Dietrich Warnesius, Wolfgang Lohmeyer).

94 Wolfdietrich Schnurre, »Das Begräbnis«, (In: *Almanach*, pp. 60—64) in: *Man sollte dagegen sein* (Olten und Freiburg i. Br., 1960), pp. 25—34.

95 Nach Hans Werner Richter im Gespräch mit dem Verf. Hans Georg Brenner schlug den Namen möglicherweise vor, weil auch die Gruppe 98 in Spanien (nach dem verlorenen Krieg gegen die USA) versucht hatte, eine geistige Erneuerung ihres Landes mit liberalem Denken zu verbinden. Der Name der Gruppe 98 wurde erst später, in Antonio Azorins (Pseud. für José Martinez Ruiz') Sammlung von Beiträgen *Clasicos y modernos* (Madrid, 1913) geprägt. Zu der Gruppe gehörten Azorin, Baroja, Valle-Inclan und Maeztu. Die Gruppe war vom Denken Ortega y Gassets, Miguel de Unamuno, und Costa et Giner de Los Rios beeinflußt.

96 Hans Jürgen Soehring, »Gruppe 47: Zusammenschluß junger Autoren«, *Die Neue Zeitung*, 7. November 1947.

ZUSAMMENFASSUNG UND AUSBLICK: DER »MAGISCHE REALISMUS«

1 Alfred Andersch, *Deutsche Literatur in der Entscheidung* (Karlsruhe, 1948) p. 14.

2 Hans Werner Richter, »Der Einbruch des Irrationalen«, *Der Ruf*, USA, December 1, 1945, p. 2.

3 Walter Mannzen, »Überwindung des Hasses«, *Der Ruf*, December 15, 1945, p. 2; Cf. auch Gustav René Hocke, »Wir und die Zeit«, *Der Europäer*, Camp Campbell, Ky., February 1945, p. 3.

4 Cf. *supra*, Kap. II; Hans Werner Richter wurde als Trotzkist im Jahre 1932 aus der Kommunistischen Partei ausgeschlossen; Walter Kolbenhoff mußte den sinnlosen KP-Auftrag ausführen, im Jahre 1940, aus dänischer Emigration zurückgekehrt, die deutsche Armee »von innen her zu zersetzen« (*supra*, p. 14); Alfred Andersch beschreibt in *Die Kirschen der Freiheit* (Frankfurt/M., 1952), p. 28 und p. 39, seine eigene Enttäuschung als 18-jähriger: »...daß die Dialektik der Geschichte durch den Menschen geschaffen wird, war niemand so unfähig zu erkennen, wie die Führer der Kommunistischen Partei« (p. 39).

5 Cf. Walter Mannzen, »Der Surrealismus«, *Der Ruf*, February 1946, p. 6, und Alfred Andersch, »Die neuen Dichter Amerikas«, *Der Ruf*, June 15, 1945, p. 5, und *Deutsche Literatur in der Entscheidung*, pp. 28—31.

6 Cf. *supra*, Kap. II; die deutschen Kriegsgefangenen in allen Lagern wurden durch

Wendell Willkies *One World* (1943), in deutscher Übersetzung (*Unteilbare Welt*, 1945) in der *Bücherreihe Neue Welt*, mit Präsident Roosevelts politischem Denken vertraut gemacht.

7 Cf. *supra*, Kp. II und Kap. VI—IX.

8 Andersch, »Die neuen Dichter Amerikas«, *supra*, Anm. 5.

9 Alfred Andersch, »Eine amerikanische Erzählung«, *Frankfurter Hefte*, II (1947), p. 941.

10 Andersch, »Die neuen Dichter Amerikas«.

11 Hans Werner Richter, »Lyrik der Kriegsgefangenen«, *Die Lagerstimme*, Camp Ellis, Illinois, July 6, 1945, und *Der Ruf*, 15. September 1946, pp. 9—12.

12 Cf. Günter Eich, *Abgelegene Gehöfte* (Frankfurt/M., 1948); besonders kennzeichnend sind in diesem Zusammenhang die Gedichte: »Camp 16«, p. 38; »Inventur«, pp. 42—43; »Latrine«, p. 44 und »Frühling in der goldenen Meil«, p. 29.

13 Mannzen, »Der Surrealismus«.

14 Walter Mannzen, »Zu Gertrud Dahlmann-Stolzenbach: *Der schwarze Engel* (München, 1946)«, *Skorpion* (Probedruckexemplar), August/September 1947, p. 49.

15 Gustav René Hocke, »Deutsche Kalligraphie oder: Glanz und Elend der modernen Literatur«, *Der Ruf*, 15. November 1946, in: *Der Ruf, Eine deutsche Nachkriegszeitschrift*, Hrsg. H. Schwab-Felisch (München, 1962), pp. 203—08.

16 *Ibid.*, p. 207.

17 *Der Ruf, Unabhängige Blätter der jungen Generation*, Richter, Andersch, Hrsg., 15. August 1946 — 1. April 1947.

18 Hans Werner Richter, »Literatur im Interregnum«, *Der Ruf*, 15. März 1947, pp. 10—11.

19 Cf. Alfred Andersch, »Die Existenz und die objektiven Werte«, *Die Neue Zeitung*, 15. August 1947, p. 6, und Hans Werner Richter, »Lyrik der Kriegsgefangenen«, *Der Ruf*, 15. September 1946, pp. 9—12; Richter weist (p. 9) auf die fruchtbare Wirkung der aus deutscher Kriegsgefangenschaft zurückkehrenden Franzosen auf das »geistig wiedererwachende Frankreich« hin; es liegt nahe, an Jean-Paul Sartre zu denken, der 1942 aus deutscher Kriegsgefangenschaft zurückkehrte. Cf. auch: Carl August Weber, »Die literarischen Strömungen in Frankreich und die junge Generation«, *Der Ruf*, 15. Oktober 1946, p. 13.

20 Andersch, *Deutsche Literatur in der Entscheidung*, p. 24.

21 Jean-Paul Sartre, *Die Fliegen*, eingeführt vom Autor, Übers. Gritta Baerlocher, *Die Quelle*, I (1947), p. 197.

22 Alfred Andersch, »Deutsche Literatur in der Entscheidung«, Vortrag gehalten im Ulmer Rathaus, 9. November 1947.

23 Cf. Andersch, *Deutsche Literatur*, p. 7 und p. 26.

24 Cf. in diesem Zusammenhang auch die Untersuchung der *Ruf*-Beiträge von Andersch und Richter (1946/47) in: Urs Widmer, *1945 oder die »Neue Sprache«* (Düsseldorf, 1966), pp. 26—89.

25 Hans Werner Richter, »Wo sollen wir landen, wo treiben wir hin . . .? Skizzen von einer Reise in die östliche Zone«, in: *Der Ruf, Eine deutsche Nachkriegszeitschrift*, pp. 237—252.

26 Cf. Hocke, »Deutsche Kalligraphie«, pp. 205—08.

27 Hans Werner Richter, *Die Geschlagenen* (München, 1949); Richter erhielt für das Buch den Fontane-Preis (1951); es spricht für ein wiedererwachendes Interesse an dem literarisch wie zeitdokumentarisch überzeugenden Roman, daß der Deutsche Taschenbuch Verlag (DTV) im Jahre 1969 eine Neuauflage druckte (Stuttgart 1969).

28 Alfred Andersch, »Amerikanische Anarchisten«, *Frankfurter Hefte*, VI (1951), pp. 764—67.

29 Andersch, *Kirschen*, p. 23.

30 *Ibid.*, p. 62.

31 Cf. Hans Mayer, *Zur deutschen Literatur der Zeit — Zusammenhänge, Schriftsteller,*

187

Bücher (Reinbek b. Hamburg, 1967), pp. 300—305; und: Urs Widmer, *1945 oder die »Neue Sprache«*, pp. 9—19; und »So kahl war der Kahlschlag nicht«, *Die Zeit,* 26. November 1965.

32 Andersch, *Deutsche Literatur,* pp. 24—25.

33 Cf. Wolfgang Weyrauch, Hrsg. und Nachwort, *Tausend Gramm, Sammlung neuer deutscher Geschichten* (Hamburg und Stuttgart, 1949), p. 213.

34 Andersch, »Eine amerikanische Erzählung«, p. 940: »P. Gorski (*Stimmen der Zeit,* Juni 1947) kommt zu seiner Ablehnung in seiner freilich berechtigten Kritik einer so völlig flachen Deutung des Realismus, wie sie in der Schrift *Objektivismus* (Berlin, 1946) des Verlegers Walter Kahnert und des Schriftstellers Wolfgang Weyrauch vorgenommen wird, die eine mechanische Verpflanzung der amerikanischen Prosa nach Deutschland fordern. So geht es allerdings nicht. Aber es wäre Aufgabe der Literaturkritik, entgegen solchen gutgemeinten Seichtheiten die wirkliche Tiefe der Dichtung des Westens auszuloten.«

35 Cf. Marcel Reich-Ranicki, »Alfred Andersch, ein geschlagener Revolutionär, in: *Deutsche Literatur in West und Ost, Prosa seit 1945* (München, 1963), pp. 101—19.

36 Alfred Andersch, »Thomas Mann als Politiker«, (1952) in: *Die Blindheit des Kunstwerks und andere Aufsätze* (Frankfurt/M., 1965), p. 60.

37 Cf. Andersch, *Deutsche Literatur,* p. 29, wo die engagierte Intensität dieses existentiellen Protests besonders deutlich zum Ausdruck kommt; Andersch vergleicht »die Viskosität eines entscheidungslosen Daseins« mit »Unmenschlichkeit und Tod«.

38 Cf. »Antworten junger Autoren auf eine Umfrage«, *Literarische Revue,* IV (1949), pp. 246—47; Wolfdietrich Schnurre antwortet, nach seinen literarischen Modellen gefragt: »Als mir verwandt . . . empfinde ich Kafka, Vercors, Wolfgang Borchert und die modernen Amerikaner; unter diesen stilistisch-formal besonders Hemingway, inhaltlich Faulkner und James Thurber.« Heinrich Böll nennt in derselben Umfrage als seine literarischen Modelle: »Bernanos, Hemingway, Kafka, Greene, Koestler.«
Cf. auch: Helmut Papajewski, »The Critical Reception of Hemingway's Works in Germany since 1920«, in: *The Literary Reputation of Hemingway in Europe,* Hrsg. Roger Asselineau (New York U. Press, 1965), pp. 73—92. John R. Frey, »Postwar German Reactions to American Literature«, JEGP, LIV (1955), pp. 179—190; Frey zitiert eine Äußerung Rudolf Krämer-Badonis im Jahre 1950 in englischer Übersetzung: »All of us, whether we want do admit it or not, have had to go through our Hemingway-gate in the course of our artistic development, for it was the only path that led into the open« (p. 179, n. 1). Hans Bender, »Seismographen des amerikanischen Lebens«, *Die Welt* (Literaturbeilage), 15. April 1965. Horst Oppel, »American Literature in Postwar Germany«, SCL, VIII (1962), p. 271. Walter Jens, *Deutsche Literatur der Gegenwart* (München, 1962), p. 150. Karl August Horst, »Neue Strömungen in der deutschen Literatur der Nachkriegszeit«, in: *Handbuch der deutschen Gegenwartsliteratur* (München, 1965), p. 732. Karlheinz Deschner, *Talente, Dichter, Dilettanten* (Wiesbaden, 1964, p. 15).

ANHANG:

BIBLIOGRAPHIE, ILLUSTRATIONEN, TEXTE, REGISTER

BIBLIOGRAPHIE

I. Quellen

A. Arbeiten kriegsgefangener Autoren

Anonym. »Ausgleich zwischen Ost und West«, *Der Ruf*, Ft. Kearney, R. I., USA, July 15, 1945, p. 1.

–. »Der Weg nach Innen«, *Der Ruf*, December 15, 1945, p. 3.

–. »Ein Jahr Ruf«, *Der Ruf*, March 1, 1946, p. 1.

–. »Insel des Friedens«, *Der Ruf*, April 1, 1945, p. 2.

–. »Goodbye to ›Der Ruf‹«, *Der Ruf*, April 1, 1946, p. 1.

–. »Ernte der Standhaftigkeit«, *Der Ruf*, October 1, 1945, p. 4.

–. »Dank an Thomas Mann«, *Der Ruf*, October 1, 1945, pp. 4–6.

Bürger, H. »Warum liest du nicht«, *Die Brücke*, Camp Custer, Michigan, January 19, 1946, pp. 8–10.

D., G. »Deutsche Soldatenzeitung«, *Der Ekkehard*, Camp Douglas, Wyoming, February 17, 1945, p. 1.

Erge, »Professor Käthe Kollwitz«, *PW*, March 1, 1945, p. 7.

Friese, Franz. »Bekenntnis zu Hermann Hesse«, *Der Ruf*, December 15, 1945, p. 3.

Greulich, E., R. »Dichtung verbrannt und verbannt«, *PW*, April 1, 1945, p. 10.

–. »Gedanken über Kunst«, *PW*, July 1, 1945, p. 4.

Heck, Werner. »Dichtkunst und Politik«, *An der Schwelle*, Camp Eglin Field, Florida, October 15, 1945.

Heitzenröther, Horst. »Helm auf dem Grabe«, Gedicht, *PW*, March 1, 1945, p. 15.

–. »Aufruf«, Gedicht, *PW*, March 15, 1945, p. 4.

–. »Eingekesselt«, Gedicht, *PW*, April 1, 1945, p. 8.

Hepperle, Paul. »Friedrich Schiller, ein Kämpfer für Freiheit und Demokratie«, *PW*, May 1, 1945, pp. 7–8.

Hess, Hans. »Gedanken zu Carossa: Der Arzt Gion«, *Die Lagerstimme*, Camp Ellis, Ill., August 31, 1945, pp. 9–12.

Hildebrandt, Wolfgang. »Zauberberg und Kriegsgefangene«, *Der Ruf*, October 1, 1945, p. 5.

Holewa, Franz. »Schicksal in Nordafrika«, *PW*, March 1, 1945, p. 9.

Jahn, Werner. »Von der neuen deutschen Dichtung«, *PW*, February 15, 1945, p. 5.

–. »Das junge Deutschland 1830–1848«, *PW*, March 15, 1945, p. 7.

–. »Bücher auf dem Scheiterhaufen«, *PW*, May 1, 1945, pp. 8–11.

K., K. »Die geistige Brücke«, *Der Ruf*, November 1, 1945.

Kain, Franz. »Einer von vielen«, *PW*, May 15, 1945, pp. 8–9.

Krumbach, Walter. »Stimme der Toten«, *PW*, February 15, 1945, p. 3.

Lohmann, Paul. »Rettet das Kind«, *PW*, March 15, 1945, p. 3.

Paulsen, Henrik. »Erich Kästner, der Dichter und Schriftsteller«, *Das PW-Echo*, Camp Rucker, Alabama, November 15, 1945, pp. 2–3.

Schirk, Ludwig. »Walter Flex«, *Der Stacheldraht*, Camp Custer, Michigan, March 31, 1945.

Schlicht, Lothar. »Aus meinem Tagebuch«, *PW*, February 15, 1945, p. 4.

–. »Jungkameradschaft«, *PW*, February 15, 1945, p. 8.

Schramm, Herbert. »Das Glasperlenspiel – Ein Buchhinweis«, *Der Kulturspiegel*, Zeitschrift deutscher Kriegsgefangener in England, June 1946, pp. 55–58.

Schröder, Adolf. »Karl Schurz«, *PW*, March 15, 1945, p. 5.

Vinz, Curt. »Das freie Buch«, *Der Ruf*, April 1, 1946, p. 5.

Walsken, Ernst. »George Grosz, Portrait eines Malers«, *PW*, September 1, 1945, pp. 4–5.
Winkel, Franz. »Kulturstunde in Sachsenhausen«, *PW*, March 1, 1945, p. 5.
Wintergerst, Oskar. »Den Toten des Krieges«, Gedicht, *PW*, March 15, 1945, p. 12.
Wißmann, Hans-Joachim, und Jahn, Werner. »Gedanken über das National-Komitee ›Freies Deutschland.‹« *PW*, March 1, 1945, pp. 15–16.
–. »Streiter von 1848 in Amerika«, *PW*, March 15, 1945, p. 7.
Zander, Wolf Dieter. »Freiheit hinter Stacheldraht«. *Der Ruf*, December 1, 1945, pp. 1–2.

B. *Beiträge und Bücher von Andersch, Richter, Kolbenhoff, Hocke und Mannzen (in chronologischer Anordnung).*

1. *Alfred Andersch*
»Abschied von Rom«, *Der Ruf*, April 15, 1945, p. 2.
(Pseud. Anton Windisch). »Fräulein Christine«, *Der Ruf*, June 15, 1945, p. 6.
»Die neuen Dichter Amerikas«, *Der Ruf*, June 15, 1945, p. 5.
(Anonym). »Deutscher Geist/In der Sicht Thomas Manns«, *Der Ruf*, July 15, 1945, p. 2.
(Mit Initialen F. A.). »Black Boy«, *Der Ruf*, July 15, 1945, p. 4.
(Pseud. Thomas Gradinger). »Pueblos und Puritaner«, *Der Ruf*, August 1, 1945, p. 7.
(mit Initialen F. A.). »Zeitungen lesen . . .«, *Der Ruf*, August 15, 1945, p. 4.
(Anonym). »Unsere Mädchen«, *Der Ruf*, August 15, 1945, p. 6.
(mit Initialen F. A.) Amerikanische Profile: »Robert Frost«, *Der Ruf*, August 15, 1945, p. 7.
»Das junge Europa formt sein Gesicht«, *Der Ruf*, München, 15. August 1946, p. 1.
»Fabian wird positiv«, *Der Ruf*, 15. September 1946, p. 8.
»Die Kriegsgefangenen, Licht und Schatten – eine Bilanz«, *Der Ruf*, 15. Oktober 1946, pp. 6–8.
»Die Zukunft der deutschen Hochschulen, Ein Vorschlag«, *Der Ruf*, 1. Januar 1947, in: *Der Ruf, Eine deutsche Nachkriegszeitschrift*, *H*rsg. Hans Schwab-Felisch. München, 1962, pp. 208–216.
»Der richtige Nährboden für die Demokratie. Bericht von einer Reise in den deutschen Westen«, *Der Ruf*, 15. Januar 1947, in: *Der Ruf, Eine deutsche Nachkriegszeitschrift*, pp. 272–279.
»Die Existenz und und die objektiven Werte«, *Die Neue Zeitung*, 15. August 1947, p. 6.
»Ein wirklich hochgebildeter Kritiker«, *Der Skorpion*, Probeexemplar, August/September 1947, pp. 53–54.
»Intimität«, Erzählung, *Der Skorpion*, August/September 1947, p. 29.
»Das Unbehagen in der Politik«, *Frankfurter Hefte*, II (1947), 912–925.
»Eine amerikanische Erzählung«, und »Nachbemerkung zu dem Aufsatz ›Eine amerikanische Erzählung‹«, *Frankfurter Hefte*, II (1947), 940–41 und 976.
»Getty oder Die Umerziehung in der Retorte«, *Frankfurter Hefte*, II (1947), 1089–1096.
Deutsche Literatur in der Entscheidung. Karlsruhe, 1948.
»Das Gras und der alte Mann«, *Frankfurter Hefte*, III (1948), 927–29.
»Der Anti-Symbolist«, *Frankfurter Hefte*, III (1948), 1145.
»Freundschaftlicher Streit mit einem Dichter«, *Frankfurter Hefte*, IV (1949), 150–154.
»Weltreise auf deutsche Art«, Erzählung, gelesen April 1949 vor der Gruppe 47 in Marktbreit, in: *Geister und Leute, 10 Geschichten*. Olten und Freibg. i. Br., 1958, pp. 7–34.
Thomas Mann, Politische Dokumente 1930–1950. Hrsg. und Einleitung Alfred Andersch, in zwei Exemplaren gedruckt. Frankfurt/M., 1950.
»Metaphorisches Logbuch«, *Frankfurter Hefte*, V (1950), 209–211.
»Sehr Verborgenes«, *Frankfurter Hefte*, V (1950), 1001–1002.
»Marxisten in der Igelstellung«, *Frankfurter Hefte*, VI (1951), 208–210.
»Amerikanische Anarchisten«, *Frankfurter Hefte*, VI (1951), 764–767.
»Thomas Mann als Politiker«, 1952, zuerst erschienen unter dem Titel »Mit den Augen

des Westens«, in: *Texte und Zeichen*, I (1955), 85–100; später in: *Die Blindheit des Kunstwerks und andere Aufsätze*. Frankfurt/M., 1965, pp. 41–60.

Die Kirschen der Freiheit, Ein Bericht. Frankfurt/M., 1952.

»Kann man ein Symbol zerhauen?«, *Texte und Zeichen*, I (1955), 378–84.

Sansibar oder der letzte Grund. Olten und Freibg. i. Br., 1957.

Fahrerflucht, Hörwerke der Zeit 10. Hamburg, 1958.

»Ort im Waldmeer«, »Nymindegaab«, »Die kranke Mutter«, »Der Tod in London«. Gedichte, *Merkur*, XIII (1959), 918–921.

»Erinnerung an eine Utopie«, bisher unveröffentlichtes Gedicht, 1959/60.

Die Rote. Olten und Freibg. i. Br., 1960.

»Die Farbe von Ost-Berlin«, Gedicht, *Merkur*, XV (1961), 950.

Ein Liebhaber des Halbschattens, 3 Erzählungen. Olten und Freibg. i. Br., 1963.

Die Blindheit des Kunstwerks und andere Aufsätze. Frankfurt/M., 1965.

Efraim. Zürich, 1967.

»Festschrift für Captain Fleischer«, Hörfunk-Feature, Hessischer Rundfunk, II. Programm, 22. September 1968, 1830–19,00 Uhr.

2. Hans Werner Richter

»Vom geistigen Überwinden«, *Die Lagerstimme*, Camp Ellis, Illinois, November 17, 1944, p. 13.

»Es ist . . .«, Gedicht, *Die Lagerstimme*, April 20, 1945, p. 1.

»Die Folgen des Krieges«, *Die Lagerstimme*, May 25, 1945.

»Der Weg in die Zukunft«, *Die Lagerstimme*, June 8, 1945.

»Und wieder . . . Frieden«, *Die Lagerstimme*, June 22, 1945, p. 2.

»›Lyrik‹ der Kriegsgefangenen«, *Die Lagerstimme*, July 6, 1945.

»Von der geistigen Unsicherheit des Menschen unserer Zeit«, *Die Lagerstimme*, July 20, 1945.

»Der Blick nach dem Osten«, *Die Lagerstimme*, July 27, 1945.

Geister und Leute, 10 Geschichten. Olten und Freibg. i. Br., 1958.

»Zum Sieg der ›sozialistischen Arbeiterpartei‹ in England«, *Die Lagerstimme*, Camp Ellis, August 3, 1945.

»Im Zeitalter der Atombombe«, *Die Lagerstimme*, August 17, 1945, pp. 1–3.

»Ost und West – die ausgleichende Aufgabe Mitteleuropas«, *Der Ruf*, USA, September 1, 1945, p. 2.

»Die geistigen Kräfte«, *Der Ruf*, November 15, 1945, p. 4.

»Der Einbruch des Irrationalen«, *Der Ruf*, December 1, 1945, p. 2.

»Wo sollen wir landen, wo treiben wir hin? Skizzen von einer Reise in die östliche Zone«, *Der Ruf*, 15. August und 1. September 1946, in: *Der Ruf, Eine deutsche Nachkriegszeitschrift*, pp. 237–252.

»Lyrik der Kriegsgefangenen«, *Der Ruf*, München, 15. September 1946, pp. 9–12.

»Parteipolitik und Weltanschauung«, *Der Ruf*, 15. November 1946.

»Zwischen Freiheit und Quarantäne«, *Der Ruf*, 1. Januar 1947.

»Literatur im Interregnum«, *Der Ruf*, 15. März 1947, pp. 9–11.

»Sauve-qui-peut-Philosophen«, *Der Ruf*, 15. April 1947 (nicht zur Auslieferung gelangt) in: *Der Ruf, Eine deutsche Nachkriegszeitschrift*, pp. 303–305.

»Der Sieg des Opportunismus«, *Der Ruf*, 15. April 1947, in: *Der Ruf, Eine deutsche Nachkriegszeitschrift*, pp. 291–296.

»Skorpion«, *Der Skorpion* (Probedruckexemplar), August/September 1947, pp. 7–9.

Deine Söhne, Europa, Gedichte deutscher Kriegsgefangener. Hrsg. Hans Werner Richter. München, 1947.

»Der tote Mann«, Gedicht, in: *Deine Söhne Europa*, p. 69.

Die Geschlagenen. München, 1949; und München: Deutscher Taschenbuch-Verlag, 1969.

Sie fielen aus Gottes Hand. München, 1951.

Spuren im Sand, Roman einer Jugend. München, 1953.

Du sollst nicht töten. München, 1955.
Linus Fleck oder der Verlust der Würde. München, 1959.
Almanach der Gruppe 47. Hrsg. Hans Werner Richter und Walter Mannzen. Reinbek b. Hamburg, 1962.
Menschen in freundlicher Umgebung, Satiren. Berlin, 1965.
Blinder Alarm, Geschichten aus Bansin. Frankfurt/M., 1970.

3. Walter Kolbenhoff (Pseud. Walter Hoffmann)

Untermenschen. Kopenhagen, 1933.
Moderne Ballader. Kopenhagen, 1936.
Von unserem Fleisch und Blut. München, 1946.
»Wir wollen leben!«, *Der Ruf,* 15. September 1946, pp. 6–7.
»Brief an Sigrid Undset«, *Der Ruf,* 1. Oktober, 1946.
»Die Hände«, Prosa-Text, *Der Ruf,* 15. November 1946, in: *Der Ruf, Eine deutsche Nachkriegszeitschrift,* pp. 256–259.
»Die Reise nach Hannover«, *Skorpion,* pp. 12–15.
»Gegen die Nebelrufer. Offener Brief an Wolfdietrich Schnurre«, *Skorpion* (Probeexemplar), August/September 1947, pp. 41–42.
»Ich sah ihn fallen«, Erzählung, 1949, in: *Almanach der Gruppe 47,* Hrsg. Richter und Mannzen, Reinbek b. Hamburg, 1962, pp. 100–104.
Heimkehr in die Fremde. München, 1949.
Das Wochenende. Freiburg i. Br.: Herder, (August) 1970.

4. Gustav René Hocke

Lukrez in Frankreich. Dissertation. Universität Bonn, 1934.
Das geistige Paris. Leipzig, 1937.
Das verschwundene Gesicht. Leipzig, 1939.
»Wir und die Zeit«, *Der Europäer,* Camp Campbell, Kentucky, February 1945, pp. 3–7.
»Was wollen wir lesen«, *Der Europäer,* February 1945, pp. 18–19.
(unter Pseud. Julian Ritter). »Ursachen des Zusammenbruchs«, *Der Ruf,* USA, June 1, 1945, p. 1.
(unter Pseud. Julian Ritter). »Das geistige Gesicht Amerikas«, *Der Ruf,* USA, June 1, 1945, p. 1.
»Deutsche Kalligraphie oder: Glanz und Elend der modernen Literatur«, *Der Ruf,* 15. November 1946, in: *Der Ruf, Eine deutsche Nachkriegszeitschrift,* pp. 203–208.
»Briefe zwischen Kontinenten«, *Deutsche Beiträge,* VI (1947), 552–556.
Der tanzende Gott. München, 1948.
Die Welt als Labyrinth. Reinbek b. Hamburg, 1957.
Manierismus in der Literatur. Reinbek b. Hamburg, 1959.
Magna Graecia, Wanderungen durch das griechische Unteritalien. Berlin, 1960.
Das Europäische Tagebuch, Wiesbaden, 1963.
»Begegnungen mit Ernst Robert Curtius«, *Merkur,* XX (1966), 690–697.

5. Walter Mannzen

»Es ist höchste Zeit!«, *Unsere Zeitung,* Camp Greeley, Colorado, June 3, 1945, p. 1.
»Der Weg aus der Isolierzelle«, *Der Ruf,* USA, June 15, 1945, p. 8.
(Anonym). »Freiheit der Kunst«, *Unsere Zeitung,* August 19, 1945, pp. 9–11.
(Anonym). »Hat Weimar versagt«, *Der Ruf,* October 15, 1945, p. 2.
(Anonym). »Die geistige Kluft«, *Der Ruf,* November 15, 1945, p. 3.
(Anonym). »Die Gefährdeten«, *Der Ruf,* November 15, 1945, p. 5.
(Anonym). »Grundrechte des Staatsbürgers«, *Der Ruf,* December 1, 1945, p. 3.
(Anonym). »Der Rassenwahn«, *Der Ruf,* December 15, 1945, p. 1.
(Anonym). »Überwindung des Hasses«, *Der Ruf,* December 15, 1945, p. 2.
(Anonym). »Der Surrealismus«, *Der Ruf,* February 15, 1946, p. 6.

(Anonym). »Amerikanisches in Deutschland«, *Der Ruf,* April 1, 1946, p. 4.
»Die Selbstentfremdung des Menschen«, *Der Ruf,* München, 1. September 1946, in: *Der Ruf, Eine deutsche Nachkriegszeitschrift,* pp. 37–42.
»Zu Gertrud Dahlmann-Stolzenbach: Der schwarze Engel«, *Skorpion,* August/September 1947, p. 49.
Die Eingeborenen Australiens. Wirtschaft, Gesellschaft, Recht. Hamburg, 1949.
Almanach der Gruppe 47. Hrsg. mit Hans Werner Richter, Reinbek b. Hamburg, 1962.

C. Kreigsgefangenen-Zeitschriften

Katalogisiert (LC) und nach Mikrofilm (Reel-)- Nummern eingeteilt von: Arndt, J. und Olson, Lee. *History of German-American Nespapers and Periodicals 1730–1955.*[2] New York, 1965, pp. 60–64. Library of Congress, USA, Archiv-Nummer D 731–G 596–Folio, Vols. 1–56; Mikrofilm-Nummer 10779.

Ausblick, Camp Concordia, Kansas. Reel 4, s. o. 66–70; LC Vol. 21.
Brücke zur Heimat, Camp 33, Petawawa, Canada. Reel 11, s. o. 58–69; LC Vol. 43.
Brücke zur Heimat, Camp Crossville, Tenn. Reel 5, s. o. 1–8; LC Vol. 14.
Brücke zur Heimat, Camp Custer, Michigan. Reel 5, s. o. 16–38; LC Vol. 15.
Brücke zur Heimat, Westover Field, Mass. Reel 14, s. o. 53–60; LC Vol. 51.
Das PW-Echo, Camp Rucker, Alabama. Reel 12, s. o. 35–48; LC Vol. 45.
Ekkehard, Camp Douglas, Wyoming. Reel 6, s. o. 10–11; LC Vol. 19.
European, Camp Butner, N. C. Reel 2, s. o. 23–38; LC Vol. 6.
Europäer, Camp Campbell, Ky. Reel 3, s. o. 1–2; LC Vol. 9.
Herold, Camp Chesterfield, Mo. Reel 3, s. o. 57–60; LC Vol. 10.
Kolibri, Camp Crossville, Tenn. Reel 5, s. o. 9–15; LC Vol. 14.
Lagerfackel, Camp Butner, N. C. Reel 2, s. o. 39–51; LC Vol. 6.
Lagerfeuer, Camp Beale, California. Reel 1, s. o. 81–90; LC Vol. 4.
Lagerstimme, Camp Ellis, III. Reel 6, s. o. 63–83; LC Vol. 20.
Lagerzeitung, Camp Algona, Iowa. Reel 1, s. o. 17–24; LC Vol. 1.
Lagerzeitung, Camp Concordia, Kansas. Reel 4, s. o. 61–54; LC Vol. 13.
Lotse, Camp McCain, Miss. Reel 9, s. o. 33–54: LC Vol. 33.
PW, Fort Devens, Mass. Reel 5, s. o. 104–106; LC Vol. 18; Reel 6, s. o. 1–9; LC Vol. 19.
Ruf, Camp 33, Petawawa, Canada. Reel 11, s. o. 50–57; LC Vol. 42.
Schwelle, Camp Eglin Field, Florida. Reel 6, s. o. 55–62; LC Vol. 20.
Stacheldraht, Camp Custer, Michigan. Reel 5, s. o. 39–52; LC Vol. 16.
Neue Stacheldraht Nachrichten, Camp Concordia, Kansas. Reel 4, s. o. 2–8; LS Col. 11.
Wort, Camp Douglas, Wyoming. Reel 6, s. o. 16–32; LC Vol. 19.
Wort, Camp Wheeler, Georgia. Reel 14, s. o. 61–65; LC Vol. 51.
Zeitung, Camp Beale, California. Reel 1, s. o. 79; LC Vol. 4.
Der Kulturspiegel, Zeitschrift deutscher Kriegsgefangener in England, February and June 1946, London, Library of the British Museum.
Der Ruf, Zeitschrift deutscher Kriegsgefangener in den USA, Fort Kearney, R. I., USA, March 1, 1945 – April 1, 1946.

D. Zeitungen und Zeitschriften im heutigen Deutschland

Die Amerikanische Rundschau, München, 1945–1950.
Deutsche Beiträge, Hrsg. U. Bernays, E. Penzoldt, München, 1946–1950.
Frankfurter Hefte, Hrsg. Eugen Kogon, Frankfurt/M. 1946 ff.
Merkur, Deutsche Zeitschrift für europäisches Denken, Hrsg. J. Moras, E. Paeschke, Baden-Baden, Stuttgart, 1947 ff.
Neuer Aufbau, Berlin, 1945–1948.

Neue Rundschau, Frankfurt/M., September 1945 ff.
Die Neue Zeitung, München und Berlin, Hrsg. US-Army, Hans Habe (18. Oktober 1945 – März 1946), Hans Wallenberg (April 1946–1949).
Die Quelle, Zeitschrift für Theater, Musik, Film, Hrsg. W. A. Peters, Konstanz, 1947–1948.
Der Ruf, Unabhängige Blätter der jungen Generation, Hrsg. H. W. Richter und A. Andersch, München, 15. August 1946 – 1. April 1947.
Skorpion, Hrsg. Hans Werner Richter, Nicht lizensiertes Probeexemplar, August/September 1947.
Die Wandlung, Hrsg. Karl Jaspers, Dolf Sternberger, Alfred Weber, Marie Luise Kaschnitz, Heidelberg und Wien, November 1945–1949.

E. Andere Texte

Brown, John Mason. »German Prisoners of War in the United States«, *The American Journal of International Law*, 39 (1945), 202–208.
–. »Wie Amerika während des Krieges über Deutschland dachte«, *Die Amerikanische Rundschau*, III (1947), 117–126.
Die Bücherreihe Neue Welt, Für deutsche Kriegsgefangene in den USA, Hrsg. Curt Vinz und Bermann-Fischer-Verlag, New York, 1945.

Titelauswahl (aus insgesamt 24 Bänden):

> Baum, Vicki. *Liebe und Tod auf Bali.* Amsterdam, 1937.
> Benét, Steven Vincent. *Amerika.* New York, 1944.
> Conrad, Joseph. *Der Freibeuter (Romance).* London, 1905.
> Curie, Eva. *Madame Curie.* Paris, 1938.
> Frank, Leonhard. *Die Räuberbande.* Stockholm, 1939.
> *Heinrich Heines Meisterwerke in Vers und Prosa.*
> Hemingway, Ernest. *Wem die Stunde schlägt.* Übers. Paul Baudisch, Stockholm, 1941.
> Mann, Thomas. *Der Zauberberg.* Berlin, 1924.
> –. *Achtung Europa, Essays.* Stockholm, 1938.
> –. *Lotte in Weimar.* Stockholm, 1939.
> Scott, John. *Jenseits des Ural.* New York, 1944.
> Werfel, Franz. *Die vierzig Tage des Musa Dagh.* Berlin, 1933.
> –. *Das Lied von Bernadette.* Stockholm, 1941.
> Roth, Joseph. *Radetzkymarsch.* Berlin, 1932.
> Remarque, Erich Maria. *Im Westen nichts Neues.* Berlin, 1929.
> Willkie, Wendell. *Unteilbare Welt (One World).* New York, 1943.
> Zuckmayer, Carl. *Ein Bauer aus dem Taunus.* Berlin, 1927.
> –. *Der Hauptmann von Köpenick.* Berlin, 1931.
> Zweig, Arnold. *Der Streit um den Sergeanten Grischa.* Berlin, 1928.

Carossa, Hans. »Der Himmel dröhnt von Tod . . .«, Gedicht, in: Will Vesper, *Die Ernte der Gegenwart*, München, 1940, p. 314.
Gottschick, Johann. *Psychiatrie der Kriegsgefangenschaft.* Stuttgart, 1963.
Jones, Howard M. *Ideas in America.* Cambridge: U. of Harvard Press, 1944.
–. »Hitlers furchtbares Vermächtnis«, *Der Ruf*, USA, November 1, 1945, pp. 2–3.
Lützkendorf, Felix. »Ein Leutnant fiel«, Gedicht, in: *Wiedergeburt, Lieder aus dem Osten*, Berlin, 1943, pp. 18–19; und in: *Drahtpost*, Camp Algona, Iowa, November 19, 1944.
Scholz, Wilhelm v., Hrsg., *Das deutsche Gedicht: Ein Jahrtausend deutscher Lyrik.* Berlin, 1941.
Seidel, Ina. »Aber wissen sollt Ihr«, Gedicht, in: *Neben der Trommel her.* Leipzig, 1915; und in: *PW-Rundschau*, Camp Daniel Field, Georgia, No. 22, May 1945.
Smith, Thomas V. »Diskussionen mit deutschen Kriegsgefangenen«, *Die Amerikanische Rundschau*, II (1946) 37–45.

–. »Politik und Erziehung«, *Die Amerikanische Rundschau*, IV (1948), 73–86.
Vesper, Will. *Die Ernte der Gegenwart: Deutsche Lyrik von Heute*. München, 1940.
Weyrauch, Wolfgang. Hrsg. und Nachwort, *Tausend Gramm, Sammlung deutscher Geschichten*. Hamburg und Stuttgart, 1949.
Wißmann, Hans-Joachim. »Leserbrief«, *Die Amerikanische Rundschau*, II (1946), 125.

II. Sekundärliteratur

Adorno, Theodor W. *Minima Moralia*. Frankfurt/M., 1951.
–. *Prismen*. Frankfurt/M., 1955.
–. *Noten zur Literatur*. 3 Bde., Frankfurt/M., 1958.
–. *Drei Studien zu Hegel*. Frankfurt/M., 1963.
Aichinger, Ilse. *Die größere Hoffnung*. Amsterdam, 1948.
–. »Spiegelgeschichte«, 1949, in: *Wo ich wohne, Erzählungen, Dialoge, Gedichte*, Frankfurt/M., 1954, pp. 9–18.
Arp, Hans. *Wortträume und schwarze Sterne*. Wiesbaden, 1953.
Bachmann, Ingeborg. *Gedichte, Erzählungen, Hörspiel, Essays*. München, 1964.
–. *Anrufung des großen Bären*. München, 1956.
Bender, Hans. »Ende-Übergang-Anfang, 15. Jahre Gegenwartsliteratur/Eine Rede«, *Akzente*, IV (1961), 374–383.
–. »Seismographen des amerikanischen Lebens«, *Die Welt*, Literaturbeilige, 15. April 1965.
Benjamin, Walter. *Schriften*. 2 Bde., Hrsg. Th. W. Adorno, Frankfurt/M., 1955.
Benn, Gottfried. *Probleme der Lyrik*. Wiesbaden, 1951.
–. »Berliner Brief, Juli 1948« (An den Merkur), in: *Gesammelte Werke*, IV, Wiesbaden, 1966, pp. 280–285.
Bense, Max. »Alfred Andersch«, in: *Schriftsteller der Gegenwart*, Hrsg. Klaus Nonnenmann, Olten und Freiburg i. Br., 1963, pp. 18–28.
Blöcker, Günter. *Kritisches Lesebuch*. Hamburg, 1962.
Bollnow, Otto Friedrich v. *Existenzphilosophie*. Stuttgart, 1947.
–. *Unruhe und Geborgenheit im Weltbild unserer Dichter, Acht Essays*. Stuttgart, 1953.
Böll, Heinrich. *1947 bis 1951*. Köln, 1964.
–. *Erzählungen, Hörspiele, Aufsätze*. Berlin, 1961.
Borchert, Wolfgang. *Draußen vor der Tür*. Hamburg, 1947.
–. »Das ist unser Manifest«, in: *Das Gesamtwerk*, Hamburg, 1949, pp. 333–339.
Bortenschlager, Wilhelm. *Deutsche Literatur im 20. Jahrhundert*. Zürich, 1966.
Boveri, Margret. *Tage des Überlebens. Berlin 1945*. München, 1968.
Brecht, Bertolt. »Fünf Schwierigkeiten beim Schreiben der Wahrheit«, 1934, in: *Versuche 20–21*. Berlin, 1950.
Brée, Germaine. *Camus*. Paris, 1958.
Breton, André. *Manifestes du Surréalisme*, Hrsg. Jean Jaques Pauvert, Paris, 1962.
Broch, Hermann. *Die Schuldlosen*. Zürich, 1950.
–. *Der Versucher*. Zürich, 1953.
–. *Massenpsychologie: Schirften aus dem Nachlaß*, Hrsg. Wolfgang Rothe, Zürich, 1959.
Buber, Martin. *Nachlese*. Heidelberg, 1965.
Canetti, Elias. *Die Blendung*. Wien, 1936.
–. *Aufzeichnungen, 1942–1948*. München, 1965.
Cather, Willa. *Der Tod kommt zum Erzbischof*, Übers. Sigismund v. Radecki, Zürich, 1940.
Cwojdrak, Günther. *Eine Prise Polemik, Sieben Essays zur westdeutschen Literatur*. Halle, 1965.
Cysarz, Herbert. *Friedrich Schiller*. Leipzig, 1934.
Dahrendorf, Ralf. *Gesellschaft und Demokratie in Deutschland*. München, 1965.

Demetz, Peter. *Marx, Engels und die Dichter, Zur Grundlagenforschung des Marxismus.* Stuttgart, 1959.

–. *Post war German literature. A critical Introduction.* New York: Pegasus 1970.

–. »Alfred Andersch/Der Essayist«, *Merkur*, XX (1966), 675–679.

Deschner, Karlheinz. *Kitsch, Konvention und Kunst.* München, 1957.

–. *Talente, Dichter, Dilletanten.* Wiesbaden, 1964.

Döblin, Alfred. *Berlin Alexanderplatz.* Berlin, 1929.

–. *Die literarische Situation.* Baden-Baden, 1947.

Eich, Günter. *Abgelegene Gehöfte.* Frankfurt/M., 1948.

–. *Träume, Vier Spiele.* Frankfurt/M., 1953.

–. »Einige Bemerkungen zum Thema ›Literatur und Wirklichkeit‹«, *Akzente*, III (1956), 313–315.

Eliot, Thomas S. »Hamlet and his Problems«, in: *The Sacred Wood, Essays on Poetry and Criticism,* London, 1920, pp. 95–103.

–. »Rede zur Verleihung des Georg-Büchner-Preises 1959«, in: *Jahrbuch der deutschen Akademie für Sprache und Dichtung,* Darmstadt, 1959, pp. 170–182.

Emrich, Wilhelm. »Die Struktur der modernen Dichtung«, *Wirkendes Wort*, III (1952), 213–223.

Faulkner, William. *Licht im August. (Light in August),* Übers. Franz Fein, Berlin, 1935.

–. *Wendemarke. (Pylon),* Übers. Georg Goyert, Berlin, 1936.

–. *Absalom, Absalom,* Übers. Hermann Stresau, Berlin, 1938.

–. *Wild Palms.* New York, 1939 .

Franzen, Erich. *Aufklärungen, Essays.* Nachwort Wolfgang Koeppen, Frankfurt/M., 1964.

Frisch, Max. »Verdammen oder Verzeihen?«, *Neue Schweizer Rundschau,* XIII (1945), 121–123.

–. »Stimmen eines Anderen Deutschland? Zu den Zeugnissen von Wiechert und Bergengruen«, *Neue Schweizer Rundschau,* XIII (1946), 535–547.

–. *Nun singen sie wieder, Versuch eines Requiems.* Basel, 1946.

–. *Tagebuch 1946–1949.* Frankfurt/M., 1950.

–. *Öffentlichkeit als Partner.* Frankfurt/M., 1967.

Geiger, Theodor. *Die soziale Schichtung des deutschen Volkes.* Stuttgart, 1932.

–. *Demokratie ohne Dogma. Die Gesellschachft zwischen Pathos und Nüchternheit.* München, 1963.

Glaser, Hermann. *Spießer-Ideologie, Von der Zerstörung des deutschen Geistes im 19. und 20. Jahrhundert.* Freiburg, 1964.

Grass, Günter. *Über das Selbstverständliche. Reden. Aufsätze. Offene Briefe. Kommentare.* Neuwied und Berlin, 1968.

–. *Über meinen Lehrer Döblin und andere Vorträge.* Berlin, 1968.

Groll, Gunter, Hrsg. *De Profundis. Deutsche Lyrik in dieser Zeit. Eine Anthologie aus zwölf Jahren.* München, 1946.

Grosser, J. F. G., Hrsg. *Die große Kontroverse. Ein Briefwechsel um Deutschland.* Hamburg, 1963.

Habe, Hans. *Im Jahre Null, Ein Beitrag zur Geschichte der deutschen Presse.* München 1966.

Habermas, Jürgen. *Technik und Wissenschaft als »Ideologie«.* Frankfurt/M., 1968.

Hartlaub, Felix. *Von unten gesehen, Impressionen und Aufzeichnungen des Obergefreiten Felix Hartlaub,* Hrsg. Geno Hartlaub, Stuttgart, 1950.

Haug, Wolfgang E. *Der hilflose Antifaschismus.* Frankfurt/M., 1967.

Hemingway, Ernest. *Fiesta (The Sun Also Rises),* Übers. Annemarie Horschitz-Horst, Berlin, 1928.

–. *Männer (Men Without Women),* Übers. Annemarie Horschitz-Horst, Berlin, 1929.

–. *In einem anderen Land (Farewell to Arms),* Übers. Annemarie Horschitz-Horst, Berlin, 1931.

–. *In unserer Zeit (In Our Time)*, Übers. Annemarie Horschitz-Horst, Berlin, 1932.
–. *Wem die Stunde schlägt (For Whom the Bell Tolls)*, Übers. Paul Baudisch, Stockholm, 1941.

Hermlin, Stephan, und Mayer, Hans. *Ansichten über einige neue Schriftsteller und Bücher.* Wiesbaden, 1947.
–. »Wo bleibt die junge Dichtung?«, *Neuer Aufbau*, III (1947), 340–343.
–. *Zwei Erzählungen.* Berlin, 1947.
–. *Zweiundzwanzig Balladen.* Berlin, 1947.

Hilsbecher, Walter. *Wie modern ist eine Literatur. Aufsätze.* München, 1965.

Holthusen, Hans E. *Ja und Nein. Neue Kritische Versuche.* München, 1954.
–. *Das Schöne und das Wahre. Neue Studien zur modernen Literatur.* München, 1958.
–. *Kritisches Verstehen. Neue Aufsätze zur Literatur.* München, 1961.

Huchel, Peter. *Gedichte.* Karlsruhe, 1948.

Jahnn, Hans Henny. »Aufgabe des Dichters in dieser Zeit«, 1932, in: *Über den Anlaß und andere Essays.* Frankfurt, 1964.

Jarmatz, Klaus. *Literatur im Exil.* Ost-Berlin, 1966.

Jens, Walter. *Nein – Die Welt der Angeklagten.* Hamburg, Stuttgart, Baden-Baden, 1950.
–. *Statt einer Literaturgeschichte.* Pfullingen, 1957; ⁵1962.
–. *Deutsche Literatur der Gegenwart. Themen, Stile, Tendenzen.* München, 1961.
–. *Literatur und Politik.* Pfullingen, 1963.

Kahler, Erich v. *Der deutsche Charakter in der Geschichte Europas.* Zürich, 1937.
–. *Untergang und Übergang. Essays.* München, 1970.

Kahnert, Walter. *Objektivismus, Gedanken über einen neuen Literaturstil.* Berlin, 1946.

Kardorff, Ursula v. *Berliner Aufzeichnungen. Aus den Jahren 1942–1945.* München, 1962.

Kaschnitz, Marie-Luise. *Neue Gedichte.* Hamburg 1957.

Kästner, Erich. *Herz auf Taille.* Leipzig, 1928.
–. *Lärm im Spiegel.* Leipzig, 1928.
–. *Ein Mann gibt Auskunft.* Stuttgart, 1930.
–. *Fabian. Die Geschichte eines Moralisten.* Stuttgart, 1931.
–. »Über das Verbrennen von Büchern«, Ansprache auf der Hamburger Pen-Tagung am 10. Mai 1958«, ins: *Gesammelte Werke für Erwachsene*, VIII, Zürich und München, 1969, pp. 277–285.
–. *Notabene 45.* Berlin 1961.

Kayser, Wolfgang, *Das Groteske in Malerei und Dichtung.* Oldenburg und Hamburg, 1957.

Kazin, Alfred. *On Native Grounds, An Interpretation of Modern America Prose Literature.* New York, 1945.

Kerr, Alfred. *Die Welt im Licht.* Köln, 1961.

Kilchenmann, Ruth J. *Die Kurzgeschichte, Formen und Entwicklung*, Stuttgart, 1967.

Klee, Paul. *Pädagogisches Skizzenbuch.* München, 1925.

Koebner, Thomas, Hrsg. *Tendenzen der deutschen Literatur seit 1945.* Stuttgart, 1971.

Koeppen, Wolfgang. *Tauben im Gras.* Stuttgart und Hamburg, 1951.
–. *Das Treibhaus.* Stuttgart, 1953.
–. *Der Tod in Rom.* Stuttgart, 1954.
–. »Dankrede«, anläßlich der Verleihung des Georg Büchner Preises, in: *Jahrbuch der Deutschen Akademie für Sprache und Dichtung*, Darmstadt, 1962, pp. 103–110.

Korn, Karl. *Sprache in der verwalteten Welt.* Frankfurt/M., 1958.

Kraus, Karl. *Die letzten Tage der Menschheit. Tragödie in fünf Akten mit Vorspiel und Epilog.* Wien, 1922.

Kreuder, Ernst. *Die Gesellschaft vom Dachboden.* Stuttgart und Hamburg, 1946.
–. »Literatur und modernes Lebensgefühl«, *Deutsche Beiträge*, IV (1950), 48–51.

Langgässer, Elisabeth. *Das unauslöschliche Siegel.* Hamburg, 1946.
–. *Märkische Argonautenfahrt.* Hamburg, 1950.

Lettau, Reinhard, Hrsg. *Die Gruppe 47, Bericht, Kritik, Polemik, Ein Handbuch.* Neuwied und Berlin, 1967.

Lüth, Paul E., Hrsg. *Der Anfang, Anthologie junger Autoren.* Wiesbaden, 1947.

Lukács, Georg. *Probleme des Realismus.* Berlin, 1955.

–. *Die Zerstörung der Vernunft,* Neuwied und Berlin, 1962.

Mann, Golo. *Deutsche Geschichte des 19. und 20. Jahrhunderts.* Frankfurt/M., 1958.

–.»Neunzehnhundertfünfundvierzig«, in: *Propyläen Weltgeschichte,* Hrsg. Golo Mann, X, Berlin, Frankfurt, Wien, 1961, pp. 23–39.

Mann, Heinrich, Hrsg. und Einführung, *Morgenröte, Ein Lesebuch.* New York: Aurora-Vlg., 1947.

Mann, Klaus, *Der Wendepunkt. Ein Lebensbericht.* Frankfurt/M., 1952.

Mann, Thomas. *Appell an die Vernunft.* Berlin, 1930.

–. *The War and the Future.* Washington, D. C., Library of Congress, 1944.

–. *Deutsche Hörer! 25 Radiosendungen nach Deutschland.* Stockholm, 1945.

–. *Meine Zeit 1875–1950.* Frankfurt/M., 1950.

Martini, Fritz. *Deutsche Literaturgeschichte von den Anfängen bis zur Gegenwart.* Stuttgart, 1963.

Mayer, Hans.»Die deutsche Literatur und der Scheiterhaufen«, *Neuer Aufbau,* IV (1948), 463–471.

–, und Hermlin, Stephan. *Ansichten über einige neue Schriftsteller und Bücher.* Wiesbaden, 1947.

–, *Zur deutschen Literatur der Zeit – Zusammenhänge, Schriftsteller, Bücher.* Reinbek b. Hamburg, 1967.

Muschg, Walter. *Die Zerstörung der deutschen Literatur,* 3. erweiterte Auflage, Bern, 1958.

Nossack, Hans Erich. *Nekyia. Bericht eines Überlebenden.* Hamburg, 1947.

–. *Interview mit dem Tode.* Hamburg, 1948.

–.»Die dichterische Substanz im Menschen«, in: *Jahrbuch der Akademie der Wissenschaften und der Literatur,* Mainz, 1954, pp. 315–321.

Papajewski, Helmut.»The Critical Reception of Hemingway's Works in German since 1920«, in: Roger Asselineau, Hrsg. *The Literary Reputation of Hemingway in Europe,* New York: N. Y. U. Press, 1965, pp. 73–92.

Pfeiffer-Belli, Erich.»Wem die Stunde schlägt«, *Der Ruf,* 15. November 1946, p. 5.

Picard, Max. *Hitler in uns selbst.* Zürich, 1945.

Plimpton, George A.»Gespräch mit Ernest Hemingway«, *Merkur,* XIII (1959), 526–544.

Plivier, Theodor, *Stalingrad.* Berlin, 1945.

Popper, Karl R. *The Poverty of Historicism.* London, 1957.

–. *The Open Society and its Enemies,* 4. erweiterte Auflage, Princeton, N. Y.: Princeton U. Press 1963.

Raddatz, Fritz. Hrsg. *Marxismus und Literatur,* 3 Bde., Reinbek b. Hamburg, 1969.

Rauschning, Hans, Hrsg. *1945. Ein Jahr in Dichtung und Bericht.* Frankfurt/M., 1965.

Reich-Ranicki, Marcel. *Deutsche Literatur in West und Ost. Prosa seit 1945.* München 1963.

Rühmkorf, Peter. *Wolfgang Borchert, in Selbstzeugnissen und Bilddokumenten.* Reinbek b. Hamburg: Rowohlts Monographien, 1961.

Sartre, Jean-Paul. *Die Mauer (Le Mur),* Übers.»MM.«, *Maß und Wert,* II (1938/39), 31–51; und Übers. Pierre Seguy, *Europäische Rundschau,* I (1946), 232–237 und II (1947), 377–381.

–.»Der Schriftsteller und seine Zeit«, Übers. Clemens Korth, *Die Umschau,* I (1946), 14–21.

–. *Der Existentialismus ist ein Humanismus,* Übers. Carl August Weber, in: *Dichtung der Gegenwart: Frankreich,* Hrsg. C. A. Weber, München, 1947, pp. 123–126.

–. *Die Fliegen (Les Mouches),* mit einem Vorwort Sartres an die deutschen Leser, Übers. Gritta Baerlocher, *Die Quelle,* I (1947), 129–198.

–. »Schmutzige Hände«, (Auszug: *Les Mains sales*, 5. und 6. Bild), Übers. Eva Rechel, *Merkur*, II (1948), 529–553.

Schnurre, Wolfdietrich. »Für die Wahrhaftigkeit, Eine Antwort an Walter Kolbenhoff«, *Skorpion* (Probedruckexemplar), August/September 1947, pp. 43–46.

–. »Alte Brücken – Neue Ufer«, *Der Ruf*, 1. April 1947, p. 12.

–. »Das Begräbnis«, Erzählung, in: *Man sollte dagegen sein*, Olten und Freiburg i. Br., 1960, pp. 23–34.

–. »Es ist soweit.« *Athena*, II (1948), 21–24.

–. *Die Rohrdommel ruft jeden Tag, Erzählungen*. Witten und Berlin, 1950.

Schonauer, Franz. *Deutsche Literatur im Dritten Reich, Versuch einer Darstellung in polemisch-didaktischer Absicht*. Olten und Freiburg i. Br., 1961.

Schöne, Albrecht. *Über Politische Lyrik im 20. Jahrhundert*. Göttingen, 1965.

Soehring, Hans J. »Gruppe 47: Zusammenschluß junger Autoren«, *Die Neue Zeitung*, 7. November, 1947.

Steinbeck, John. *Früchte des Zorns (The Grapes of Wrath)*, Übers. Karin v. Schab, Darmstadt und Berlin: Vorwerk-Vlg., 1943.

–. *Die Straße der Ölsardinen (Cannery Row)*, Übers. Ilse Krämer, Nürnberg, 1946.

–. *Gabilan (The Red Pony)*, Übers. Hans B. Wagenseil, München, 1946.

–. »Tularecitos Herkunft«, (»Tularecito«), Übers. Alfred Andersch, *Frankfurter Hefte*, II (1947), 941–945.

Topitsch, Ernst. *Sozialphilosophie zwischen Ideologie und Wissenschaft*. Neuwied, 1961.

Trommler, Frank. »Der ›Nullpunkt 1945‹ und seine Verbindlichkeit für die Literaturgeschichte«, in: *Basis I. Jahrbuch für deutsche Gegenwartsliteratur*, Hrsg. R. Grimm, J. Hermand. Bad Homburg, 1970.

Weber, Dietrich, Hrsg. *Deutsche Literatur seit 1945 in Einzeldarstellung*. Stuttgart, 1968.

Weber, Werner. *Über Alfred Andersch. Eine Rede* (zum Nelly-Sachs-Preis an Alfred Andersch), mit Bibliographie der Sekundärliteratur. Zürich, 1968.

Wegner, Matthias. *Exil und Literatur*. Frankfurt/M., 1968.

Wellek, René, *A. History of Modern Criticism: 1750–1950*, 4 Vols., London, 1955–1968.

–. *Concepts of Criticism*, Hrsg. und Einführung Stephen G. Nichols, New Haven und London: Yale U. Press, 1963.

Weyrauch, Wolfgang. »Realismus des Unmittelbaren«, *Neuer Aufbau*, II (1946), p. 701–706.

–. »Neue Lyrik«, *Neuer Aufbau*, II (1946), 1246–1250.

–. »Fragment über Bertolt Brecht«, *Neuer Aufbau*, IV (1948), 134–136.

–. Hrsg. *Die Pflugschar. Sammlung deutscher Dichtung*. Berlin, 1947.

–. Hrsg. und Nachwort. *Tausend Gramm, Sammlung neuer deutscher Geschichten*. Hamburg und Stuttgart, 1949.

–. *An die Wand geschrieben. Gedichte*. Hamburg, 1950.

–. *Mein Schiff, das heißt Taifun. Erzählungen*. Olten und Freiburg i. Br., 1959.

Widmer, Urs. »So kahl war der Kahlschlag nicht«, *Die Zeit*, 26. November 1965.

–. *1945, oder die »Neue Sprache.«* Düsseldorf, 1966.

Wolfe, Thomas C. *Schau heimwärts, Engel (Look Homeward, Angel)*, Übers. Hans Schiebelhuth, Berlin, 1932.

–. *Von Zeit und Strom (Of Time and the River)*, 2 Vols., Übers. Hans Schiebelhuth, Berlin, 1936.

–. *Vom Tod zum Morgen (From Death to Morning)*, Übers. Hans Schiebelhuth, Berlin 1937.

Wolfe, Thomas C. *Strom des Lebens (The Web and the Rock)*, Übers. Hans Schiebelhuth, Bern, 1941.

–. *Es führt kein Weg zurück (You Can't Go Home Again)*, Übers. Ernst Reinhard, Bern, 1942.

Zuckmayer, Carl. *Des Teufels General*. Stockholm, 1946.

Abb. 1: Deutsche Kriegsgefangene in den USA; darunter Hans Werner Richter (2. v. r.).

Die Schulen von Kearney und Getty. Aus der Gefangenschaft über die Erkenntnis zur Freiheit

DIE GEISTIGE BRÜCKE

Kriegsgefangene bereiten deutsche Zukunft vor

Abb. 2: Die Schulen der Forts Kearney und Getty, an der Narragansett-Bucht gelegen. Vgl. bes. S. 22 ff.

Abb. 3: Titelblatt der 1. Nummer des *PW* vom 1. Februar 1945 (Ford Devens); Zeichnung von Bodo Gerstenberg.

Abb. 4: Titelblatt der 2. Nummer des *PW* vom März 1945;
Zeichnung von Bodo Gerstenberg.

ZEITUNG DER DEUTSCHEN KRIEGSGEFANGENEN IN USA

Edited and Prepared for German Prisoners of War by German Prisoners of War

DER Ruf

Erscheint halbmonatlich * Herausgeber: Die deutschen Kriegsgefangenen in USA * Anschrift: DER RUF, c/o Branch Office, OPMG, 50 Broadway, New York 4, N. Y. * Verantwortlich für den Gesamtinhalt: Arbeitsgemeinschaft DER RUF Gesamtinhalt durch die Zensur genehmigt * Nur in den Kantinen aller deutschen Kriegsgefangenen Lager in den Vereinigten Staaten von Amerika zu haben.

15. NOVEMBER 1945 PREIS 5c Nr. 17

GEDENKEN

Viele von uns werden sich an einen Sonntag im späten Herbst erinnern, an dem man mit Eltern oder Verwandten hinauswanderte an die Ränder der Stadt. In diesem nicht mehr städtischen und noch nicht ländlichen Bezirk konnte man in vielen Gärtnereien Kränze und Topfpflanzen haben und zu Sträussen gebundene Blumen, mit mehr oder weniger reichem Schmuck für den Friedhof versehen. Im Kalender stand Totensonntag. Jeder wollte dem Andenken verstorbener Familienmitglieder an der letzten Ruhestätte Ehre erweisen.

Wer könnte den Anblick vergessen, der sich in den Gebirgen des katholischen Südens oder Westens Deutschlands am Abend vor Allerseelen darbot! Weit durchs Tal schimmerten kleine Lichterfelder im geisterhaften Leben in der Dämmerung. Die Lebenden hatten für das Seelenheil der Verstorbenen am Tage gebetet, und auf jedem Grab jedes Friedhofes zitterten die Flämmchen.

Es war Andacht, Fürbitte, Liebe, Ehrfurcht, gewidmet denen, die vor uns lebten und schafften, denen wir unser Dasein verdankten, dargebracht am Orte unseres Lebens und ihrer Ruhe. Mancher Ältere unter uns wird sich erinnern, dass damals auch Kränze dargebracht und Lichter entzündet wurden für Väter und Brüder und Verwandte, die nicht auf dem heimatlichen Friedhof ruhten, von deren Grab wir manchmal nur eine Fotografie hatten, aus Russland, Frankreich oder vom Balkan, oder von denen wir nur wussten, dass sie irgendwo im Weltmeer ruhten, gesunken mit einem Kriegsschiff des ersten Weltkrieges.

Jetzt kommen wir wieder zu diesem Tag des Jahres, zum ersten Male nach dem zweiten Weltkrieg. Aus uralter Sitte und tiefer Überzeugung binden die Menschen überall auf der Erde die Ehrung und Andacht für ihre Toten an den Ort ihrer letzten Ruhe. Wir aber sind weit fort, auf einem fremden Kontinent, und haben auch hier schon unsere Friedhöfe und unsere Gräber, die wir bedenken und schmücken werden. Erst wenn wir einmal zurückkehren, werden wir wissen, wie gross unser Schmerz und wie tief unsere Trauer ist.

In der Erde Europas und unserer Heimat ruhen unendlich viele Söhne Amerikas. Auch hier werden Eltern und Geschwister an heimatlichen Gräbern stehen und derer gedenken, die auf einem fremden Kontinent ihre letzte Ruhestätte fanden, und auch hier ist es nicht das erste Mal so.

Wir haben allen Grund, das Letzte an seelischer, religiöser und moralischer Kraft in uns aufzurufen, um dem zu begegnen, was wir als Schicksal zu tragen haben, und was jedem einzelnen am Tage der Toten, an deren Gräbern wir nicht sein können, in tief beugendem Bewusstsein entgegentritt.

Auf dieses Bewusstsein der Überlebenden aber wird alles ankommen, darauf, dass es nicht bitter oder böse wird aus Schwäche, dass wir in ihm nicht noch das Letzte verlieren, was wir an guter, weltweit tragender Substanz in uns haben und was uns einmal den Namen des „Volkes der Dichter und Denker" brachte. Lasst uns durch Not, Tod und Elend der kommenden Jahre dafür sorgen, dass unsere Gräber in den nachbarlichen Ländern Europas nicht Stätten des Hasses bleiben! Wir sind in der Mitte Europas und werden es bleiben, wie sehr auch unsere Heimat jetzt zerrissen erscheint. Wie bisher fast alle Probleme Europas zwangsläufig in seiner Mitte ausgetragen und ausgelitten wurden, so lasst uns diesmal aus dem tiefsten Leiden lernen, dass nicht Gewalt und Hass diesen Raum erfüllen, sondern dass die Mitte ruhender Pol sein muss, dass wir uns um alle guten Geister Europas strebend bemühen müssen, dass unsere Menschen nicht blindlings Vorkämpfer für politische Abenteurer sein dürfen.

Lasst unsere Gräber rings in Europa für uns zu Bindungen werden an die guten Kräfte dieser Länder, damit unsere Toten auch dort einmal ruhig und ungehasst schlafen, wo wir nur aus der Ferne Andacht und Ehrung für sie verrichten können!

* * *

„Es ist denen wohl zu gönnen, die von uns geben zur Ruhe und zu neuer Jugend; aber dieses Leben ist gut, Gott ist auch hier, und ich glaube, es wird auch hier immer besser. Ich möchte Dir noch vieles sagen, was von Trost noch in mir ist; ich habe so oft erfahren, wie ein Zuruf, der aus dem Heiligtum unserer Seele kam, in tiefer Betrübnis uns beglücken und neues Leben, neue fromme Hoffnungen schaffen kann. Eines denke ich besonders oft, dass der Lebendige, der in uns und um uns ist, von Anbeginn in alle Ewigkeit mächtiger als der Tod ist, und das Gefühl dieser Unsterblichkeit erfreuet mich oft in meinem Namen und im Namen aller, die da leben, und die gestorben sind, vor unseren Augen. Und so ists mein gewisser Glaube, dass am Ende alles gut ist, und alle Trauer nur der Weg zu wahrer heiliger Freude ist."

* * *

„Von Kinderharmonie sind einst die Völker ausgegangen; die Harmonie der Geister wird der Anfang einer neuen Weltgeschichte sein. Von Pflanzenglück begannen die Menschen und wuchsen auf, und wuchsen, bis sie reiften; von nun an gärten sie unaufhörlich fort, von innen und aussen, bis jetzt das Menschengeschlecht, unendlich aufgelöst, wie ein Chaos daliegt, dass alle, die noch fühlen und sehen, Schwindel ergreift; aber die Schönheit flüchtet aus dem Leben der Menschen sich herauf in den Geist; Ideal wird, was Natur war, und wenn von unten gleich der Baum verdorrt ist und verwittert, ein frischer Gipfel ist noch hervorgegangen aus ihm, und grünt im Sonnenglanze, wie einst der Stamm in den Tagen der Jugend."

Friedrich Hölderlin

TOTENKLAGE

Wir singen nicht mehr, unser Mund ist stumm,
Es modern unsre Gebeine.
Und immer das dumpfe: warum, warum?
Am Wolchow, in der Ukraine.

Das liebe Leben, wir haben's geliebt,
Jetzt decken uns Schlamm und Steine
Und die Wildnis, die uns den Frieden gibt,
Am Wolchow, in der Ukraine.

Der Eiswind begräbt uns, doch wir sind frei,
Frei wie die Toten alleine.
Dann wiegt uns die Steppe, ihr grüner Schrei
Am Wolchow, in der Ukraine.

Walter Krumbach

Wahre Vaterlandsliebe

Zu den hervorstechendsten Merkmalen des Nationalsozialismus gehörte ein hohler und oberflächlicher Nationalkult, eine Vergötzung des deutschen Volkes, die sich grösstenteils auf Rassentheorie stützte und eines der wirksamsten Werkzeuge bei der Durchführung der Absichten der Machthaber war. Dieser Kult fand unter politischen Hysterikern und Histrionen, Unreifen und Wirrköpfen eine leider nicht geringe Verbreitung sowie er von ebensolchen Menschen, also von Hitler und seinen Gläubigen, in Szene gesetzt wurde. Was wussten aber ein Hitler und seinesgleichen von den ewigen, geistigen Werten des deutschen Volkes, auf welche man doch wahrhaft stolz sein kann?

Gerade diejenigen, die am meisten schreien, dass sie Deutsche seien und als Deutsche handeln und fühlen wollen, wissen am wenigsten von jener eigentlichen und ewigen Substanz, die wir geschaffen haben, von jener grossartigen Kraft des Geistes, welche in unserer Dichtung und Philosophie, in unseren schönen Künsten und in unserer Musik ihren Niederschlag gefunden hat. Sie pochen auf ihr Deutschtum bloss, weil sie das deutsche Militär für das beste der Welt halten und weil sie glauben, dass Deutschland bessere Tanks, Kanonen und Flugzeuge baut als andere Länder. Das heisst, sie halten sich etwas zugute auf das, was doch gerade mit dem deutschen Wesen im besten Sinne so gut wie nichts zu tun hat. Und was für die einzelnen gilt, das gilt für die Völker. Wie die Menschen am meisten zum Chauvinismus neigen, die am beschränktesten sind, so hetzen auch die Völker am meisten auf andere, die ihre eigenen Borniertheiten vergötzen.

Wer sich für einen „guten Deutschen" hält, der beweise zuerst, dass *er* das ewige Kulturgut zu schätzen und zu lieben versteht, das wir geschaffen haben, denn andernfalls hat er kein Recht, sein Deutschtum zu bekennen oder auch nur dieses Wort irgendwie im Munde zu führen. Gelangt er aber durch solche innerliche Liebe dazu, auf *seine* Nation stolz zu sein, so kann dies nur in *einem allem* Menschlichen, weil der Kultur als solcher, dienenden Sinne geschehen, der Art, wie es Goethe vorgelebt hat, der, des Mangels an Patriotismus beschuldigt, erklärte, dass er sein ganzes Leben lang das Höchste, was seiner Natur erreichbar war, seine menschliche Substanz, in friedlicher Weise im Dienste seiner Nation entfaltet habe, dass ihm ein anderer Begriff des Patriotismus fremd sei und man ihm getrost denjenigen zeigen solle, der mehr für sein Volk getan habe, als er. Denn gerade diejenigen, die am meisten von einer wahrhaft ewigen Berufung und einer wirklich hohen Befähigung ihrer Nation überzeugt sind, sind am wenigsten geeignet, Hass und Zwietracht unter den Völkern zu säen. Indem sie das Beste ihres eigenen Volkes lieben, können sie nicht umhin, auch die hohen, ewigen Werte der anderen Völker zu verehren, sodass irgendwelche Feindschaft, welche sich auf die zeitliche Existenz dieser anderen Völker richtet, kaum jemals aufkommen kann. Völker, die das Beste ihres eigenen Wesens ehren, lieben und schätzen einander, und wer alle anderen Nationen ihrem Wesen nach kennt und schätzt, der sieht in seiner eigenen *nichts anderes als eine besondere* Gestaltung der Kräfte, welche der Menschheit im Ganzen gegeben sind. „Wer Nation in höherem Sinne versteht, dem kann sie keinen Gegensatz

Fortsetzung auf Seite 2

Aus dem Inhalt

Des Kaisers Bart

Und immer wieder schickt ihr mir Briefe,
in denen ihr, dick unterstrichen, schreibt:
„Herr Kästner, wo bleibt das Positive?"
Ja, weiss der Teufel, wo das bleibt.

Aus Erich Kästner, „Ein Mann gibt Auskunft"

Kinder lassen Seifenblasen fliegen — Backfische bauen Luftschlösser — Narren streiten um des Kaisers Bart. — Männer rechnen mit Tatsachen, auch mit bitteren.

Bevor man ans Brotbacken geht, sollte man sich fragen, ob es Mehl und Salz gibt, ob Feuerung und Ofen vorhanden sind. Ob Schrippen oder Semmeln — das ist eine spätere Frage.

Schon gibt es wieder viele, die die „positiven Probleme des Wiederaufbaus" entscheiden wollen: Sparguthaben, Inflation und Pensionen, Renten und Hypotheken, Planwirtschaft oder Lenkung, Stadtrandsiedlung oder Wohnblock, Nationalisierung oder Kommunalisierung, Zentralismus oder Partikularismus, Pan-Europa, Ost-, West- oder Atlantik-Block.

Die Erörterung solcher Fragen ist gewiss notwendig in Unterricht oder Diskussion. Es wird dabei Wissensstoff vermittelt, das Blickfeld erweitert, es werden die Probleme aufgezeigt und der demokratische Standpunkt erläutert. In der Diskussion können diejenigen zur Toleranz erzogen werden, die über die „garantiert-einzig-allein-richtige Universal-Lösung" verfügen und jeden, der sich erdreistet, anderer Meinung zu sein, kurz und zackig mit der Behauptung „verkappter Faschist" k.o. schlagen. Man kann mit vieler Mühe sogar erreichen, dass Voltaires Wort verstanden wird „Ich teile Deine Meinung nicht, aber ich werde Dein Recht, diese Meinung frei zu sagen, bis zum Tode verteidigen."

Wir wollen uns daher ruhig und sachlich Gedanken über den politischen und wirtschaftlichen Wiederaufbau der Heimat machen. Wir müssen uns aber hüten, in Extremen zu denken. Es ist ebenso falsch, aus der Gefangenenpsychose heraus die Situation zu rosig zu sehen, wie umgekehrt überhaupt an der Zukunft zu verzweifeln. Der Stacheldraht erzeugt bekanntlich die heftigsten Schwankungen des Gemütes.

Niemals aber dürfen wir vergessen, dass wir in diesen Dingen nur theoretisieren können. Zu praktischen Vorschlägen und konkretem Handeln gehören aber Freiheit und Tatsachenkenntnis, wie zum Bauen ungebundene Hände, Bauerlaubnis und Baumaterial nötig sind. Unsere Heimat ist zunächst einmal Objekt und nicht Subjekt der Politik. Bevor wir ernsthaft planen können, müssen wir wissen, wieviel uns bleibt und was uns erlaubt sein wird.

Wenn eine Firma Konkurs macht, der Direktor Selbstmord begeht, die Prokuristen als Defraudanten verhaftet werden und die Geschäftsbücher verbrannt sind, dann macht man zuerst Inventur, stellt einen Status auf, und die Gläubigerversammlung beschliesst die Abwicklung oder Fortführung des Betriebes. Arbeiter und Angestellte haben keinen Einfluss auf das Geschehen. Sie müssen während dieser Zeit sehen, wie sie durchkommen. — Solange wir keine endgültigen, politischen und wirtschaftlichen Entscheidungen, keine Statistiken über die verbleibenden Menschen, Wohnungen und Produktionsmittel haben, bleibt alles Planen — vor allem von uns hier — im Bereich des Utopischen. In unserer Lage sind die Probleme Themen zur Schulung des wirtschaftspolitischen Denkens und ein Mittel der Erziehung. Entscheidungen werden umso richtiger sein, je tiefer der Einblick in alle Gebiete der Staatswissenschaft und Volkswirtschaft ist.

Es gibt aber eine höherwertige Sphäre des Wiederaufbaus, in der wir heute auch praktische Arbeit leisten können. Es ist das Gebiet des Geistigsittlichen, dessen Erneuerung vollkom-

Abb. 5: Titelseite des *Ruf* vom 15. November 1945.

Abb. 6: Titelseite des *Ruf* vom 1. Dezember 1945.

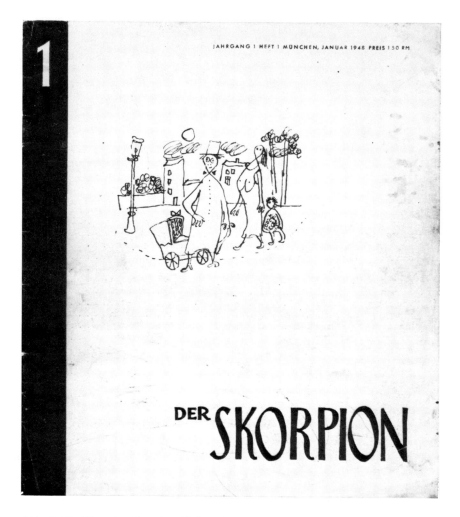

JAHRGANG 1 HEFT 1 MÜNCHEN, JANUAR 1948 PREIS 1.50 RM

DER SKORPION

Abb. 7: Titelblatt des *Skorpion*, Heft 1, Januar 1948.

SKORPION / ERSCHEINT MONATLICH

INHALT

HEFT 1 / JAHRGANG 1 / JANUAR 1948

Herausgegeben von *Hans Werner Richter* unter Mitwirkung von Alfred Andersch, Wolfgang Bächler, Günther Eich, Heinz Friedrich, Walter Maria Guggenheimer, Walter Hilsbecher, Walter Kolbenhoff, Wolfgang Lohmeyer, Walter Mannzen, Friedrich Minssen, I. Schneider-Lengyel, Wolfdietrich Schnurre, Nikolaus Sombart, Maurice Toesca, Heinz Ulrich.

Redaktion: *Walter Heist.* Graphische Gestaltung: *Franz Wischnewski.*

Druck: Buchdruckerei und Verlagsanstalt Carl Gerber, München 5.

Im Manuskript gedruckt

Abb. 8: Inhaltsverzeichnis und Impressum des *Skorpion*, Heft 1, Januar 1948.

DIE LAGERSTIMME

Nr. 78

Camp Ellis, den 1. Juni 1945

Um uns...

Um uns sind nie die Schrecken
dieser Zeit gebannt gewesen
Nie kam das zaertlich-muede Wort
zu uns, das in vertraeumten Stunden
der Haerte mildernd seine Form
verleiht
Nie lag das Leben schon fuer
uns bereit, um leicht geknuepft
sich spielend mit dem Leichteren
zu binden
Nie war die Tat, die aus der Fuelle
schnell beschwingt entspringt
uns schon geschenkt
bevor wir sie erwarben
Nun will sie sich zum Groesseren
finden,will sich gestalten,
wo sie nur gedarbt
Nun, wo in allen Lebensrinden
die Armut sich mit neuen Wunden
paert, bleibt nur der Traum,
der in den Winden wiegt,
und uns mit neuen Traeumen narrt

Ogfr. Hans Richter

Von dem was notwendig ist

Viele von uns glauben, es sei nicht notwendig, dass diese oder jene Dinge,die sich aus der veraenderten politischen, wirtschaftlichen
und staatlichen Situation unseres Landes und des gesamten europaei-
schen Kontinents ergeben haben, hier besprochen werden, ja, sie meinen "innerlich empoert" sein zu muessen, wenn mit aller Sachlichkeit
Tatsachen festgestellt werden, die nun einmal da sind und die weder
der eine noch der andere aus der Welt schaffen kann.

Es ist leicht, die Augen zuzumachen, wenn man etwas nicht sehen will

Abb. 9: Titelblatt der *Lagerstimme*, Nr. 78, vom 1. Juni 1945.

FRÄULEIN CHRISTINE

Von Anton Windisch

(Pseud. für Alfred Andersch)

Der Ruf, June 15, 1945, p. 6

»Denken Sie, ich habe die Figuren gesehen«, erzählte sie, und in ihrer Stimme war die innere Atemlosigkeit des Erlebnisses zu fühlen. »Sie sind herrlich. So dicht und geschlossen, wie wirkliche Körper, die unter einer dünnen Holzhülle atmen. Und es sind Körper, in denen der Geist weht. Nichts Kleinliches ist daran.«

Hinter den scharfen Gläsern ihres Gegenübers wurde der unruhige, abwehrende Blick spürbar. Sein ein wenig zu eleganter Anzug verschob sich, als er sich vorbeugte:

»Sie urteilen zu schnell, Fräulein Christine, Sie haben sich von der slawischen Sirenen-Melodie Barlachs einfangen lassen. Ich gebe zu, daß seine Art, das Holz zu behandeln, etwas Verführerisches hat. Aber er gehört nicht in unsere nordische Welt mit seiner lastenden Schwermut. Es fehlt ihm das Heroische, das Pathos im besten Sinne, das wir heute brauchen.«

Sie ertappte sich dabei, daß sie kaum hinhörte. Noch immer sah sie sich, sehr schmal in ihrem lichten Sommerkleid, in den zwei kleinen, dämmerigen Räumen im Züricher Kunsthaus stehen, in denen sie plötzlich umschlossen gewesen war von der Welt dieser Figuren. Zuerst hatte sie nur das braune Licht des Holzes verspürt, das von den aufrechten oder gelagerten Bildwerken ausging, dann aber war sie beinahe wie eine Liebende von dem stemmenden Schreiten des »Wanderers«, von der rasenden und beschützerischen Kraft des »Rächers« erfaßt worden.

Sie fühlte, daß sie das alles verschweigen mußte vor dem Dr. Witte, diesem Anwalt der neuen Ansichten, deren glatte und gewandte Vertretung ihm trotz seiner Jugend bereits das Lehramt für Geschichte an der Münchener Universität eingetragen hatte. Und noch weniger konnte sie ihm sagen, was sie sich selbst kaum eingestand, daß hinter all ihrem Denken und Betrachten an jenem Nachmittag die Gestalt Werner Rotts gestanden hatte.

Sehr heftig hatte sie seine Nähe empfunden und sich der wenigen Begegnungen mit ihm im Hause ihrer Eltern erinnert. Der junge Arbeiter, der mit ihrem Vater verkehrte, aber an einem sonntäglichen Teenachmittag schweigend ihrer Unterhaltung mit dem Dr. Witte zugehört hatte, war ihr neben der fließenden Überzeugtheit des anderen nicht sehr bedeutend erschienen, wenn sie auch undeutlich die Härte seines Schweigens gefühlt hatte. Es war irgendein Gespräch über Dinge der Kunst gewesen, und die Verliebtheit Wittes, die aus seiner Selbstsicherheit herauszuspüren war, hatte ihr geschmeichelt. An einem der nächsten Tage hatte sie das Buch mit den Abbildungen Barlachscher Plastiken auf ihrem Tisch gefunden, das Buch, in dem Werner Rotts Name stand. Dieser stumme Hinweis hatte sie beschämt. Nein, sie konnte darüber wirklich nicht sprechen.

»Aber die Sonne auf dem Zürich-See hätten sie sehen sollen«, sagte sie ablenkend zu Witte. »Es ist wunderschön, am Limmatkai zu sitzen und mit den Augen ins Gebirge spazieren zu gehen. Um die alten Zunfthäuser ist immer der leichte Bergwind. Ich glaube, daß die Schweizer deshalb so freie, heitere Menschen sind.«

Doch wieder waren ihre Gedanken weitergewandert, so daß sie sich zwingen mußte, der Antwort Dr. Wittes, der etwas von der Unverbindlichkeit und satten Bürgerlichkeit des schweizerischen Lebens sagte, zu folgen. Da war jene Stunde gewesen, in der ihr der Vater gesagt hatte, daß sie sehr rasch nach Zürich reisen müsse, zur älteren Schwester, dort eine Stätte der Aufnahme vorzubereiten für Werner Rott, für dessen Sicherheit das Schlimmste zu befürchten sei. Dann hatte er ihr von Werner Rott erzählt, von den ersten Novellen und Aufsätzen, die der junge Schlosser gerade in den letzten Monaten vor dem Ausbruch der Diktatur veröffentlicht habe, ausgezeichneten Arbeiten voller Sprachkraft und geistiger Originalität, wie der Vater sagte — und Christine wußte, daß ihr Vater, der große, kämpferische Gelehrte solche Urteile nicht ohne sorgfältige Prüfung fällte. Als die Macht sich gegen den Geist wandte, verstummte Werner und kehrte in die Motorenfabrik zurück, in der er nun sein anonymes Tagewerk verrichtete. Aber man wußte, daß ein Unwetter sich über seinem Haupte zusammenzog; seine frühere führende Stellung in der Jugendbewegung war nicht vergessen, und Werner hatte es nicht hindern können, daß noch immer junge Menschen zu ihm kamen; ihre Zuneigung war so herzlich, daß er nicht immer widerstehen konnte und ihnen manchmal aus seinen Gedichten und Erzählungen vorlas. Er wurde sehr scharf überwacht.

Christine wurde auf einmal ungeduldig, wie es jede Frau wird, die nicht von den Dingen sprechen darf, die ihr am Herzen liegen. Ungezogen blickte sie auf die Uhr. Sie wünschte sich jäh eine schnelle Begegnung mit Werner und beschloß, ihn sogleich anzurufen, wenn Dr. Witte gegangen war. Werner würde seine Schrift schon beendet haben und so konnte sie ihn bitten, einen langen Spaziergang mit ihr zu machen. Ihm würde sie alles erzählen können von den Figuren Barlachs, und wie sie sich ihrem drängenden und beinah ängstlich machenden Anruf ergeben hatte. Und noch während Dr. Witte sich verabschiedete, sah sie die Verhaltenheit Werners vor sich wie einen Turm, um den ihr Vertrauen gleich einem Vogel kreisen konnte.

Draußen schlug die Tür ins Schloß. Das Spätnachmittagslicht schrägte rötlich ins Zimmer. Vor dem Fenster rauschten die Bäume des englischen Gartens. Vielleicht würde sie in einer halben Stunde schon an der Seite Werners auf den verschlungenen Parkwegen gehen. Es fiel ihr ein, daß sie ihm auch über die Hilfe zu berichten hatte, die sie in Vaters Auftrag für ihn bereitet hatte. Vielleicht würde ihn das noch mehr interessieren als ihr Erlebnis mit den Figuren. Sie hatte schon aufspringen und ans Telefon eilen wollen, doch blieb sie noch eine Weile sitzen, von seltsamer Traurigkeit befangen. Sie begriff, daß sie ihn bald nicht mehr sehen würde, vielleicht sprach sie heute schon zum letzten Mal mit ihm.

Doch dann erhob sie sich rasch und ging ans Telefon, das sich im Arbeitszimmer des Vaters befand. Sie nahm den Hörer ab und wählte die Nummer. Eine weibliche Stimme meldete sich, leise und entfernt, und nannte den Namen: »Rott«.

»Kann ich Werner Rott sprechen, bitte?« fragte Christine, ein wenig zögernd.

»Mein Sohn ist nicht da.« Die Stimme der Frau klang müde, war wie von Schleiern verdeckt. »Er ist vor zwei Tagen verhaftet worden. Bitte, rufen sie nicht mehr an!«

Alfred Andersch

DIE FARBE VON OST-BERLIN

dieser film
zeigt
kalte gelöschte straßen
in denen einige söhne
umhergehen
die es nicht aufgegeben haben
nach ihren vätern
zu suchen

die haut des spreekanals schwelt
und geht aus

der gendarmenmarkt
wartet noch blind
auf die stunde der ulenflucht

denn der vogel der minerva
bewegt sein gefieder
erst in der dämmerung

unter dem toten krieg
regt sich
ein rostiges
grau

Merkur, XI (1961), p. 950